L'OMBRE

STEPHEN LLOYD JONES

L'OMBRE

Traduit de l'anglais
par Pierre Szczeciner

Titre original :
THE STRING DIARIES

Pocket, une marque d'Univers Poche,
est un éditeur qui s'engage pour la préservation
de son environnement et qui utilise du papier fabriqué
à partir de bois provenant de forêts gérées
de manière responsable.

ISBN : 978-2-266-25061-0

À Julie

et à trois garçons qui ont déjà changé le monde

Chapitre 1

Snowdonia, pays de Galles

De nos jours

Ce ne fut qu'après avoir atteint la ferme, peu après minuit, que Hannah Wilde se rendit compte de la quantité de sang qu'avait perdue son mari.

Le trajet jusqu'à Llyn Gwyr avait été plutôt silencieux. La vue embuée par la pluie et les larmes, Hannah se concentrait sur la route. À côté d'elle, avachi sur le siège passager du Land Rover Discovery, Nate n'était plus qu'une ombre informe. Quand elle jugea que la menace était assez loin derrière eux, elle s'autorisa à jeter quelques coups d'œil vers lui, mais tant qu'elle conduisait, elle n'avait aucun moyen d'estimer la gravité de ses blessures. Chaque fois qu'elle proposait de se garer sur le bas-côté, Nate secouait la tête et la pressait de continuer.

« Va jusqu'à la ferme, Hannah, lui répétait-il. Ça va aller, promis. »

Après quatre heures au volant – il était presque minuit, à présent –, elle observa à la lueur des phares les panneaux anglais laisser place à leurs homologues gallois : Cyfronydd, Llangadfan, Tal-y-llyn.

Cette nuit-là, ils étaient absolument seuls sur la

route. Et bien que le champ de vision de Hannah se limitât aux quelques mètres de bitume éclairés par ses feux avant, elle sentit peu à peu le paysage s'élargir autour d'elle, devenir plus sauvage.

Tandis que la voiture poursuivait son ascension, la route sinueuse semblait vouloir les désarçonner. Ils suivirent quelque temps un torrent impétueux, dont seule la surface constellée d'éclats de lune trahissait la présence. Parfois, au gré des lacets, les reflets disparaissaient brusquement, avalés par la nuit.

Quand ils furent à moins d'un kilomètre de Llyn Gwyr, Hannah ralentit et éteignit les phares du 4 × 4 pour gravir les derniers mètres jusqu'au col, où se dressait un bosquet de frênes. Elle observa pendant quelques secondes les branches nues qui s'agitaient.

Hannah coupa le contact. Jusqu'ici, le bruit du moteur avait couvert celui du vent. Mais maintenant qu'ils étaient à l'arrêt, les bourrasques hurlantes faisaient trembler la voiture sur ses amortisseurs.

Qu'est-ce que tu t'imaginais ? se demanda-t-elle. Tu pensais vraiment être en sécurité, ici ?

Sur le siège passager, Nate se redressa pour observer les alentours.

« Qu'est-ce que tu vois ? » interrogea-t-il.

Derrière les arbres, le paysage semblait chuter brutalement jusqu'à la rive d'un plan d'eau. Bien que la lune se fût réfugiée derrière d'épais nuages venus de l'ouest, une lueur phosphorescente scintillait à la surface. La ligne noire d'un torrent serpentait dans la montagne avant de se jeter dans le lac.

La ferme de Llyn Gwyr se trouvait de l'autre côté de ce lac. Pour la rejoindre, un chemin carrossable escarpé partait de la route principale et descendait jusqu'à un pont en pierre qui enjambait le torrent.

« D'aussi loin je ne vois vraiment pas grand-chose, répondit-elle. Surtout dans le noir.

— Il doit y avoir une paire de jumelles dans la portière. Vérifie le pont en premier. Tu me diras si c'est dégagé. »

Une fois qu'elle les eut trouvées, elle commença par chercher la rivière. Il lui fallut un moment pour se repérer, puis elle finit par localiser le pont. La vieille arche en pierre semblait à peine assez robuste pour supporter le poids de leur 4 × 4.

Cependant, elle ne remarqua rien de suspect : pas de débris au milieu du pont, pas d'ombre suspecte tapie en dessous. Bref, aucun signe d'embuscade.

« Dégagé.

— Très bien, maintenant, la maison. »

Elle l'entendit remuer sur son siège et ravaler un gémissement de douleur. Aussitôt, elle se tourna vers lui.

« Nate ? Qu'est-ce qui se passe ? Laisse-moi au moins t'aider à...

— Non, Hann', ça va, tenta-t-il de la rassurer d'une voix qui trahissait son épuisement. Continue. Vérifie la maison. »

Sans un mot, elle braqua les jumelles sur la ferme. Les murs en pierre blanche miroitaient à la lueur voilée de la lune. Elle repéra les contours d'un vieux toit en ardoise qu'elle avait déjà eu l'occasion d'observer sur des photos.

« Qu'est-ce que je suis censée chercher ? demanda-t-elle.

— Regarde d'abord si les fenêtres sont intactes. »

Une pause le temps qu'elle vérifie.

« À première vue. Les quatre que je vois, en tout cas.

— Très bien. Et la porte ? Elle n'est pas ouverte ? Elle n'a pas l'air d'avoir été forcée ?

— Difficile à dire, mais... Non, je crois qu'elle est fermée.

— Parfait. Maintenant, écoute-moi, Hann'. Je suis à peu près certain qu'il n'y a personne dans la maison. Mais on va quand même être extrêmement prudents. Tu vas conduire au pas, tous feux éteints. L'entrée du chemin n'est plus très loin. Si je me souviens bien, ça descend raide jusqu'au pont, et ensuite, c'est plus plat. On va se garer derrière la ferme, comme ça, personne ne pourra repérer la voiture depuis la route. »

Il marqua une pause et remua de nouveau sur son siège, ce qui lui arracha un autre gémissement.

« Prête ? » demanda-t-il.

Hannah expira bruyamment, puis hocha la tête.

« Oui, fit-elle. Récupère les jumelles. »

Quand elle les lui tendit, leurs deux mains se frôlèrent. Il avait les doigts mouillés, collants. Elle sentit sa gorge se serrer.

« Nate, est-ce que tu saignes encore ?

— Ça n'a pas d'importance. Allez, redémarre. On y est presque. »

Et soudain, il fallait qu'elle sache. Il avait beau redoubler d'efforts pour la rassurer, elle était toujours ébranlée par les événements de la soirée. Avant d'aller plus loin, elle avait besoin de savoir à quoi s'en tenir. Sans réfléchir, elle tendit la main vers le plafonnier et alluma la lumière.

Quand elle le vit, le peu d'espoir auquel elle se raccrochait encore disparut instantanément. Elle serra les dents et se força à ne pas trembler, déterminée à ne rien laisser transparaître de la détresse qui l'envahissait.

Il était couvert de sang.

Son blouson en laine en était imbibé. Sa chemise dégoulinait. Il avait une flaque rouge entre les cuisses, qui lui trempait le jean et s'insinuait entre les rainures du siège.

Hannah leva les yeux pour le regarder et, submergée par l'émotion, elle ne put retenir un sanglot. Il était mourant, cela ne faisait aucun doute. Elle voyait bien qu'il n'en avait plus pour très longtemps. Ses lèvres avaient perdu leur couleur. Aux rares endroits qui n'étaient pas maculés de sang, ses joues étaient d'une pâleur livide. Malgré l'air conditionné, il suait à grosses gouttes.

Nate voulut sourire, mais quand ses lèvres laissèrent entrevoir ses dents, Hannah eut la sensation de se retrouver face à un cadavre grimaçant.

« Je crois que je ne saigne plus trop, dit-il.

— Nate, il faut absolument t'emmener à l'hôpital, répondit-elle d'une voix qui trahissait la panique. Et tout de suite. »

Il secoua la tête.

« Non. C'est impossible. Ça va aller. Je te le promets.

— Mais Nate, si...

— Non, Hannah, écoute-moi, ordonna-t-il avant de s'arrêter pour reprendre son souffle. On ne peut pas se permettre de prendre le moindre risque. Tu ne me feras pas croire que tu n'en as pas conscience. Mon sort n'a aucune importance. On doit protéger Leah. »

Hannah voulut hurler, mais le cri resta coincé dans sa gorge. Elle se retourna brusquement en entendant le nom de Leah, leur fille, qui dormait sur la banquette arrière. En voyant ce visage délicat, si fragile et si serein, elle se sentit à la fois terrifiée et rassurée.

Nate avait raison ; ils n'avaient pas le choix. Mais comment croiser le regard de son mari et accepter sans protester ? Comment être complice d'un tel sacrifice ? Quelque chose se brisa en elle. Il n'y avait que deux personnes au monde qu'elle aimait ainsi. Faire passer l'une avant l'autre était impensable.

Nate sortit la main de sous son blouson et observa ses doigts maculés de sang.

« Je vais m'en tirer, Hann'. Fais-moi confiance. Je sais que j'ai perdu beaucoup de sang et que ce n'est pas beau à voir, mais je connais ce genre de blessures. Il faut me croire quand je te dis que je peux m'en sortir. Mais pour ça, il ne faut pas qu'on traîne. »

Hannah cligna des yeux pour chasser les larmes. Elle ne croyait pas un mot de ce que lui disait ce fantôme. Malgré tout, elle ravala le hurlement toujours coincé dans sa gorge et démarra.

« Tiens bon, Nate. On est bientôt arrivés. Tu es bien installé ?

— Tu plaisantes, j'espère ? »

Elle se força à rire. Un rire qui ressemblait plus à une toux rauque.

Elle enleva le frein à main et le Land Rover s'ébranla. Ils franchirent le col et entamèrent la lente descente à travers la forêt. À leur passage, les sapins semblaient tendre leurs doigts frémissants pour les arrêter. Quand elle repéra le chemin sur la gauche, elle tourna.

À présent qu'ils avaient quitté la route principale et qu'ils étaient invisibles derrière les immenses conifères, elle se risqua à allumer les veilleuses. Le chemin escarpé était en piteux état, et Hannah s'efforça de conduire le plus lentement possible afin de contourner les plus gros cailloux et d'éviter de trop secouer Nate. Mais malgré ses efforts, elle ne pouvait éviter tous les chocs, et son mari poussait régulièrement des grognements sourds, qui chaque fois la faisaient tressaillir.

« Qu'importent les risques, bats-toi jusqu'au bout », répétait souvent le père de Hannah.

Elle devait se raccrocher à cette devise, car le sentiment d'impuissance et la peur qu'elle éprouvait en cet instant ne servaient à rien. Elle passa en revue ce qu'elle savait des hémorragies. Pour que Nate ait une chance de survie, elle devait à tout prix éviter qu'il ne tombe en état de choc. Pour l'heure, sa transpiration excessive et sa respiration saccadée témoignaient d'un état d'hypovolémie alarmant.

Elle connaissait la marche à suivre pour sauver son mari : arrêter le saignement, le maintenir au chaud et lui faire avaler beaucoup d'eau pour éviter la déshydratation.

Elle aperçut une pancarte blanche en bois vermoulu avec des lettres noires : LLYN GWYR. Une des planques de son père.

En bas de la côte, le chemin devenait plus praticable. Elle franchit avec précaution le pont en pierre, puis poursuivit vers la ferme, jusqu'à ce que la lumière des phares balaie la bâtisse. Seules les fenêtres restaient obstinément noires, insondables.

L'allée privée faisait le tour de la maison. Ils passèrent devant des écuries en pierre et une étable abandonnée. Le gravier crissa sous les pneus du Discovery quand elle s'arrêta derrière le bâtiment.

Hannah coupa le moteur, éteignit les phares et retira la clé du contact.

« Je vais ouvrir, annonça-t-elle. Je reviens tout de suite pour t'aider à descendre de la voiture.

— Prends la lampe torche. »

Elle acquiesça, puis se pencha derrière son siège pour attraper l'imposante Maglite. Enfin, elle embrassa Nate. Il avait les lèvres froides.

« Ne profite pas de ce que j'ai le dos tourné pour aller faire un tour, prévint-elle.

— Je crois que j'ai oublié mes chaussures de marche », répondit-il d'une voix faible.

Il n'avait pas perdu son sens de l'humour, c'était déjà ça.

Hannah posa la main sur la poignée de la portière. Elle hésitait. À présent qu'ils étaient arrivés à destination, elle ne voulait plus sortir de cette voiture qui leur avait servi de cocon ces cinq dernières heures. Comme pour achever de la dissuader, une bourrasque fouetta le véhicule.

Mais Hannah avait conscience que chaque minute comptait. Elle ne pouvait pas se permettre de perdre du temps. Elle ouvrit donc la portière et sortit du 4 × 4.

Aussitôt, le vent l'agressa et manqua lui faire perdre l'équilibre. Des rafales tourbillonnantes lui plaquèrent les cheveux sur le visage et lui arrachèrent des larmes. Elle referma la portière, rentra la tête dans les épaules, remonta la fermeture Éclair de son polaire et s'éloigna de la voiture.

Ses yeux ne s'étaient pas encore habitués à l'obscurité, mais elle parvint tout de même à discerner les contours de la ferme, le noir plus profond des fenêtres, la porte de derrière, la véranda. Et ce qui ressemblait à des dépendances, un peu plus loin sur la gauche.

Hannah s'approcha rapidement de la bâtisse en se demandant ce qu'elle allait y trouver. Elle savait que les lieux étaient inoccupés depuis des années. Son père payait quelqu'un pour venir jeter un coup d'œil de temps en temps, mais elle ne savait pas à quand remontait la dernière visite. Elle remarqua qu'une des fenêtres du bas – celle du salon, peut-être – était cassée. Mauvais signe. Malheureusement, elle n'avait pas le temps de s'en soucier, car, pour l'heure, le plus important était de s'occuper de Nate.

Hannah atteignit la porte de derrière et se pencha vers la fenêtre de la cuisine pour risquer un regard à l'intérieur. Il faisait trop noir pour distinguer quoi que ce fût, et elle ne voulait pas prendre le risque d'allumer sa lampe torche. Elle allait glisser la clé dans la serrure quand, soudain, elle entendit un bruit derrière elle.

Elle s'immobilisa, la main droite sur la poignée, la gauche tenant le porte-clés. Le bruit s'arrêta aussi brusquement qu'il était apparu. Après quelques secondes, elle l'entendit de nouveau : un crissement sur le gravier. Juste derrière elle.

Encore une fois, le son disparut, englouti par le vent et la pluie.

Elle n'avait aucune arme, mais la Maglite coincée sous son bras gauche était robuste, avec sa coque en aluminium anodisé. Une seconde de réflexion lui permit de conclure que Nate ne pouvait pas être à l'origine de ce bruit : elle aurait entendu la portière s'ouvrir.

Délicatement, elle prit la lampe torche dans la main afin de pouvoir l'utiliser comme matraque si nécessaire. D'un doigt, elle chercha l'interrupteur.

Les battements de son cœur faisaient bourdonner ses oreilles.

Nate et Leah comptent sur toi, se dit-elle. Ils n'ont plus que toi pour les protéger.

Doucement, tout doucement, elle se retourna.

Derrière l'allée, un jardin en friche. Au fond du jardin, derrière une clôture en bois, s'étendaient les champs appartenant à la ferme. De là où elle se tenait, elle discernait les herbes hautes qui ployaient sous le vent. Au loin, l'ombre menaçante des montagnes.

Et entre elle et le jardin, à quelques mètres à peine, une silhouette. Dans le noir, elle avait du mal à voir de quoi il s'agissait, mais elle remarqua tout de suite qu'elle avait affaire à quelque chose de massif. D'impressionnant.

Un grognement sourd. Une respiration bruyante.

La chose se trouvait entre Hannah et la voiture. D'une main tremblante, elle alluma la lampe torche.

Et là, hypnotisé par l'éclat aveuglant de la Maglite, se dressait le plus grand cerf qu'elle avait jamais vu. Une fourrure d'un brun fauve, plus foncée au niveau de la gorge. Une ramure majestueuse qui semblait jaillir de sa tête. Et deux yeux qui observaient fixement Hannah, qui la paralysaient.

Visiblement, la lumière l'avait surpris. Hannah remarqua les muscles puissants qui se contractaient au niveau des flancs. Mais, curieusement, l'animal ne s'enfuit pas. Il se déplaça légèrement sur le côté dans un bruit de graviers, puis il leva la tête pour humer l'air. Il resta ainsi immobile quelques secondes, puis il finit par reporter son attention sur Hannah.

Elle se rendit compte qu'elle retenait sa respiration.

Le cerf était assez puissant – et ses bois assez menaçants – pour la tuer d'une simple charge.

Tendue, elle observa de nouveau les muscles qui tressaillaient sous la fourrure. À présent, la bête avait tourné la tête vers la droite, sans pour autant cesser de l'examiner.

Brusquement, de façon si soudaine que Hannah faillit laisser échapper un hurlement, l'animal s'élança dans une explosion de gravillons et, en trois bonds, il disparut.

Hannah scruta l'obscurité pendant quelques secondes, pétrifiée par ce qu'elle venait de voir. Un cerf élaphe. Une espèce qu'elle pensait totalement inconnue au pays de Galles.

Elle pensa à Nate, et décida d'oublier ces considérations zoologiques pour se tourner de nouveau vers la ferme. Elle ouvrit la porte et pénétra dans la cuisine. Le faisceau de la lampe torche révéla une large pièce dallée. Une immense cheminée. Un canapé et deux fauteuils. Des meubles de cuisine vitrés qui surplombaient un plan de travail couvert de poussière. Deux buffets : un rempli de vaisselle, l'autre débordant de livres de poche, moulinets de canne à pêche, bougies, sachets de graines, allumettes, ainsi qu'une trousse de premiers secours. Une table ronde à côté de la fenêtre. Une porte menant à un couloir plongé dans l'obscurité.

Hannah actionna un interrupteur. Rien. Elle se souvint alors que Nate lui avait dit que la ferme était trop excentrée pour être raccordée au réseau. Il devait y avoir un groupe électrogène dans une des dépendances. Tant pis, se dit-elle. Pour l'électricité, on verra plus tard.

Elle prit une boîte d'allumettes, posa la Maglite par terre et s'accroupit devant la cheminée. Quelqu'un avait laissé des bûches et du petit bois. En moins d'une minute, un feu crépitait dans l'âtre. Elle alluma deux bougies, en posa une sur la table, l'autre sur le plan de travail. Elle en allumerait d'autres plus tard, mais pour l'heure, il fallait qu'elle mette son mari à l'abri.

Dehors, le vent avait encore forci. L'air glacial venu des montagnes lui provoqua un frissonnement douloureux. Elle rentra la tête dans les épaules, courut jusqu'à la portière passager du Land Rover et l'ouvrit.

Nate était avachi sur son siège, évanoui, blanc comme un linge.

« Hé ! Nate ! » s'écria-t-elle.

Elle lui donna une gifle qui le réveilla. Il se redressa comme il put, tâcha de reprendre ses esprits, mais elle vit tout de suite que ses yeux ne lui obéissaient plus.

« Je te tiens, Nate, d'accord ? N'essaie pas de parler. On va à l'intérieur, tu verras, j'ai fait du feu. Mais pour l'instant, il faut que tu fasses un petit effort. Je te préviens, ça risque de faire un peu mal. »

Obéissant, Nate se pencha vers l'extérieur et bascula. Elle avait beau s'être préparée à le rattraper, elle manqua de chuter sous le poids, et elle dut prendre sur elle pour ignorer le hurlement de douleur que son mari laissa échapper.

« C'est bien, Nate. Parfait. Tu as fait le plus dur. Maintenant, quelques pas et on y est. »

Elle jeta un regard vers sa fille endormie.

Bon sang, mais elle n'a que neuf ans, songea-t-elle. Pourquoi faut-il que ce soit à nous que ça arrive ?

« Leah, ma chérie, je reviens te chercher », murmura

Hannah en refermant la portière passager d'un coup de pied pour que la petite ne prenne pas froid.

Elle passa le bras de son mari autour de son épaule et tous deux se dirigèrent en boitillant vers la cuisine, que le feu avait déjà commencé à réchauffer.

« Canapé, bredouilla Nate.

— Tout de suite. »

Elle l'allongea sur le sofa, glissa un coussin sous sa tête et lui leva les jambes.

« Il faut que je voie la blessure », dit-elle.

Les mains de Nate retombèrent, inertes, de part et d'autre de son corps. Hannah ouvrit la veste et déchira la chemise. Le torse de son mari luisait de sang.

Elle repéra tout de suite les deux plaies de trois centimètres chacune. La première se trouvait juste au-dessus de la dernière côte. Hannah avait tout oublié de ses cours de biologie, et elle n'aurait su dire si le poumon descendait jusque-là. La seconde était située plus bas, au niveau de l'abdomen.

Hannah courut chercher la trousse de premiers secours – une petite mallette verte – qu'elle avait aperçue sur le buffet. Elle l'ouvrit et se mit à fouiller à l'intérieur. Elle trouva des lingettes qu'elle utilisa pour nettoyer rapidement les blessures. Elle dut attendre quelques secondes avant de voir réapparaître le sang, ce qui était plutôt bon signe. En même temps, il en avait déjà perdu tellement... Elle récupéra ensuite un rouleau de sparadrap et des compresses et entreprit de le panser du mieux qu'elle pouvait.

Elle savait que cela ne le sauverait pas. À ce stade, il avait besoin de véritables soins médicaux.

Quand elle eut fini, elle l'enveloppa dans une couverture ramassée sur un des fauteuils.

« Nate, essaie de rester éveillé, d'accord ? Il faut que tu boives quelque chose.

— Je t'aime », murmura-t-il.

Presque des adieux.

Incapable de répondre, Hannah se retourna et essuya les larmes qui commençaient à rouler sur ses joues. Elle se dirigea vers l'évier et remplit un verre d'eau. Puis elle prit un paquet de sucre dans un des placards, en versa dans le verre et touilla la mixture avec une petite cuillère.

« Bois », ordonna-t-elle en approchant le verre de ses lèvres.

Elle lui releva la tête et il se mit à boire. Au bout de deux verres, il lui fit signe que c'était assez. Puis il rassembla son énergie pour parler.

« Hann'... dans le couloir. Le placard. »

Sa voix n'était plus qu'un murmure, et elle avait du mal à entendre ce qu'il disait.

« L'équipement... pour le lac.

— Quel équipement, Nate ? De quoi tu parles ?

— La plongée. »

Hannah fronça les sourcils, puis soudain, elle comprit. Elle se dirigea vers le couloir obscur. Grâce à la Maglite, elle repéra vite le placard sous l'escalier. À l'intérieur, au milieu des manteaux, des salopettes et des chapeaux, se trouvaient une bouteille de plongée et son détendeur. Elle dirigea le faisceau de sa lampe vers le cylindre blanc. Sur le côté, en lettres noires, on pouvait lire : Air enrichi (Nitrox). Et au-dessus, écrit à la main sur un autocollant : Prof Max 28M. 36 % O_2. Hannah tapota la bouteille, la pencha légèrement. Elle était pleine.

L'air suroxygéné aiderait Nate à respirer et lui ferait peut-être même gagner un peu de temps. Rassurée, elle traîna la lourde bouteille jusqu'à la cuisine, raccorda le détendeur et l'appliqua sur la bouche de son mari.

« Bon, tu ne vas pas gagner un prix d'élégance avec ça, mais allez, respire, dit-elle. Doucement, régulièrement. »

Il était trop faible pour répondre, mais il ne la quitta pas des yeux. Hannah sentit passer tellement de choses dans ce simple regard. Elle prit sa main et la serra.

Dans la cuisine, seuls le crépitement du feu et le bruit mécanique du détendeur brisaient le silence. Dehors, le vent projetait des milliers de gouttes contre les carreaux.

Hannah se leva et prit une profonde inspiration. Elle s'apprêtait à sortir chercher Leah quand quelque chose de lourd s'écrasa contre la porte d'entrée.

Chapitre 2

Balliol College, Oxford, Angleterre

1979

Ce matin de juillet, alors qu'il faisait en voiture le trajet entre sa maison de Woodstock et la bibliothèque de Balliol College, Charles Meredith se posait deux questions. Un : est-ce que, pour la quatrième fois en quatre jours, la fille serait là ? Deux : quelle importance y accordait-il ?

Autant il ne pourrait trouver une réponse à sa première question qu'une fois arrivé sur le campus, autant le fait qu'il était prêt à affronter le flux de touristes un samedi matin d'été pour en avoir le cœur net suggérait qu'il y accordait une certaine importance.

La fille en question était à la fois têtue et soupe au lait – deux défauts que Charles ne pouvait nier avoir en commun avec elle. Fatalement, leur rencontre avait abouti à un véritable imbroglio. Mais surtout, cette fille était une énigme, un mystère qu'il mourait d'envie d'élucider.

Tel un coup de tonnerre, elle avait fait une entrée fracassante dans la vie de Charles, et ce au pire moment possible. En effet, il devait s'envoler six semaines plus tard pour Princeton, dans le New Jersey, afin d'y donner une conférence devant un parterre de redoutables médiévistes. Or, non seulement il était loin d'avoir terminé ses recherches, mais il venait par surcroît de découvrir, dans l'architecture de son raisonnement principal, un point faible qui menaçait de faire s'effondrer tout l'édifice.

Le mercredi matin, il était arrivé à l'université en pensant à cette date butoir qui se rapprochait implacablement, tel le Minotaure fondant sur Thésée. Sa sacoche remplie de documents, de notes griffonnées et d'ouvrages spécialisés, il pénétra dans la bibliothèque de Balliol et se dirigea droit vers sa table, située à côté de la statue en bois de sainte Catherine. Chaque fois qu'il devait travailler à la bibliothèque, Charles prenait cette table. De là, entouré par les étagères remplies de livres, il avait vue sur la fenêtre en plein cintre ouvrant sur la cour, et il pouvait également voir le portrait de George Abbot, ancien archevêque de Canterbury et responsable avec quarante-sept autres personnes de la traduction de la Bible en anglais.

Dernièrement, Charles s'était rendu compte que cette table n'était plus seulement la seule qu'il aimait utiliser ; elle était devenue la seule qu'il pouvait utiliser. S'il s'asseyait n'importe où ailleurs, il ne parvenait pas à se concentrer et son humeur s'en ressentait. Au début, il se dit que c'était seulement parce qu'il trouvait réconfortant de travailler sous le regard bienveillant de sainte Catherine et du vieil Abbot. Mais à présent, il savait que c'était tout autre chose.

À l'instar des chemises rangées dans l'ordre dans sa penderie, des couverts bien en place dans le tiroir de sa cuisine, des conserves de nourriture soigneusement triées et empilées dans son garde-manger, de la collection de bouteilles de lait vides alignée sur le rebord de sa fenêtre, la table n'était qu'un symptôme de plus, un signal d'alarme, une preuve supplémentaire des obsessions qui commençaient à le hanter. Charles avait été gêné de découvrir que ses collègues et étudiants avaient remarqué son état, et qu'ils faisaient tout pour lui faciliter la vie. De fait, chaque fois qu'il se rendait à la bibliothèque, peu importe l'heure de la journée, sa table était libre. Jusqu'à ce fameux mercredi matin, où il tomba sur la squatteuse.

Elle était jeune. Facilement dix ans de moins que lui. Devant elle, des livres éparpillés qui lui firent penser aux reliefs d'un festin. Il va lui falloir une éternité pour rassembler tout ça et se déplacer à une autre table, songea-t-il. Depuis qu'il avait quitté son domicile, il avait pensé à une dizaine de problématiques, et il devait impérativement les coucher sur papier avant qu'elles lui échappent. Charles sentit un tic nerveux agiter son œil droit.

Ostensiblement, il ouvrit sa sacoche et fit le plus de bruit possible en en retirant documents et stylos. La fille se tourna vers lui, cligna des yeux, puis retourna à son livre. Charles se sentit bien seul, debout au milieu de la bibliothèque, avec sa liasse de papiers dans les mains et sa sacoche qui se balançait. Il regarda autour de lui. À cette heure-ci, la pièce était presque vide. En tout cas, il n'y avait certainement pas d'autre présence féminine – Balliol était une université jusque-là réservée aux hommes, et elle ne devait accueillir ses premières étudiantes qu'à la rentrée suivante. En d'autres termes, cela signifiait qu'elle avait obtenu une invitation.

Il aperçut Pendlehurst qui marchait en marmonnant entre les rayonnages, un document à la main. Quand le bibliothécaire repéra Charles et vit que la fille occupait la fameuse table, il prit le parti de s'éclipser.

Charles sentit sa mâchoire se serrer. Il se racla la gorge. Fixa l'inconnue du regard.

Elle avait le visage long, presque équin. Des yeux marron chocolat. Des cheveux châtains coiffés en queue de cheval. Une fois de plus, elle se tourna vers lui. Cette fois, elle soutint son regard plus longtemps, avant de hausser un sourcil en signe de défi. Voyant qu'il ne réagissait pas – cela lui aurait été difficile, puisque ses sourcils étaient déjà levés au maximum –, elle retourna à son travail, ramassa un crayon et nota quelque chose sur son carnet. Charles jeta un coup d'œil à la couverture d'un des livres.

Gesta Hungarorum.

« Mademoiselle ? »

Elle leva la tête.

« Oui ?

— Je suis désolé, mais vous êtes assise à ma place. Pourriez-vous vous déplacer ? »

Elle se pencha en arrière sur sa chaise et l'examina d'un air surpris. Quand elle prit la parole pour répondre, il nota qu'elle parlait avec un accent français.

« Vous êtes désolé ?

— Non, je ne suis pas désolé, rétorqua Charles, sur la défensive. Je ne suis pas désolé. Ce que je voulais dire, c'est que... Écoutez, c'est ma place.

— Votre place ?

— Oui, ma table.

— Votre table. »

Il sentit ses doigts se crisper autour des documents qu'il avait à la main. Il se força à garder son calme.

« Écoutez, ce n'est pas un problème, dit-il enfin en

désignant d'un geste le reste de la bibliothèque. Il y a de la place partout. »

Elle suivit son regard.

« C'est vrai. La bibliothèque est pratiquement vide. »

Il attendit qu'elle ajoute quelque chose, ou qu'elle se mette à ranger ses affaires. Puis, consterné, il comprit qu'elle n'en ferait rien. Elle continuait de l'observer.

Il sourit. Ou plutôt, il écarta maladroitement les lèvres.

« Je viens ici tous les jours, expliqua-t-il. Et je m'assois toujours à cette table.

— C'est vrai que c'est une belle table.

— Oui.

— Si je venais ici tous les jours, je crois que moi aussi, c'est celle que je choisirais.

— Si vous veniez tous les jours, vous verriez vite que j'y suis toujours installé. »

Cette fois, elle lui retourna son sourire.

« À part aujourd'hui », lança-t-elle effrontément.

Charles prit une profonde inspiration, garda quelques secondes l'air dans ses poumons, puis expira. Il essaya de ne pas tenir compte du muscle de sa joue qui s'était mis à tressaillir.

« En effet, répondit-il. Bon, je ne veux pas vous retenir plus longtemps, et je voudrais me mettre au travail, alors pourriez-vous... »

Il ne finit pas sa phrase.

« Pourrais-je quoi ? »

D'une main, il désigna de nouveau les tables libres.

« Si vous pouviez juste...

— Juste quoi ?

— Écoutez, j'imagine que vous n'êtes pas étudiante ici. Donc peut-être que vous ne savez pas à qui vous parlez, mais...

— Mais quelque chose me dit que je ne vais pas tarder à le savoir.

— Je suis le professeur Charles Meredith, et...

— Et moi, je suis Nicole Dubois.

— Eh bien, c'est... Enchanté. »

Charles marqua une pause et secoua la tête.

« Bon sang, reprit-il, voulez-vous bien me laisser ma place ?

— Laissez-moi réfléchir une seconde, dit-elle avant de se tapoter les dents avec son crayon. Non. »

L'été, en semaine, la bibliothèque ouvrait à neuf heures. Le lendemain matin, Charles comptait arriver à l'ouverture. En quittant le campus la veille, il était tellement énervé – tellement obsédé par le fait qu'elle ait refusé d'accepter ce qui était, après tout, une demande simple et légitime – qu'il n'avait pas pu se concentrer de tout l'après-midi. Et évidemment, il avait encore pris du retard dans son travail.

À cause des embouteillages, il arriva à la bibliothèque dix minutes après l'ouverture. Déjà passablement contrarié, il poussa la porte, passa devant Pendlehurst sans le saluer, pour trouver la fille assise à sa table habituelle. Elle avait étalé ses livres n'importe comment, et il réprima une pulsion de les épousseter, de les classer par ordre alphabétique et de les empiler soigneusement.

« Encore vous ! » s'exclama-t-il.

Elle se tourna vers lui, un sourire aux lèvres, mais il ne manqua pas de remarquer son expression glaciale. Il nota que, contrairement à la veille, elle était complètement décoiffée.

« Bonjour, dit-elle.

— Qu'est-ce que vous faites ici ? » aboya-t-il.

La fille – Nicole, pensa-t-il, elle s'appelle Nicole – désigna les livres éparpillés d'un geste vague.

« La même chose qu'hier, comme vous pouvez le constater, répondit-elle enfin. Je lis. J'écris.

— J'ai beaucoup de travail aujourd'hui.

— Alors bon courage. »

Instantanément, il sentit la chaleur lui monter aux joues. Elle avait le don pour trouver le ton légèrement moqueur et la tournure de phrase qui le mettaient hors de lui.

« Vous perturbez mon travail, qui ne souffre aucun délai. Je ne sais pas à quoi vous jouez, mais je vous conseille d'arrêter immédiatement. »

Elle ouvrit la bouche et l'observa quelques secondes, hésitante. Puis :

« Allez-y. Dites-le.

— Quoi ?

— S'il vous plaît, dites-le.

— Que je dise quoi ?

— Demandez-moi si je sais à qui je parle.

— Écoutez, j'en ai vraiment...

— Allez. Demandez-moi, insista-t-elle en cherchant dans ses notes. Je l'ai noté quelque part.

— Vous agissez de manière grotesque, madame !

— Grotesque ! J'aime beaucoup ce mot, Charles. Gro-tes-que, scanda-t-elle, prenant le temps de savourer chaque syllabe. Je trouve que c'est un mot qui sonne bien. »

Elle désigna d'un geste le reste de la salle.

« La bibliothèque est quasiment vide. Mais il faut que vous vous asseyiez ici. Et vous dites que c'est moi qui suis grotesque ? Vous n'avez pas peur des mots, vous.

— Bon, vous allez me rendre ma place, oui ou non ?

— Attendez, je vais demander, répondit-elle avant de prendre une pose empruntée. Nicole, est-ce que vous savez à qui vous parlez ? »

Puis elle reprit d'une voix normale :

« Oui, à un monsieur bizarre qui pense que son doctorat fait de lui le propriétaire de la bibliothèque de Balliol College.

— Vous dites n'importe quoi.

— L'arrogant et obsessionnel professeur Charles Meredith.

— Comment osez-vous ? »

Elle se tourna vers lui. Charles la dévisageait, incapable de prononcer le moindre mot. Puis, se sentant soudain si impuissant qu'il ne put soutenir son regard, il se tourna vers la table la plus proche et y jeta sa sacoche. Il s'assit. Prit un document et le posa devant lui. Puis il sortit un stylo qu'il décapuchonna. Enfin, il se pencha en avant. Ses oreilles le brûlaient, ses mains tremblaient. Il essaya de se concentrer, mais ses yeux passaient d'un mot à l'autre sans en saisir le sens.

Il l'entendit pouffer à la table d'à côté. Il se tourna vers elle et la vit secouer la tête, hilare. Elle se moquait ouvertement de lui. Sentant les artères de son cou sur le point d'exploser, Charles se leva d'un coup, rassembla ses affaires et se dirigea d'un pas décidé vers la sortie.

« *À bientôt* [1] », lui lança-t-elle au passage.

---

1. En français dans le texte. *(N.d.T.)*

Dehors, il fit les cent pas en essayant de retrouver son calme. Plus que trente-sept jours avant la conférence de Princeton. Il voyait déjà les cornes du Minotaure. Il ne pouvait pas se permettre de perdre une journée de plus.

Après une minute passée à serrer et à desserrer les poings et à jeter des regards furieux aux étudiants qui passaient devant lui, Charles retourna dans la bibliothèque. Il alla trouver Pendlehurst à son bureau, lui fit signe de venir et lui passa un bras autour de l'épaule.

« Pendlehurst, dit-il, j'aurais besoin d'une clé pour venir plus tôt demain. J'ai énormément de travail. »

Le lendemain matin, Charles pénétra dans la bibliothèque à huit heures, avant tout le monde. Il fut ravi de retrouver sa table parfaitement libre. Il jeta un coup d'œil au visage placide de sainte Catherine, salua silencieusement le vieil Abbot, puis il s'assit et ouvrit sa sacoche. Il posa ses livres en pile sur la table, du plus large au plus petit, chaque volume bien centré sur celui du dessous, de façon à former un début de pyramide. Il choisit un cahier et le posa juste devant lui, tout contre le bord de la table, à équidistance de chacun des deux côtés. Il sortit ensuite de sa trousse trois stylos et un crayon à papier, qu'il aligna au-dessus du cahier à un angle de quarante-cinq degrés.

Satisfait de la disposition de ses instruments de travail, Charles laissa son regard parcourir la bibliothèque vide, le temps de choisir par où commencer. Ce choix se révéla difficile. Il avait beau essayer de se concentrer sur la conférence de Princeton, il ne pouvait s'empêcher de réfléchir aux mots exacts qu'il utiliserait quand la femme viendrait convoiter son poste, à l'ouverture.

Rien d'agressif. Ce serait bas. Il voulait quelque chose de subtil. D'élégant. Quelque chose qui souligne sa victoire sans être pédant.

Il passa une heure à forger sa phrase, à la lisser, à la peaufiner, à jouer avec les sous-entendus.

À dix heures, la fille n'était toujours pas là. À onze heures, Charles comprit qu'elle ne viendrait pas. À onze heures et quart, il s'aperçut qu'il n'avait pas travaillé de la matinée, et qu'il venait de passer presque trois heures à trouver une phrase prétentieuse et creuse à débiter à une fille qu'il n'avait vue que deux fois. À midi, il était tellement furieux contre lui qu'il se leva et fourra ses affaires dans sa sacoche. Bien décidé à quitter le campus pour de bon, il sortit de la bibliothèque et traversa la rue où il avait garé sa voiture.

Sa Jaguar – Type E série 3 argentée – se trouvait là où il l'avait laissée, face à un mur en brique. Par contre, il remarqua tout de suite qu'une Hillman Hunter vert foncé s'était garée en travers, juste derrière lui. Bref, sa voiture était coincée.

Les sourcils froncés, Charles s'approcha. Il se pencha et regarda par la vitre de la Hillman. Elle était vide. Rien sur la banquette arrière en vinyle permettant d'identifier le propriétaire. Il posa la main sur le capot. Il était chaud, mais la voiture était garée en plein soleil. Impossible de savoir si elle se trouvait là depuis une minute ou depuis une heure. Charles regarda autour de lui et repéra un orme à quelques mètres de la chaussée. Nicole Dubois était adossée au tronc.

Charles poussa un soupir et s'approcha.

« Laissez-moi deviner, dit-il en désignant la Hillman. Cette voiture, c'est la vôtre ? »

Nicole se tourna vers lui et plissa les yeux à cause du soleil. Son visage resta impassible, son ton neutre.

« Charles. Ce que vous avez fait ce matin était très décevant.

— Comment ?

— C'était malvenu, grossier et ça manquait d'élégance. Au lieu de jouer le jeu, vous avez usé de votre position pour arriver à vos fins. C'était bas. »

Il ouvrit la bouche pour protester, mais se rendit compte que malgré toutes les heures qu'il avait passées à répéter sa tirade, il ne pouvait pas lui répondre. Elle le poussait à justifier son attitude de ces derniers jours, et il en était incapable. À présent qu'il avait quitté l'environnement sombre de la bibliothèque pour l'extérieur ensoleillé, il se sentait mortifié par ses agissements irrationnels et, effectivement, grossiers. Tout ça pour une table.

Elle attendait toujours sa réponse. Il chercha quelque chose à dire et remarqua le livre qu'elle lisait, une traduction de *Gesta Hunnorum et Hungarorum*, de Simon de Kéza.

« Vous savez que c'est principalement une œuvre de fiction, lui dit-il.

— Bien sûr. Mais vous savez également que c'est un des plus vieux textes disponibles.

— Qu'est-ce que vous cherchez ? Je pourrais peut-être vous aider.

— Si j'ai besoin de trouver une table, je ne manquerai pas de faire appel à vous, Charles.

— D'accord, celle-là, je ne l'ai pas volée, dit-il en hochant la tête, piteux.

— Ça, c'est sûr.

— Et si je vous invitais à boire un thé ? Pour me faire pardonner. »

Il cligna des yeux, horrifié. Qu'est-ce qui lui était passé par la tête ?

« Je voulais dire... si toutefois vous désiriez discuter d'un aspect particulier de l'histoire hongroise », tenta-t-il de se rattraper.

Nicole ferma le livre. Quand elle se redressa, il fut surpris de constater qu'ils faisaient sensiblement la même taille.

« Non, Charles. Je n'ai pas envie d'en discuter.

— Très bien. »

Nicole fouilla dans son sac et en tira un jeu de clés.

« Il faut que j'y aille, annonça-t-elle.

— Oui, oui. Je vous en prie. »

Il fit un pas en arrière pour la laisser passer. Il se sentait tellement mal à l'aise que c'en était presque douloureux.

Nicole ouvrit la portière de la Hillman et jeta son sac sur le siège passager. Puis elle démarra et recula jusqu'à la chaussée. Enfin, elle baissa la vitre.

« Ne vous inquiétez pas, Charles. Après-demain, vous ne me verrez plus. »

Sur ce, elle passa la première et partit.

Ce qui amena Charles au samedi matin, au flux de touristes et à sa fameuse question : serait-elle là pour une dernière visite ? À part son nom, il ne connaissait pratiquement rien d'elle, et il ne comprenait pas pourquoi il avait à cœur qu'elle quitte Oxford avec une meilleure impression de lui. Ce qu'il savait, en revanche, c'est qu'arriver à la bibliothèque avant elle et s'installer à la table maudite serait un désastre. Il attendit donc dix heures passées pour pénétrer dans le bâtiment.

La bibliothèque était calme, et seules quelques tables étaient occupées. Il s'avança entre les rayonnages et repéra les visages familiers de sainte Catherine et de George Abbot.

La table était libre.

Charles resta debout un long moment, surpris par le sentiment de déception qui l'envahissait. Il tira la chaise et s'assit, songeur.

Il connaissait le nom de la fille. Et il savait qu'elle était française. Rien de plus. Il resta assis une demi-heure de plus avant de finir par accepter, maussade, qu'elle ne viendrait pas. Il se leva donc pour partir et passait devant le bureau de Pendlehurst quand ce dernier l'interpella :

« La Française de l'autre jour a laissé quelque chose pour vous. »

Aussitôt, Charles se sentit revigoré.

« Elle est venue ? demanda-t-il.

— Oui, elle était là à l'ouverture. Elle s'est assise à votre table pendant quelque temps, puis elle m'a laissé un message pour vous et elle est partie. »

Il l'avait manquée à une demi-heure à peine. Pendlehurst lui tendit une page de calepin pliée en deux. Charles s'empressa de l'ouvrir.

Ki korán kel, aranyat lel

Du hongrois. Il aurait été bien incapable de le traduire.

« Est-ce qu'elle vous a dit quelque chose ? demanda Charles.

— Seulement qu'elle ne pouvait pas attendre et qu'elle devait partir.
— Vous a-t-elle dit où elle allait ?
— Je ne lui ai pas demandé.
— Merde.
— Tout va bien ? demanda Pendlehurst.
— Connaissez-vous quelqu'un qui parle hongrois ?
— À mon avis, vous devriez faire appel à Beckett.
— Puis-je utiliser le téléphone ? »
Il fallut dix minutes à Charles pour joindre Beckett, et moins d'une minute pour obtenir sa traduction.

Celui qui se lève tôt trouve l'or.

L'équivalent hongrois du proverbe : *l'avenir appartient à ceux qui se lèvent tôt.* Pour la première fois de la matinée, Charles se surprit à sourire, et soudain, une idée lui traversa l'esprit. Il alla retrouver Pendlehurst.
« Pour avoir accès à la bibliothèque, elle a dû faire une demande, non ?
— Oui, bien sûr.
— Donc, vous devez avoir une trace quelque part.
— J'imagine, oui. Professeur, êtes-vous sûr que tout va bien ?
— Il faut impérativement que je reprenne contact avec elle avant qu'elle quitte Oxford. Pouvez-vous me retrouver sa demande, s'il vous plaît ? »
Le bibliothécaire adressa à Charles un regard étrange, puis il l'invita à passer derrière le bureau. Il ouvrit alors une boîte remplie de demandes écrites, qu'il parcourut du bout des doigts.
« La voilà. Dr Amélie Préfontaine. »
Charles secoua la tête.

« Non, elle s'appelle Nicole.
— La grande ? Avec l'accent français ?
— Oui.
— Avec un gros sac en toile ?
— Oui, c'est bien elle.
— Il est écrit ici qu'il s'agit du docteur Préfontaine. »
Charles se rendit compte qu'il fronçait les sourcils, et que Pendlehurst commençait à être mal à l'aise.

« S'il y a quelque chose qui cloche, dit le bibliothécaire, il faut me le dire. Cette femme a consulté des documents extrêmement rares.

— Non, tout va bien. J'ai dû mal comprendre quand elle m'a dit son nom. Merci, Pendlehurst. »

Sur la carte que lui avait donnée le bibliothécaire, il y avait une adresse à Oxford et un numéro de téléphone local. Charles traversa la rue pour se rendre à la cabine téléphonique. À l'intérieur régnait une chaleur étouffante. Il desserra sa cravate, décrocha le combiné et composa le numéro. Après quinze sonneries, quelqu'un finit par répondre. Il entendit des grésillements au bout du fil.

« *Oui*[1] ? »

Une voix féminine, mais ce n'était pas celle de la fille. Celle-là avait l'air beaucoup plus âgée.

« Allô ? »

La respiration de son interlocutrice parvenait mal à couvrir les parasites.

Enfin, elle reprit la parole, avec un fort accent français.

« Qui êtes-vous, s'il vous plaît ?

1. En français dans le texte. *(N.d.T.)*

— Charles Meredith. Je suis professeur à Balliol. Je voudrais parler au Dr Amélie Préfontaine. »

Une pause, puis :

« *Je suis désolée*[1]. Il n'y a pas d'Amélie, ici.

— Attendez. Et... Nicole Dubois ? »

Cette fois, il entendit une profonde inspiration, suivie par une conversation rapide en français en fond, trop faible pour qu'il puisse comprendre quelque chose. La femme avait dû mettre la main sur le combiné. Les bruits étouffés de conversation se poursuivirent quelques instants. Même s'il ne comprenait pas ce qui se disait, il sentait que les personnes qui parlaient étaient inquiètes. Enfin, il entendit de nouveau distinctement.

« Jakab, cracha la voix.

— Comment ? Non, c'est Charles...

— *Démon. Allez au diable*[2] ! »

Elle raccrocha.

Charles fit un pas en arrière, choqué par l'agressivité dans la voix de cette femme. Interdit, il observa le combiné pendant quelques secondes avant de le reposer sur son socle. Malgré la chaleur à l'intérieur de la cabine, il remarqua qu'il avait la chair de poule. Il ouvrit la porte et retrouva la fraîcheur de l'extérieur. Puis, sans savoir pourquoi, totalement inconscient du fait que cette prochaine action allait bouleverser le cours de sa vie, Charles Meredith courut vers sa voiture.

Pour se rendre à Phoenix Avenue, l'adresse notée sur la carte, il ne fallait que cinq minutes en passant par le centre-ville. Peut-être un peu plus étant donné le monde qu'il y avait sur la route. Sauf s'il conduisait de

---

1. En français dans le texte. *(N.d.T.)*
2. *Id.*

manière agressive. Il n'aurait pas su l'expliquer, mais il sentait au fond de lui que s'il n'agissait pas immédiatement, il ne reverrait jamais la jeune femme.

Sa voiture était garée à côté du même arbre que la veille. Aujourd'hui, il avait opté pour une Triumph Stag. Après l'humiliation de la dernière fois, il avait préféré laisser la Jaguar, trop ostentatoire, à la maison. À présent, il le regrettait un peu, mais qu'importe, la Stag était également une voiture puissante.

Charles se glissa derrière le volant et claqua la portière. Après une marche arrière jusqu'à la rue, il fonça dans St Giles', puis dépassa l'Ashmolean Museum dans Beaumont Street.

Tu as perdu la raison, se dit-il, alors qu'il traversait la ville à toute allure. Tu n'as vu cette fille que trois fois. La seule chose que tu pensais savoir à son sujet s'est révélée être un mensonge, et cette conversation téléphonique n'était pas seulement bizarre, elle était franchement terrifiante.

Arrivé à un carrefour, il freina violemment derrière une Austin Cambridge arrêtée au feu rouge. Phoenix Avenue s'étendait sur sa gauche, une longue rue arborée bordée de maisons victoriennes en brique. Alors qu'il attendait que le feu passe au vert, il repéra une Hillman verte le long du trottoir, une centaine de mètres plus loin. Elle était garée devant une maison à trois étages à la façade passablement décrépite. Le jardin était envahi par les mauvaises herbes. Il vit Nicole Dubois descendre en hâte les marches du perron. Elle assistait une femme plus âgée aux épaules recouvertes par un châle blanc. Les deux visages semblaient déformés par la peur. Nicole aida l'autre femme à s'installer sur le siège passager, puis elle referma la portière.

Au carrefour, le feu était toujours rouge, et il y avait des véhicules qui arrivaient des deux côtés. Nicole ouvrit le coffre, y jeta deux gros sacs, puis elle se hâta de monter à son tour dans la voiture.

Charles croisa le regard du conducteur de l'Austin dans le rétroviseur et lui fit signe d'avancer, mais le pauvre homme n'avait nulle part où aller.

La Hillman laissa échapper un tourbillon de fumée bleue. Nicole sortit de sa place et s'éloigna dans l'avenue.

Impuissant, Charles tapa du poing sur le klaxon, ce qui ne manqua pas de faire froncer les sourcils au conducteur de l'Austin.

« Allez, allez ! »

Phoenix Avenue faisait un angle ; la Hillman disparut. Devant, le flux des voitures s'était interrompu. Le feu passa au vert, mais l'Austin ne broncha pas. Charles klaxonna de nouveau et eut droit à un autre froncement de sourcils.

À bout de patience, Charles tourna le volant et appuya sur la pédale d'accélérateur, doublant la voiture devant lui dans un crissement de pneus.

Il accéléra, suivit l'avenue sur deux cents mètres pour se retrouver à un carrefour en T. Aucune trace de la Hillman. Les deux voitures devant lui démarrèrent : une tourna à gauche, l'autre à droite.

Charles tapota nerveusement son volant. Quelle direction choisir ? À gauche, il ferait le tour de la ville dans le sens inverse des aiguilles d'une montre, avant d'aller vers le nord. À droite, il rejoindrait la London Road et l'autoroute. Pas le temps de débattre. Il choisit la seconde option, vira à droite, et sentit le moteur V8 trois litres le coller au siège alors qu'il passait les vitesses.

En quelques minutes, les maisons laissèrent place aux champs. Il doubla une Talbot Sunbeam pataude. À présent, il avait la route pour lui tout seul. Charles regarda l'aiguille du compteur dépasser doucement les cent trente. Il n'en revenait toujours pas de l'imprudence dont il faisait preuve, mais Nicole – ou Amélie, ou quel que fût son nom – s'échappait, et le seul moyen de la rattraper était de prendre tous les risques.

Il aperçut l'éclat vert d'une voiture au loin.

Encouragé, Charles poussa encore plus la Stag. Il ne lui fallut pas longtemps pour avaler la distance entre lui et la Hillman, et il dut freiner violemment en arrivant derrière. Il savait qu'à cette vitesse, elle n'entendrait jamais s'il klaxonnait, aussi opta-t-il pour les appels de phares. Il y avait trop de distance entre eux pour qu'il parvienne à la discerner dans le rétroviseur. Il zigzagua en continuant ses appels de phares, afin d'attirer son attention.

Devant, sur le siège passager, la vieille femme se retourna. Mais curieusement, au lieu de ralentir, la Hillman accéléra. Les deux voitures se rapprochaient rapidement de l'arrière d'un énorme semi-remorque. La Hillman s'engagea sur la voie opposée, doubla le camion, puis se rabattit juste à temps pour éviter une voiture arrivant en sens inverse.

« Bon Dieu ! »

Mais qu'est-ce qui lui prend ? se demanda-t-il.

Le semi-remorque zigzagua quelques secondes, s'agitant sur ses lourds amortisseurs, avant d'actionner son puissant klaxon.

Charles dut attendre d'avoir croisé trois voitures pour pouvoir doubler le camion. Il lui fallut une minute de plus pour rattraper la Hillman.

Celle-ci n'avait peut-être pas l'intention d'obéir aux appels de phares, mais la Stag de Charles était plus puissante. Il vérifia que la route était libre, puis il s'engagea sur la voie de droite et accéléra. Nicole anticipa, tourna également à droite, et Charles freina juste à temps pour éviter la collision.

Tremblant, il se rangea de nouveau derrière elle en laissant échapper un juron.

Elle dut croire qu'il allait tenter de refaire le coup par la gauche, car elle se déporta pour l'empêcher de passer. Mais cette fois, elle avait mis un coup de volant trop brutal, et les deux roues gauches se retrouvèrent dans l'herbe. Charles vit les feux de stop s'allumer, puis l'arrière de la voiture s'agiter violemment. Il tourna légèrement à droite pour éviter l'accident, et ne put qu'observer, impuissant, la Hillman quitter la route et foncer vers un champ. La voiture traversa un buisson de ronces et heurta une bosse. L'avant de la Hillman se souleva, la voiture s'envola littéralement et passa au-dessus d'une haie. Elle sembla rester en l'air une éternité. Enfin, l'avant pointa vers le sol, et la voiture s'écrasa dans le champ, sur la terre brûlée par le soleil.

Le premier impact arracha les roues avant. Bris de verre. Explosion de métal. La Hillman rebondit dans un tourbillon de fumée, puis retomba une seconde fois sur le flanc droit.

Puis, emporté par sa vitesse, le véhicule se retourna pour partir en tonneaux.

Chapitre 3

Snowdonia, pays de Galles

De nos jours

Dans la cuisine de Llyn Gwyr, Hannah tenait toujours fermement la main de Nate, quand elle entendit quelque chose frapper contre la porte de la ferme. Les muscles de son estomac se contractèrent instantanément, et elle se plia en deux, comme si elle avait reçu un coup. La panique l'envahit. Pendant de longues secondes, elle se sentit trop terrorisée pour faire le moindre mouvement, trop effrayée pour réfléchir. Ses yeux scrutèrent l'obscurité du couloir, avant de se poser de nouveau sur le visage de son mari.

Une seule question qu'elle n'osait formuler à haute voix : qui ?

L'espace de trois respirations, le silence régna. Puis le bruit reprit. Quatre coups sourds et réguliers qui la firent tressaillir à quatre reprises.

Leah, pensa-t-elle.

Sa fille était toujours endormie à l'arrière du 4 × 4.

Seule. Sans surveillance.

Hannah ressentit un picotement sous sa peau.

Comment avait-on pu les retrouver si rapidement ? Même son père ne savait pas où ils se trouvaient.

Quelques heures plus tôt, il avait fait promettre à Hannah de ne pas lui dire dans quelle planque elle comptait se réfugier, afin de ne pas risquer de la trahir et de la mettre en danger.

Personne n'avait pu les suivre jusqu'ici, c'était impossible. Elle aurait repéré les phares. Ç'aurait été du suicide d'emprunter ces routes de montagnes tous feux éteints. Sauf si, bien sûr, celui qui les poursuivait (car elle était persuadée qu'il s'agissait d'un homme) n'était pas venu en voiture.

Il fallait qu'elle réfléchisse. Qu'elle agisse.

Il était inutile de faire croire que la maison était vide : n'importe qui à l'extérieur pouvait remarquer la lueur des bougies. Et elle savait que l'intrus, qui qu'il fût, ne se découragerait pas simplement parce qu'elle refusait d'ouvrir la porte.

C'était une pensée horrible, mais elle se dit que, pour l'instant, Leah était certainement plus en sécurité dans la voiture garée de l'autre côté de la ferme, dans le noir. Si seulement elle avait pensé à verrouiller les portières.

Hannah lâcha la main de Nate. Elle se dirigea vers la porte qui donnait sur le couloir obscur, puis avança doucement dans le noir, le dos collé au mur. La peur la faisait haleter.

Drapée dans l'ombre, elle passa devant un escalier menant à l'étage et se dirigea vers le fond du couloir.

Après la chaleur de la cuisine, l'air lui parut glacial. Sous ses pieds, les lattes du parquet ployaient, menaçant de craquer. Devant elle, la porte d'entrée en chêne massif et son petit hublot en verre épais. De part et d'autre de la lourde porte, deux petits vitraux permettaient à la lueur de la lune de se frayer un chemin jusqu'au sol.

Hannah s'approcha doucement jusqu'à pouvoir apercevoir le porche par la fenêtre.

Personne.

Elle colla la tête au carreau en retenant son souffle, le reste de son corps toujours tapi dans l'ombre. À présent, elle avait une vue d'ensemble sur l'allée. Toujours aucune trace de l'intrus. Mais elle vit autre chose. Quelque chose de tout aussi effrayant.

Un vieux Land Rover Defender était maintenant garé sur le gravier, à quelques mètres de la porte. D'où elle se trouvait, elle pouvait même entendre le bruit du moteur qui refroidissait.

Elle sentit la panique l'envahir, lui nouer l'estomac. Elle ne savait pas qui était le conducteur du Defender, mais s'il n'était pas devant la porte d'entrée, cela signifiait qu'il était en train de faire le tour de la ferme.

Et donc, qu'il s'approchait du Discovery.

De Leah.

Hannah laissa échapper un gémissement. Oubliant toute prudence, elle courut jusqu'à la cuisine.

« Hann' ! »

Sur le canapé, Nate avait ôté le détendeur de sa bouche. Son visage était livide. Un masque mortuaire. Quand elle passa à côté de lui, il tendit le bras et ses doigts faibles se refermèrent sur son poignet. Quand il l'attira à lui, sa voix n'était plus qu'un souffle.

« Cellier... étagère de gauche, murmura-t-il, à deux doigts de défaillir. Fusil. Normalement, il est chargé.

— Leah est dehors. »

Elle s'entendit sangloter. Un son pitoyable. Elle était en train de perdre son mari. Et peut-être sa fille.

« Vas-y », dit-il.

Elle se dirigea vers la porte du cellier. Elle crut voir un mouvement et se tourna vers les fenêtres de la cuisine : il y avait quelque chose de l'autre côté de la vitre.

La lumière de la bougie avait transformé le verre en miroir, et Hannah avait du mal à distinguer ce qui se trouvait à l'extérieur. Derrière la fenêtre située à côté de la porte de la cuisine, un énorme chien l'observait, les pattes avant posées sur le rebord. Hannah s'arrêta au milieu de la pièce et croisa le regard couleur rouille de l'animal. Malgré le reflet, elle vit un poitrail puissant recouvert d'une fine fourrure.

Hannah resta immobile, jusqu'à ce qu'une nouvelle silhouette apparaisse derrière la fenêtre. Elle fit un pas en arrière, haletante : il ne s'agissait pas d'un deuxième chien, mais d'un homme.

Un vieillard. Au moins quatre-vingts ans. Très grand, et très maigre. Son visage n'était qu'un réseau de rides et de sillons. Il avait des cheveux blancs, coupés court, et ses joues creuses étaient recouvertes d'une barbe de trois jours. C'était ses yeux qui perturbaient le plus Hannah. Ils étaient verts, et ils scintillaient à la lueur des flammes des bougies. Dès qu'il vit Hannah, il s'immobilisa, et tous deux s'observèrent pendant de longues secondes sans bouger.

Le chien griffa la vitre avec sa patte. Il aboya puis se mit à gémir, un son discordant qui couvrit le bruit du vent. Sans quitter Hannah des yeux, l'inconnu leva la main et se mit à caresser les oreilles de l'animal. Aussitôt, le chien se tut.

Hannah recula doucement vers Nate, soulagée de savoir que le dos du canapé le dissimulait à la vue de l'intrus. Comme s'il avait lu ses pensées, le chien tourna la tête vers le sofa.

Le vieillard leva les mains.

« Je ne voulais pas vous faire peur », cria-t-il.

Sa voix était puissante, et il avait un accent étrange : une touche galloise qui couvrait quelque chose de moins facilement identifiable.

Se peut-il que ce soit vraiment lui ? pensa-t-elle.

Elle ne voyait pas comment il aurait pu les retrouver si vite. Était-il venu ici au hasard ?

« Qu'est-ce que vous voulez ? »

Le son métallique de sa voix la surprit. Elle se força à ne pas regarder en direction de Nate. Il ne pouvait rien faire pour l'aider ; elle devait gérer la situation seule.

« J'ai vu les phares de votre voiture qui approchaient de chez moi. Je voulais seulement m'assurer que tout allait bien, c'est tout. »

Le vieil homme s'approcha de la porte d'entrée. Quand son visage disparut de derrière la fenêtre, Hannah risqua un regard vers Nate. Il avait de nouveau perdu connaissance. Le détendeur était posé sur sa poitrine, inutile.

Les yeux de Hannah se tournèrent vivement vers la porte.

« Et pourquoi ça n'irait pas ? demanda-t-elle sèchement.

— Ça fait longtemps que je n'ai pas vu quelqu'un à Llyn Gwyr. Parfois, quand un endroit reste longtemps inhabité, ça attire les rôdeurs. Des rôdeurs qui n'ont rien à faire là. Si vous voulez mon avis, c'est quand même bizarre d'arriver au beau milieu de la nuit.

— Votre avis ne m'intéresse pas. »

Il continua à l'observer d'un regard qu'elle ne parvenait pas à interpréter.

« Il y a une petite fille endormie dans la voiture. C'est la vôtre ? »

Hannah sentit un cri monter dans sa gorge. Plus elle perdait de temps, plus Nate se dirigeait vers une mort certaine. Leah était sur le siège arrière de la voiture, et entre Hannah et elle, il y avait cet étranger et son chien.

« C'est ma fille, répondit-elle d'une voix sourde.

— Vous n'allez pas nous attirer d'ennuis ? » demanda-t-il.

Si cet homme était vraiment Jakab, la façon qu'il avait de parler avait bien changé.

« Non, répondit Hannah. On ne va pas vous attirer d'ennuis.

— Peut-être bien que si, peut-être bien que non. Peut-être bien que si, et que vous ne le savez pas encore. Au début, j'ai cru que vous étiez des cambrioleurs, ou en tout cas, des gens malintentionnés. Mais maintenant, je vous ai vue. Et puis de toute façon, il n'y a pas grand-chose à voler là-dedans. »

Hannah réfléchit au choix qui s'offrait à elle. Elle n'avait pas d'arme à portée de main. Nate lui avait bien parlé du fusil, mais la porte de la cuisine n'était pas verrouillée, et le temps qu'elle se rende dans le cellier, l'inconnu pourrait entrer. S'il lui fallait plus d'une seconde pour localiser l'arme, ou si les souvenirs de Nate étaient inexacts, tout serait fini. Mais après tout, peut-être que le vieillard était sincère ?

L'inconnu leva les yeux au ciel.

« La tempête va frapper d'un instant à l'autre, dit-il. Je me disais que si vous étiez seule, vous auriez peut-être besoin d'aide pour remettre en marche l'électricité. »

Hannah se força à prendre une décision. Elle ne pouvait pas faire confiance à cet inconnu. Mais s'il habitait vraiment une ferme du voisinage et qu'il était simplement venu aux nouvelles, elle ne voulait pas risquer d'éveiller ses soupçons. Plus que tout, elle avait besoin d'aide.

Il va falloir faire un choix, se dit-elle. Mon Dieu, faites que ce soit le bon.

Les sens en alerte, elle se dirigea vers la porte de la cuisine et l'ouvrit. Le vent glacial s'engouffra dans la pièce.

« Je suis désolée, dit-elle. Vous m'avez fait peur. Recommençons, si vous le voulez bien. Tout d'abord, merci à vous de venir vous assurer que tout va bien. »

Dans la cheminée, les flammes vacillèrent sous l'effet du vent et allumèrent deux émeraudes tremblotantes dans les yeux du vieil homme.

« Pas la peine de vous excuser. Parfois, quand on habite tout seul par ici, on en oublie les bonnes manières. »

Il tendit la main et la peau autour de ses yeux se plissa.

« On m'appelle Sebastien », annonça-t-il.

Hannah hésita. Elle essaya de réprimer les tremblements qui agitaient son corps et qui trahissaient son angoisse. Elle tendit la main à son tour.

S'il essaie de m'attraper, je hurle, pensa-t-elle. Même si ça ne changera rien. Ce sera trop tard.

Elle sentit les doigts du vieil homme se refermer sur sa main. Sa peau était douce, sèche et tiède. Il lui serra la main. Assez fort.

Puis il relâcha son étreinte.

Sebastien désigna le chien d'un signe de tête.

« Et voici Moïse. Ça fait longtemps que je ne suis pas venu ici, mais à l'époque, il y avait un groupe électrogène dans l'appentis. Je pourrais essayer de le démarrer pour vous, si vous voulez. Vous n'aurez pas d'eau chaude, mais au moins, il y aura de la lumière. Vous n'avez qu'à récupérer votre petite dans la voiture pendant que je vais jeter un coup d'œil avec Moïse.

— C'est très gentil à vous, merci. »

Elle ne savait toujours pas à qui elle avait affaire, et quelque chose la troublait chez cet homme. Mais pour l'heure, elle devait en faire abstraction. Hannah le regarda siffler son chien, remonter le col de son manteau et s'éloigner vers l'appentis en pierre.

Quoi qu'il arrive, ne le laisse pas seul avec Nate.

Car si ce vieillard était celui qu'elle craignait, elle risquait de perdre la seule chose à laquelle elle s'accrochait encore : la conviction profonde que l'homme allongé sur le canapé était bien le père de sa fille, l'homme qu'elle aimait, son confident, son ami. Hannah se glissa à l'extérieur et courut jusqu'au 4 × 4.

Le vent furieux la fouetta et voulut la repousser jusqu'à la ferme. Des gouttes de pluie lui cinglèrent le visage. Elle leva le bras pour se protéger et plissa les yeux. Scrutant l'obscurité dans laquelle se trouvait la voiture, elle se demanda ce qu'elle ferait si sa fille n'était pas dedans. Cette idée lui provoqua un haut-le-cœur.

N'y pense pas. Pas encore.

Elle s'approcha de la portière arrière du Discovery, l'ouvrit et vit apparaître le visage de sa fille à la lueur du plafonnier.

Soulagement. Joie. Angoisse.

Qu'est-ce que tu aurais fait si elle n'avait pas été là ? se demanda-t-elle. Qu'est-ce que tu aurais fait, Hannah ?

Elle détacha la ceinture de sécurité en prenant soin de ne pas réveiller sa fille, puis elle la prit dans ses bras et retourna jusqu'à la maison. Dans une des dépendances, elle vit la lumière d'une lampe torche et entendit le bruit d'une manivelle.

De retour dans la cuisine de Llyn Gwyr, elle installa délicatement Leah dans un fauteuil. La petite fille ouvrit les yeux. Hannah lui mit un coussin entre les bras et lui caressa les cheveux jusqu'à ce qu'elle se fût rendormie.

Elle se tourna vers Nate et souleva sa couverture. Le sang commençait à faire des taches sur les bandages qu'elle avait posés.

La porte de la cuisine s'ouvrit à la volée et avant qu'elle ait pu s'interposer, Sebastien entra et s'essuya les pieds sur le paillasson. Il actionna l'interrupteur. Quand il vit que la lumière fonctionnait, il hocha la tête.

« Vous devez avoir assez d'essence pour tenir deux ou trois nuits. Demain, il faudra vérifier s'il reste assez de gaz dans la bombonne, sinon vous risquez de vous retrouver à court d'eau chaude. Pour l'instant, il fait bon ici, mais il n'y a plus beaucoup de bois dans la réserve, et le peu qui reste est trempé à cause d'un trou dans le toit. Dans ces montagnes, il vaut mieux être préparé. Surtout quand on vient avec des enfants. »

Il se tourna vers l'entrée de la cuisine.

« Au pied, Moïse. Bon, il fait froid, ici, je vais fermer. »

Hannah se leva. Quand le vieil homme ferma la porte, elle sentit ses muscles se tendre. Il ouvrit la bouche pour ajouter quelque chose, mais il parut se raviser en lisant l'angoisse sur le visage de Hannah. Elle baissa les yeux vers son mari, ce que ne manqua pas de remarquer Sebastien.

Le vieil homme s'approcha du canapé et examina longuement Nate. Le sang séché sur son visage livide. Le masque à oxygène. Le détendeur de plongée.

Sans un mot, il tendit la main et lui posa deux doigts sur le cou pour vérifier son pouls.

Puis, il se tourna vers Hannah.

« Je croyais que vous n'alliez pas nous attirer d'ennuis.

— On ne vous en attire pas.

— Peut-être bien que si. Peut-être bien que non. Quoi qu'il en soit, vous avez besoin de plus d'aide que je ne pensais. Il va falloir être honnête avec moi. Et vite. Cet homme est sur le point de mourir.

— Ne dites pas ça, murmura-t-elle.

— Je n'ai pas dit qu'il était mort, dit Sebastien avant de faire le tour du canapé, de s'agenouiller à côté de Nate et de soulever la couverture pour vérifier les pansements. Je vous propose mon aide, est-ce que vous en voulez ?

— Oui.

— Que s'est-il passé ?

— Il a reçu un coup de couteau. Deux coups de couteau, corrigea-t-elle, les yeux baignés de larmes. Je n'arrive pas à savoir si le poumon est perforé.

— Quand est-ce que c'est arrivé ?

— Il y a cinq heures.

— Et vous ne l'avez pas emmené à l'hôpital ? Mais vous êtes complètement inconsciente !

— Je sais. Je sais.

— Vous auriez eu plus vite fait de le tuer vous-même.

— Je vous en prie, ce n'est pas le moment.

— Qui l'a poignardé ?

— Je... »

Elle hésita. Comment lui expliquer ?

« Je vous ai demandé d'être honnête avec moi. Mais qu'importe, vous pourrez me raconter tout ça plus tard. Pour l'instant, restez ici. Moïse ? *Légy résen*. »

Le chien fit le tour du canapé et s'assit à côté de Nate.

« Où allez-vous ? demanda Hannah.

— Dehors. J'ai une trousse de secours dans ma voiture.

— Il y en a une ici, dit-elle en désignant la petite mallette en plastique.

— Je préfère utiliser la mienne. »

Son absence dura moins d'une minute. Quand il revint, il tenait à la main une grosse toile militaire roulée sur elle-même et un fourre-tout noir. La toile avait l'air vieille, mais quand il la déroula, Hannah vit qu'elle contenait du matériel médical dernier cri.

« Alors, mon garçon, voyons voir ces blessures », dit Sebastien.

Il souleva la couverture de Nate, avant d'ôter les pansements à l'aide d'une paire de ciseaux.

« Qu'est-ce que c'est que ça ? demanda-t-il en désignant le détendeur.

— De l'oxygène.

— Réveillez-le. Il faut qu'il soit conscient. Et remettez-lui ça dans la bouche. S'il ne respire pas avec, ça ne sert à rien. »

Hannah s'exécuta : elle secoua légèrement son mari et lui remit le détendeur dans la bouche. Nate émit un grognement.

Le vieil homme enleva les pansements et les bandages, et il poussa un juron en voyant les plaies pleines de sang.

« Vous les avez nettoyées, au moins ? demanda-t-il.

— Oui.

— On ne dirait pas. »

Il secoua la tête, marmonna d'autres jurons et se saisit d'une paire de gants chirurgicaux qu'il enfila. Il passa un long moment à tamponner les blessures de Nate avec un coton imbibé d'alcool. Quand il vit que du sang frais sortait toujours de la première plaie, il fronça les sourcils.

« C'est profond, dit-il. Très profond. Mais le poumon n'est pas perforé. C'est trop bas pour qu'il soit touché, et vous auriez vu des bulles d'air apparaître. »

Il passa à la deuxième blessure.

« Celle-ci m'inquiète plus. L'intestin pourrait être touché. Pour l'instant, je ne vois rien. »

Il prit un petit instrument métallique et écarta la chair. Aussitôt, une mare de sang sombre se forma sur la poitrine de Nate.

« Il faut que je suture ça. Et vite. Il va falloir s'y prendre une épaisseur après l'autre.

— Qu'est-ce que je peux faire ? demanda Hannah.

— Vous savez faire une intraveineuse ?

— Oui.

— Alors, posez-lui un cathéter. Il y en a un là-dedans, ajouta-t-il en désignant la toile déroulée. Et vous trouverez des poches de sérum physiologique dans le sac. »

Ils passèrent pratiquement une heure à l'ouvrage, dans un silence brisé uniquement par les ordres de Sebastien et les approbations de Hannah. Elle inséra une canule dans l'avant-bras de Nate, puis la fixa à l'aide d'un sparadrap et installa un goutte-à-goutte, se demandant au passage comment un vieil ermite pouvait avoir accès à des poches de sérum physiologique. Elle finit par en conclure que c'était impossible, et que sa famille était loin d'être tirée d'affaire ; voire qu'elle était encore plus en danger.

Hannah regarda Sebastien recoudre les plaies de Nate avec une habileté et une rapidité surprenantes. Ses yeux verts brillaient sous l'effet de la concentration, et il ne respirait plus que par le nez. Sans lever les yeux, il demanda à Hannah de lui passer un tampon désinfectant, et quand elle le déposa dans sa main tendue, elle remarqua une marque, un tatouage, sur son poignet : une silhouette de rapace bleue, presque effacée.

Moïse était assis à côté de la cheminée, les yeux rivés sur la fenêtre, et sa queue frottait le carrelage. Soudain, Sebastien se redressa et retira ses gants. Il se passa la main dans les cheveux et se massa le cuir chevelu.

« J'ai fini », annonça-t-il.

Hannah observa les plaies parfaitement recousues sur le ventre de son mari, sa peau toujours livide, les marques sombres qu'il avait autour des yeux, et ses lèvres bleues.

« Nate ? »

Son mari avait les yeux fixés au plafond, mais il ne regardait rien, comme s'il était mort. Au bout de quelques longues secondes, il bougea la tête et se tourna vers Hannah. Quand il ouvrit la bouche pour parler, elle l'en empêcha, lui dit que tout allait bien, et qu'il allait s'en tirer.

Hannah se tourna vers le vieil homme.

« Et maintenant ? » demanda-t-elle.

Sebastien prit appui sur un des accoudoirs du canapé pour se relever et il se dégourdit les épaules.

« Maintenant, il a besoin de repos. Je préférerais qu'on le mette dans un vrai lit, mais pour l'instant, il vaut mieux ne pas le déplacer. Ce serait dommage que les blessures se rouvrent.

— On peut le laisser dormir ?

— D'abord, on va lui faire ingurgiter un peu de liquide. »

Hannah se leva et versa du sucre dans un nouveau verre d'eau. Elle l'approcha des lèvres de Nate, qui but avidement, les yeux fermés. En quelques secondes, il était endormi. Quand Hannah se tourna vers Sebastien, ce dernier la regardait fixement.

« Je crois que c'est le moment de me donner des réponses, dit-il.

— Est-ce qu'il va s'en tirer ?

— Ce n'est pas une réponse, ça, c'est une question.

— Et c'est la seule question qui se pose.

— Vous m'avez promis que vous seriez honnête avec moi, dit-il en fronçant les sourcils.

— C'est mon mari. Et ça, c'est ma fille, ajouta-t-elle en désignant le fauteuil où Leah était toujours endormie. Ce sont les deux personnes les plus importantes du monde, pour moi. Je n'ai qu'eux. Et j'ai besoin de savoir si mon mari va s'en tirer.

— S'il passe la nuit, il y a de fortes chances qu'il survive, oui.

— Et ses chances de passer la nuit ?
— Est-ce que vous croyez en Dieu ? »

La question la prit au dépourvu. Sous le choc, elle ne sut quoi répondre.

Remarquant sa détresse, Sebastien prit une voix plus douce.

« Si vous y croyez, priez, dit-il. Car pour le moment, il n'y a que ça à faire. »

Il s'assit sur une chaise en bois à côté de la fenêtre. Moïse traversa la pièce et s'installa aux pieds de son maître.

Sebastien caressa la tête de l'animal.

« Très bien, commença-t-il. J'ai fait de mon mieux pour vous aider. Alors si vous êtes là pour poser des problèmes dans la vallée, j'ai besoin de le savoir. Question n° 1 : qui l'a poignardé ? »

Hannah resta immobile pendant quelques instants. Elle sentait son cœur battre à toute allure dans sa poitrine. Elle se dirigea vers la cuisinière, tourna un des boutons et entendit le sifflement familier du gaz. Elle craqua alors une allumette à côté du brûleur. Enfin, elle remplit une théière d'eau et la posa sur les flammes.

« Vous avez raison, dit-elle. Je vous dois des réponses. Je vais tout vous dire, mais avant toute chose, permettez-moi de faire du thé.

— Excellente idée, commenta Sebastien, soudain radouci.

— Je crois qu'il doit rester du lait en poudre du siècle dernier, quelque part par là. »

Elle savait qu'elle ne pouvait pas le laisser seul avec Nate trop longtemps. Elle avait vu à quel point il était agile et rapide. Elle ouvrit la porte du cellier et se glissa à l'intérieur. Elle trouva aussitôt ce qu'elle cherchait.

Dans la cuisine, Sebastien n'avait pas bougé de sa chaise, à côté de la fenêtre. Il leva les yeux vers elle au moment où elle pointait le canon du fusil vers sa poitrine, le pouce posé sur le cran de sécurité.

« J'ai déjà vu ce tatouage, dit-elle. Alors vous avez intérêt à tout me dire. »

Chapitre 4

Oxford, Angleterre

1979

Charles eut à peine le temps d'apercevoir la voiture de Nicole se retourner qu'une rangée d'arbres sur sa gauche lui boucha la vue.

Les mains serrées sur le volant, la mâchoire contractée sous le choc, il jeta un coup d'œil dans son rétroviseur avant d'écraser la pédale de frein. Le capot de la Stag plongea vers l'avant dans un crissement de pneus. La ceinture de sécurité se bloqua contre la poitrine de Charles. Il tourna le volant et fit demi-tour sur la route déserte.

Qu'est-ce qui lui a pris ? pensa-t-il.

C'est alors qu'une autre pensée l'envahit, bien plus sombre : Qu'est-ce que j'ai fait ?

Charles retourna à l'endroit où la Hillman avait quitté la chaussée, puis il fit de nouveau demi-tour et se gara sur le bas-côté de façon à ne pas gêner le trafic. Il coupa le contact, se frotta le visage, puis examina ses doigts tremblants.

Était-il responsable de cet accident ? Certes, il avait voulu aider la jeune femme. Mais on ne pouvait pas pour autant parler d'altruisme. Non, s'il avait agi de façon aussi impulsive, c'était pour satisfaire sa curiosité. Et son désir de la revoir.

Il ouvrit la portière et sortit de la Stag. Se préparant mentalement à ce qu'il allait trouver, il gravit le talus. Un fossé envahi par les ronces le séparait du champ. Derrière le fossé, quelques tiges de blé fragiles, et une immense cicatrice noire à l'endroit où la voiture de Nicole était passée.

La Hillman n'était plus qu'une carcasse de tôle froissée couverte de terre et de poussière. Elle avait dû faire au moins un tonneau, parce qu'elle reposait à présent sur des essieux brisés. De la fumée s'échappait du moteur avant de disparaître, emportée par la brise. Derrière la voiture, une ligne de débris de métal et de verre témoignait de sa trajectoire destructrice.

Charles franchit le talus et descendit dans le fossé, trébuchant sur les pierres et les ronces. Il s'enfonça au milieu d'un buisson inextricable d'ajoncs et de séneçons. Les épines lui déchiraient les manches de chemise et lui labouraient les bras. Il n'avait pas encore franchi l'obstacle qu'il était déjà en sang.

Enfin, Charles s'extirpa des broussailles, sortit du fossé et s'écroula dans le champ. Il avait les bras en feu à cause des griffures de ronces et des brûlures d'orties, et son crâne le démangeait. Un insecte bourdonna à ses oreilles. Il le chassa d'un geste de la main, avant de reporter son attention sur la Hillman. De près, les dégâts étaient encore plus impressionnants : de la voiture, il ne restait plus qu'un amas de ferraille.

C'est alors qu'avec une bouffée d'adrénaline, de peur et d'excitation, il repéra la passagère de Nicole. Elle se déplaçait avec précaution, tâtonnant comme en plein brouillard pour s'extraire du véhicule. Elle avait une coupure au front qui saignait, sa joue était rouge et gonflée, mais elle était vivante.

Soulagé, Charles cria pour attirer son attention. En entendant sa voix, la vieille femme leva la tête et parut hésiter. Elle se retourna vers l'épave. Puis elle leva le bras et trébucha en se dirigeant vers lui.

Le soleil avait transformé la terre en une croûte rigide. Sous les épis de blé, le sol était tout craquelé. Cela rendait la progression difficile, et quand il finit par rejoindre la femme, il était à bout de souffle.

Il remarqua qu'elle avait dû être très belle, dans sa jeunesse. Les rides sur son visage ne parvenaient pas à dissimuler la délicatesse de ses traits. Quand il croisa son regard, il nota qu'elle avait les yeux presque noirs. Ses cheveux étaient châtains, comme ceux de Nicole, mais ils avaient perdu de leur lustre il y a bien longtemps. Ses lèvres serrées lui donnaient l'air renfrogné, et Charles se demanda si c'était parce qu'elle avait mal quelque part.

Alors qu'il franchissait les derniers mètres qui les séparaient, elle se pencha et laissa échapper un gémissement. Commotion cérébrale ? se demanda Charles. Côte cassée ? Il examina le sommet du crâne de la vieille dame, la peau blanche et tachetée qui apparaissait sous la tignasse rêche. L'aspect rugueux lui fit penser à des pattes de poulet.

« Ça va ? » demanda-t-il.

Elle l'ignora. Peut-être qu'elle ne le comprenait pas. Ou peut-être qu'elle avait trop mal pour répondre. De là où il se trouvait, il n'arrivait pas à voir si elle avait les yeux ouverts, s'ils présentaient une trace d'hémorragie, si elle souffrait.

Quand Charles tendit la main vers elle, elle se raidit.

Il ne vit ce qu'elle tenait dans la main qu'au moment où elle le frappa.

Le caillou lui écrasa le nez, et sa tête partit en arrière. Une douleur aiguë envahit progressivement tout son visage. Le monde chancela, il perdit l'équilibre et se retrouva sur le dos, le souffle coupé, les yeux plantés dans le ciel. Il porta les mains à son nez. Le contact déclencha instantanément un spasme d'agonie. Il sentit le sang chaud couler entre ses doigts.

Il vit des points danser en silence devant lui, telles des lucioles de douleur. Il plissa les yeux pour essayer de voir la vieille femme à travers les larmes et les reflets du soleil. L'expression de son visage le glaça d'effroi. Sans un mot, elle l'enjamba et brandit le caillou au-dessus de sa tête.

« Non ! »

Le hurlement était venu de la Hillman. Charles tourna la tête. Il était à deux doigts de s'évanouir, mais il eut néanmoins le réflexe de lever les bras pour parer le coup. Un bruit sourd suivi d'un gémissement métallique. Une portière coincée qu'on ouvrait à coups de pied.

« Maman. Non ! »

Son agresseuse se retourna, brandissant toujours le caillou. Nicole parvint à s'extraire de la voiture. Elle se retrouva à quatre pattes, haletante. Puis elle finit par se lever, leva la main et fit non de la tête.

Arrête ! semblaient vouloir dire ses yeux.

La vieille femme se tourna vers Charles. Ses yeux noirs semblaient dépourvus de la moindre émotion, mais il nota que des larmes avaient creusé des sillons sur ses joues couvertes de poussière. Elle jeta le caillou par terre et fit un pas de côté. Quand Nicole la rejoignit, la vieille femme se mit à parler en français en le pointant du doigt. Une conversation animée s'engagea. Charles était trop sonné pour comprendre quoi que ce soit.

Enfin, Nicole se tourna vers lui, ses yeux lançant des éclairs.

« Qu'est-ce que vous faites ? aboya-t-elle. Pourquoi vous êtes là ? Vous auriez pu nous tuer. »

Il roula sur le côté pour cracher le sang qui s'accumulait dans sa bouche.

« Ça c'est la meilleure, répondit-il. L'autre vient d'essayer de me défoncer le crâne, et c'est moi qui...

— Si vous ne me dites pas tout de suite ce que vous faites ici, c'est moi qui vais finir le travail », prévint-elle en ramassant le caillou.

Il rassembla ses forces pour se redresser, puis secoua la tête pour chasser les dernières lucioles.

« Je ne sais pas ce que je fais ici, dit-il enfin. Pour tout vous dire, je commence vraiment à me le demander. Vous m'avez laissé un message à la bibliothèque. Pourquoi ?

— C'est vous qui avez téléphoné à la maison ?

— Oui.

— Pourquoi est-ce que vous avez demandé à parler au docteur Préfontaine ?

— Parce que c'est le nom que vous avez donné à la bibliothèque. D'ailleurs, pourquoi utiliser un faux nom ?

— C'est moi qui pose les questions, Charles. Qu'est-ce que c'est que cette voiture ? »

Il comprit alors, un peu tard, que sans la Jaguar bien reconnaissable, elle ne pouvait pas savoir qui était à sa poursuite.

« J'ai deux voitures.

— Pourquoi ?

— Mais parce que j'aime bien les voitures, bon sang !

— Vous êtes professeur d'université.

— Et alors ? Ça devrait m'empêcher d'aimer les voitures ?

— Votre salaire ne vous le permet pas.

— Je ne suis pas seulement professeur d'université.

— Qu'est-ce que vous voulez dire par là ?

— Rien du tout. »

Elle brandit le caillou.

« Mais arrêtez, enfin ! N'allez pas vous imaginer des choses. J'ai hérité, c'est tout. Des terres, principalement. J'ai fait fructifier, ça a marché, fin de l'histoire.

— Pourquoi est-ce que vous m'avez suivie ?

— Je vous l'ai dit ; je n'en sais rien. J'étais... Je voulais vous revoir. Et après la charmante conversation que j'ai eue au téléphone avec votre mère, je voulais m'assurer que vous alliez bien. »

La mère de Nicole attrapa sa fille par le bras. Elle désigna quelque chose derrière Charles.

« *Dépêche-toi*[1] », dit-elle.

Il se retourna et vit le camion qu'ils avaient doublé se garer sur le bas-côté. Les freins pneumatiques laissèrent échapper un long sifflement. Charles sentit la tension grandir entre les deux femmes.

« Vous disiez que vous vouliez seulement me revoir ? lui demanda Nicole.

— Oui.

— Pourquoi ?

— Je ne saurais pas l'expliquer. Je...

---

1. En français dans le texte. *(N.d.T.)*

— Vous vous êtes senti obligé. »

Charles se dit que s'il ne faisait pas de geste brusque, elle ne l'assommerait pas avec le caillou. Il entreprit donc de se relever, tout doucement. Elle recula pour ne pas le gêner.

« Bêtement obligé, rectifia-t-il.

— L'instinct, déclara-t-elle en cherchant à croiser son regard.

— Quelque chose comme ça, oui.

— Et qu'est-ce que vous dicte votre instinct, en ce moment précis ? »

Il prit un mouchoir dans sa poche et épongea le sang qui s'accumulait au-dessus de sa lèvre.

« De fuir à toutes jambes, parce que vous êtes deux folles furieuses.

— Charles. Regardez-moi. Je ne plaisante pas, dit-elle en jetant un œil en direction du camion. Qu'est-ce que vous dicte votre instinct ? À mon sujet ?

— Je ne vous connais pas.

— Ça n'a pas d'importance. Essayez d'oublier un instant ce qui vient de se passer. Quand vous m'avez rencontrée la première fois, et maintenant que nous sommes là, tous les deux... Est-ce que vous pensez que vous pouvez me faire confiance ? »

Elle semblait de plus en plus nerveuse, et elle parlait à toute vitesse.

« Je ne sais pas, répondit-il en haussant les épaules. Peut-être.

— Alors, écoutez bien ce que je vais vous dire, Charles. Il faut qu'on parte d'ici tout de suite.

— Pourquoi ?

— Je n'ai pas le temps de vous l'expliquer. Il faut que vous me fassiez confiance. J'ai besoin d'aide. Ça n'arrive pas très souvent, et je ne vous le demanderai qu'une fois. Si vous voulez nous aider, emmenez-nous vite loin d'ici. »

C'était insensé.

« D'accord. Mais... »

Il s'interrompit une seconde, puis hocha la tête et reprit :

« D'accord. Je vais vous aider. Mais votre voiture ? On ne peut pas partir comme ça.

— Charles. »

Il poussa un soupir et accepta de se jeter dans l'inconnu.

« Très bien. Venez. On part d'ici. »

Nicole se tourna vers sa mère. Elle prononça quelques mots en français, désigna du doigt Charles, puis la route. La vieille femme protesta, mais elle n'avait visiblement pas son mot à dire.

« Les passeports ! » s'écria Nicole.

Elle courut jusqu'à la Hillman, essaya d'ouvrir le coffre et poussa un juron. Elle frappa sur la tôle abîmée et tenta en vain d'actionner la poignée.

« Qu'est-ce qui se passe ? demanda Charles.

— C'est coincé. Nos sacs sont à l'intérieur.

— Laissez-moi essayer.

— Pas le temps. C'est complètement bloqué. »

Elle se dirigea vers la portière conducteur, passa le bras par la vitre cassée et en sortit un gros paquet attaché avec de la ficelle. On aurait dit une collection de vieux livres reliés.

« Allez. Il faut partir.

— Vous ne pouvez pas laisser vos passeports ici, objecta Charles.

— Partons. »

Nicole prit sa mère par la main, puis elle traversa le champ, descendit dans le fossé et se fraya un passage à travers les ronces. Charles se contenta de suivre.

Le camion, un vieux Bedford avec le capot rouge et les passages de roue noirs, s'était garé à une vingtaine de mètres derrière la Stag. Un homme plutôt enveloppé en sortit. Gilet vert, cheveux ternes, une cigarette à la main.

« Les limitations, c'est pas fait pour les chiens ! Z'avez tous vos deux bras et vos deux jambes ? »

Charles l'ignora. Il suivit les deux femmes jusqu'à la Stag, ouvrit la portière passager et les aida à monter à bord. Puis il s'installa rapidement au volant, mit le contact, et appuya sur l'accélérateur.

Il observa dans le rétroviseur la silhouette à côté du camion s'éloigner peu à peu. Le routier les regarda partir. Après un moment, il jeta sa cigarette dans les buissons et se retourna.

Ils filaient à travers la campagne de l'Oxfordshire. Charles baissa sa vitre pour profiter de l'air frais. Les moissons avaient déjà eu lieu, et la plupart des champs étaient vides, calcinés par le soleil. Il avait fait très chaud ce mois-là, même si cela était incomparable avec l'été 76, trois ans plus tôt, où le gouvernement avait mis en place le plan sécheresse.

Ils passèrent devant plusieurs exploitations laitières. Chaque fois, les vaches agglutinées à côté de la clôture pour brouter l'herbe la plus fraîche regardaient filer la Stag d'un air placide. Régulièrement, Nicole se retournait et observait longuement la route derrière eux. Charles se demanda si elle cherchait quelque chose en particulier, ou s'il s'agissait seulement d'un trouble obsessionnel qu'elle ne contrôlait pas.

Quoi qu'il en fût, il s'abstint de tout commentaire. Il avait besoin de réfléchir à ce qui venait de se passer. Son nez lui faisait un mal de chien, et il sentait monter une migraine. Une fois de plus, il se demanda ce qu'il faisait, pourquoi il avait ressenti une telle pulsion d'agir, de suivre cette fille.

Il jeta des coups d'œil discrets vers Nicole, qui s'agitait à côté de lui. Elle avait posé le paquet de livres ficelé sur ses genoux. Certains étaient tellement vieux que la reliure craquelée et poussiéreuse et les pages jaunies menaçaient de s'effriter. La main posée sur la pile, Nicole triturait machinalement le nœud. Les yeux plissés à cause du courant d'air et de la lumière du soleil, elle observait la route d'un air impassible. Elle avait l'air forte et déterminée, mais plus tôt, sur les lieux de l'accident, il avait lu dans ses yeux une peur fugace qui l'avait troublé. Il savait qu'elle n'avait pas menti quand elle lui avait dit qu'elle demandait rarement de l'aide. À sa façon d'agir avec lui – son ton, la manière dont elle se tenait, même –, il était évident que c'était une fille qui n'avait besoin de personne. Il se demanda quels événements, quels coups durs l'avaient façonnée ainsi. Il se demanda s'il le saurait jamais.

Il s'engagea sur la London Road, rejoignit l'autoroute et décida d'aller vers le nord plutôt que vers le sud. Il sortit près de Wendlebury, fit tout le tour de Bicester avant de prendre les petites routes pour se rendre vers l'ouest, en direction de Woodstock. Ça faisait un énorme détour, mais il sentait que Nicole avait besoin de temps pour reprendre ses esprits. À présent, elle avait cessé de vérifier sans cesse la route derrière eux, pour tomber dans un état d'hébétude.

Charles se regarda dans le rétroviseur. Son nez, qui n'avait jamais été son attribut le plus gracieux, était maintenant gonflé et violacé. Du sang avait séché au niveau des narines et du menton. Ses habits déchirés par les ronces étaient couverts de terre. Ses avant-bras tout griffés ressemblaient à un quadrillage rouge et blanc.

Curieusement, malgré la douleur au visage et la migraine qui appuyait derrière ses globes oculaires, il se sentait euphorique. Il avait conscience que c'était en partie dû à l'adrénaline. Mais il y avait autre chose, comme si une partie de lui qu'il ne connaissait pas avait été libérée, et qu'elle profitait à présent du soleil pour s'épanouir.

Il songea alors à la vieille femme qui l'avait si efficacement assommé, et il inclina le rétroviseur pour l'observer. La mère de Nicole croisa son regard et ne le lâcha pas. Aucune bienveillance, aucune confiance. Charles se dit qu'après tout, s'il ne les avait pas poursuivies, l'accident ne se serait jamais produit. En d'autres termes, la vieille femme ne lui devait rien. Pourtant, son attitude lorsqu'il avait voulu l'aider défiait toute logique. Elle avait paru déterminée à le tuer, à lui ouvrir le crâne et à laisser son cerveau se répandre sur la terre desséchée. Charles se rappela leur conversation téléphonique. Elle l'avait appelé Jakab, avant de le traiter de démon. De toute évidence, elle pensait qu'il leur voulait du mal. Si ce n'était pour le souvenir de ses yeux noirs alors qu'elle brandissait le caillou au-dessus de sa tête, Charles aurait presque pu ressentir de la pitié. Mais il était encore un peu trop tôt.

Il remit le rétroviseur en place.

Ils franchirent une colline. Face à eux, deux rangées de chênes formaient une arche de feuillage au-dessus de la route. La Stag s'engouffra dans ce tunnel végétal que les rayons du soleil tentaient en vain de percer.

Sur le bas-côté, Charles aperçut la carcasse gonflée d'un chevreuil, allongé dans la boue. Quelque chose – une voiture, certainement – lui avait fracassé la mâchoire et brisé la colonne vertébrale au niveau du cou. Du sang avait coulé par la bouche, les oreilles et le nez, et une nuée de mouches s'agitait à présent autour du cadavre. Charles dépassa l'animal en grimaçant.

« Où va-t-on ? »

La vue du chevreuil mort avait tiré Nicole de sa léthargie. Elle se redressa sur son siège, en état d'alerte.

« Charles, reprit-elle, où sommes-nous ? »

Il fut attristé par la méfiance dans la voix de Nicole. Il savait qu'il marchait sur des œufs, et qu'il devait à tout prix se retenir de jouer les chefs de meute – son inclination naturelle – s'il voulait éviter le conflit.

« On est au nord d'Oxford, annonça-t-il. On vient de dépasser Bunkers Hill. J'ai une maison à Woodstock, à quelques kilomètres d'ici. Si vous voulez, je peux vous y emmener. Sinon, je peux vous conduire où vous voulez. »

Sur ce, il se tut, bien décidé à ne rien dire de plus. Il comprit au silence de Nicole qu'elle étudiait chaque option.

Enfin, elle se retourna vers la femme assise à l'arrière.

« Est-ce qu'on peut tous y aller ? Chez vous ?

— Oui, vous pouvez amener Calamity Jane, mais il faut qu'elle promette de bien se tenir.

— Charles, attention à ce que vous dites, fit Nicole d'un ton sec. C'est de ma mère que vous parlez.

— Oui, c'est ce que j'avais déduit. Cette douceur que vous avez en commun, sans doute. »

Charles sentit qu'elle l'observait. Il tâcha de rester concentré sur la route, mais quand il soupçonna quelques instants plus tard qu'elle l'examinait toujours, il se tourna vers elle, pour découvrir qu'elle arborait un large sourire. Cela transformait son visage de façon si spectaculaire qu'il ne put s'empêcher de sourire en retour.

« Qu'y a-t-il de si drôle ? » demanda-t-il.

Elle laissa échapper un petit rire coupable.

« Votre nez, Charles. On dirait une fraise.

— C'est gentil de me le faire remarquer.

— Est-ce que ça fait mal ?

— Évidemment que ça fait mal. »

Nicole rit de nouveau.

« Je suis désolée.

— Et vous ? Ça va ? Quand j'ai vu l'état de votre voiture, j'ai craint le pire.

— Ça peut aller. Mais je pense que demain, j'aurai mal partout.

— Qu'allez-vous faire, pour la Hillman ?

— Rien, c'est une voiture de location. Il risque d'y avoir... »

Elle s'interrompit, et Charles sut qu'elle s'était ravisée, terrifiée par ce qu'elle avait été sur le point de révéler.

« Ne vous en faites pas, dit-il. Vous n'êtes pas obligée d'en parler.

— Non, ça va, Charles. »

Elle sembla prête à en dire davantage, mais une fois de plus, elle parut se crisper. Elle observa la route et, d'un revers de la main, écarta une mèche de cheveux devant ses yeux. Doucement, elle ajouta :

« Nous n'avons plus de passeport. »

Peu de temps après, ils franchirent la grille ouverte de la demeure de Charles. Nicole regarda autour d'elle tandis qu'il se garait à côté de la Jaguar, à l'ombre d'un bouleau argenté.

« C'est magnifique, Charles. »

Des murs en pierres apparentes, de petites fenêtres à guillotine à l'encadrement peint en vert clair, et un vieux toit en tuiles. Une glycine s'accrochait à la maison et laissait pendre ses lourdes fleurs mauves chargées de pollen.

Charles referma la portière de la voiture tandis que Nicole aidait sa mère à descendre. Après quoi il les guida à travers un couloir jusqu'à la cuisine. Alors qu'ils se tenaient tous les trois debout sans rien dire, il se sentit soudain mal à l'aise.

« Je suis désolé, dit-il, je reçois rarement. J'en oublie les bonnes manières. Je vous en prie, asseyez-vous. »

Il leur désigna une vieille table en bois dans un coin et tira deux chaises. La mère s'assit, Nicole posa la pile de livres sur la table et se dirigea vers la fenêtre pour observer le jardin.

Le gazon impeccablement tondu s'étirait jusqu'à une haie de framboisiers, derrière laquelle s'étendait une prairie sauvage. Çà et là, des parterres de dahlias, de digitales, de chrysanthèmes et de géraniums : un barrage de rose, de violet et de rouge qui ondulait dans la brise. Des fleurs des champs poussaient au pied des pommiers, des cerisiers et des érables palmés. Des abeilles bourdonnaient, le corps chargé de nectar. Sur un côté se dressait un abri de jardin, devant un potager fraîchement labouré. Une citerne en métal placée sous la gouttière servait à recueillir l'eau de pluie.

Une fois de plus, Charles se sentit gêné ; il avait conscience de l'aspect féminin de son jardin. En silence, il se dirigea vers l'évier pour remplir une bouilloire.

« Vous me surprenez, dit Nicole. Je n'aurais jamais imaginé ça.

— Il faut dire que vous tombez à la meilleure période de l'année. »

Elle regarda les fleurs derrière lui et sourit.

Après avoir fait bouillir l'eau, Charles posa sur la table un plateau avec une théière en porcelaine et trois tasses. Il attendit que les feuilles aient infusé assez longtemps avant de servir.

« Bon, dit-il en se tournant vers Nicole. Je ne sais pas dans quoi vous êtes impliquée, je ne sais rien de votre situation. Mais de toute évidence, vous avez peur de m'en parler. Je peux vous assurer que je ne suis pas de ceux qui s'occupent de ce qui ne les regarde pas, mais je veux vous aider, et pour ça, j'ai besoin d'en savoir un minimum, sur vous et sur le danger que vous semblez fuir. Car il paraît clair que vous fuyez quelque chose. Sans compter que vous tenez à garder votre identité secrète. D'ailleurs, je ne sais même pas si je dois vous appeler Nicole ou Amélie.

— Ce n'était certainement pas très malin de ma part, mais je vous ai dit la vérité quand on s'est rencontrés. Comme vous, je me suis sentie... obligée. Ça fait partie de ces choses qu'on ne peut expliquer. Je m'appelle Nicole Dubois. Et voici ma mère, Alice.

Je n'ai pas menti non plus quand je vous ai dit que j'étais docteur. J'ai obtenu mon doctorat à la Sorbonne. Comme vous, je suis spécialiste du haut Moyen Âge. Je suis maître de conférences à l'université de Lille. »

Pour détendre l'atmosphère, Charles tendit la main comme s'il la rencontrait pour la première fois.

« Chère collègue, déclara-t-il, je suis honoré de faire votre connaissance. »

Nicole glissa sa main dans la sienne, et Charles manqua sursauter au contact de sa peau.

Elle le gratifia d'un sourire fatigué.

« Maintenant, je ne sais pas ce qu'on fait.

— Nous sommes un peu dans l'impasse.

— Comment ça ?

— Vous n'osez pas vous confier à moi, et je ne peux pas vous aider si vous ne me dites rien. »

Elle but une gorgée de thé.

« Nous avons besoin de nous rendre à Paris, où nous serons en sécurité, toutes les deux. Nous disposons de fausses identités en France. Préfontaine, et bien d'autres.

— D'accord, répondit-il en fronçant les sourcils.

— Nous ne sommes pas des criminelles, Charles, si c'est ce que vous pensez. Certes, nous avons de faux documents, mais ils sont trop grossiers pour nous permettre de passer la moindre frontière. Quand nous voyageons, nous utilisons nos vrais passeports. Venir en Angleterre était un risque. Nous ne comptions pas rester longtemps. Mais avec l'accident de voiture, le rapport d'assurance, l'enquête, notre trace va être facile à suivre. Et sans passeport pour quitter l'Angleterre... »

Elle ne prit pas la peine de finir sa phrase.

« Qu'est-ce que vous êtes venue chercher à Balliol ? demanda Charles.

— Malheureusement, je ne peux pas vous le dire. Ce n'est pas que je n'en ai pas envie, mais ça vaut mieux pour vous. Je ne suis pas en danger, enfin, pas vraiment. Par contre, je ne peux pas en dire autant pour ceux qui m'entourent. Je vous assure, il vaut mieux que vous ne sachiez rien.

— Mais comment pouvez-vous croire que...

— Charles, l'interrompit-elle, avez-vous écouté un mot de ce que je viens de vous dire ? Je vous dirai ce que je peux, mais pas ça. Je ne vous connais même pas.

— C'est exactement ce que je vous ai répondu quand vous m'avez demandé si je vous faisais confiance.

— Ce n'est pas la même chose. »

Nicole balaya la cuisine du regard : les casseroles en cuivre pendues au plafond, les lys dans leur vase, sur le rebord de la fenêtre. Quand elle se tourna de nouveau vers Charles, il remarqua que son expression avait changé. Elle semblait plus dure.

« Comment est-ce que je peux savoir que vous êtes bien celui que vous prétendez être ? demanda-t-elle brutalement.

— Voilà une question bien étrange. Vous m'avez rencontré à l'université. Vous êtes chez moi. »

Alice Dubois se pencha en avant et posa la main sur le bras de sa fille. Pour la première fois depuis qu'ils étaient arrivés, elle parla, en anglais et avec un fort accent.

« Nicole, dit-elle. Tu peux vérifier. Valide-le. Si c'est le seul moyen de pouvoir lui faire confiance, fais-le. »

Nicole regarda sa mère, puis reporta son attention sur Charles.

« Depuis combien de temps est-ce que vous habitez ici ? lui demanda-t-elle.

— Quatre ans. Depuis que je...

— Dites-moi quelque chose sur cette pièce. Quelque chose que vous seul pouvez savoir.

— Quoi, par exemple ?

— Peu importe. Quelque chose que je peux vérifier. »

Il regarda autour de lui. Sur le plan de travail, coincée entre deux bocaux, se trouvait une rangée de livres de cuisine.

« Entre deux de ces livres, dit-il, il y a un petit cahier protégé par du papier kraft. Le vieux livre de recettes de ma mère. Vers les dernières pages, pliée en deux et collée avec du scotch, vous trouverez une vieille recette de pavlova tirée d'un magazine. Elle est barrée au crayon à papier. J'ai essayé de la faire, ce fut un désastre. »

Nicole se leva, trouva le cahier et en tourna les pages. Elle trouva l'extrait de magazine plié en deux et vérifia qu'il était bien barré. Enfin, elle retourna s'asseoir et montra le cahier à sa mère.

« Merci. Désolée d'avoir dû...

— Vous n'avez pas à vous excuser. Écoutez, restez donc dormir ici, cette nuit. La chambre d'amis est déjà préparée. Si vous voulez, nous pourrons discuter de tout ça plus tard. Et si vous ne voulez toujours pas, ce n'est pas grave. Par contre, je n'ai pas grand-chose à manger. Je vais sortir faire quelques courses et j'en profiterai pour prendre de quoi vous faire à dîner. Après manger, peut-être qu'on y verra tous un peu plus clair. »

Il se leva, espérant qu'en lui prouvant la confiance qu'il lui vouait, elle commencerait à baisser sa garde.

« Faites comme chez vous, ajouta-t-il. Mettez-vous à l'aise, j'en ai pour quelques heures, au maximum. »

Nicole examinait les feuilles de thé au fond de sa tasse.

À sept heures ce soir-là, Charles revint avec trois sacs remplis de victuailles. Pour dîner, il leur prépara des linguine avec des moules, de l'estragon et une sauce à la crème et au vin blanc. Il ouvrit une bouteille de chablis pour accompagner le repas, et dut rapidement aller en chercher une autre dans le réfrigérateur.

Tandis qu'ils mangeaient, Charles parla de son travail à l'université. Il se rappela les documents que Nicole avait consultés – des livres sur les premiers peuples hongrois – et orienta la conversation vers ce qu'il savait de l'Europe de l'Est. Nicole participa assez peu à la discussion, mais elle lui posa quelques questions et écouta attentivement ses réponses.

Il leur parla de ses différents projets, et notamment de la série radiophonique en cinq parties sur l'Europe médiévale que lui avait commandée la BBC. Les deux premiers épisodes avaient été diffusés au cours des dernières semaines. Il avait touché peu d'argent pour son travail, mais les critiques avaient été très bonnes, et son producteur parlait déjà d'un autre projet sur le sujet.

Après dîner, ils débarrassèrent la table, et Nicole l'aida à faire la vaisselle. Elle fit du café, qu'ils burent dans le salon. Nicole et sa mère s'assirent sur le petit canapé, tandis qu'il prenait place en face d'elles, dans le fauteuil.

« J'ai trouvé un moyen de vous faire retourner en France, leur dit-il. Il va me falloir encore quelques jours pour m'occuper des détails, mais en attendant, si vous voulez, vous pouvez rester ici avec moi.

— Retourner en France ? répéta Nicole. Mais comment ? »

Charles ne put s'empêcher d'esquisser un sourire satisfait.

Chapitre 5

Snowdonia, pays de Galles

De nos jours

La crosse du fusil bien calée contre son épaule, Hannah braqua le canon sur la poitrine du vieil homme. Elle ne se trouvait qu'à quelques mètres de lui, mais elle avait pu voir qu'il était très rapide. Elle ne comptait lui laisser aucune chance de réagir.

Les yeux de Sebastien s'embrasèrent en voyant l'arme, et Hannah se sentit intimidée par la puissance de ce regard. Alors qu'il levait les bras, l'expression de son visage resta indéchiffrable.

« Non, aboya-t-elle. Posez les mains sur les genoux. Tout de suite. N'allez pas croire que j'hésiterai une seconde à presser la détente. Si vous me donnez la moindre raison de tirer, vous êtes mort, je vous le garantis. Si vous essayez de vous lever, vous êtes mort. Si je vous pose une question et que la réponse ne me convient pas, vous êtes mort. Si votre saleté de chien fait quelque chose qui ne me revient pas, ça va très mal se terminer pour vous. Est-ce que c'est bien clair ? »

Le vieil homme se tourna vers Moïse, qui s'était installé à côté de la cheminée, puis il prit la parole d'une voix calme.

« Si vous êtes bien celle que vous prétendez être, vous n'avez rien à craindre de moi.

— Je vous rappelle que c'est moi qui tiens le fusil, vieil homme. Vous ne me faites pas peur.

— Si vous n'êtes pas Hannah Wilde, si vous êtes l'autre, je connais vos secrets, poursuivit-il sans tenir compte de sa remarque. Faites ce que vous voulez. Je suis trop vieux pour avoir peur d'un fusil. Je suis en paix avec moi-même et je suis prêt à affronter ce qui m'attend dans l'au-delà. Vous pouvez me tuer, mais sachez que nous sommes à vos trousses, et que ce sera sûrement votre dernier meurtre. »

Hannah constata que la poitrine du vieil homme se soulevait à toute vitesse : il n'était pas aussi calme qu'il le laissait paraître. Il lui avait fallu beaucoup de volonté pour prononcer ces mots sans trembler.

« Sacré discours, commenta-t-elle.

— C'était peut-être un peu trop théâtral, je vous l'accorde, mais ça venait du cœur.

— Comment savez-vous qui je suis ?

— Je ne le sais pas. Je n'en suis pas certain. Permettez que je vous pose quelques questions.

— Je ne crois pas, non.

— Alors, pressez la détente », dit-il en la fixant de ses yeux couleur émeraude.

Comme elle ne disait rien, il demanda :

« Quand vous aviez quinze ans, votre père a acheté une ferme dans le sud de l'Oxfordshire et a hérité d'un troupeau de vaches. De quelle race s'agissait-il ? »

Elle le fixa du regard, interdite. Non seulement cet inconnu la connaissait, mais en plus il essayait de vérifier son identité, exactement comme son propre père lui avait appris à le faire. Elle se demanda s'il valait mieux qu'elle réponde n'importe quoi, puis elle décida que c'était absurde. De toute façon, s'il essayait de gagner sa confiance, c'était raté. Car rien ne prouvait qu'il n'avait pas déjà forcé son père à lui donner les réponses.

Quand il vit qu'elle hésitait, il ajouta :

« Ce n'est pas un subterfuge pour vous aider à vérifier mon identité, Hannah, mais un moyen pour moi de vérifier la vôtre.

— Les vaches... c'était des Ayrshire.

— Peu après votre arrivée, il y a eu un accident. Que s'est-il passé ?

— J'ai essayé d'en traire une, répondit-elle. Mais j'ai dû mal m'y prendre, parce qu'elle a rué et qu'elle m'a cassé le poignet.

— Qu'est-il arrivé à la vache ?

— Rien. On l'a surnommée la Farouche. »

Le vieil homme ferma les yeux. Quand il les rouvrit, ils brillaient de mille feux.

« Bon sang ! s'exclama-t-il. Pendant un moment, j'ai cru que c'était lui que j'avais en face de moi. Ça m'a fichu une sacrée trouille ! J'étais prêt à t'étriper », ajouta-t-il en passant soudain au tutoiement.

Il laissa échapper un petit rire de soulagement, puis il se tourna vers Nate et retrouva son sérieux.

« Hannah, déclara-t-il, je suis tellement heureux de voir que vous êtes tous en vie.

— C'est gentil à vous, mais les règles n'ont pas changé. Si vous vous levez...

— Oui, oui, je sais, soupira-t-il. Si je bouge, je suis mort. Très poétique. »

À présent qu'il semblait rassuré sur l'identité de son interlocutrice, il avait retrouvé son assurance.

« Mais tu vois, je ne bouge pas. Je suis assis sur cette fichue chaise et j'ai mal au dos parce que je viens de passer une heure penché sur ton mari à essayer de lui sauver la vie. Même si je voulais faire le moindre mouvement, il me faudrait une bonne semaine pour me redresser. Et sinon, il n'était pas question que tu fasses du thé ?

— Comment connaissez-vous mon nom ?

— Mais parce que je t'ai déjà vue. Plein de fois. Je te l'accorde, c'était il y a longtemps. Mais je constate que tu as toujours aussi mauvais caractère. La dernière fois qu'on s'est vu, c'était en Hongrie, avec ton père. Et tu avais déjà cet air renfrogné à en faire tourner le lait.

— Vous connaissez mon père ? demanda-t-elle en fronçant les sourcils.

— Bien sûr que je le connais. J'étais avec lui quand il a choisi cette ferme. D'ailleurs, tu as fait le bon choix en venant ici.

— À votre tour.

— À mon tour de quoi ?

— De valider. J'ai besoin de preuves, tout de suite.

— Très bien, dit-il en approchant la main droite de la poche de son imperméable.

— Holà ! On se calme ! »

Tout doucement, il glissa le pouce et l'index dans la poche et en sortit un couteau de chasse au manche en bois patiné par les ans. La lame avait perdu de son brillant, mais elle semblait bien aiguisée.

« Pas de geste brusque », prévint-elle, le canon du fusil toujours pointé vers Sebastien.

Il hocha la tête et rangea le couteau dans sa poche.

« Maintenant que je sais qui tu es, crois-moi, je vais t'obéir au doigt et à l'œil. Par contre, je ne sais pas ce qui serait arrivé si tu avais été lui. Peut-être qu'il aurait été plus rapide que moi. Qui sait ? Je vieillis. Mais après tout, lui aussi n'est plus tout jeune. Le fusil n'est pas chargé, Hannah. Si tu avais appuyé sur la détente, je t'aurais planté ce couteau dans la gorge. Heureusement pour toi et pour ma conscience, tu n'en as rien fait.

— Qu'est-ce que vous racontez ?

— La dernière fois que je suis venu ici, j'ai trouvé un fusil chargé dans le cellier. Deuxième étagère de gauche, c'est bien ça ? Je sais quel genre d'individus ce type de ferme isolée et non habitée peut attirer, et je ne voulais pas qu'il y ait une arme chargée à disposition. J'ai donc enlevé les deux cartouches. Je sais que tu n'as pas eu le temps de vérifier quand tu t'es précipitée pour le prendre. Si ça te rassure, sache que tu trouveras les munitions dans leur boîte, dans le tiroir du buffet, derrière toi. Maintenant, je t'en prie, arrête de me pointer ce machin sur le visage, c'est très impoli. »

Hannah fit quelques pas en arrière. Quand elle fut presque à la porte du couloir, elle cassa le fusil et vérifia les chambres.Elles étaient toutes les deux vides.

« Dites-moi autre chose, ordonna-t-elle.

— Le jour où ton père a rencontré ta mère, ils se sont disputés au sujet d'une table. Je ne me souviens pas où exactement, mais c'était dans la bibliothèque d'une des universités où il travaillait. »

Elle savait qu'il était impossible qu'il connaisse cette histoire si Charles ne la lui avait pas racontée en personne. Sans compter qu'il était au courant pour le fusil. Après quelques secondes de réflexion, Hannah décida que le vieil homme disait la vérité.

Elle sentit d'un coup la fatigue l'envahir. Par miracle, elle avait réussi à récupérer Nate et Leah chez son père, et tout le monde était vivant. Personne ne semblait les avoir suivis. En revanche, Nate était dans un état critique. Il était possible qu'il ne passe pas la nuit, et elle devait se préparer mentalement à cette éventualité. Mais ils avaient trouvé une planque. Un répit provisoire pour échapper à celui qui était à leurs trousses. Ils avaient une chance de s'en tirer.

« Hannah ? demanda Sebastien.

— Je suis désolée, répondit-elle en reprenant ses esprits. Quand j'ai vu le tatouage, j'ai paniqué. Je savais que je l'avais déjà vu quelque part, mais je ne me souvenais pas où.

— Tu n'as pas à t'excuser. Si jamais tu as besoin de me valider de nouveau, n'hésite pas. Mieux vaut prévenir que guérir. Si je ne réponds pas assez vite, si j'ai l'air offensé ou surpris, tu me tires dessus. Mais la prochaine fois, vise la tête, pas la poitrine. Charles a choisi ces règles simples pour une bonne raison. Elles fonctionnent, et c'est le seul moyen de garder ta famille en sécurité. Plus tard, je te donnerai quelques anecdotes supplémentaires que tu pourras utiliser à l'occasion pour vérifier mon identité. Maintenant, je dois t'avouer que je ne suis pas quelqu'un de très patient. Alors j'espère vraiment que tu vas tenir parole et préparer ce fichu thé. Et tutoie-moi, que diable ! »

Elle se força à sourire, même si le cœur n'y était pas. Il essayait de détendre l'atmosphère ; il avait tellement fait pour eux.

« Je crois que tu l'as bien mérité, dit-elle. Merci encore. Merci d'être là. Merci d'avoir aidé Nate. »

D'un geste de la main, il balaya la gratitude de Hannah.

Elle se dirigea vers le buffet, trouva la boîte de cartouches dans le tiroir et en glissa deux dans le fusil. Puis elle entra dans le cellier, reposa l'arme à sa place, et ressortit avec à la main des sachets de thé, du lait en poudre et du sucre.

« Tout ça m'a l'air assez récent, dit-elle en désignant les denrées.

— Je viens régulièrement m'assurer que tout est en état, au cas où il arrive quelque chose. »

Il marqua une pause, avant d'ajouter :

« Et je suis vraiment désolé qu'il soit arrivé quelque chose, Hannah. »

Ce fut au tour de Hannah de balayer d'un geste son commentaire. Quelque part, elle espérait qu'en refusant de s'appesantir sur les événements de la soirée, les choses finiraient par s'arranger d'elles-mêmes. Une logique puérile. La présence de Nate, allongé sur le canapé, pâle comme jamais, lui rappela l'absurdité de son raisonnement.

La théière se mit à siffler. Elle coupa le gaz, mit deux sachets dans deux tasses et versa l'eau. En attendant que le thé infuse, Sebastien s'installa confortablement dans un fauteuil, à côté du feu de cheminée. Aussitôt, Moïse s'approcha, en quête d'attention.

« Tu savais déjà que quelque chose n'allait pas quand tu es arrivé, pas vrai ? demanda Hannah. Avant même de voir Nate.

— Oui. J'ai eu Charles au téléphone, ce matin.

— Tu lui as parlé ? Quand ça ? demanda-t-elle, bouleversée.

— Juste avant que tu le voies, j'imagine.

— Qu'est-ce qu'il t'a dit ? Est-ce que tu lui as reparlé depuis ? Est-ce qu'il va bien ? »

Sebastien fit signe à Hannah de parler moins fort.

« Je lui ai parlé une fois, quelques heures avant que vous arriviez ici, c'est tout. Je ne lui ai pas parlé depuis que vous avez réussi à vous enfuir, et il n'a pas essayé de me rappeler. Ça m'étonnerait qu'il le fasse. Il m'a appris que vous aviez été compromis.

— Est-ce qu'il t'a expliqué comment ? demanda-t-elle.

— Il m'a dit qu'on l'avait appelé pour lui dire que quelque chose avait échappé à son attention. Il n'est pas entré dans les détails. C'était une conversation très rapide. Est-ce que je peux te demander ce qui s'est passé ? Comment Nate a été blessé ?

— Je n'en sais rien moi-même. Papa nous a fait venir dans son bureau. Il nous a ordonné de partir tout de suite et de ne pas lui dire où nous allions. Avec Nate, on s'est séparés. Il est parti faire les valises pendant que j'allais chercher Leah dans le jardin. C'est à ce moment-là que j'ai entendu des coups de feu.

— Des coups de feu ?

— On aurait dit un pistolet. Je crois que Nate lui a tiré dessus. Je ne savais pas quoi faire. Je l'ai appelé avec mon portable et il m'a demandé de garer le Discovery en marche arrière sur le côté de la maison. C'est ce que j'ai fait, et il est monté à bord. Je ne savais pas qu'il était aussi grièvement blessé avant d'arriver ici. »

Sebastien fronça les sourcils et jeta un coup d'œil vers Nate.

« Est-ce que tu as croisé ton père avant de prendre la fuite ? demanda-t-il.

— Non.

— Est-ce qu'il a essayé de t'appeler depuis ? »

Elle secoua la tête. Verbaliser sa réponse aurait signifié admettre l'évidence, et elle ne se sentait pas prête pour cela.

« Je suis navré, Hannah. Cette créature est diabolique. Il faut en finir. Je vais faire tout mon possible pour t'aider. »

Elle ravala ses larmes. Tâchant de se concentrer sur autre chose, elle retira les sachets de thé, ajouta du lait en poudre et tendit une tasse à Sebastien.

Ce dernier se tourna vers Leah, toujours endormie dans son fauteuil.

« Est-ce que je peux me permettre une suggestion ?

— Je t'en prie.

— Couchons la petite à l'étage. Il y a une chambre d'enfant avec un lit déjà fait. Les prochains jours vont être durs pour elle, et il va falloir qu'elle s'adapte rapidement. »

Hannah se tourna vers sa fille et résista au besoin pressant de la prendre dans ses bras. Avant la naissance de Leah, elle pensait que les sentiments qu'elle éprouvait pour Nate constituaient les émotions les plus fortes que pouvait ressentir un être humain : amour et terreur, en proportions équivalentes ; l'amour qui surpassait – sans jamais balayer complètement – la peur qu'elle avait d'exposer Nate aux ombres qui la poursuivaient ; la terreur de perdre celui pour lequel elle éprouvait de tels sentiments. Pourtant, avec l'arrivée de Leah, elle avait découvert quelque chose de nouveau, plus complexe et plus puissant : amour et terreur, entremêlés une fois de plus, mais beaucoup plus redoutables ; l'amour qu'elle éprouvait pour sa fille n'avait rien à voir avec celui qu'elle ressentait pour son mari, mais cet amour les rassemblait tous les trois, les unifiait ; la terreur était quant à elle magnifiée par l'horrible éventualité de les perdre tous les deux, ou d'en perdre un et de lire la peine dans les yeux de l'autre, ou – et cette pensée ne se manifestait que dans les moments les plus sombres – de devoir choisir entre les deux, d'en sacrifier un pour que l'autre survive.

Depuis le premier jour, elle s'était promis de ne jamais laisser les événements qui avaient détruit sa propre enfance entacher celle de sa fille. Mais l'histoire semblait se répéter, et elle ne pouvait qu'observer le désastre, impuissante. C'était facile pour Sebastien, de dire qu'il fallait en finir. Elle s'était toujours promis que le moment venu, elle choisirait l'affrontement plutôt que la fuite. Mais elle avait été contrainte de fuir.

Elle se jurait qu'il ne s'agissait que d'une fuite temporaire. Elle aurait l'occasion de se battre. Elle avait toujours Leah, et Nate s'accrochait encore à la vie. S'il ne devait pas en réchapper – elle sentit sa gorge se serrer en y pensant –, elle perdrait certes une partie fondamentale de sa vie, mais sa responsabilité vis-à-vis de Leah s'en trouverait décuplée. Et autant vivre sans Nate lui paraissait inimaginable, autant elle était prête à mourir pour sauver l'avenir de sa fille.

Et si le pire arrivait quand même ? Si Nate ne survivait pas et que Hannah était contrainte de sacrifier sa vie pour sauver celle de sa fille ? Leah se retrouverait toute seule. Après les terribles événements de la soirée, Hannah devait partir du principe que son père était mort. Il ne restait donc personne. Nate était fils unique et orphelin. Personne. Pour Leah, il fallait que l'un d'entre eux survive. Ce qui la ramenait au même dilemme. L'affrontement ou la fuite. Elle commençait tout juste à comprendre les choix impossibles auxquels ses ancêtres avaient dû faire face.

Hannah se força à faire la liste des points positifs. La ferme jouait toujours le rôle qu'avait voulu son père : une planque, un endroit sûr pour échapper au prédateur. Hannah avait réussi à gagner du temps – du temps pour élaborer un plan, du temps pour que Nate récupère, du temps pour faire en sorte d'expliquer à Leah ce qui se passait.

Elle se tourna vers Sebastien, assis dans le fauteuil en face d'elle. Elle savait qu'il l'examinait, qu'il cherchait à jauger sa détermination. Quel rôle jouait-il dans cette histoire ? Il lui avait prouvé que sous ses airs bougons, il avait un grand cœur. Elle sentait qu'elle avait en lui un allié. Mais elle le soupçonnait également de ne pas lui avoir tout dit. La connaissance était une arme capitale dans cette affaire. C'était aussi celle qui lui faisait le plus défaut.

Il fallait qu'elle gagne la confiance de Sebastien. Et vite. Tout ce qu'il pouvait lui dire – sur Jakab, sur son père – pourrait lui être utile, pourrait faire pencher la balance du destin en sa faveur.

L'affrontement ou la fuite.

« Tu as raison, il faut qu'elle dorme dans un vrai lit, déclara Hannah en reposant sa tasse vide sur le plan de travail. Mais je ne veux pas qu'elle se réveille seule. Surtout après ce qui s'est passé ce soir. Est-ce que tu peux me faire visiter l'étage ? Il doit bien y avoir une chambre principale, non ?

— Oui, elle donne sur l'avant de la ferme.

— Dans ce cas, c'est là qu'elle dormira, avec moi. »

Sebastien hocha la tête et grimaça en se levant du fauteuil. Il posa sa tasse à côté de l'autre sur le plan de travail.

Hannah s'approcha du canapé et s'accroupit à côté de Nate. Il dormait toujours, et il était aussi pâle que lorsqu'elle avait allumé le plafonnier du Discovery, plus tôt dans la soirée. Sa respiration était saccadée. Elle voulait vérifier sous les pansements si le saignement s'était arrêté, mais Sebastien lui avait expressément demandé de ne toucher à rien pour éviter que les blessures ne se rouvrent. Elle l'embrassa sur le sommet du crâne et lui caressa doucement les cheveux.

La Maglite se trouvait toujours à côté de la cheminée, là où elle l'avait laissée. Même si Sebastien avait réussi à démarrer le groupe électrogène et qu'ils avaient assez d'électricité pour alimenter les ampoules de la maison, elle trouvait le robuste manche en aluminium rassurant.

« Allons voir là-haut », dit-elle.

Sebastien se tourna vers son chien et lui indiqua Nate.

« Pas bouger. Monte la garde. »

Moïse dressa une oreille, puis il laissa sortir sa langue et se mit à haleter en signe d'approbation.

Sebastien actionna l'interrupteur du couloir. Un lustre couvert de poussière s'alluma, projetant des formes inquiétantes sur les murs couverts d'un papier peint jauni dont les bords se décollaient. En face de la cuisine, une porte ouverte donnait sur un salon plongé dans l'obscurité. Hannah devina le contour de quelques vieux meubles. Un courant d'air froid émanait de la pièce. Plus loin dans le couloir, une deuxième porte, fermée celle-là, dissimulait ce qui devait être une salle à manger.

Elle suivit Sebastien jusqu'à l'entrée. Il passa devant dans l'escalier, et elle entendit les vieilles planches grincer sous son poids. Plus ils montaient, plus il faisait sombre, la lumière du rez-de-chaussée ne parvenant pas à chasser les ombres qui hantaient la partie supérieure de la maison.

Ils atteignirent un palier où trônait une imposante commode surmontée d'une vitrine couverte de crasse, à l'intérieur de laquelle les yeux de verre d'un faucon pèlerin empaillé paraissaient les dévisager. Le temps n'avait pas été tendre avec le pauvre animal : les quelques plumes qu'il avait encore sur le dos étaient toutes desséchées, et une tache brune s'étendait au niveau du jabot. Elle décida de s'en débarrasser dès le lendemain matin.

Sur leur droite, l'escalier continuait. Sebastien passa en premier et ils arrivèrent dans un long couloir. Il actionna un autre interrupteur. L'ampoule du plafond, à l'abri dans son abat-jour en tissu, ne réagit pas. Sebastien essaya de nouveau, puis il haussa les épaules.

« Elle a dû griller, dit-il. Viens, c'est par ici. »

Au bout du couloir, il ouvrit une porte et alluma la lumière. Hannah pénétra dans une grande salle de bains. Dans un coin, une vieille baignoire, avec une marque verdâtre au niveau de la bonde. Un flexible en métal serpentait depuis le robinet jusqu'à une pomme de douche accrochée à son support de telle sorte qu'elle donnait l'impression d'avoir la nuque brisée. Le rideau en plastique était couvert de moisissures. Sur le lavabo à côté des toilettes, une coupelle en plastique contenait un morceau de savon brun complètement sec.

« Ça mériterait d'être un peu rafraîchi, marmonna Sebastien.

— C'est le moins qu'on puisse dire.

— Bah, on verra ce qu'on peut faire demain. Viens, je vais te montrer la chambre.

— J'ai hâte », railla-t-elle.

Il désigna une porte et elle passa sa tête à l'intérieur. La pièce était immense, avec deux fenêtres qui donnaient sur l'allée de gravier. Le vent paraissait plus puissant, à l'étage, et il poussait des gémissements lugubres en se fracassant contre les murs de la ferme. Sebastien tendit la main vers l'interrupteur, mais Hannah l'interrompit.

« Attends. On est plus visibles de ce côté-ci de la maison. Je préfère d'abord fermer les rideaux.

— Comme tu voudras.

— Je sais qu'il est très improbable que quelqu'un s'approche de la maison cette nuit, mais je me sentirai mieux si je sais qu'on ne peut pas voir à l'intérieur.

— Ce n'est pas moi qui vais te jeter la pierre. »

Hannah se dirigea vers les épais rideaux et les ferma, frémissant au contact du tissu moisi. La maison avait besoin d'un bon coup de chaud pour chasser l'humidité.

Sebastien alluma la lumière. Un vieux lit à baldaquin était adossé au mur, face aux fenêtres. Il était recouvert d'un dessus-de-lit rouge foncé. Deux armoires en acajou ornées de gravures se dressaient contre le mur contigu. Une coiffeuse et une chaise dans le même style Renaissance complétaient le mobilier.

Entre les deux armoires, une cheminée en pierre avec un feu prêt à partir : journal, petit bois, bûches, et une boîte d'allumettes posée à côté. Contre le mur, un panier en osier contenait du bois supplémentaire.

« C'est toi qui as préparé ça ? » demanda-t-elle.

Il acquiesça.

« Je vais le démarrer, dit-il.

— Non, laisse, je m'en occupe. »

Elle se dirigea vers la cheminée, craqua une allumette, et en quelques secondes, le feu crépitait.

« Tu peux éteindre, à présent », dit-elle.

Sebastien s'exécuta.

Avec les flammes comme seule source de lumière, la pièce paraissait légèrement plus accueillante.

Hannah s'assit sur le lit.

« Comment as-tu rencontré mon père ? » demanda-t-elle.

Sebastien alla chercher la chaise de la coiffeuse et s'assit en face de Hannah. Il se mit à frotter le petit tatouage sur son poignet.

« Charles avait localisé un membre du Conseil à Genève. Le Conseil m'a envoyé à sa rencontre. Au début, on pensait que ton père était l'un d'entre eux. On m'a dépêché pour savoir ce qu'il en était.

— Tu veux parler du Conseil des Eleni ?

— Celui-là même.

— Tu es un Eleni ?

— À l'époque. Plus maintenant.

— Qu'est-ce qui s'est passé ? »

Il ouvrit les mains et examina le réseau de veines qui en recouvrait le dos.

« Je me suis fait vieux, répondit-il. Je voulais trouver la paix. Et je n'aimais pas la tournure que prenaient les choses, les choix que faisait le Conseil. Une nouvelle génération était arrivée au pouvoir, et ça commençait à prendre une tournure trop militante. Bref, je n'étais pas d'accord avec eux. Après, il faut dire que je suis bien moins tolérant que par le passé, alors si ça se trouve, c'est seulement moi qui ai changé.

— Qu'est-ce qui t'a amené ici ? »

Sebastien se tourna vers elle. Ses yeux émeraude crépitaient, et elle crut y lire une profonde tristesse, une solitude si profonde qu'elle en frémit d'effroi.

« Ce que je t'ai dit est vrai. J'habite ici, maintenant. Quand ton père cherchait des maisons dans l'éventualité d'en faire des planques, j'étais avec lui. Celle-ci est la première qu'il a achetée, tu sais. Et moi, je suis tombé amoureux de la région. Les montagnes, le calme. Quand il a fait l'acquisition de Llyn Gwyr, j'ai trouvé une maison en vente à quelques kilomètres. Je ne suis jamais reparti.

— Tu vis seul ?

— J'ai Moïse.

— Un chien.

— Il est de meilleure compagnie que beaucoup d'hommes que j'ai pu rencontrer.

— C'est un chien de race ?

— Oui. Un vizsla. Une très vieille espèce de chiens de chasse originaire de Hongrie.

— De Hongrie ?

— Et ils ne sont pas seulement spécialisés dans la traque du gibier, dit-il avec un clin d'œil. D'ailleurs, peut-être que c'est pour ça qu'ils ont été créés, à l'époque. Personne ne le sait. Mais la plupart des Eleni en possèdent.

— Parle-moi du tatouage. »

Les doigts de Sebastien caressèrent le symbole bleu sur son poignet et écartèrent les rides.

« L'aigle impérial. Symbole de l'Empire austro-hongrois. Aujourd'hui, c'est une espèce qui a quasiment disparu. Tous les membres du Conseil ont sur le corps la marque indélébile de la tête de cet oiseau. Ceux qui gravissent les échelons ont droit d'ajouter d'autres parties de l'aigle.

— Tu l'as en entier.

— Oui. J'étais *signeur* quand j'ai démissionné.

— Tu te moques de moi ! s'exclama-t-elle.

— Tu sais ce que ça signifie ?

— Tout ce que je sais sur les Eleni, c'est ce que m'en a dit ma mère, plus quelques bribes que mon père daignait me raconter quand il était de bonne humeur. Et je sais que *signeur* est l'un des trois postes les plus élevés. Traditionnellement, c'est lui qui devient ensuite *Presidente*. »

Sebastien acquiesça.

« Alors que quand tu me regardes, tu ne vois qu'un vieil ermite mal élevé et arthritique !

— Non, je... commença-t-elle avant de se raviser et hausser les épaules. Tu as raison. C'est vrai.

— Ha ! Ha ! Je sens qu'on va bien s'entendre, toi et moi.

— J'espère. Parce que je suis un peu à court d'amis, en ce moment. »

Sebastien lui posa une main sur l'épaule. Hannah trouva la sensation profondément réconfortante.

« Je ne suis pas ton seul ami, dit-il. Mais tu peux compter sur moi pour faire tout mon possible pour te protéger.

— Ce n'est pas vraiment après moi qu'il en a. Ce qui l'intéresse, c'est les deux qui sont en bas.

— Je sais. Et... »

Il hésita. Parut réfléchir.

« On va faire en sorte de mettre un terme à tout ça », dit-il.

Elle hocha la tête, rassérénée.

« Tu es quelqu'un de bien, Sebastien. »

Il retira sa main et se leva. Puis il se dirigea vers la porte, sortit de la chambre et se pencha par-dessus la rambarde des escaliers. Satisfait, il rentra dans la pièce, referma la porte derrière lui et retrouva sa place sur la chaise.

« Dis-moi encore ce qui s'est passé, exactement, après que tu as quitté Charles, ce soir », murmura-t-il.

L'air soudain sérieux de Sebastien et le soin qu'il avait pris de vérifier qu'ils étaient bien seuls lui glacèrent le sang. Elle sentit son cœur s'emballer dans sa poitrine.

« Je t'ai déjà tout dit.

— Eh bien, recommence, c'est important. »

Son attitude jurait avec la douceur dont il avait fait preuve quelques secondes avant.

« Papa nous a demandé de le rejoindre dans son bureau. Il était bouleversé, complètement paranoïaque. Il nous a expliqué que Jakab était déjà dans la maison. Qu'il avait supplanté un membre du personnel. Il nous a dit de prendre Leah avec nous et de partir.

— Ne parle pas trop fort. Et ensuite, qu'est-ce qui s'est passé ?

— Leah jouait dans le jardin. Nate est parti préparer les valises pendant que je la récupérais. J'ai entendu des coups de feu. J'ai appelé Nate avec mon portable.

— Pourquoi ?

— Parce que j'étais de l'autre côté de la maison. C'est une immense propriété. Il y a des écuries, des dépendances. Je ne voulais pas prendre le risque de faire le tour avec Leah alors que je n'avais aucune idée de ce qui se passait.

— Et Nate a répondu ?

— Oui, il m'a dit d'installer Leah dans la voiture et de faire marche arrière pour me garer sur le côté de la maison. Je n'ai jamais eu aussi peur de toute ma vie. Je ne comprenais rien. J'ai honte, mais j'ai même songé un instant à partir toute seule avec Leah. Mais finalement, j'ai fait comme Nate m'avait demandé, et il m'a rejointe dans la voiture.

— Est-ce qu'il t'a dit ce qui s'était passé ?

— Non, seulement qu'il y avait eu un affrontement, et qu'il s'était fait poignarder. Je crois qu'il essayait de me protéger, de faire en sorte que je ne cède pas complètement à la panique.

— Et tu penses que Nate a tiré sur Jakab.

— Oui.

— Est-ce que tu as vu quelqu'un d'autre ?

— Non.

— Personne ?

— Non, mais...

— Écoute-moi bien, Hannah, dit Sebastien en prenant ses deux mains dans les siennes. Est-ce que tu as validé Nate depuis qu'il est entré dans la voiture avec toi ?

— Eh bien, je... »

Elle s'interrompit. Soudain, elle comprenait pourquoi Sebastien était sorti de la chambre. Pourquoi il avait fermé la porte. Pourquoi il chuchotait.

La terreur l'envahit.

« Oh mon Dieu, s'exclama-t-elle. Non ! »

Chapitre 6

Gödöllö, Hongrie

1873

Assis dans la cabane de jardin, Lukács était occupé à jouer avec une petite taupe quand il entendit son père l'appeler.

Il savait pourquoi József voulait le voir. Il savait aussi qu'il n'avait aucune échappatoire. La journée du lendemain l'attendait, inévitable, menaçante ; Lukács ne pouvait pas plus interrompre le cours des événements à venir qu'il ne pouvait interrompre le mécanisme des horloges dans l'atelier de son père par la seule force de son esprit.

Et cela n'était pas pour le rassurer.

Sa première nuit de *végzet.* Il y en aurait trois autres au cours des mois suivants. Quatre nuits qui marqueraient son passage à l'âge adulte. Une longue soirée de festivités, de découvertes, de jeunes filles au visage empourpré par l'excitation de devenir femmes.

Si au moins il n'avait pas eu ce défaut de naissance, cette tare qui faisait de lui la risée de la fratrie. Lukács savait déjà que son passage à l'âge adulte n'attirerait pas beaucoup l'attention de ses pairs.

Sur le sol couvert de sciure du cabanon, la taupe

vacillait de droite à gauche en traînant ses pattes arrière brisées, dans l'espoir de trouver un moyen de s'échapper. Elle n'avait pour ainsi dire pas d'yeux, et elle se contentait de humer l'air avec sa petite truffe rose toute plissée qui, à en croire Jani, le frère de Lukács, ressemblait à une vulve de femme. Cette comparaison le dégoûtait.

Quand il sentit qu'il y avait de la place derrière lui, le petit animal se retourna et commença à se traîner sur le sol poussiéreux à la seule force de ses pattes avant.

Lukács lui barra la route à l'aide d'un bâton.

« Le voilà ! »

Deux silhouettes apparurent dans l'encadrement de la porte : l'une grande et robuste, l'autre toute petite. Bien qu'il ne pût discerner les traits, Lukács n'eut aucun mal à voir de qui il s'agissait, et il reconnut immédiatement la voix. Le plus grand des deux baissa la tête pour passer la porte, puis s'avança jusqu'à Lukács, les mains sur les hanches.

« Alors ? Toujours au mauvais endroit au mauvais moment, hein ?

— Va-t'en, Jani.

— Tu n'as pas entendu que papa t'appelait ? demanda Jani avant de se tourner vers le petit Izsák, qui était resté devant la porte. Il faut croire qu'il est sourd, par-dessus le marché ! Eh bien, notre cher frère a vraiment toutes les tares.

— Je ne suis pas sourd », rétorqua Lukács.

Jani s'accroupit et regarda Lukács droit dans les yeux.

« Alors pourquoi restes-tu caché ici, comme un vilain petit chien qui a fait une bêtise ?

— Il finira bien par me trouver.

— Ça, c'est sûr. Et il sera furieux que tu n'aies pas

répondu quand il t'a appelé. À tous les coups, tu vas recevoir une raclée. Enfin, peut-être pas aujourd'hui. Papa tient sûrement à ce que son avorton soit aussi docile que possible, s'il veut s'en débarrasser au *végzet*. Dommage qu'il n'y ait pas de *végzet* spécial pour les avortons, pas vrai, vilain petit chien ? »

Lukács ne répondit rien. Un mot de travers lui aurait à coup sûr valu une gifle de la part de son frère, mais ce n'est pas ce qui motivait son silence.

Jani baissa les yeux vers la taupe blessée. Ils observèrent tous deux le petit animal humer l'air du bout de sa truffe. Puis brusquement, comme si la présence de Jani l'incommodait, le rongeur se retourna.

« Un animal de compagnie qui te correspond tout à fait, commenta Jani. Écoute-moi bien, avorton. Demain soir, à ton *végzet*, si on te demande, tu ne parles pas de tes frères, compris ? Tu n'as pas de frères, c'est clair ? »

Lukács prit un air renfrogné.

« Tu ne connais pas de Balázs Jani. Hors de question que mon nom soit associé à celui d'un infirme.

— Il n'est pas infirme », dit Izsák en pénétrant à son tour dans le cabanon.

Le garçonnet faisait la moitié de la taille de Jani, et il prit soin de rester à distance raisonnable de son frère.

« La ferme, Izsák ! cracha Jani avant de se tourner vers Lukács. Quant à toi, je te le répète, tu ne parles pas de tes frères. Et surtout, si tu vois une des filles de la famille Zsinka, ne t'avise pas de lui adresser la parole ! Si tu es aussi sourd que tu en as l'air, tu ne devrais avoir aucun mal à jouer les muets, hein ? Est-ce que c'est bien compris ? »

Lukács haussa les épaules.

Jani l'attrapa par les cheveux et le secoua violemment.

« J'ai dit : est-ce que c'est bien compris ?

— Laisse-le tranquille ! » s'écria Izsák en faisant un pas de plus vers ses deux frères.

Lukács n'avait aucune intention de se débattre.

« C'est bon, Jani. Je ne parlerai pas de mes frères. Et je te promets que je ne parlerai pas aux putes de la famille Zsinka. »

Lukács eut à peine le temps d'entendre Izsák ricaner que le poing de Jani s'abattit sur sa joue. Le coup fut si violent qu'il se retrouva allongé au sol. Il sentit la douleur envahir sa tête, mais il la contrôla. Les lèvres serrées, il se tourna vers Jani avec un air de défi.

« Souviens-toi de ce que je t'ai dit, avorton, fit Jani en faisant craquer ses doigts, avant de se tourner vers la porte. Je vais chercher papa. »

Dès que Jani fut parti, le petit Izsák s'approcha de Lukács.

« Est-ce que ça fait mal ? » demanda-t-il.

Lukács laissa échapper un petit rire. La douleur qu'il ressentait à la mâchoire n'était rien comparée à celle qui avait été provoquée par les mots de son frère aîné. Car la part de vérité qu'ils renfermaient rouvrait de vieilles blessures qui n'avaient jamais cicatrisé : un grand frère qui avait tellement honte de lui qu'il niait son existence ; un père qui ne jurait que par les vieilles traditions et qui ne s'intéressait plus à lui, à présent que leur mère ne faisait plus partie du paysage ; un petit frère trop jeune pour saisir les enjeux auxquels était confrontée la famille, et qui ne manquerait pas de le mépriser à son tour dès qu'il serait en âge de comprendre.

« Ça va, Izsák.

— Il est amoureux de l'aînée des Zsinka. Mais elle

ne le regarde même pas. C'est pour ça qu'il est autant en colère.

— Eh bien, voilà une fille qui a la tête sur les épaules ! »

Izsák laissa échapper un petit ricanement.

« On m'a dit que c'était une sale *kurvá*, dit-il.

— Hé ! Où est-ce que tu as appris des mots pareils ?

— J'ai entendu papa l'appeler comme ça. Il dit que toutes les Zsinka sont des putains. »

Lukács se retint d'éclater de rire en voyant une nouvelle silhouette apparaître devant la porte. Quand il entendit la toux grasse de son père, il tressaillit.

« Izsák, sors d'ici, s'il te plaît. Il faut que je parle à ton frère.

— Oui, papa », répondit l'enfant en adressant un petit sourire à Lukács avant de déguerpir.

József resta debout dans l'encadrement de la porte pendant quelques instants avant de se décider à entrer. Après quoi il attrapa un tabouret en bois sous l'établi, l'essuya du plat de la main et s'assit. Il sentait le tabac froid et l'huile de menthe.

Balázs József plongea la main dans la poche de son gilet en cuir pour en tirer une pipe en terre qu'il cala entre ses lèvres. La flamme de l'allumette illumina sa moustache épaisse et ses yeux songeurs.

« Il fait sombre, ici, commenta-t-il.

— Oui.

— C'est pour ça que tu aimes bien cet endroit ?

— Je ne sais pas. Peut-être bien. »

Des tourbillons de fumée s'élevèrent dans le cabanon, répandant dans l'air une odeur de pomme séchée et de papier brûlé.

« J'ai entendu ce qu'a dit ton frère, déclara József.

— C’est ce que vous pensez tous. Au moins, lui a le mérite d’être franc.

— Il va tâter de ma ceinture, ça, je peux te le garantir. »

Par terre, la taupe semblait hésiter sur la direction à choisir et n’en finissait pas d’agiter sa petite truffe.

Lukács leva les yeux vers son père. Malgré l’âge, les traits de József n’avaient rien perdu de leur force. D’ordinaire, son visage ne trahissait pas la moindre émotion, et pourtant, en cet instant, Lukács crut y déceler une pointe de tendresse. Était-ce de la pitié ? Il espérait que non. Surtout de la part de son père. Après tout, c’était en partie sa semence qui était responsable du problème de Lukács.

József se pencha en avant.

« Tu as une coupure sur la joue. Ça ne va pas du tout, il faut que tu arrêtes le saignement.

— Mais ça me fait mal quand j’essaie.

— Fais ce que je te dis. Hors de question que tu ressembles à ça, demain. »

À contrecœur, Lukács se concentra sur la douleur. Comme on le lui avait enseigné à maintes reprises, il tenta de faire abstraction de ce qui l’entourait, d’ignorer le regard de son père, pour reporter toute son attention sur l’endroit précis où le poing de son frère l’avait atteint. Il força les muscles de sa joue à travailler et serra les dents en sentant la bosse se dégonfler sur le côté droit de son visage.

« Du calme, mon garçon. Tu es trop tendu. »

Lukács se rendit compte qu’il retenait sa respiration. Il laissa échapper quelques larmes quand la coupure dégagea une chaleur intense avant de se rétracter, comme la boursouflure quelques secondes auparavant.

« Très bien. Maintenant, essuie le sang. »

Lukács s'exécuta, puis observa la traînée écarlate sur le dos de sa main.

József tira une bouffée sur sa pipe et soupira.

« Tout cela n'est vraiment pas naturel pour toi, pas vrai ? »

Lukács secoua doucement la tête.

« Je te le jure, Lukács, si je savais comment t'aider pour... »

Il s'interrompit pour relever doucement la tête de son fils.

« Montre-moi tes yeux, mon garçon. Et maintenant, regarde bien les miens. »

Lukács n'en avait aucune envie, mais il céda. Au début, les yeux de son père étaient, comme d'habitude, d'un gris tout à fait quelconque. Mais en regardant attentivement, il commença à noter une évolution. Des stries vertes apparurent, ainsi que de petites taches bleues. Les raies de couleur se multiplièrent, changèrent de forme, hypnotisant Lukács par leur diversité et leur beauté. Envoûté, il sentit les murs du cabanon disparaître tandis que les yeux de son père devenaient son seul univers. Il nageait à présent dans une mer agitée aux éclats de turquoise et de jade, de cuivre et d'or, ballotté comme un fétu de paille par les vagues d'émeraudes et de rubis.

Et au centre de tout cela, les pupilles de József formaient deux trous béants qui menaçaient d'engloutir Lukács s'il ne rompait pas le charme : deux gueules ouvertes qui cherchaient à le happer avec leurs sourires enjôleurs couleur charbon. Un mélange entre beauté et horreur ; d'abord séduisant, puis menaçant. Était-ce ce qui se cachait dans l'obscurité des yeux de son père qui le terrorisait ? Ou au contraire l'idée qu'il n'y avait peut-être là que le néant ?

Lukács cligna des yeux, et la magie s'arrêta aussitôt. Il savait qu'en comparaison, ses yeux à lui avaient la couleur terne du limon. Et l'espace d'un instant, il en fut ravi.

Soudain, il entendit sa propre voix.

« Dans un an, sinon. On devrait sûrement attendre encore. On pourrait aller au *végzet* l'été prochain. D'ici là, je saurai faire, je pense. »

Il vit que son père secouait la tête, mais il poursuivit néanmoins :

« Ou alors, on n'a qu'à tout simplement oublier le *végzet*. Je pourrais rester ici avec toi, t'aider à l'atelier. Tu sais bien que j'ai appris à me servir des outils. J'ai fait tout le biseautage le mois dernier, alors...

— Assez, Lukács ! Ça suffit ! Il est hors de question que tu me déshonores et que tu déshonores la mémoire de ta mère, s'écria-t-il avant de prendre une profonde inspiration pour ravaler sa colère. Tu iras au *végzet*. Tu feras de ton mieux, et nous verrons bien comment ça se passera. Les jeunes filles seraient bien sottes de ne pas se laisser séduire par tes qualités. Et je ne permettrai jamais que tu deviennes un *kirekesztett* et que tu souilles notre nom. Je veux que tu sois rentré à la maison dans l'heure, nous avons des préparatifs à finir. Demain, nous partons à midi. »

Sur ce, il se leva en recrachant un nuage de fumée. Arrivé à la porte, il se retourna.

« Tu sais, Lukács, dit-il, ton frère Jani peut te sembler cruel, mais nous avons tous intérêt à ce que tu réussisses. Tâche de ne pas l'oublier. Tu ne le crois peut-être pas, mais la vie de *kirekesztett* est un fardeau.

Un fardeau que tu devrais porter sur tes épaules pendant de nombreuses années. Fais-moi confiance, mon fils, ne choisis pas cette voie-là. »

Après le départ de József, le silence envahit le cabanon. Lukács observa par terre la taupe qui traînait lamentablement ses pattes arrière brisées.

Nous avons tous intérêt à ce que tu réussisses.

C'était tout ce qui comptait pour eux. Son père avait peur qu'il devienne un paria, mais il s'agissait d'une peur égoïste. Tous se fichaient de ce que lui pensait – ses craintes, le fait qu'il était persuadé que la soirée du lendemain serait la première d'une longue série d'humiliations, avant qu'il n'accepte enfin la vie d'exclu à laquelle il était de toute façon destiné.

Il ne comprenait pas pourquoi on lui interdisait de rester tranquillement chez son père, où il pourrait apprendre le métier d'horloger et couler des jours heureux, sans se soucier des contraintes imposées aux *hosszú életek*. Seule la fierté de son père le condamnait à cette vie dont il ne voulait pas.

D'une main, Lukács attrapa la taupe et l'approcha de son visage pour l'examiner. Le rongeur s'agita entre ses doigts, et Lukács sentit les petits os remuer sous la fine fourrure grise. C'était une créature répugnante, avec ses minuscules yeux atrophiés à force de vivre sous terre. D'une certaine façon, il pouvait s'identifier à la taupe, car il savait ce que c'était d'avoir un sens qui faisait défaut.

Sa frustration laissa place à la colère. Il serra les doigts plus fort autour de l'animal. La taupe se débattit en laissant échapper de petits couinements affolés. Lukács augmenta la pression et observa fixement le rongeur jusqu'à ce qu'un mince filet rouge s'échappe de sa gueule pour se répandre sur sa main. Dégoûté, furieux, il serra de toutes ses forces et sentit les os craquer sous ses doigts. Puis, de rage, il jeta le cadavre, qui heurta le mur en bois avec un bruit mat.

Alors qu'il essuyait le liquide écarlate sur ses doigts, Lukács prit conscience du temps qu'il avait passé à l'intérieur du cabanon. Le soleil était déjà bas dans le ciel, et un unique rai de lumière filtrait à présent à travers l'entrebâillement de la porte. Lukács leva la main et observa l'ombre projetée sur le mur.

Il modifia la position de ses doigts et imita la silhouette d'une taupe, agitant légèrement une phalange pour reproduire à la perfection la forme de la truffe. Lukács promena quelques instants le rongeur contre le mur puis, lassé, il bougea les doigts pour former le profil d'un loup, puis d'un cheval. L'animal rua deux fois, avant de se transformer en une silhouette d'aigle, qui regarda à droite, puis à gauche.

Lukács contempla longuement sa création, puis il conçut la forme d'un cerf, avec une tête dépourvue de bois. Enfin, il prit une profonde inspiration pour se préparer à la douleur qui allait suivre, et il se concentra pleinement sur la silhouette. Le cerf tressaillit. Petit à petit, deux bosses apparurent sur sa tête. Lukács serra les dents alors que les phalanges de sa main lui donnaient l'impression d'être serrées dans un étau. Dans un effort qui lui fit lâcher un cri de douleur, les deux bosses sur la tête du cerf s'allongèrent, se développèrent, se transformant progressivement en une magnifique ramure. La douleur était à présent insupportable, et Lukács avait l'impression que des poignards en verre lui perforaient la peau entre le bout des doigts et le coude.

Sur le mur, le cerf leva la tête et parut scruter les alentours, méfiant. Lukács poussa un soupir d'épuisement et la silhouette de l'animal disparut. Il reprit son souffle et contempla quelques secondes l'ombre de sa main qui le brûlait comme s'il l'avait plongée dans les braises.

Les larmes lui inondaient le visage. Il les essuya du dos de sa main libre et observa celle qui lui faisait mal. Il y avait du sang sous les ongles de chaque doigt, qui gouttait sur le sol du cabanon, se mêlant dans la poussière à celui de la taupe.

À midi le lendemain, ils partirent pour Budapest. Lukács grimpa à côté de son père sur la charrette, tandis que les deux chevaux agitaient leur crinière d'impatience.

Ses deux frères étaient debout dans la cour pour assister au départ vers la capitale. Le visage de Jani trahissait le dédain, mais il agita néanmoins la main pour dire au revoir à Lukács, signe qu'il avait compris que leur père lui en voulait et qu'il avait tout intérêt à se tenir tranquille. Le petit Izsák sautillait sur les graviers, tout excité à l'idée de passer la nuit tout seul. József siffla les chevaux et la charrette s'ébranla doucement. Lukács sentit son estomac se serrer alors qu'ils franchissaient le portail.

Ils traversèrent la ville et, bientôt, ils laissèrent derrière eux les murs blancs et le toit en tuile rouge de l'immense château de Gödöllö. Chaque fois qu'il passait devant, Lukács se sentait captivé par tant de splendeur, et quand son père lui confia que le Palais royal de Budapest était encore plus impressionnant, il eut beaucoup de mal à y croire.

« Est-ce que je verrai François-Joseph au palais ? » demanda-t-il alors qu'ils cheminaient depuis une heure.

Depuis qu'ils avaient quitté les environs de Gödöllö, la route s'était rétrécie et la ville avait laissé place aux champs et aux forêts.

« Aucune chance, répondit son père. Pour commencer, le roi se trouve en Autriche. C'est d'ailleurs précisément pour cela que nous avons obtenu la permission d'organiser le *végzet* au palais, cette année.

— Le roi ne sait même pas ce qui se passe dans son propre palais ?

— Bien sûr que si. Mais il doit préserver les apparences. N'oublie pas qu'officiellement, la Couronne ne nous considère pas comme des sujets à part entière. »

Ils déjeunèrent en chemin : saucisson au paprika, fromage, pain. József accompagna le tout de plusieurs lampées de vin rouge de Villány, puis il tendit la bouteille à son fils. C'était la première fois que Lukács goûtait du vin. Il apprécia tout de suite la sensation de chaleur qui se répandit dans son ventre.

« Est-ce que toutes les grandes familles arriveront au palais comme nous, en charrette ?

— Ne sois pas insolent, mon garçon. Mais rassure-toi, j'ai réservé une calèche qui nous retrouvera ce soir chez Szilárd. Crois-moi, notre moyen de transport est le cadet de nos soucis. »

Ils atteignirent le district de Pest en fin d'après-midi. La ville était sèche et poussiéreuse, et le bruit de la foule qui déambulait dans les rues emplissait les oreilles de Lukács. Quand enfin ils arrivèrent sur les quais, il put admirer l'immensité du Danube pour la première fois de sa vie. Jani lui avait dit à quoi s'attendre, mais Lukács ne put s'empêcher d'être frappé par la taille du fleuve. Jamais il n'avait vu autant d'eau de sa vie, et il avait du mal à en croire ses yeux. Comment la nature pouvait-elle produire de telles merveilles ?

Son père lui expliqua que le fleuve trouvait sa source en Allemagne, dans la Forêt-Noire, puis qu'il serpentait à travers l'Europe sur plus de trois mille kilomètres, avant de se jeter dans la mer Noire. En cette fin d'après-midi, les rayons du soleil se reflétaient sur l'eau brune.

József gara la charrette devant une maison à deux étages aux hautes fenêtres à vitraux. Un enfant sortit pour emmener la charrette et les chevaux, tandis qu'un domestique les invitait à le suivre à l'intérieur. Après avoir brièvement salué Szilárd, Lukács fut envoyé dans une pièce où l'attendait sa tenue du lendemain.

À part une paire de souliers vernis, il ne reconnut aucun des vêtements. Le costume ressemblait vaguement à ceux que portaient les nobles de Gödöllö pour les grandes occasions, mais le tissu et la coupe étaient d'une finesse qu'il n'avait jamais vue.

Lukács se déshabilla lentement, puis il utilisa le broc d'eau que lui avait laissé un domestique pour faire une toilette sommaire. Il enfila ensuite un pantalon noir et une chemise blanche au col amidonné et rêche. Il noua le nœud papillon en soie blanche et enfila le gilet. Enfin, il revêtit l'imposante redingote. Le tissu était épais, soyeux, somptueux.

Sur une petite table se trouvait le dernier objet qui complétait le costume : un masque en étain poli. Lukács s'en saisit et le retourna entre ses mains. Il était magnifique. Il se souvint de la longue séance de pose à laquelle il avait dû se soumettre six mois auparavant ; le visage en étain ressemblait au sien de façon frappante, même si l'artiste avait clairement pris quelques libertés. L'expression du masque traduisait la force, la confiance et la compassion – des qualités que son père avait sûrement demandé à voir apparaître, à défaut de les avoir jamais observées chez son fils.

À neuf heures ce soir-là, Lukács monta à la suite de son père à bord d'une calèche noire. Le soleil disparaissait quand le chauffeur s'engagea sur le pont des chaînes Széchenyi, qui reliait Pest sur la rive est à Buda sur la rive ouest. Le pont était composé de deux immenses tours en pierre et d'un tablier soutenu par des chaînes en fer de plusieurs mètres de long chacune. En Hongrie, c'était le seul pont à avoir réussi l'exploit d'enjamber le Danube.

« Est-ce que tu vois les lions en pierre ? lui demanda József en désignant les statues sur chaque culée. J'ai connu le sculpteur ; il s'appelait Marschalkó. Un honnête homme. On raconte que les lions en bronze de Trafalgar Square sont inspirés des siens. Quel talent. »

Tandis qu'ils franchissaient le pont, Lukács admira l'imposant édifice sur la berge opposée : le palais. Il dominait la colline sur laquelle il avait été érigé, et ses hautes murailles en pierre, baignées d'une lueur dorée par le soleil couchant, s'élevaient au-dessus des arbres environnants. Des toits vert-de-gris, des tourelles et des dômes rayonnant de couleur.

« Le plus bel édifice d'Europe, commenta József. Et qui bénéficie ce soir de la présence des plus prestigieux invités qu'on puisse imaginer. Tu es un privilégié, mon fils. Moi, je ne suis jamais entré dans la salle de bal. On raconte que son faste est inégalable. »

Leur calèche gravit la colline, puis s'arrêta devant

l'entrée du palais. József posa une main sur l'épaule de son fils et plongea l'autre dans sa poche.

« Avant que tu y ailles, dit-il, j'ai quelque chose pour toi. Ce soir, tu deviens un homme. Et comme tu es mon fils, il me paraît indiqué que tu portes ma plus belle œuvre. »

Il sortit alors de sa poche une longue chaîne au bout de laquelle était accrochée une montre en or.

« Tiens, dit-il. Elle est pour toi. Je la gardais cachée jusqu'à ce soir. Ça fait un an que je travaille dessus, et je peux te garantir que tu ne trouveras jamais une montre plus précise et plus équilibrée. Tiens, prends-la. »

Abasourdi, Lukács prit la montre des mains de son père et la soupesa. Il ouvrit le fermoir pour admirer le magnifique cadran, et tenta d'imaginer le nombre d'heures que son père avait passées dessus. Enfin, il la retourna et découvrit une inscription sur le revers.

Balázs Lukács
Végzet 1873

« Je ne sais pas quoi dire, papa.

— Alors ne dis rien. Mets ton masque. Et prends cette bourse. Tu n'en auras sûrement pas besoin, mais il te faut tout de même de l'argent. Rends-moi fier, fils. Bonne chance. Quoi qu'il arrive ce soir... »

József marqua une pause, puis désigna la porte d'un signe de tête.

« Allez, file. Il est temps. »

Lukács suivit deux valets pour pénétrer dans l'enceinte du palais, alors que le soleil disparaissait derrière la colline. Des bougies illuminaient les nombreuses fenêtres. Quand il eut franchi l'entrée principale, il gravit un escalier majestueux et emprunta un long couloir. Sur les murs, des portraits à taille réelle de monarques hongrois, parmi lesquels Lukács ne reconnut que François-Joseph.

Le couloir se terminait sur deux portes dorées, à travers lesquelles filtraient de la musique et des bruits de conversation. Alors que les deux valets lui ouvraient les portes, Lukács passa la main sur le masque en étain qui recouvrait son visage. Le métal était froid au toucher. Il prit alors une profonde inspiration et entra dans la salle de bal.

Le luxe de l'endroit lui coupa le souffle. Pendus à vingt mètres du sol, trois énormes lustres ornés de centaines de bougies dominaient la pièce. Le stuc blanc qui recouvrait le plafond était si délicat qu'il en semblait irréel. Le long de l'aile est de la salle, plusieurs alcôves abritaient des fenêtres de douze mètres de haut, par lesquelles on pouvait admirer le Danube et la ville de Pest, sur la rive opposée. Au pied du mur orné de grandes fresques qui faisait face aux fenêtres, on avait disposé une rangée de fauteuils en velours rouge.

Sur une scène, à l'autre bout de la salle de bal, un ensemble à cordes jouait. Enfin, éparpillés dans la pièce, une centaine de jeunes gens discutaient, en petits groupes. Tous portaient la même tenue que Lukács, et tous avaient le visage dissimulé derrière un masque en étain. Ils parlaient fort, tenant à la main de délicates flûtes de champagne et de longs cigares.

Mais parmi tous ces *hosszú életek*, ce furent surtout les jeunes femmes qui retinrent l'attention de Lukács. Il se sentit envoûté par leurs parures dignes d'oiseaux exotiques. Leurs costumes étaient un kaléidoscope de couleurs et d'étoffes. Elles avaient toutes revêtu des robes à tournure, et leurs décolletés plongeants et leurs manches qui s'arrêtaient juste sous l'épaule auraient scandalisé son père. Elles portaient toutes sensiblement la même coiffure : cheveux rassemblés en un chignon haut ou en une cascade d'anglaises. Contrairement aux garçons, elles n'avaient pas de masque, mais un voile en dentelle qui leur couvrait le visage jusque sous les yeux. Tout comme leurs homologues masculins, elles discutaient elles aussi en petits groupes. Lukács remarqua que plusieurs jeunes filles dans le groupe le plus proche avaient interrompu leur conversation pour l'observer, et il en éprouva aussitôt une sensation agréable de picotement sous la peau.

Il arrêta un serveur, prit une flûte de champagne sur le plateau, et s'avança vers le groupe de garçons le plus proche. Aussitôt, ils lui firent de la place, avant de s'avancer les uns après les autres pour lui serrer la main. Personne ne se présenta, mais on l'avait prévenu que les choses se passeraient ainsi.

Lukács observa derrière le masque les yeux de chacun de ses interlocuteurs. Il avait l'habitude des stries vertes et bleues dans ceux de son père, et il découvrait à présent une multitude de combinaisons différentes : éclats argentés, tourbillons mauves, rayures orangées. Il sentit la honte l'envahir en remarquant l'air surpris de ceux qui examinaient ses yeux à lui. Se demandaient-ils si un imposteur s'était glissé parmi eux ? Ou, pis, un infirme ? Le protocole interdisait qu'on lui pose la question, mais il nota qu'on échangeait des regards interrogateurs.

Le champagne aidant, les conversations se firent plus animées. On parlait des exploits du roi et de la récente unification de Buda et de Pest en une seule métropole – des sujets auxquels Lukács ne connaissait rien. Mais au fur et à mesure qu'on remplissait les verres, les discussions s'orientèrent naturellement vers la cérémonie en elle-même, et, plus à propos, vers l'autre moitié de l'assemblée. Lukács remarqua que certains de son petit groupe s'étaient déjà éloignés pour parler aux jeunes femmes. Bientôt, il se retrouva seul devant une des imposantes fenêtres. Le dos tourné à la salle de bal, il observait le Danube qui coulait paresseusement. La nuit était tombée. L'immense fleuve formait une langue noire qui reflétait les lumières de Pest. Derrière la ville, quelque part, se trouvait Gödöllö, sa maison, son lit. Il se demanda ce que faisaient Jani et Izsák. Il se demanda s'ils pensaient à lui.

« Magnifique, n'est-ce pas ? »

Surpris, Lukács se retourna. Une jeune femme s'était approchée, et elle l'observait à présent très attentivement. Il remarqua un sourire en coin derrière le voile en dentelle. D'instinct, il recula dans l'alcôve, loin de la lumière des lustres.

« Ah, je vois que j'ai affaire à un timide, s'exclama-t-elle. Ne t'en fais pas, je ne mords pas. Je t'ai vu arriver. Je pensais que tu viendrais te présenter, mais tu as passé toute la soirée avec ce groupe de garçons inintéressants. Et maintenant, te voilà tout seul. Tu ne nous as même pas adressé la parole.

— Je ne savais pas que j'étais observé, répondit-il avant de se mordre la lèvre, horrifié par la dureté de son ton. Mais tu as raison, la vue est magnifique », se reprit-il.

Elle regarda par la fenêtre, et Lukács en profita pour

l'examiner. Elle n'était pas belle, ni même jolie, mais il y avait quelque chose dans la confiance dont elle faisait preuve, dans sa maturité, qui l'attirait.

« C'est la première fois que tu viens au palais ? demanda-t-elle.

— Oui. Et toi ?

— Oh que non ! Mon père est ambassadeur, s'esclaffa-t-elle. Est-ce que j'ai le droit de dire ça ? Peut-être pas. Réflexion faite, c'est même sûr que non. Bah, ce qui est fait est fait. Tout ce côté secret, c'est quand même un peu ridicule, tu ne trouves pas ? Je veux dire, on est tous au courant qu'on est entre *hosszú életek*.

« J'ai souvent accompagné mon père, ici. Des rendez-vous officiels, tout ce qu'il y a de plus ennuyeux, si tu veux mon avis. Rien à voir avec ce soir, ajouta-t-elle en lui touchant le bras de sa main gantée. Viens un peu à la lumière, j'ai du mal à te voir, dans l'ombre. »

Il sentit son cœur accélérer dans sa poitrine. La première approche. Le moment fatidique pour lequel son père l'avait préparé depuis si longtemps, et pour lequel son frère se moquait de lui depuis encore plus longtemps. Il connaissait les codes, il savait que cette jeune femme s'intéressait à lui et qu'en dehors du *végzet* elle évoluait dans un milieu social bien supérieur au sien. Mais après tout, n'était-ce pas là le but même du *végzet* ? Une tradition vieille de cent ans, pour permettre à tous les *hosszú életek* de se rencontrer et de se mélanger, sur le même pied d'égalité ? Il n'était pas attiré par cette jeune fille, mais cela n'avait pas d'importance, car cette soirée était destinée aux premières rencontres. Il faudrait attendre la prochaine pour le début des parades amoureuses complexes.

« Tu ne préférerais pas admirer la vue un peu plus longtemps ? demanda-t-il.

— Mais non, au diable la vue ! Le Danube sera encore là demain. Il sera encore là dans mille ans. Allez, viens avec moi », commanda-t-elle avec un air de défi.

La gorge serrée, Lukács baissa la tête et suivit la jeune femme jusque sous la lumière. Soudain, elle s'arrêta sous un candélabre doré accroché au mur et se tourna vers lui. Elle glissa un doigt sous son menton et lui releva la tête.

Incapable de respirer, Lukács la regarda droit dans les yeux. Autour du noir des pupilles, les iris de la jeune femme avaient la couleur des bleuets. Il continua à observer et vit apparaître de nouvelles couleurs. Des volutes magenta, des lignes dorées. Il sentit le sang se mettre à bouillir dans ses artères, alors qu'il se préparait au pire.

Puis brutalement, alors qu'il était toujours absorbé par le tourbillon de couleurs, la magie s'arrêta. Encore ébloui par le spectacle auquel il venait d'assister, il ne remarqua pas le regard dédaigneux qu'elle lui jetait, jusqu'à ce qu'elle lui demande :

« C'est quoi, ton problème ? Tes yeux ? Ils sont... vides.

— C'est un... un défaut de naissance, dit-il en rougissant. Mais pour le reste, il n'y a pas...

— Tu n'es même pas un *hosszú élet* !

— Si. Bien sûr que si. C'est juste que mes yeux... mes yeux n'ont jamais fonctionné. Personne ne sait pourquoi. Mais pour le reste, je t'assure...

— J'avais entendu dire qu'il y aurait un dégénéré parmi nous, ce soir, cracha-t-elle. Mais je n'aurais jamais cru que ça tomberait sur moi. Quel manque de discernement ! »

Sur ce, elle se retourna pour choisir quelqu'un d'autre à qui parler.

Lukács sentit la rage monter. Il l'attrapa par le bras et la força à le regarder.

« Et moi, s'exclama-t-il, tu ne crois pas que j'ai manqué de discernement en adressant la parole à la seule *kurvá* du palais ? »

La jeune femme grimaça, révélant une rangée de dents blanches.

« Je vois que tes manières vont de pair avec ta difformité. Maintenant, lâche mon bras. »

Il voulait la punir, et il resserra son étreinte. Sous ses doigts, il sentit les muscles qui se contractaient, qui cherchaient à se défendre.

Lukács serra les dents et serra plus fort encore. Il voulait lui faire mal, il voulait que ses doigts pénètrent dans la chair. Il grogna de plaisir en lisant la douleur sur le visage de la jeune femme.

« Les sales *kurvá* feraient mieux de garder leurs opinions pour elles », murmura-t-il en la tirant vers l'alcôve.

Une vilaine tache rougeâtre était apparue au niveau de la gorge de la jeune femme.

« Je vais hurler, prévint-elle.

— Tâche qu'on t'entende », railla-t-il.

Il savait qu'elle ne crierait pas, et qu'elle ferait tout pour éviter d'attirer l'attention sur leur sordide petite confrontation, quitte pour cela à serrer les dents et à endurer la douleur qu'il lui infligeait. Il mit encore plus de pression sur son bras. Elle ouvrit la bouche, haletante, et le voile en dentelle se colla sur ses lèvres. C'est alors qu'une main saisit Lukács par l'épaule.

Des doigts puissants s'enfoncèrent dans sa peau. La douleur fut aussi intense que soudaine.

« Assez. Lâche-la immédiatement. »

Lukács fit volte-face. Trois hommes, maigres et assez âgés, s'étaient rassemblés derrière lui. Tous portaient une perruque grise et une redingote bleu marine. Aucun n'avait de masque.

C'était le plus vieux des trois qui l'avait attrapé par l'épaule. Son visage était marqué par les rides – un réseau de crevasses qui partait de ses lèvres serrées. La peau de sa gorge pendait comme un sac vide, mais son regard était vif, fort, furieux. Il serra les doigts, et Lukács ravala un juron.

« Lâche le bras de cette jeune femme », murmura-t-il d'une voix menaçante.

Par défi, Lukács laissa passer quelques secondes avant de relâcher son étreinte. La jeune *hosszú élet* fit aussitôt quelques pas en arrière. Il n'y avait plus trace de mépris dans ses yeux, seulement de la peur. Libre, elle ne tarda pas à disparaître dans la foule.

« Je comprends ce qui t'a poussé à agir ainsi, poursuivit le vieillard en lâchant l'épaule de Lukács, mais cela n'excuse pas ton attitude. Rien ne pourrait excuser un tel comportement. Par tes actions, tu attires la honte sur ta famille. Je sais qui tu es. Je sais que tu dois faire face à certaines difficultés. Ton père est un homme bon, que nous apprécions tous, ici. Et c'est la raison pour laquelle je ne demande pas à mes hommes de t'escorter jusqu'au fleuve et de te jeter à l'eau. Cette fois, je vais fermer les yeux. Mais cette fois, seulement. Est-ce que c'est bien compris ? »

Lukács était toujours brûlant de colère, mais quand il croisa le regard du vieillard, il lut dans ses yeux quelque chose qui le terrifia. Il sentit son cœur battre à toute allure dans sa poitrine, et il décida de baisser la tête.

« Oui, monsieur. C'est bien compris.

— Je te suggère d'aller prendre un peu l'air. Il n'est pas trop tard pour te rattraper, ce soir. Par chance, peu de gens ont vu ce qui s'était passé. Nous allons parler à la jeune femme. Maintenant, va faire un tour dehors. L'air frais te calmera.

— Merci, monsieur. Je sors tout de suite. »

Lukács traversa à grands pas la salle de bal. Il dut se retenir pour ne pas arracher son masque, afin d'éponger la sueur qui ruisselait sur son front. Il franchit les deux portes dorées, traversa le couloir avec les portraits de monarques, descendit l'escalier majestueux et sortit dans la nuit.

La réaction de la jeune femme lui avait fait mal, mais il s'y attendait. Au moins, avec ses sarcasmes, Jani l'y avait préparé. Ce qui l'intriguait, l'intéressait, en revanche, c'était le plaisir qu'il avait éprouvé en enfonçant les doigts dans sa peau.

Combien d'heures s'étaient écoulées ? Combien de bières avait-il bues ? Lukács scruta la chope posée devant lui, sur la vieille table en bois. La montre que lui avait offerte son père se trouvait dans la poche de son gilet, mais il avait beau être ivre, il savait qu'il valait mieux éviter de sortir un objet d'une telle valeur dans un endroit pareil. La taverne était pleine à craquer : ça parlait fort, ça sentait mauvais, ça fumait.

En face de lui, ses deux compagnons de beuverie.

Márkus – c'était le nom du premier – était effronté, il avait un avis sur tout, et ses plaisanteries scabreuses faisaient rire Lukács depuis plus d'une heure. L'amie de Márkus, Krisztina, était assise à côté. Lukács la trouvait très à son goût. À vrai dire, il la trouvait très « sexuelle ». Elle parlait très librement, arborait des poses suggestives, et la coupe de sa robe accentuait la finesse de ses hanches et la rondeur de sa poitrine. Elle avait dissimulé ses longs cheveux blonds sous un chapeau blanc.

Après avoir quitté le palais comme on le lui avait ordonné, Lukács avait suivi son instinct et marché le long du fleuve. Il était tombé sur Márkus et Krisztina, qui batifolaient sur la berge. Ils avaient tous les deux bien bu, mais, à court d'argent, ils avaient décidé de quitter la taverne pour une petite promenade. Lukács, lui, était ivre pour la première fois de sa vie, et il voulait continuer à boire. En plus, il avait une bourse pleine d'argent. Márkus et Krisztina ne se firent pas prier pour l'aider à le dépenser. Au début, ils avaient été surpris de voir quelqu'un d'un milieu si aisé désireux de passer du temps avec eux, mais leur désir de boisson avait eu raison de leur réserve initiale.

Avec ces deux-là, Lukács n'avait pas à s'engager dans des débats politiques. La conversation était sans intérêt, mais amusante. Il avait conscience de former avec le couple un trio peu banal. Mais il se dit qu'après tout, c'était dans l'esprit du *végzet* : une interaction sociale sans les contraintes de classe. Peut-être que dans la journée, ses nouveaux amis vivaient dans la fange, mais pour l'heure, Lukács passait la meilleure soirée de sa vie.

Márkus avala une gorgée de bière en faisant de grands gestes.

« Lukács, tu ne nous as pas dit ce qui se passait au palais, ce soir. C'est bien là que tu étais, pas vrai ? Tu portais une espèce de masque, comme tous les autres qu'on a vus.

— Un bal masqué, commenta Krisztina, les yeux brillants. Comme c'est grandiose !

— Et comme c'est ennuyeux ! ajouta Lukács avant de vider sa chope d'un trait et de l'abattre bruyamment sur la table. La même chose !

— Bien parlé ! cria Márkus. Mais j'ai une meilleure idée. Kris, ça te dit ? »

Elle croisa le regard de Márkus, sourit, puis se tourna vers Lukács avec un air de défi.

« S'il est partant, je suis partante, dit-elle.

— De quoi est-ce que vous parlez ?

— Lukács, mon ami, dit Márkus en lui posant la main sur l'épaule. Est-ce que tu as déjà essayé l'opium ? »

Une minute plus tard, ils franchissaient tous une porte dérobée et gravissaient une volée de marches. Ils empruntèrent un couloir crasseux, passèrent un rideau taché et se retrouvèrent dans une longue pièce. Quelques bougies vacillaient, conférant à l'endroit une ambiance tamisée, et il flottait dans l'air une odeur que Lukács ne parvint pas à identifier. Des matelas étaient disposés contre chaque mur, certains occupés par des groupes, d'autres par des couples, et quelques-uns par un homme seul. Márkus en trouva un de libre, et tous s'affalèrent dessus. Petit à petit, les yeux de Lukács s'adaptèrent à la pénombre. Sur le sol devant lui, il repéra une lampe à huile posée sur un plateau.

Un homme s'approcha d'eux.

« Combien ? demanda-t-il.

— Trois pipes, répondit Márkus avant de se tourner vers son nouvel ami. Eh bien, alors, qu'est-ce que tu attends pour le payer ? »

Lukács sortit quelques pièces de sa bourse, et l'homme apporta les pipes. Dans chaque foyer, un petit losange blanc. Lukács observa Márkus allumer la lampe à huile, réchauffer sa pipe à la flamme, puis approcher l'embout de ses lèvres et inhaler la fumée, la gardant longuement dans ses poumons avant de la recracher doucement.

« À ton tour. »

Lukács imita les gestes de son ami, aspirant la fumée et la gardant le plus longtemps possible. Il ressentit d'abord une sensation étrange, âcre, au niveau de la gorge. Enfin, il recracha la fumée et regarda Krisztina allumer sa pipe en riant à une plaisanterie que Márkus lui avait glissée à l'oreille.

Ils continuèrent à discuter de tout et de rien, tandis que l'homme apportait de nouvelles pipes. Après quelque temps, Lukács sentit une paix étrange l'envahir. Ses bras et ses jambes lui semblaient engourdis, et il avait l'impression que sa vision était trouble. Il observa longuement Márkus et Krisztina, et se fit la réflexion qu'il avait eu bien de la chance de les rencontrer. Puis il fit chauffer sa pipe et aspira une longue bouffée d'opium.

« Lukács, Lukács ! s'exclama Márkus, tout sourire. Regarde-le, Krisztina, regarde ses yeux ! Tu passes un bon moment, Lukács ? »

Il fit oui de la tête en riant. Ses lèvres étaient pâteuses.

« Je voudrais une autre pipe, dit-il.

— Où est ta bourse ? »

Lukács la lui lança. Il se rendit compte qu'il était appuyé sur le torse de Krisztina, et qu'il lui frôlait la poitrine avec son bras. Il ne se souvenait pas comment ils s'étaient retrouvés si proches, mais il n'osait pas bouger, de peur qu'elle n'en profite pour se dégager. De là où il se trouvait, il pouvait admirer la courbure de ses seins et suivre son décolleté jusque dans l'ombre de son corsage. La légèreté et la spontanéité de Krisztina commençaient à le griser aussi sûrement que l'opium. Il cligna des yeux, leva la tête et vit qu'elle l'observait. Horrifié, il se tourna vers Márkus, mais son nouvel ami était trop occupé avec sa lampe pour remarquer quoi que ce soit.

Ils fumèrent encore. La conversation déclina progressivement. Une sensation de calme absolu submergea Lukács. Il se sentait bien. Si Márkus ne prenait pas ombrage de la proximité entre Lukács et Krisztina, ce ne pouvait être que parce qu'il avait confiance en lui, qu'il savait que Lukács était un homme d'honneur. Cette prise de conscience le ravit.

« Tu sais, Márkus, dit-il après de longues minutes de silence, tu as de la chance d'avoir trouvé une si belle femme. Je rends honneur à ton goût irréprochable.

— Et moi, je rends honneur au fait que tu me rendes honneur », s'esclaffa Márkus.

Lukács sentit les yeux de Krisztina posés sur lui. Il attendit que Márkus s'intéresse de nouveau à sa pipe pour oser croiser son regard. Le silence qu'ils échangèrent était lourd de sens. Bizarre que mon *végzet* se soit si mal passé, alors qu'ici, j'arrive à communiquer à la seule force de mes yeux, pensa-t-il.

Profitant de ce que Márkus était penché sur sa lampe à huile, Lukács prit le risque d'écarter une mèche de cheveux sur le visage de Krisztina, puis il lui caressa la joue du bout du doigt.

Krisztina en resta bouche bée. Elle jeta un coup d'œil vers Márkus pour voir s'il avait remarqué quelque chose. Quand son regard se posa de nouveau sur Lukács, ce dernier constata qu'elle rougissait. Ils n'échangèrent pas le moindre mot, et elle ne chercha pas à se dégager.

Ils restèrent une heure de plus sur le matelas, léthargiques, jusqu'à ce que Lukács se souvienne de la calèche. Il sortit la montre de sa poche et poussa un juron. Le chauffeur n'allait pas l'attendre toute la nuit, et il ne se souvenait pas du chemin jusqu'au quartier où habitait Szilárd. Il réveilla ses deux amis et leur dit qu'il devait partir. Ils se redressèrent, à moitié endormis, et le remercièrent d'une voix inarticulée.

« Je serais ravi de repasser une telle soirée avec vous, dit Lukács. Je serai de retour à Buda dans une semaine. Où est-ce que je pourrai vous trouver ? »

Márkus dénicha un morceau de papier et dessina un plan.

« Retrouve-nous à l'endroit où il y a la croix. Et n'oublie pas ta bourse ! »

Lukács se leva. Ses jambes étaient tellement lourdes qu'il avait l'impression que ce n'étaient pas les siennes. Il serra la main de Márkus, et embrassa ostensiblement la main de Krisztina quand elle la lui tendit.

« J'ai hâte de te revoir, Lukács », murmura-t-elle.

Et d'un regard, elle lui dit tout ce qu'il voulait savoir.

Chapitre 7

Oxford, Angleterre

1979

Quand Charles entra dans la cuisine le lendemain matin du jour où il avait recueilli Nicole et sa mère, il remarqua deux choses étranges. La première, c'est que la porte de derrière était ouverte, alors qu'il avait pris soin de la fermer à clé la veille au soir. La seconde, c'est que la pile de livres que Nicole avait récupérée dans la Hillman était posée sur le plan de travail de la cuisine, et que la ficelle qui les maintenait d'ordinaire en place était détachée.

Charles s'approcha de la fenêtre et jeta un coup d'œil à l'extérieur. Alice Dubois se tenait immobile devant la haie de framboisiers qui délimitait la propriété, le dos tourné à la maison. Les bras croisés pour se protéger de la fraîcheur matinale, elle observait la prairie sauvage que le soleil levant baignait d'une lueur douce.

Charles l'observa, mal à l'aise. Une fois de plus, il se demanda ce qui avait marqué si profondément cette femme et sa fille, ce qu'elles craignaient, ce qu'elles fuyaient. Il se demanda également pourquoi il tenait tellement à en savoir plus sur Nicole. Combien de fois l'avait-il croisée, en tout ? Deux fois à la bibliothèque, une autre à l'extérieur du campus, et enfin l'épisode quasi mortel de la veille, sur la route d'Oxford. Quatre rencontres en l'espace d'une semaine, quatre rencontres qui avaient commencé à le ronger de l'intérieur comme rien d'autre ne l'avait jamais fait auparavant.

Son regard se posa sur la pile de livres. Ils semblaient rangés par ordre chronologique : les volumes du bas étaient craquelés, la reliure en cuir s'émiettait, les pages avaient jauni. Un de ceux-là avait failli être détruit par le feu, comme en témoignaient les bords noircis par les flammes. Pas un ne portait de titre sur la tranche. Les livres du milieu étaient plus récents – le cuir était abîmé, mais encore souple. Enfin, sur quelques-uns de ceux qui constituaient le haut de la pile, on trouvait une année imprimée en chiffres dorés, et Charles reconnut immédiatement le dernier, celui dans lequel Nicole écrivait quand il l'avait vue la première fois à la bibliothèque de Balliol.

Charles savait que cette collection de textes renfermait les réponses à beaucoup de questions qu'il se posait sur la situation de Nicole. Elle ne lui faisait toujours pas confiance, il le sentait. Car il avait beau l'avoir aidée sans poser de questions, l'avoir accueillie chez lui, malgré sa mère qui avait manqué de lui défoncer le crâne, elle ne lui avait pour ainsi dire rien révélé du tout. S'il était prêt à faire tout cela pour elle, ne méritait-il pas au moins d'en savoir un peu plus ? Il était sincère dans sa démarche, il voulait seulement aider Nicole à affronter le problème qui l'effrayait. À mieux y réfléchir, peut-être voulait-il un peu plus que cela. Mais moins elle lui en disait sur sa situation, moins il pouvait lui venir en aide.

La mère de Nicole se tenait toujours au fond du jardin, les yeux fixés sur la prairie. Avec une impulsivité qui le surprit lui-même – son cerveau cherchait à justifier son geste autant qu'il se le reprochait –, Charles attrapa le livre sur le haut de la pile et l'ouvrit.

L'écriture de Nicole était claire et compacte. En majorité, c'était du français, mais il nota tout de même quelques phrases en hongrois. Cela lui rappela les documents qu'il l'avait vue étudier à la bibliothèque : *Gesta Hungarorum* la première fois, et *Gesta Hunnorum et Hungarorum* la deuxième.

Il repéra des passages en allemand, et quelques autres dans une langue qu'il ne connaissait pas. Sur certaines pages, il découvrit des schémas représentant des lieux, des bâtiments, des costumes. Entre deux pages, un vieux cliché en noir et blanc. On y voyait un masque argenté, et la date au verso indiquait que la photo avait été prise en 1946. Il tourna les pages et tomba sur plusieurs arbres généalogiques incomplets. En bas de chacun, le nom de Nicole. Les noms juste au-dessus du sien étaient français, mais, plus haut, il s'agissait de patronymes à consonance allemande. Enfin, les derniers devaient venir d'Europe centrale.

Plusieurs fois, il remarqua la même phrase, en hongrois.

Hosszú életek.

Charles n'avait jamais entendu ou lu ces termes auparavant, et il était absolument incapable d'en comprendre le sens. Visiblement, ces deux mots obsédaient Nicole. Elle les avait écrits à de nombreuses reprises, parfois en les surlignant, parfois en appuyant si fort que le stylo avait traversé le papier. L'autre mot répété partout était un nom.

Jakab.

Le nom par lequel la mère de Nicole avait appelé Charles, au téléphone. Là encore, il était entouré, barré, creusé.

« On peut savoir ce que vous faites ? »

Charles fit volte-face. Nicole se tenait dans l'encadrement de la porte, ses yeux lançant des éclairs. Elle fonça sur lui et lui arracha le livre des mains.

Pris sur le fait, il ne put que lever les mains. Il avait conscience qu'il venait de trahir le peu de confiance qu'elle lui avait accordé jusque-là.

« Nicole, je suis navré. Je suis un crétin. Je suis entré dans la cuisine et ils étaient là, sans la ficelle. Je n'ai pas pu m'en empêcher. J'espérais y trouver quelque chose qui me permettrait de...

— Ça, c'est sûr que vous êtes un crétin. Vous espériez y trouver quelque chose qui vous permettrait de... quoi ? De découvrir ce que vous vouliez savoir sur nous ? C'était bien la peine que je vous mette en garde, hier soir. Est-ce que vous avez seulement écouté le moindre mot de ce que j'ai dit ?

— Justement, vous avez à peine prononcé un mot, et c'était pour me prévenir que vous ne me diriez rien, protesta-t-il.

— Et vous croyez que ça vous donne le droit de fouiller dans mes affaires ?

— Je ne fouillais pas. Les livres étaient posés là, sur le plan de travail.

— Et la ficelle s'est enlevée toute seule, peut-être ?

— Mais non, c'était déjà comme ça quand je suis arrivé.

— Menteur ! Comment ai-je pu être assez idiote pour vous faire confiance ?

— Nicole ! s'écria soudain Alice Dubois, le visage blême, en entrant dans la pièce par la porte de derrière. Pourquoi tu cries ? Qu'est-ce qui s'est passé ?

— Il s'est passé que cet imbécile a défait la ficelle autour des carnets. Quand je l'ai surpris, il était en train de les lire, comme un sale petit sournois qu'il est. »

La mère fronça les sourcils.

« Ce n'est pas lui qui a défait la ficelle, Nicole. C'est moi. Je les ai descendus ce matin, je les ai posés là, et je suis sortie dans le jardin pour regarder le soleil se lever.

— Tu les as laissés là, où tout le monde pouvait les voir ? demanda Nicole, ébahie.

— Je pensais que vous étiez tous les deux endormis, répondit Alice d'un ton sec. Maintenant, calme-toi. Quant à vous, ajouta-t-elle en pointant un doigt accusateur vers Charles, vous pensez vraiment que vous pouvez vous servir dans nos affaires, sous prétexte qu'elles se trouvent sous votre toit ?

— Me servir ? J'ai à peine...

— Vous avez trahi notre confiance », l'interrompit Nicole.

Charles sentit la colère monter. Un tic nerveux agita son nez boursouflé. Lire le carnet avait été une erreur, mais il ne pouvait supporter ce genre d'accusations.

« Depuis que nous nous sommes rencontrés, j'ai tout fait pour vous aider, fit-il d'un ton agressif.

— Merci, Charles, c'est trop aimable. Hier, votre aide a failli nous coûter la vie, à ma mère et à moi. Et maintenant, nous sommes coincées ici sans passeport. Sans votre intervention, nous serions déjà de retour à Paris, à l'heure qu'il est. »

Elle se dirigea alors vers le plan de travail et récupéra les carnets d'un geste brusque.

« Votre aide, je m'en passerais bien volontiers, conclut-elle.

— Très bien. Dans ce cas, partez. »

Surprise, elle se tourna vers lui.

« Est-ce que vous avez des amis, ici ? demanda-t-il. Des connaissances ? De l'argent ? Non ? Alors, soyez réaliste, vous avez besoin de moi. Toutes les deux.

— Nous nous sommes très bien débrouillées sans vous, jusqu'à présent.

— Je n'en ai pas le moindre doute. Mais aujourd'hui, la donne a changé. Et bien que vous soyez comme votre mère une cinglée lunatique, mon offre tient toujours. »

Nicole le regarda droit dans les yeux, tremblante de colère. Il voyait bien que si ses mots l'avaient offensée, ils l'avaient aussi réduite à quia. Charles ouvrit la bouche pour reprendre, mais il s'abstint au dernier moment, conscient qu'il en avait assez dit, et qu'un mot de plus serait un mot de trop.

Il sentait qu'ils étaient tous les trois au bord du précipice.

« Il a raison, Nicole. »

Charles se retourna, sidéré que la mère de Nicole prenne sa défense.

« Nous n'avons pas le choix, poursuivit Alice. Oublie ça. Essaie de te calmer. Cette situation ne me plaît pas plus qu'à toi. Mais je le crois. Après ce qu'il a fait pour nous, nous pouvons bien lui pardonner une petite erreur de jugement. Laissons-le voir s'il peut nous ramener à la maison. Pour le moment, nous devons accepter qu'il représente notre meilleur espoir. »

Les épaules de Nicole s'affaissèrent. Elle posa les livres sur le plan de travail, ramassa la ficelle et entreprit de refaire le nœud. Elle se sentait humiliée. Elle se tourna vers Charles et voulut dire quelque chose, mais elle se ravisa et se contenta de secouer la tête. Les lèvres pincées, elle ramassa les livres et sortit de la pièce.

Charles la regarda partir. Il sentit le regard d'Alice posé sur lui.

« La cinglée lunatique peut pardonner une erreur de jugement, dit-elle d'une voix neutre. Pas deux. Je vous ai à l'œil. »

« Est-ce que tu saurais ce que veulent dire les termes *hosszú életek* ? » demanda Charles.

Confortablement installé dans la salle du fond du pub Eagle and Child [1], il suivit du bout du doigt une goutte de condensation sur sa pinte de bière, puis leva la tête vers son collègue, Patrick Beckett.

« Charles, je tombe des nues ! »

Le professeur de philologie comparative, assis en face de lui, un homme immense doté de dents beaucoup trop grandes pour sa bouche, se pencha en avant sur son tabouret, tendit vivement la main vers son verre, et avala une gorgée.

« Le grand jour est enfin arrivé, je n'y croyais plus, reprit-il.

---

1. The Eagle and Child est un pub d'Oxford connu pour avoir accueilli les Inklings, un cercle littéraire créé par J. R. R. Tolkien (*Le Seigneur des Anneaux*) et C. S. Lewis (*Le Monde de Narnia*). *(N.d.T.)*

— Quel jour ?

— Le jour où tu viens me demander conseil. C'est un honneur pour moi, mon ami. À croire que j'ai sans le savoir gravi les échelons académiques ! Je ferais mieux de boire vite avant que tu ne changes d'avis. Mais bon, je savais bien qu'il y avait une raison pour que tu me payes une bière. C'est la première fois que tu sors ton porte-monnaie, cette année ?

— Ne dis donc pas de bêtises, Patrick. »

Charles savait qu'il aurait l'air ridicule, mais il glissa néanmoins la tête hors de l'alcôve en bois où ils se trouvaient pour vérifier que personne n'écoutait, avant de poursuivre :

« *Hosszú életek*. J'ai cherché partout, mais je n'ai rien trouvé.

— Eh bien, je suis ravi que tu aies vu la lumière, c'est tout ce que je peux te dire. Tu en apprendras tout autant sur une société en étudiant ses mythes ou son histoire.

— Je ne te suis pas.

— Ce n'est pas un historien qu'il te faut, Charles, mais un folkloriste, annonça Beckett d'un ton triomphal, en se tapant sur la poitrine. Mesdames et messieurs, le grand Patrick Beckett !

— Et moi qui pensais que tu étais spécialisé en linguistique.

— Évidemment que je le suis ! Mais pour comprendre une langue parfaitement, il faut aussi comprendre la société dans laquelle elle s'est développée. Et quel meilleur moyen pour cela que de se familiariser avec le folklore ? C'est vrai, je me suis passionné plus que de raison pour ces vieilles légendes, mais il faut dire que c'est absolument fascinant. Bien plus intéressant que toutes les conneries qu'on a pu inventer au XXe siècle, en tout cas, dit-il avant de lever la main en serrant les dents. Aïe ! J'oubliais où nous nous trouvions ! C'était rustre de ma part, et j'espère que le grand Tolkien me pardonnera. Mais bref, Charles, tu comprends l'idée. »

Satisfait de son petit discours, il se mit sans raison à tapoter sur la table avec ses phalanges. Beckett était bourré de tics et de petites manies, ce qui rendait toute conversation avec lui épuisante.

« Donc, qu'est-ce que tu peux me dire sur ce terme de *életek* ?

— Pas grand-chose, je le crains, répondit Beckett avant de lever un doigt en guise d'avertissement et de boire une gorgée de bière. Même s'il va sans dire que j'en connais certainement plus sur le sujet que le commun des mortels. Par contre, qui sait si ce que je sais ou ce que je crois savoir est vrai ? Et quand je dis vrai, bien sûr, je veux dire correct, ou du moins authentique. Tu vois ? On entre déjà dans les difficultés !

— Dans ce cas, fit Charles d'un ton calme, si on laissait un instant de côté les inexactitudes hypothétiques de ton savoir pour s'intéresser précisément à ce savoir, avant que le barman sonne la cloche du dernier verre ? »

Ravi, Beckett tapa deux fois dans ses mains.

« Bien parlé. Alors, je me lance, mais je préfère te prévenir, ce que je vais te dire, c'est de mémoire ; il faudra que je revérifie mes sources. Par exemple, je ne me souviens plus si ça vient d'un *Märchen* allemand, de contes slaves, ou d'autre part. À vrai dire, je pense que ça n'a que peu d'importance. D'ailleurs, ces gens apparaissent sûrement dans beaucoup de sources différentes, ce qui est tout à fait normal. Et ils ne sont pas toujours désignés sous ce terme. En fait, *életek* ou, si on veut être plus précis, *hosszú életek*, est une expression hongroise.

— Comment ça, “ces gens” ?

— Il s'agit d'un peuple. En hongrois, *hosszú életek* signifie *longues vies*. Ou encore *qui ont vécu longtemps*, expliqua-t-il avant de marquer une nouvelle pause et de claquer des doigts. De toute façon, je ne suis pas complètement sûr qu'il s'agisse d'une traduction littérale. C'est peut-être une interprétation.

— Ne perdons pas de temps avec l'étymologie.

— Tu as raison, dit Beckett avant de finir sa bière et de tendre le verre vide à Charles. C'est ta tournée ? »

Charles secoua la tête et sortit son porte-monnaie. Quelques minutes plus tard, les deux pintes arrivèrent, et il attendit que Beckett reprenne.

« J'ai réfléchi pendant que tu commandais au bar. Je t'ai dit que j'en savais plus que je ne pensais, n'est-ce pas ? Eh bien, ça me revient, maintenant. J'ai lu des choses sur ce peuple à plusieurs reprises, et, clairement, dans plusieurs sources, puisque le mythe varie selon les textes. Ah, le cerveau, quel outil fantastique ! Bref, cette histoire de *longues vies* n'est que la partie émergée de l'iceberg. Le plus intéressant, dans cette légende, c'est le fait que les *hosszú életek* pouvaient changer de forme.

— Des métamorphes ?

— La mythologie en est truffée. Parfois c'est pour punir le pécheur, parfois c'est un moyen de se défendre. Très souvent, c'est un comportement prédateur. Plus récemment, on a même le métamorphe psychologique, avec Jekyll et Hyde, par exemple.

— Et les *életek*, alors ?

— C'est là que les histoires divergent. Beaucoup parlent des *hosszú életek*, comme on pourrait parler d'une société ou d'une culture différentes. Mais on ne dirait pas de tous les Français qu'ils sont méchants et prédateurs, n'est-ce pas ? Ou que tous les Japonais sont malhonnêtes ? Les *életek* font seulement partie de notre héritage commun. Rares, mais bien présents. Ils se déplacent à travers le monde, relativement invisibles, connus seulement par les nobles dans les pays où ils résident. D'ailleurs, beaucoup d'entre eux font eux-mêmes partie de la noblesse. Après tout, rien d'étonnant à ce que ceux qui peuvent vivre longtemps et se transformer à loisir réussissent à intégrer les cercles du pouvoir, dit Beckett en riant. Et pas seulement du pouvoir, d'ailleurs.

— Mais tu disais que les histoires divergeaient.

— Exact. Et c'est là que les choses deviennent intéressantes. Il y a une rupture très nette. Avec ce genre de légende, on trouve toujours des interprétations plus sombres. Des histoires qu'on raconte aux petits enfants pour leur faire peur, par exemple. Et dans ce cas précis, ces histoires sont très nombreuses. Mais le plus étonnant, c'est qu'elles ne sont apparues qu'assez récemment, toutes proportions gardées. De fait, si on remonte quelques siècles en arrière, on ne trouve rien de négatif sur les *életek*. C'est comme si la population s'était soudain retournée contre eux.

— Tu en parles comme s'ils existaient vraiment.

— Non, j'en parle comme si la société considérait qu'ils existaient vraiment. Et les preuves ne manquent pas. Si on met bout à bout les pièces de la légende, qu'on y ajoute quelques hypothèses et qu'on mélange le tout avec un peu d'imagination, on se retrouve avec l'histoire d'une race qui vivait dans le plus grand secret en Europe de l'Est, il y a environ cinq cents ans. Et quand on y réfléchit, c'est presque logique que leur caractéristique de métamorphes passe au premier plan. Mais remontons en arrière. À la toute fin du IXe siècle, tu as Árpád, le chef magyar, qui, à la tête de son alliance des sept tribus, envahit et unifie tout le bassin des Carpates, dont faisait partie la Hongrie. Ses descendants assurent la relève et règnent sans histoires – bon, peut-être pas sans histoires, mais ne nous dispersons pas – jusqu'au XIIIe siècle, et là... boum ! s'exclama Beckett en tapant du poing sur la table, renversant au passage un peu de bière. Le désastre ! L'invasion des Mongols. Des millions de personnes massacrées. Femmes et enfants. Chiens et chats. Carnage sur carnage. Personne n'est en sécurité. Et les impitoyables Mongols continuent à attaquer, encore et encore. Ils brûlent, pillent et violent. Dans ce climat de terreur, on comprend aisément l'émergence d'un mythe basé sur la transformation.

— Une transformation défensive, donc.

— Précisément. Et c'est sûrement là que le mythe des *életek* voit le jour. Et s'il s'agit d'un moyen de se défendre, c'est logique qu'ils cherchent à rester discrets. Qui sait ? Peut-être qu'avec la fin de la menace mongole, les *életek* ont enfin pu sortir de l'ombre. Et vivre en paix jusqu'à ce que, pour une raison inconnue, ils soient contraints de se cacher de nouveau. À moins que ce ne soit seulement l'intérêt pour la légende qui ait commencé à décliner. »

Satisfait de sa présentation, Beckett tapota de nouveau la table avec ses phalanges, puis il but une gorgée de bière.

« C'est une histoire passionnante », commenta Charles.

Beckett se contenta de hocher la tête en signe d'assentiment.

« Charles, je dois dire que cette conversation m'a beaucoup plu. Tu as complètement réveillé ma passion pour les légendes des Carpates. Mais il y a quelque chose que je voudrais te demander.

— Oui ? »

Pour la première fois de la soirée, le visage de Beckett était sérieux.

« Est-ce que ça te plairait de rejoindre les rangs de mon association de reconstitution historique ? »

Nicole et Alice restèrent chez lui une semaine de plus. Organiser la traversée de la Manche pour ses deux hôtes prit plus longtemps que prévu. Un de ses amis, qui possédait un bateau, ne voyait en effet aucun inconvénient à faire le voyage, mais il avait fallu négocier pour qu'il accepte d'éviter les douanes françaises, et l'opération avait au final coûté à Charles quelques précieuses bouteilles de château-latour.

Malgré ce contretemps technique bien réel, Charles ne se voilait pas la face : il avait sciemment joué la montre. Car plus il passait de temps en compagnie de Nicole, plus il se rendait compte que sa procrastination n'était pas seulement due à sa curiosité, mais surtout à son attirance pour elle. Les jours suivants, les disputes avaient été moins nombreuses, même si, à plusieurs reprises, Alice avait tout de même dû jouer les arbitres. Ils mangeaient ensemble, marchaient ensemble, parlaient, riaient. Nicole demanda à écouter l'enregistrement du documentaire radiophonique de Charles, puis elle se moqua copieusement de lui quand il lui passa la cassette. Ces soirs-là, il découvrait une autre facette d'elle. Quand elle baissait sa garde, ils pouvaient enfin plaisanter, se laisser aller au badinage. Et chaque fois, il allait se coucher le cœur léger.

La veille du départ, Charles parvint à convaincre Nicole de quitter la maison pour aller dîner avec lui à Oxford, dans un restaurant français. Il argua que le risque de croiser par hasard celui qu'elle fuyait dans un restaurant précis, dans une ville précise, à un moment précis, était minime.

Dans le minuscule bistrot, Nicole fit plaisir à Charles en commandant des escargots, et Charles fit plaisir à Nicole en en goûtant un. Elle était assise en face de lui, et il la regardait, tâchant de graver son visage dans sa mémoire. Elle avait les cheveux détachés ce soir-là, ses mèches châtain tombaient en cascade sur ses épaules. Le soleil avait cuivré sa peau, révélant quelques taches de rousseur.

Nicole leva les yeux vers lui et haussa un sourcil.

« Vous avez encore cet air, dit-elle.

— Quel air ?

— Je ne sais pas. L'air que vous avez, là, tout de suite. Je ne sais jamais ce que vous pensez dans ces moments-là.

— Je pense au fait que c'est la dernière fois que je vous vois avant un moment. Et j'espère que ce n'est pas la dernière fois tout court. »

Nicole but une gorgée de vin et reposa son verre sur la table. Elle regarda son assiette quelques secondes, avant de relever les yeux vers lui.

« Oh, Charles. Ça n'a pas été facile pour vous, n'est-ce pas ?

— Arrêtez.

— Arrêter quoi ?

— On dirait que vous ne me prenez pas au sérieux.

— Mais si. Ça n'a vraiment pas été facile. Ce n'est pas facile. Tout ça, je veux dire. Nous.

— Ça pourrait l'être, pourtant.

— Je vous en prie, ce n'est pas le moment, dit-elle en secouant la tête.

— Je veux vous revoir.

— Et vous me reverrez.

— Vraiment ? demanda-t-il. Vous ne m'avez même pas dit où vous alliez. Vous ne m'avez donné ni adresse ni même un numéro de téléphone. Et vous refusez de me parler de vos projets.

— Je sais, dit Nicole en lâchant sa fourchette pour lui prendre la main. C'est éprouvant, pas vrai ?

— Quoi donc ?

— La confiance. »

Il hocha la tête.

« Vous me demandez de vous faire confiance, dit-il.

— Ce n'est pas la première fois.

— Vous reviendrez ?

— Je ne peux pas vous le promettre. Mais nous nous reverrons, je pense. Peut-être pas ici, par contre.

— Je ne veux pas paraître désespéré, mais puis-je me permettre de vous demander quand ?

— Ha ! Ha ! C'est vrai que ça fait désespéré. Ça ne vous ressemble pas, mais c'est touchant ! Pour répondre à votre question, je n'en sais rien. Ce que je sais, en revanche, c'est que je risque de devenir folle, à Paris, si je n'ai pas l'occasion de me disputer avec vous au cours des prochains mois ! »

Il sourit, puis il songea à ce qu'il allait dire et retrouva son sérieux.

« Nous en revenons toujours à la confiance, dit-il. Je pense avoir suffisamment prouvé que je méritais la vôtre. Certes, j'ai commis quelques impairs, et j'admets que je n'aurais jamais dû lire vos carnets sans vous demander la permission.

— Merci de le reconnaître.

— Mais je pense que je trahirais tout autant votre confiance si je ne vous disais pas ce que j'y ai lu, ni où cela m'a mené.

— Je vous écoute », dit-elle en reposant son couteau.

Il marqua une pause, se préparant mentalement à la réaction de Nicole. Il balaya le restaurant du regard, plus pour la rassurer que parce qu'il craignait qu'on ne les entendît. Enfin, il déclara :

« *Hosszú életek.* »

Il la vit tressaillir sur sa chaise. C'était discret, comme si elle avait été piquée par un moustique.

Mais elle ne lui jeta pas son verre de vin à la figure, elle ne se leva pas brusquement de table pour quitter la salle. Bref, elle ne réagit pas comme il l'avait craint. Elle respirait plus bruyamment, mais à part cela, elle se contentait de le regarder droit dans les yeux.

Charles attendit que le serveur se fût éloigné, puis il demanda :

« Alors ? »

D'un geste, Nicole lui fit signe de poursuivre. Il s'éclaircit donc la gorge et se mit à relater tout ce que lui avait dit Beckett, et tout ce qu'il avait lui-même lu depuis, sans rien omettre. Il mentionna les différences de folklore, les théories de Beckett. Et quand enfin il cessa de parler, elle était toujours assise en face de lui, elle le regardait toujours dans les yeux, et elle ne disait toujours rien.

« Vous n'avez pas prononcé un mot, fit-il remarquer avant de vider d'un trait son verre de vin.

— Que voulez-vous que je vous dise ?

— Je ne sais pas. Vous pourriez réagir. Me reprocher d'avoir agi comme un imbécile. M'expliquer ce que signifie tout cela.

— Charles... »

Elle évitait son regard à présent, et il vit qu'elle était sur le point de pleurer.

« Je ne sais même pas comment parler de ça avec vous, Charles. J'estime votre amitié. Je vous respecte. Mais vous ne pouvez pas comprendre. C'est pourquoi il vaut mieux que...

— J'en comprends assez, Nicole. Je comprends que, pour une raison que j'ignore, cette histoire ne relève pas du mythe, pour vous. Je comprends qu'avec votre mère, vous fuyez quelqu'un. Il s'est passé quelque chose, mais je ne sais pas quoi. Vous pensez que des gens sont à vos trousses, et que ces gens sont des *hosszú életek*. Dites-moi si je me trompe. »

Elle ravala un sanglot, et il dut se retenir pour ne pas se lever à cet instant et la prendre dans ses bras.

« Nicole, vous m'avez demandé de vous faire confiance depuis le début. Je ne sais rien de ces légendes, à part ce que m'en a raconté Beckett. Et... je crois que je suis amoureux de vous. Voilà, c'est dit.

Mais si vous ne m'en dites pas plus, je ne peux pas vous aider. »

Nicole resta silencieuse quelques secondes.

« Quelle est votre opinion sur ce que vous avez entendu ? demanda-t-elle enfin.

— Sur les *életek* ?

— Oui.

— Je n'ai pas d'opinion. C'est un mythe intéressant. Que puis-je dire de plus ?

— Pourriez-vous entretenir une relation avec une personne dont vous pensez qu'elle n'a pas toute sa tête ?

— Non.

— Alors, vous comprenez le dilemme. »

Il décida de jouer son va-tout.

« Il s'appelle Jakab, n'est-ce pas ? » demanda-t-il.

Cette fois, la réaction de Nicole fut plus violente. Elle se recula brusquement sur sa chaise et ses yeux se mirent à balayer la salle du restaurant – la même expression furtive dans son regard que le jour de l'accident de voiture. Un oiseau enfermé dans une cage avec un prédateur. Charles en frissonna d'effroi.

Nicole haletait, les mains agrippées si fort à la table qu'elle en avait les phalanges toutes blanches. Il la regarda reprendre ses esprits, tout doucement. Ils restèrent silencieux pendant quelques minutes, et il attendit pendant que le regard de Nicole oscillait entre la table et lui.

« Charles, partons d'ici, dit-elle. Allons dans un endroit où on sera plus tranquilles. J'ai besoin d'un remontant. »

Ils trouvèrent un petit troquet à deux rues de là. Sombre, bruyant, anonyme. Une rangée de box en bois faisait face au bar. Nicole s'installa sur une banquette pendant que Charles commandait deux grands cognacs avant de s'asseoir à son tour. Sur la table, une bougie vacillante était posée sur une soucoupe. Nicole l'éteignit, trahissant l'angoisse qu'elle ressentait encore, une demi-heure après que Charles eut prononcé le nom maudit.

Les doigts serrés autour du verre, elle but une gorgée. Charles attendit patiemment qu'elle se mette d'elle-même à raconter son histoire. Il ne voulait surtout pas lui mettre la pression. Il était toujours stupéfait de lui avoir dit qu'il l'aimait, et il s'en voulait d'avoir si mal choisi son moment. Sans compter qu'elle n'avait pas réagi.

« Jakab, dit-elle en frémissant. Je déteste prononcer ce nom. Quand j'étais petite, ma mère me racontait l'histoire de notre famille, et elle me répétait souvent pourquoi nous devions toujours être méfiants et faire profil bas. Ma grand-mère, Anna, est née en Hongrie, mais elle a fui en Allemagne avec son mari juste avant la Seconde Guerre mondiale. Il s'appelait Albert. Il s'est passé quelque chose en Hongrie qui les a poussés à prendre la fuite. Tout s'est passé très vite, ils sont partis au milieu de la nuit. Ils ont dit au revoir à leurs familles respectives, et c'était fini. Ils ne les ont plus jamais revues. Bref, ils se sont donc installés en Allemagne. Ma grand-mère a donné naissance à ma mère, Hilde, peu après leur arrivée. Quand la guerre a éclaté, Albert a été mobilisé par les nazis. Il a été envoyé à Stalingrad, où il a été abattu par un tireur d'élite une semaine plus tard.

— Hilde ? Mais je pensais que...

— C'est son vrai nom. À la fin de la guerre, les

Alliés ont envahi l'Allemagne, et Anna a de nouveau voulu partir. Je ne sais pas si c'est parce qu'elle a failli croiser Jakab, ou si elle avait tout simplement peur, avec la réouverture des frontières. Quoi qu'il en soit, elle a décidé d'aller encore plus à l'ouest, en France. Elle a emmené Hilde.

— Pas le meilleur moment pour arriver en France, si son mari avait été un nazi.

— Un soldat mobilisé. Mais c'est vrai, vous avez raison. Ils étaient rejetés et passaient leur temps à déménager. Ma mère a décidé de changer de prénom et de s'appeler Alice, et elle a rencontré mon père, Éric Dubois. À ce moment-là, ma grand-mère Anna était morte. Je ne l'ai jamais connue. Ma mère me répétait souvent d'être vigilante, de toujours observer le comportement des gens qui nous entouraient, au cas où ce comportement changerait subitement. Elle m'a expliqué qu'en Hongrie, un certain Jakab s'était épris de sa grand-mère au point d'en devenir obsédé, et qu'il rôdait peut-être toujours dans les parages. Et comme Anna était morte, il risquait de s'en prendre à nous. »

Nicole leva les yeux vers Charles pour jauger son expression.

« Vous l'aurez compris, reprit-elle, elle pensait que Jakab était un *hosszú élet*. Et à cette époque, j'avais déjà consulté les carnets. Je peux vous garantir que quand vous lisez tout ça... »

Elle s'interrompit pour reprendre une gorgée de cognac avant de poursuivre :

« On arrive à la partie de l'histoire que vous ne comprendrez peut-être pas. Ou à laquelle vous ne croirez pas. Mais je vais essayer de l'expliquer autrement : imaginez que vous êtes *hosszú élet*. Le mythe est bien réel, et vous pouvez vous transformer comme bon vous semble. Maintenant, imaginez que la femme qui vous obsède est mariée à un autre. Et qu'elle vous hait. Et imaginez que même si vous savez ce qu'elle ressent pour vous, vous vous en fichez, et la seule chose qui vous intéresse, c'est de la posséder. »

Ne sachant pas où elle voulait en venir, Charles écarta les mains et secoua la tête.

« Mais Charles, vous n'avez qu'à devenir l'homme qu'elle aime. Vous le supplantez. Ma mère s'est protégée contre ça toute sa vie. Mais à l'époque, ils ne savaient pas ce qui les attendait, toute cette histoire ressemblait surtout à une vague superstition familiale excentrique. Jusqu'à ce qu'ils commencent à remarquer les changements.

« Mon père, Éric, était un homme discret et adorable. Il était charpentier. Quand il n'était pas dans son atelier à construire des meubles, il fabriquait des jouets pour moi et mes amis. Nous vivions dans un tout petit village, à côté de Carcassonne. Un jour, un homme est arrivé au village. Il se faisait appeler Petre. Mon père et lui sont devenus très proches. Petre dînait avec nous, il était toujours à la maison. Il est devenu l'apprenti de mon père, même s'ils avaient sensiblement le même âge. À l'époque, il n'y avait pas beaucoup de travail. On prenait ce qu'on trouvait.

« Mais au fil du temps, Petre s'est mis à s'intéresser à ma mère. Il passait à la maison quand il savait que mon père n'y était pas. Il lui offrait des cadeaux. Mon père n'était pas aveugle, mais il ne savait pas trop comment réagir, parce qu'il aimait beaucoup Petre. Un après-midi, la situation a basculé quand Petre a fait des avances à ma mère. Mon père était un homme très calme, mais il a vu rouge. Il est allé trouver son apprenti et il lui a mis une raclée. Après ça, nous n'avons plus jamais revu Petre. Dans le village, tout le monde a su ce qui s'était passé. Petre n'avait nulle part où dormir, nulle part où travailler, nulle part où boire. Tout le monde adorait Éric, et il était hors de question de pardonner à celui qui l'avait trahi ainsi.

« Peu de temps après, mon père a commencé à changer. Par exemple, il a arrêté de fabriquer des jouets. C'est la première chose que j'ai remarquée, en tout cas. Ma mère... Elle ne m'a jamais rien dit, mais je crois que leur relation... »

Nicole hésita quelques secondes, ne trouvant pas ses mots.

« Disons que leur relation physique a viré d'amoureuse et saine à violente et perverse, reprit-elle. Les disputes ont commencé. Mon père oubliait des pans entiers de la vie qu'on avait vécue ensemble. J'inventais des histoires, je lui disais qu'on avait fait ceci ou cela quelques années auparavant, et lui opinait de la tête, riait avec moi, alors que rien n'était vrai.

« Et puis un jour, à quelques kilomètres du village, un corps a été retrouvé. Il était enterré depuis longtemps, et le visage avait disparu. Comme s'il avait été découpé. Les gendarmes n'ont jamais réussi à l'identifier. Mais ma mère a compris tout de suite. »

Charles hocha la tête, à la fois subjugué par ce qu'elle lui racontait et inquiet pour sa santé mentale.

« Qu'est-ce qui s'est passé ensuite ? demanda-t-il.

— Un soir, ma mère m'a confié à des amis à elle. Elle a fait boire mon père jusqu'à ce qu'il ne soit plus bon à rien, puis elle l'a mis au lit et elle a fermé la porte à clé. Ensuite, elle est sortie, elle a barricadé la maison avec des planches, et elle y a mis le feu.

— Mon Dieu !

— Elle m'a récupérée au milieu de la nuit et nous sommes parties vers le nord, pour ne jamais revenir. »

Nicole s'installa plus confortablement sur la banquette. Elle sécha les quelques larmes qu'elle avait versées et lui sourit timidement.

« Voilà. C'est tout. Alors, qu'est-ce que vous en dites ? Toujours intéressé ? fit-elle d'une voix qu'elle ne contrôlait plus.

— Est-ce que je peux me faire l'avocat du diable ?

— Je vous en prie.

— Ça risque d'être difficile à dire sans paraître blessant, mais peut-être que votre père était malade.

— Oui, une maladie dégénérative qui aurait expliqué son comportement. Comme Alzheimer.

— Quelque chose dans ce goût-là, oui.

— Ma mère aurait donc brûlé un innocent.

— Et c'est justement là où j'avais peur d'en venir. »

Nicole hocha la tête.

« Et si Jakab a effectivement brûlé dans la maison, pourquoi est-ce que vous fuyez encore ? demanda-t-il.

— Parce que ma mère avait une amie au village, à qui elle a tout raconté. Quelques années plus tard, elle l'a appelée pour prendre des nouvelles, et là, l'amie en question lui a expliqué que quand l'incendie avait atteint l'étage, tous les villageois étaient déjà réveillés. Ils ont vu un homme hurler à la fenêtre. Quelques-uns ont même dit par la suite qu'il se tortillait. Qu'il ondulait. Il a cassé la vitre et s'est jeté dans le vide. À une telle hauteur, n'importe qui serait mort ou gravement blessé. Mais pas lui : il s'est relevé et il est parti en courant.

— Et il est encore à vos trousses.

— Voilà. C'est d'ailleurs pour ça que je suis en Angleterre. À Oxford. Je faisais des recherches. Il y a des documents originaux que je ne pouvais trouver qu'ici. *Hosszú élet* signifie *longue vie*, pas *immortel*. Je cherche à savoir combien de temps cette situation peut encore durer. »

Charles prit une profonde inspiration. Il ne savait pas trop comment réagir à l'énormité de ce qu'il venait d'entendre. Il était impossible de croire aux aspects les plus sensationnels de l'histoire, mais de toute évidence, il était arrivé quelque chose d'affreux à la famille Dubois. Et dans ces circonstances, savoir s'il y avait du vrai dans les légendes que lui avait racontées Beckett n'avait plus la moindre importance pour Charles. Que Nicole soit folle ou pas, il était prêt à lui faire entièrement confiance une fois de plus, prêt à laisser de côté le mythe, le temps de savoir quoi faire.

Il lui attrapa la main.

« Nicole, est-ce que vous allez me laisser vous aider ? »

Elle esquissa un léger sourire, laissa les larmes rouler sur ses joues, et posa sa main sur celle de Charles.

« Bien sûr, répondit-elle. Merci.

— Est-ce que je pourrais lire les carnets ?

— Si vous voulez.

— Et est-ce que vous pourriez me les laisser quelque temps ? Seulement un ou deux volumes, si vous préférez. »

Elle hésita, puis elle lui pressa la main et fit oui de la tête. Charles jeta un coup d'œil à sa montre.

« On ferait mieux de rentrer à la maison, dit-il. Vous avez un bateau à prendre demain matin.

— Il y a autre chose, Charles, murmura-t-elle. Mais ça sonne mieux en français. »

Cette fois, elle souriait vraiment.

« Je vous en prie, dites-moi.

— *Je crois que je vous aime aussi*[1]. »

La plus belle phrase qu'il eut jamais entendue.

1. En français dans le texte. *(N.d.T.)*

Chapitre 8

Snowdonia, pays de Galles

De nos jours

Quand elle comprit ce que signifiaient les mots de Sebastien, Hannah se sentit prise de nausée.

Est-ce que tu as validé Nate depuis qu'il est entré dans la voiture avec toi ?

Elle respira profondément. Une fois. Deux fois. Ses oreilles bourdonnaient, et elle avait la bouche sèche.

Pouvait-elle ne serait-ce que concevoir l'idée que l'homme qui se trouvait au rez-de-chaussée n'était pas son mari ? L'éventualité que l'homme dans la voiture avec elle puisse ne pas être Nate entraînait des conséquences si horribles qu'elle avait du mal à les envisager.

Elle fouilla sa mémoire à la recherche d'une preuve irréfutable que l'homme allongé sur le canapé de la cuisine était bien celui qu'elle pensait. Elle repassa dans sa tête leur fuite de chez son père, les mots qu'ils avaient échangés lors du trajet. Mais quels mots ? Il avait à peine ouvert la bouche. Il lui avait à peine raconté ce qui s'était passé.

Mais il était mourant ! se dit-elle. Et si nous n'avons pas réussi à arrêter l'hémorragie, il l'est toujours !

Soudain, un souvenir lui revint en mémoire : le jour où ils s'étaient mariés. Pas d'invités. Pas de grande cérémonie. Juste son mari, son père, et un curé, dans une petite église sur la rive du lac d'Annecy. Charles leur avait réservé une suite dans un hôtel qui donnait sur le lac, mais Hannah avait dit à Nate de monter dans la voiture, et elle l'avait emmené dans les montagnes. Cette nuit-là, ils avaient fait l'amour sur une couverture et s'étaient endormis en regardant la lune froide scintiller sur le lac. Le lendemain matin, ils étaient retournés à l'hôtel, où les serveurs leur avaient apporté le petit déjeuner en faisant de leur mieux pour ne pas regarder la boue sur leur visage empourpré et leurs vêtements.

Les larmes lui inondèrent le visage. Elle serra les poings et se força à chasser ce souvenir heureux. Elle devait se concentrer sur sa rage. Sa haine.

Pour l'instant, elle refusait de croire que son mari était mort, mais elle comptait bien descendre l'escalier pour en avoir le cœur net. Si c'était Jakab qu'elle trouvait – s'il avait supplanté Nate –, alors elle espérait que Dieu aurait pitié de lui, car il ne lui resterait plus que la vengeance, et elle savait qu'elle serait terrible. Elle le détruirait. Complètement. Elle pulvériserait sa chair. Briserait chacun de ses os. L'enfoncerait dans la terre à la seule force de ses coups. Elle l'éventrerait. Le brûlerait. L'anéantirait.

Hannah prit conscience qu'elle tremblait. D'un bond, elle sauta du lit.

Sebastien se leva.

« À quoi tu penses ? demanda-t-il.

— Il faut que je sache.

— Je suis d'accord. Je viens avec toi. »

Plus la peine d'être discrets, à présent, songea-t-elle. Soit c'était son mari, allongé sur le canapé, soit c'était un monstre qui avait pris son apparence.

Tu as laissé Leah avec lui, se dit-elle soudain.

Elle se sentit soudain submergée par une vague sombre qui se brisa au-dessus de sa tête et déferla jusqu'au fond de ses poumons.

Tu as abandonné Leah.

Hannah eut un haut-le-cœur et se mit à tituber. Ferait-il du mal à sa fille ? Tout ce qu'elle avait lu dans les carnets faisait état d'une créature à l'esprit si brisé, si incapable de la moindre empathie, que chercher à anticiper son comportement revenait à faire un saut dans la folie la plus terrible.

Les éventualités qu'elle avait rejetées quelques instants auparavant s'étaient à présent transformées en probabilités. En traversant la chambre, Hannah prit conscience avec horreur qu'elle avait déjà commencé à faire son deuil.

Depuis toute petite, son éducation tournait autour de la survie : fuir, se battre, faire son deuil, accepter, protéger. Elle était le résultat de trois décennies de peur, de pertes, de moments de joie glanés dans un monde incertain. Elle était incapable de se souvenir d'un instant, même lors des moments les plus heureux de son existence – surtout lors des moments les plus heureux de son existence –, où elle ne s'était pas demandé quand ça s'arrêterait, comment ça s'arrêterait, et à quoi ressemblerait son carnet si elle vivait assez longtemps pour pouvoir le léguer à sa fille.

Agis, se dit-elle.

Arrête de penser. N'hésite pas. Agis. Ce mantra lui avait plutôt rendu service, jusqu'à présent. Elle savait que penser à l'avenir risquait de la paralyser.

Quelques minutes plus tôt, après avoir vérifié l'identité de Sebastien, elle avait reposé le fusil à sa place dans le cellier. L'arrivée du vieil homme l'avait rassurée, et elle en avait oublié le danger qui les poursuivait toujours, ne songeant qu'à mettre l'arme hors de portée de sa fille. Allait-elle regretter cette erreur ?

Hannah sortit de la chambre et s'engagea dans l'escalier. Elle passa devant le faucon empaillé, qui parut la suivre de son regard mort.

Elle n'avait pas particulièrement besoin d'être discrète, mais elle redoubla d'efforts pour ne pas faire grincer les marches. Elle resta collée au mur, Sebastien sur ses talons.

Arrivée au pied de l'escalier, elle s'arrêta pour écouter.

Le bruit du vent qui faisait claquer les volets. La pluie qui crépitait contre les carreaux. Mais à l'intérieur de la maison, le silence régnait.

Elle avança doucement jusqu'à la cuisine, se forçant à regarder les ombres inquiétantes projetées contre le papier peint jauni pour conjurer sa peur.

La première porte sur sa droite, celle de la salle à manger, était fermée. Plus loin, celle du salon était toujours ouverte, et il émanait de la pièce un courant d'air glacial. Elle se souvint du carreau cassé qu'elle avait repéré en arrivant, et se rappela qu'elle n'avait même pas pris la peine d'aller y jeter un coup d'œil. Encore une erreur.

Le couloir formait un coude avant de déboucher sur la cuisine. Elle allait devoir tourner le dos à la porte du salon, au gouffre béant.

C'est à ce moment-là qu'il lui sauterait dessus. Elle sentirait ses doigts se resserrer autour de sa gorge, elle l'entendrait murmurer son nom, et elle hurlerait, elle se débattrait de toutes ses forces, mais au moment où elle se retournerait et qu'elle verrait le visage de son mari, elle saurait qu'elle aurait tout perdu.

Hannah s'arrêta, et quand Sebastien se colla à elle, elle dut ravaler un cri d'effroi.

Tu as laissé Leah avec lui, se répétait-elle.

Elle finit par tourner le dos au salon plongé dans l'obscurité. Serra les poings. Soulagée de voir que rien ne lui sautait dessus, elle pénétra dans la cuisine.

Elle avait laissé les bougies allumées, et le feu crépitait toujours dans la cheminée. À l'intérieur de la pièce, la lumière était douce et chaleureuse. Le canapé où elle avait laissé Nate était vide. Le cathéter qu'elle lui avait posé était par terre.

Sur le fauteuil où Leah dormait quelques minutes plus tôt, il ne restait qu'un vieux coussin.

Hannah sentit quelque chose se briser en elle. Elle ouvrit la bouche pour crier, l'esprit submergé par un million de pensées funestes. Trente ans de cauchemars résumés à un seul instant.

Sauf que cette fois, le cauchemar était devenu réalité.

Ne cherche pas à trouver d'explications, se dit-elle. Concentre-toi sur Leah, il n'y a qu'elle qui compte.

Sebastien entra à son tour dans la cuisine. Quand il vit le canapé vide, il laissa échapper un soupir de colère et se tourna vers Hannah.

« Le fusil », murmura-t-elle.

La porte du cellier était ouverte. Hannah entra. Alors qu'elle se demandait ce qu'elle ferait si l'arme n'était plus là, sa main se posa sur l'étagère et glissa sur le bois. Rien.

Elle perdit quelques secondes de plus à tâtonner. Elle savait bien que le fusil avait disparu, mais elle voulait en être absolument sûre.

Elle retourna dans la cuisine.

Sebastien se tenait toujours debout dans l'embrasure de la porte, mais il regardait en direction du couloir. Elle l'entendit respirer tout doucement.

« Tout va bien », dit-il d'une voix mal assurée.

Il y avait quelque chose de bizarre dans son ton. Quelque chose de terrifiant. Hannah était comme paralysée.

« Qu'est-ce qui se passe ? demanda-t-elle.

— Tout va bien, répéta-t-il. J'ai trouvé Nate. »

Sebastien fit un pas en arrière, puis un autre. Hannah aperçut alors le double canon du fusil appuyé sur le menton du vieil homme. Sebastien continua de reculer. Le fusil avança. À l'autre extrémité de l'arme, son mari, plus pâle et cadavérique que jamais.

« Qu'est-ce que... », commença-t-il à demander à Sebastien, la voix grinçante.

Il se passa la langue sur les lèvres et reposa sa question.

« Qu'est-ce que vous faites ici ?

— Nate, où est Leah ?

— En sécurité. Il est... arr... quand ? Arrivé quand ? »

Le bloc à couteaux se trouvait à deux mètres d'elle, sur le plan de travail.

« Juste après nous, répondit-elle. Ne t'inquiète pas, il est avec nous. »

Sebastien s'assit sur le canapé et posa les mains sur les genoux.

« Tu sais rien... sur lui, Hann'.

— Si, Nate, j'ai vérifié. S'il te plaît. Donne-moi le fusil. »

Nate tituba et s'appuya contre le chambranle de la porte pour ne pas tomber. Le canon du fusil se tourna brusquement vers Hannah. Elle se raidit et se demanda l'effet que ça ferait de recevoir une volée de chevrotine en pleine poitrine. Est-ce que ça la tuerait instantanément ?

« Nate, tu vas t'évanouir avec un fusil chargé à la main, dit-elle. Donne-le-moi. Et puis, si c'est moi qui tire, j'ai beaucoup plus de chance de l'avoir que toi. »

Nate quitta Sebastien des yeux une demi-seconde, le temps de se tourner vers Hannah. Il retira sa main gauche du canon et essuya la sueur sur son visage. Le mouvement le fit grimacer de douleur et il se plia en deux. S'il jouait la comédie, il avait vraiment du talent. Hannah avait l'impression qu'il risquait de s'écrouler d'une seconde à l'autre.

Évidemment que ça aura l'air vrai, se dit-elle. Depuis le temps qu'il répète.

Et soudain, au moment où elle s'y attendait le moins, il lui tendit le fusil.

Avant même d'avoir compris ce qui se passait, elle tenait l'arme entre ses mains. Rapidement, elle fit quelques pas en arrière pour s'éloigner de lui.

Le cran de sécurité était enlevé. Discrètement, elle le remit d'une pression du pouce – si la créature exsangue en face d'elle était effectivement son mari, elle ne voulait pas prendre le risque de l'abattre. Elle pointa le fusil vers lui.

« Je suis désolé, mon amour. Je t'aime. Je t'aime de toutes mes forces, mais je suis obligée de faire ça.

Dis-moi le nom de l'hôtel où on a dormi, pendant notre nuit de noces. »

Nate observa longuement le canon braqué sur sa tête, puis il leva les yeux vers sa femme.

« J'espère que je ne vais pas te faire rougir de honte, mais tu n'as jamais été fille à... »

Il s'interrompit le temps de reprendre sa respiration. Il s'agrippa de nouveau à l'encadrement de la porte et ferma les yeux pour mieux supporter la nouvelle vague de douleur qui s'abattait sur lui. Quand il les rouvrit, ils étaient remplis d'amour.

« ... fille à te satisfaire d'un lit d'hôtel quand tu pouvais faire des galipettes sous les étoiles. »

Hannah sanglota. Son monde s'était remis à tourner, enfin. Le fait qu'ils avaient perdu leur maison, leur travail, leur paix, n'avait plus d'importance. Seule sa famille comptait. Enfin, ce qu'il en restait.

Leah. Nate.

Il s'affala un peu plus contre la porte, et elle courut pour l'empêcher de tomber. D'une main, elle tenait le fusil ; de l'autre, elle lui caressait le dos.

Nate pointa alors Sebastien du doigt.

« Nous n'en avons pas fini, déclara-t-il.

— Nate, il t'a sauvé la vie.

— Alors, ça ne le dérangera pas de répondre à quelques questions.

— Hannah, souviens-toi de ce que je t'ai dit tout à l'heure, dit Sebastien, toujours assis sur le canapé. Laisse-le poser toutes les questions qu'il veut. C'est important. »

Nate acquiesça.

« On s'est déjà rencontrés, commença-t-il. C'était où ? »

Le vieil homme sourit.

« On s'est déjà rencontrés à pas mal de reprises. Mais toujours en présence de Charles. Je me souviens d'une fois à Budapest, tu avais commandé un steak tellement saignant que tu avais presque dû le boire ! »

Nate fixait Sebastien du regard. Soudain, son visage s'éclaira d'un sourire, immédiatement suivi d'une grimace de douleur.

« Vieille canaille ! s'exclama-t-il. Qu'est-ce que tu fais ici ?

— Nous avons beaucoup de choses à nous dire. Mais ça attendra. Pour commencer, on va s'occuper de toi. »

La mâchoire serrée, Nate s'écroula dans les bras de Hannah.

« Leah est dans la pièce d'à côté, dit-il. Elle dort encore. Il faut... mets-la au lit. Besoin... m'allonger. »

Sebastien aida Hannah à emmener Nate jusqu'au canapé.

« Est-ce que tu peux me dire ce que tu as fait de Moïse ? demanda-t-il en remettant en place le cathéter.

— Super chien de garde, murmura Nate. J'ai jeté un chocolat dehors et... parti comme une fusée. »

Il fallut plusieurs minutes à Hannah pour porter sa fille jusqu'à la chambre et l'installer sous les couvertures de l'immense lit à baldaquin. Leah se réveilla pour demander où elle se trouvait, mais Hannah parvint sans mal à la faire se rendormir.

De retour au rez-de-chaussée, elle vit que Nate avait de nouveau sombré dans le sommeil et elle emmena donc Sebastien dans le salon. Elle vit le carreau cassé et décida de s'en occuper dès le lendemain. Il y avait tellement de moyens différents d'entrer dans la ferme qu'une fenêtre cassée ne changeait pas grand-chose, mais à cause d'elle, il régnait dans la pièce une température difficilement supportable. Elle ferma les rideaux et alluma l'ampoule nue qui pendait au plafond.

Sebastien s'installa dans un fauteuil.

« Je n'imagine même pas à quel point la scène que tu viens de vivre a été traumatisante », dit-il.

Hannah se frotta le visage et attendit quelques secondes avant de parler.

« Si j'avais perdu Nate... »

Consciente qu'elle serait incapable de terminer sa phrase sans fondre en larmes, elle la laissa en suspens et observa Moïse entrer tranquillement dans la pièce pour s'installer aux pieds de Sebastien.

« Est-ce que tu as un plan ? demanda le vieil homme.

— On ne peut pas rester ici indéfiniment. Mais bon, Nate n'est pas en état.

— Il est très résistant. Je dois avouer que quand je l'ai vu arriver vers moi avec le fusil, j'ai eu la peur de ma vie.

— C'est vrai, c'est un battant.

— Je ne le connais pas très bien, mais nos chemins se sont croisés à plusieurs reprises, par le biais de ton père. Et il m'est toujours apparu très clairement que tout ce qu'il faisait, c'était pour toi et votre fille.

— Oui, je sais. C'est une tâche ingrate.

— Après, avec ce que j'ai entendu dans la cuisine, dit Sebastien d'un ton malicieux, je suis sûr que ça a ses avantages. »

Elle se tourna vers lui et fut surprise de remarquer le sourire graveleux qui éclairait son visage.

« Je ne sais pas ce que je dois penser d'une telle remarque, dit-elle. Surtout quand elle est prononcée par un vieux comme toi.

— Un vieux, ricana-t-il. Ah, tu es bien la fille de ton père ! »

Dès que les mots eurent quitté sa bouche, son visage s'assombrit, et il serra la mâchoire.

« Tu crois qu'il y a une chance pour que... commença-t-elle.

— Mieux vaut ne pas y penser ce soir. On n'en sait pas assez pour se lancer dans des suppositions.

— Aucun d'entre nous n'a de nouvelles.

— C'est vrai.

— Donc ce n'est pas bon signe. »

Sebastien resta silencieux pendant quelques instants, puis il la relança :

« Parle-moi de ton plan.

— Tout dépendra de Nate. Je ne veux pas le déplacer tant que je n'y suis pas obligée.

— Il risque d'être faible pendant encore assez longtemps. Et demain, ce sera encore pire qu'aujourd'hui. Quand l'adrénaline se sera dissipée, il ne pourra pratiquement plus bouger.

— Je pense que, pour une semaine, on ne risque pas grand-chose. Même si Jakab découvre l'emplacement de toutes les planques, il aurait quand même beaucoup de chance s'il choisissait celle-ci du premier coup. En plus, on a allumé beaucoup de contre-feux. Ça devrait l'occuper quelque temps.

— Tu as pensé à tout.

— Pas moi. Nous tous. C'est devenu comme une seconde nature. Un mode de vie.

— Où comptes-tu aller ?

— Je suis désolée, Sebastien, dit-elle en regardant ses ongles, mais je pense que c'est mieux si tu ne le sais pas. »

Il acquiesça, et elle lut dans son regard qu'il comprenait.

« Ce que tu as fait... commença-t-elle. Je te dois tellement.

— Ce n'est pas la peine de me remercier. Ni de t'excuser de ne pas me dire où tu comptes aller. Jusqu'ici, tes choix ont maintenu Nate en vie et ont permis à Leah d'avoir un semblant d'avenir. Je pense qu'on ne te le dit pas assez, Hannah, mais tu es vraiment très courageuse et très forte. Je ne connais personne qui t'arrive à la cheville. »

Elle secoua la tête. Qu'avait-elle fait pour mériter ces compliments ? Courir ? Fuir ? Pendant combien d'années avait-elle pensé à affronter Jakab ? Combien de nuits avait-elle passées à s'imaginer le tuer ? Elle s'était répétée maintes fois que tant que Nate était vivant et qu'il restait quelqu'un pour s'occuper de Leah, elle ferait tout ce qui était en son pouvoir pour mettre fin à ce cauchemar et offrir à sa fille une vie normale.

Mais voilà, ce n'est rien de plus que de l'imagination, se dit-elle. Quand l'occasion s'est présentée, qu'est-ce que tu as fait ?

« Est-ce que tu penses que la fuite est la bonne solution ? demanda-t-elle à Sebastien. Est-ce qu'il ne vaudrait pas mieux se battre ? Lui tendre un piège ? Essayer d'en finir, une bonne fois pour toutes ?

— C'est un débat que nous avons eu très souvent, avec ton père.

— Difficile de vaincre un ennemi quand on ne sait pas à quoi il ressemble.

— Et ce n'est pas comme si ça n'avait jamais été tenté. Moi aussi, j'ai lu les carnets.

— Depuis combien de temps les Eleni opèrent-ils ?

— Plus d'un siècle, si on fait les comptes. Mais dans leur forme actuelle, ça fait environ soixante-dix ans.

— Et combien de *hosszú életek* as-tu rencontrés pendant toute cette période ?

— Tu connais la réponse à cette question, Hannah. C'est comme chercher une aiguille dans une botte de foin. Pour l'heure, Jakab est notre meilleur espoir.

— Tu penses donc qu'on devrait agir. Arrêter de fuir.

— Il n'y a que toi qui peux faire ce choix. Je n'ai aucune intention de jouer les apprentis sorciers avec la vie de trois personnes.

— Je vais aller me reposer un petit peu, annonça-t-elle en se levant. Et toi, qu'est-ce que tu vas faire ?

— Rentrer chez moi, répondit-il en se levant à son tour. Je repasserai demain. Vous avez besoin de nourriture, de bois pour le feu et d'essence pour le groupe électrogène. Je pense que pour l'instant, il vaut mieux éviter d'appeler quelqu'un pour le gaz. Moins il y aura de gens qui sauront que vous êtes ici, mieux ça vaudra. Si tu veux, je peux vous laisser Moïse. Malgré ce qu'a dit Nate tout à l'heure, c'est un bon chien de garde. Il saura vous protéger.

— Merci, Sebastien. »

Elle le raccompagna jusqu'à la porte et lui déposa un baiser sur la joue.

De retour dans la chambre, Hannah ranima les braises dans la cheminée et se dirigea vers la fenêtre, sous les yeux du chien. Elle ouvrit un des rideaux pour observer la nuit. La lune avait refait une timide apparition entre deux nuages, et elle scintillait sur les eaux du lac. Hannah regarda le Land Rover de Sebastien franchir le pont et disparaître derrière la colline.

Elle pensait toujours qu'il lui cachait des choses. Mais ce n'était pas le moment pour ce genre de réflexion. Elle avait fait de son mieux, ce soir : elle avait réussi à amener Nate et Leah à la ferme, et tout le monde était encore en vie. Par contre, elle n'avait pas réussi à sauver son père.

Les mots de Sebastien résonnèrent dans sa tête. On n'en sait pas assez pour se lancer dans des suppositions.

Mais elle savait.

Elle grimpa sur le lit à côté de Leah, embrassa les cheveux de sa fille, puis s'allongea dans le noir. Elle crut un instant qu'elle n'arriverait pas à fermer l'œil de la nuit, mais elle tomba aussitôt dans un profond sommeil.

Hannah se réveilla une seule fois pendant la nuit. Moïse était à la fenêtre, les pattes posées sur le rebord, la truffe collée au carreau. Chassant les dernières bribes de rêve, elle se glissa hors du lit et rejoignit le chien.

Un cerf élaphe se tenait à la lisière d'un bosquet, de l'autre côté du lac. Il tourna la tête vers la ferme, et ses bois brillèrent à la lueur de la lune. Pendant une fraction de seconde, elle croisa son regard, puis l'animal s'enfonça dans les sous-bois et disparut.

Quand Hannah se réveilla quelques heures plus tard, les cendres étaient froides dans la cheminée, et il y avait du givre contre les fenêtres. Le soleil venait de se lever, et elle put constater que les murs de la chambre étaient d'un bleu uniforme. Elle se retourna sur le lit et vit Leah allongée sur le dos, qui observait le réseau de fissures au plafond.

Quand elle vit que sa mère était réveillée, la petite fille se tourna vers elle et dit :

« Est-ce qu'il est venu, le méchant monsieur ? »

Hannah prit Leah dans ses bras et se força à sourire. Elle redoutait ce moment depuis longtemps. Car autant elle avait décidé de protéger Leah du mieux possible, autant elle s'était jurée de ne jamais lui mentir. S'il y avait bien une chose qu'elle avait retenue des carnets de ses ancêtres, c'est qu'il valait mieux ne jamais avoir peur de la vérité et ne jamais éluder les questions difficiles.

« Oui, ma chérie, il est venu. Mais on a réussi à lui échapper, et maintenant, on est en sécurité.

— Est-ce qu'il m'a vue ?

— Non, à aucun moment. »

Leah se dégagea des bras de sa mère et s'assit sur le lit.

« Il fait froid ici, fit-elle remarquer. Où on est ?

— À la montagne. On a conduit toute la nuit pour arriver ici. Est-ce que tu te souviens du trajet en voiture ? Tu dormais profondément quand on est arrivés, et tu ne t'es même pas réveillée quand je t'ai portée jusqu'au lit.

— Je me souviens quand on est partis de chez papi. »

Hannah se leva. Elle n'avait pas osé enlever ses vêtements et avait dormi tout habillée. Elle enfila ses chaussures et les laça.

« Maman, il y a un chien dans la chambre.

— Oui, il s'appelle Moïse. Tu veux lui dire bonjour ?

— C'est un drôle de nom pour un chien. »

Moïse s'approcha du lit et lécha la main de Leah. La petite fille éclata de rire et la retira.

« Papa est ici ?

— Oui, en bas, répondit Hannah en s'approchant de sa fille pour lui enlever une mèche de cheveux de devant les yeux. Mais il a eu un accident, hier. Il s'est fait mal, et il va falloir qu'on s'occupe de lui.

— Mais il va guérir ?

— J'espère, mon cœur. J'espère vraiment.

— On peut aller le voir ?

— Oui, allons-y tout de suite. »

Dans la cuisine, elles trouvèrent Nate encore endormi. Il avait de gros cernes noirs sous les yeux. Il était pâle, mais il respirait de façon régulière. Hannah n'en demandait pas plus. Elle regarda Leah s'approcher de son père et guetta sa réaction.

« Il s'est fait mal au ventre ?

— Oui. C'est pour ça qu'on a mis de gros pansements. Pour qu'il guérisse.

— Qu'est-ce qui lui est arrivé au bras ?

— On a fait un petit trou pour pouvoir verser les médicaments. »

Leah se retourna vers sa mère. Visiblement, elle était sceptique.

« C'est bizarre, ce que tu dis, maman. »

Hannah ajouta quelques bûches dans la cheminée et raviva les flammes. Puis elle se dirigea vers l'évier, remplit la théière et la mit à chauffer.

Alors que les bûches s'embrasaient et que la théière commençait à bouillir, Nate ouvrit les yeux.

Il regarda autour de lui pour se repérer, puis il fit un clin d'œil à Leah.

« Salut, fripouille, dit-il. Viens me faire un baiser.

— On a un chien qui s'appelle Moïse, comme Dieu », annonça-t-elle d'un ton solennel.

Nate éclata de rire, avant de se mettre à tousser violemment.

« Ah vraiment ? demanda-t-il. Bon, et toi, Hannah, comment ça va ? »

Elle remplit un verre d'eau qu'elle lui apporta.

« Ça va. Tout le monde va bien. Je me fais du souci pour toi, mais ça va. Tiens. Je suis en train de faire du thé, mais bois d'abord ça. Et toi, comment tu te sens aujourd'hui ?

— Comme si je m'étais fait écraser par un train, répondit-il. Je crois que je ne peux pas faire le moindre mouvement.

— Tant mieux, tu n'es pas censé bouger. D'ailleurs, tu n'aurais jamais dû te lever, hier soir. Sebastien t'a rafistolé comme il a pu. Je ne doute pas qu'il ait fait du bon travail, mais je te promets que si je te surprends hors de ce canapé, je t'assomme avec un rouleau à pâtisserie. »

Leah laissa échapper un petit ricanement.

« Où est Sebastien ? demanda Nate.

— Il est rentré chez lui. Il m'a dit qu'il repasserait dans la journée avec des provisions. »

Nate hocha la tête et but son verre d'eau. Quand la théière se mit à siffler, Hannah leur servit une tasse à chacun. Elle dénicha une cannette de coca poussiéreuse dans le cellier et la tendit à Leah, dont le visage s'éclaira aussitôt d'un large sourire.

« Qu'est-ce que tu comptes faire, ce matin ? demanda-t-il.

— Il faut que j'aie une discussion avec elle, répondit-elle en désignant Leah d'un signe de tête. Que je lui explique deux trois choses. Je pensais sortir un peu avec elle, prendre l'air. »

Nate acquiesça, puis désigna le chien.

« Et tu comptes emmener Snoopy ?

— Je préférerais qu'il reste ici, avec toi. »

Hannah récupéra le manteau de sa fille dans la voiture et attendit que Leah l'ait enfilé pour sortir. Le vent était retombé pendant la nuit, mais de gros nuages gris annonciateurs de pluie s'amoncelaient. De l'eau coulait encore des gouttières. L'humidité s'accrochait aux feuilles des plantes et aux graviers de l'allée. L'air froid qui descendait des montagnes faisait pleurer les yeux de Hannah, tout en la revigorant.

Leah courut jusqu'à l'étable et fut déçue de la trouver vide. Ensemble, elles inspectèrent l'appentis en pierre. Comme l'avait indiqué Sebastien, le toit était en partie affaissé : le bois de chauffage était trempé et inutilisable. Dans la deuxième dépendance, elles trouvèrent le groupe électrogène qui tournait. Nate avait appris à Hannah comment cela fonctionnait, et elle constata que les estimations de Sebastien concernant la réserve d'essence étaient exactes. De nouveau dehors, elles passèrent devant les écuries abandonnées et traversèrent le jardin jusqu'à la barrière qui délimitait le terrain. Les prés rattachés à Llyn Gwyr n'avaient pas été broutés depuis longtemps. Un rempart de hautes herbes s'élevait devant elles, laissant plus loin la place aux pierriers et aux rochers qui marquaient le début de la montagne.

Hannah s'accroupit à côté de Leah et désigna l'horizon.

« Tu vois ce sommet, là-bas ? Il s'appelle Cadair Idris, c'est une des plus hautes montagnes du pays de Galles. Ça signifie le Siège du Géant.

— Il y a des glaciers, dessus ?

— Plus maintenant. Mais il y a très longtemps, oui. Tu sais ce que dit la légende ? Si tu passes une nuit au sommet, le lendemain, tu te réveilles soit poète, soit complètement fou.

— N'importe quoi ! s'esclaffa la petite fille avant de s'accroupir et de montrer quelque chose du doigt. Oh ! Regarde, maman ! »

Des empreintes d'animaux. Par dizaines.

Bizarre d'en voir autant au même endroit. Hannah reconnut les traces de cerfs, de bouquetins et de renards. Les autres étaient trop petites pour les identifier. Elle expliqua à Leah à quel animal correspondait chaque empreinte, puis elle lui montra un nid de rat des moissons accroché à un chardon.

Leah écouta attentivement, puis elle demanda :

« Est-ce que le méchant monsieur va venir ici ? »

Hannah se releva et prit sa fille par la main.

« Viens, on va voir le lac, annonça-t-elle. On discutera en chemin. »

Hannah fut surprise de constater à quel point il était facile d'expliquer à sa fille ce qui s'était passé, d'autant plus que celle-ci réagissait très bien. Mais malgré tous les efforts de Hannah pour garder un ton neutre, elle sentait que Leah n'était pas rassurée. Au cours des deux dernières années, elle avait commencé à utiliser les carnets pour lui raconter des histoires. Bien sûr, elle lui avait épargné les détails les plus sordides, mais ces fables étaient un moyen de sensibiliser sa fille au danger qui les menaçait.

« Est-ce que papi va venir ? » demanda Leah, alors qu'elles marchaient en direction du lac.

Hannah sentit aussitôt le chagrin l'envahir. Elle avait laissé son père avec Jakab ; les chances de le revoir un jour étaient très minces.

« Je ne pense pas », répondit-elle.

Depuis qu'elle était adulte, sa relation avec son père avait toujours été tempétueuse. Même si elle n'avait pas hérité de son côté irascible, elle était aussi têtue que lui, ce qui leur avait valu quelques affrontements spectaculaires. Il n'avait pas été un père parfait, et elle n'avait pas été une fille parfaite, mais même s'ils ne s'entendaient pas toujours, ils s'aimaient profondément.

Hannah passa son bras autour des épaules de sa fille. Elles contournèrent un marécage et se retrouvèrent sur un petit sentier. Hannah regarda autour d'elle et constata que son père n'avait pas choisi cet endroit au hasard. La vallée où se trouvait la ferme les rendait invisibles depuis la route principale. Sans les dépendances en pierre derrière elle, personne aux alentours n'aurait pu suspecter la moindre activité humaine.

Enfin, elles arrivèrent à proximité du lac. Le ciel chargé de nuages donnait à l'eau la couleur de l'acier, et la légère brise formait des vaguelettes sur la surface. Un vol d'oies sauvages passa en V au-dessus de leur tête.

« Maman ! Regarde ! Un bateau ! »

Hannah se tourna aussitôt vers le lac, les sens en alerte. Sa fille avait raison : une petite barque blanche dansait sur l'eau, à quelques centaines de mètres du rivage. Deux cannes à pêche paraissaient jaillir de chaque côté. Assis au milieu de l'embarcation, un homme vêtu d'un pull et d'un chapeau.

Son cœur se mit à battre à toute allure. Le pêcheur les observait.

« Qui c'est, maman ?

— Je ne sais pas, ma chérie. »

Elle sentit Leah passer un bras autour de sa taille.

« Est-ce que c'est le méchant monsieur ? »

Que pouvait-elle répondre ?

L'inconnu leva le bras pour les saluer. Hannah ne le quittait pas des yeux. Voilà qu'il se levait, à présent. Par des gestes, il leur fit comprendre qu'il comptait ramer jusqu'à elles, mais ses mouvements brusques lui firent perdre l'équilibre, et il se pencha rapidement d'avant en arrière pour éviter la chute. Ses efforts furent vains ; il s'écroula au fond de sa barque.

« Tu as vu, maman ? Il a failli tomber à l'eau ! » s'esclaffa Leah.

La maladresse du pêcheur avait déclenché un signal d'alarme dans la tête de Hannah. Elle le regarda se redresser et leur tourner le dos pour se mettre à ramer dans leur direction.

Réfléchis. Qu'est-ce que tu fais, maintenant ?

Elle n'avait d'autre choix que d'attendre. Llyn Gwyr se trouvant juste derrière, l'inconnu n'aurait aucun mal à deviner où elle séjournait. Si elle partait sans attendre l'arrivée du pêcheur, elle n'aurait aucun moyen de savoir à qui elle avait affaire, et elle se retrouverait enfermée dans une maison avec des questions sans réponses. Pis, cela risquait d'éveiller la curiosité de cet étranger.

Ne le quitte pas des yeux.

La barque était toute proche, à présent. Hannah entendait distinctement le grincement des rames et le plouf régulier quand elles pénétraient dans l'eau. Elle ne voyait que le dos du pêcheur. Il portait un pull en laine blanc, déchiré au niveau des manches et du col. Il portait un chapeau bleu sur la tête, et elle aperçut quelques mèches brunes qui s'en échappaient. Il devait faire approximativement la même taille que Nate. En moins robuste, peut-être.

« Reste à côté de moi, Leah. Et fais ce que je te dis. Ne parle pas de papa. Ou du méchant monsieur. Est-ce que c'est bien compris ?

— Oui, maman », bredouilla la petite fille en se réfugiant derrière sa mère.

Alors que la barque s'échouait doucement sur la plage de galets, l'inconnu posa les rames au fond de son embarcation. Puis il se retourna, les regarda toutes les deux de la tête aux pieds, et les gratifia d'un large sourire. La blancheur de ses dents était saisissante à côté du gris du ciel.

« Bien le bonjour, mesdames ! »

Il avait un net accent irlandais. Ses yeux bleus aux reflets cobalt brillaient d'excitation. Quand il vit qu'elles ne répondaient pas, il hocha la tête et parut hésiter.

« Ah ! Pauvre de moi ! s'exclama-t-il en se fendant d'un autre sourire étincelant. À peine arrivé, je cause déjà des ennuis. Avant même de savoir comment vous vous appelez !

— Nous ne nous attendions pas à croiser quelqu'un ici, répondit Hannah en croisant les bras. Il me semblait que ce lac appartenait à la ferme.

— Bah, il est avant tout l'œuvre de Dieu, non ? »

Leah surgit de derrière le dos de sa mère.

« Nous, on a le chien de Dieu ! annonça-t-elle.

— Ah vraiment ? s'esclaffa le pêcheur. Ben ça alors. Le chien de Dieu. Et comment s'appelle le précieux animal ?

— Moïse. »

Il rit de nouveau, puis se tourna vers Hannah et lui adressa un clin d'œil.

« Un bien beau nom pour un chien, commenta-t-il. Plus sérieusement, je vous taquinais. Ce lac est peut-être l'œuvre de Dieu, mais il appartient à votre ferme. Ce qui fait donc de moi un braconnier, faute d'un mot plus adapté. Mais un braconnier bredouille ! s'écria-t-il en brandissant ses cannes à pêche. Bref, je suis désolé, et de me trouver sur votre propriété, et de ne pas réussir à pêcher vos poissons.

— Et que fait un Irlandais pure souche au pays de Galles ? » demanda Hannah.

Malgré les sonnettes d'alarme qui résonnaient dans sa tête, elle se sentait à la fois charmée et légèrement déstabilisée par cet inconnu. La partie de son cerveau la plus terre-à-terre lui criait un mot : Danger.

« J'ai fui l'Irlande, c'est vrai, répondit-il en riant.

— Vous fuyiez quelque chose en particulier ?

— Nous fuyons tous quelque chose, non ? dit-il avec un air de défi. Oh, mais pardonnez-moi, je ne me suis pas présenté. Je me nomme Gabriel. Mais vous pouvez m'appeler Gabe, si vous voulez.

— Ravie de faire votre connaissance, Gabriel.

— Et pardon encore pour mon intrusion sur votre propriété. Je ne savais pas qu'il y avait quelqu'un à la ferme. Vous êtes là pour la semaine ?

— Oui, en vacances.

— Chouette. Moi, j'habite de l'autre côté de la colline, dit-il en pointant du doigt dans une direction. Juste moi, ma petite maison et mes chevaux. »

Il se tourna alors brusquement vers Leah.

« Dis-moi, est-ce que tu aimes ça, les chevaux ?

— Oh oui ! »

Gabriel hocha la tête, puis il se tourna vers Hannah et la détailla d'un regard visiblement admiratif.

« Et ta maman, alors ? dit-il. Ça lui plaît, les étalons ? »

Hannah lui jeta un regard assassin. Toutes les phrases que prononçait Gabriel semblaient contenir un double sens.

« Maman, c'est la plus forte. Même qu'avant, elle faisait de la compétition ! »

Hannah posa une main sur l'épaule de sa fille. Elle avait peur que dans son enthousiasme, Leah n'en dise trop.

« Bon, assez discuté, déclara-t-elle. Gabriel, je suis ravie d'avoir fait votre connaissance, et je suis navrée de vous voir rentrer bredouille, mais je suis sûre que les lacs ne manquent pas, dans le coin. Vous aurez sûrement plus de chance ailleurs. »

Visiblement, Gabriel avait saisi le message. Il adressa un clin d'œil à Leah, puis, d'un signe de tête, il indiqua à Hannah qu'il avait compris.

« Très bien ! Je ne vais pas vous retenir plus longtemps. Je vais regagner l'autre rive, ça devrait aller assez vite. Moi aussi, je suis ravi d'avoir fait votre connaissance à toutes les deux. Petite madame. Grande madame. »

Il retira son chapeau et se fendit d'une révérence.

De longues boucles brunes tombèrent en cascade sur ses épaules.

« Et maintenant, reprit-il, est-ce que vous auriez l'amabilité de m'aider à repartir ? »

Hannah posa son pied sur l'avant du bateau et poussa d'un coup sec. Gabriel tituba et se rattrapa au plat-bord pour ne pas tomber, sous les éclats de rire de Leah.

Sur le chemin du retour, Hannah se retourna pour suivre la progression de l'embarcation. Gabriel leva le bras pour la saluer.

Hannah se retourna et prit sa fille par la main. Dans sa tête, le même mot résonnait toujours.

Danger.

Chapitre 9

Gödöllö, Hongrie

1873

La semaine qui suivit le premier *végzet* fut un calvaire de lenteur pour Lukács. Comme l'exigeait la coutume, son père ne lui posa pas la moindre question sur sa soirée au palais. Même Jani semblait vouloir le laisser tranquille. Izsák insista pour qu'il lui raconte tout, mais Lukács l'envoya paître si violemment que le petit garçon quitta la chambre en pleurant.

Lukács se demandait comment il avait bien pu occuper ses journées avant son séjour à Budapest. Krisztina consumait son esprit, faisait bouillonner son sang. Quand il fermait les yeux, il sentait le poids de son sein contre son bras, la chaleur de sa peau quand il lui avait caressé la joue du bout du doigt, l'expression de ses yeux quand elle l'avait quitté.

J'ai hâte de te revoir, Lukács.

Il fallait qu'il la voie. Après plusieurs jours de débat intérieur, il avait décidé qu'il ne se rendrait pas au deuxième *végzet*. Ni aux suivants, d'ailleurs. La *kurvá* de fille de l'ambassadeur et ses amies n'avaient qu'à aller à leur bal masqué si cela leur chantait. Lukács refusait de se contenter de la vie qu'on avait décidée pour lui. Il ne laisserait plus jamais les autres lui dire quoi porter, quoi penser, comment se comporter. Il ne participerait pas à cette mascarade ridicule que les premiers *hosszú életek* avaient inventée pour leurs descendants. Avant cette soirée passée avec Márkus et Krisztina, la vie de Lukács était contrôlée par la peur : la peur d'être rejeté, de se retrouver seul. Mais l'humiliation qu'il avait subie au *végzet* avait été aussitôt contrebalancée par la façon dont il avait été accueilli par le jeune couple. Pour la première fois de sa vie, il s'était mélangé à des gens du peuple, et il avait découvert qu'il préférait de loin leur compagnie à celle des tristes *hosszú életek*.

Lukács était sûr qu'on ne remarquerait pas son absence avant le troisième *végzet*, voire le dernier. Là, c'est sûr, sa disparition ne passerait pas inaperçue. Les conséquences pour sa position dans cette communauté seraient catastrophiques ; sa relation avec son père et ses frères serait anéantie. Mais même si József avait tenté de l'effrayer en lui parlant de la vie de *kirekesztett*, Lukács avait à présent goûté à cette vie. Et il n'en avait pas peur, loin de là. Il la désirait plus que tout. Certes, il perdrait ses privilèges et ne vivrait pas avec la sécurité que lui aurait assurée son identité. Pour la première fois, il devrait trouver une source de revenus, un toit. Mais il serait libre.

Il avait fait des préparatifs. Ainsi, il avait déjà dérobé quelques jolies montres dans l'atelier de son père. Il n'avait certes pas encore osé voler les lingots d'or cachés sous les planches du salon, mais il avait calculé leur valeur et compris que cela lui permettrait de vivre tranquillement pendant des siècles. Il n'avait pas l'intention de laisser sa famille sans le sou, mais il n'hésiterait pas à prendre ce dont il avait besoin le moment venu.

Le soir du deuxième *végzet*, son père le conduisit à Pest comme la fois précédente. Chez Szilárd, Lukács enfila la chemise au col trop rêche, le gilet et la redingote. Le masque, en revanche, n'était pas le même. Il était plus léger que le premier, et fait à partir d'une fine feuille de cuivre magnifiquement polie. Contrairement au masque en étain, celui-ci ne recouvrait pas tout son visage, mais seulement une étroite bande au-dessus des pommettes.

De toute façon, il ne le porterait pas longtemps.

Il se regarda dans le miroir puis, satisfait du résultat, il glissa sa montre dans la poche de son gilet avant de sortir. Le trajet depuis chez Szilárd fut ridiculement court. Contrairement à la première fois, ils ne traversèrent pas le Danube, mais se garèrent devant un immense manoir qui surplombait le fleuve, côté Pest.

« Je suis fier de toi, mon fils », dit József alors qu'un domestique ouvrait la porte de la calèche.

Tout sourire, Lukács tapota le bras de son père et descendit dans la cour. Il gravit les marches de la propriété et attendit que la calèche ait disparu au coin de la rue. Là, il retira le masque et sortit par le portail.

Il faisait bon, ce soir-là, aussi décida-t-il de traverser à pied le pont Széchenyi. Il appréciait de se sentir aussi haut au-dessus de l'eau. Le soleil se couchait, et les derniers rayons embrasaient les lions en pierre d'une lueur orangée. À mi-chemin, il s'arrêta et fit un tour complet sur lui-même pour observer les deux villes unifiées séparées par l'immense fleuve. Il se pencha par-dessus la balustrade et récupéra le masque dans sa poche. Il ne savait pas ce qu'il symbolisait pour les *hosszú életek*, mais pour lui, cet objet était synonyme d'entrave. Il le lança au loin et regarda les reflets de cuivre tomber en spirale vers l'eau. Il le vit toucher la surface du fleuve, et il continua à l'observer jusqu'à ce que les remous l'aient tout à fait englouti. Satisfait, Lukács prit une profonde inspiration, expira, et acheva de traverser le pont.

Le plan que lui avait dessiné Márkus le mena à une taverne aussi bruyante et sale que la première. Il prit soin de retirer sa redingote et de frotter un peu de boue sur sa chemise avant d'entrer, mais malgré tout, son élégance jurait avec le reste de l'assemblée. Et c'est sous des regards hostiles qu'il se fraya un passage parmi la foule.

Il trouva Márkus assis sur un banc, caressant paresseusement une chope vide. Krisztina était à côté de lui. Quand ils repérèrent Lukács, ils ouvrirent tous deux de grands yeux surpris. Márkus se leva en riant et serra Lukács dans ses bras en lui donnant de grandes tapes dans le dos. Krisztina l'accueillit avec un sourire qui lui retourna l'estomac et fit accélérer les battements de son cœur.

C'était curieux de la voir sans le brouillard de l'alcool. Elle l'attirait toujours, mais elle n'était pas aussi jolie que dans ses souvenirs, pas aussi propre, non plus. Il bafouilla un bonjour et remarqua qu'elle portait la même robe que la fois précédente. Une robe crasseuse et tachée, mais qui n'en mettait pas moins en valeur ses courbes.

Lukács proposa de remplir les verres, ce à quoi Márkus répondit par un grand cri de joie. Bientôt, Lukács buvait de grandes gorgées de bière en riant, tandis que ses amis lui relataient les événements de la semaine passée, le fait le plus marquant semblant être une collision sur les berges du Danube entre un marchand et deux marins transportant un tonneau rempli de poisson pourri.

Ils discutèrent, plaisantèrent, rirent, burent. La bière coulait à flots, et Lukács profita de ce que Márkus était de moins en moins attentif pour échanger des regards avec Krisztina. Celle-ci, entreprenante, alla jusqu'à lui mettre un petit coup de pied sous la table, ce qui manqua le faire tomber de son tabouret de surprise.

Enfin, Márkus, le visage rougeaud, se leva d'un bond.

« Je vais pisser ! » s'exclama-t-il en se frayant un chemin parmi la foule.

Le cœur battant, Lukács se tourna vers Krisztina.

« Si tu me le permets, j'aimerais te faire une demande importune. »

Les coins de la bouche de Krisztina tressaillirent. Elle se pencha en avant, les coudes sur la table, le menton planté entre les mains.

« Je te le permets, répondit-elle.

— Il y a quelque chose dont j'aimerais discuter avec toi, déclara-t-il sans oser la regarder. Seul à seule.

— Je vois. »

Lukács se tourna de nouveau vers elle. Hormis un sourcil levé en signe de défi, le visage de Krisztina ne laissait transparaître aucune émotion. Il décida de tenter sa chance.

« Alors ?

— Je suis curieuse d'entendre ce que tu as à me dire.

— Très bien. Mais il y a un problème... Je ne vois pas trop comment je pourrais te parler si...

— Si Márkus est présent.

— Exactement.

— Tu vois la nouvelle statue du roi, sur la berge ? » demanda-t-elle en se mordant la lèvre.

Il acquiesça. Krisztina allait poursuivre, mais Márkus revint à ce moment-là et elle se ravisa.

Déçu, Lukács commanda une autre tournée. Ils continuèrent à discuter pendant une heure de plus. Quand enfin Krisztina se leva, il était ivre.

Une main posée sur la poitrine, elle se tourna vers Márkus.

« Mes chères fripouilles, je crois que je vais vous abandonner pour ce soir. Je dois me lever tôt demain, et la semaine dernière, j'ai eu mal à la tête toute la journée après notre nuit d'excès. »

Márkus la salua en riant. Lukács continua à boire pendant dix minutes, puis il enfila sa redingote.

« Toi aussi, tu dois y aller ? demanda Márkus. Déjà ?

— Oui, j'ai des choses à faire, j'en ai peur. Mais j'étais ravi de te revoir, ajouta-t-il en faisant rouler quelques pièces sur la table. Tiens, pour te consoler !

— Mais c'est que vous êtes un vrai gentleman, monsieur, plaisanta Márkus en ramassant l'argent. On va se revoir, n'est-ce pas ?

— Oh oui, ne t'en fais pas pour ça. »

La tête rentrée dans les épaules et le col de sa redingote relevé, Lukács marcha d'un pas rapide vers le fleuve. Il faisait nuit, à présent, et la lune était cachée derrière un amas de nuages. Sur la berge du Danube, il faisait beaucoup plus sombre qu'il ne l'avait pensé.

Il trouva Krisztina adossée à la statue de François-Joseph. En le voyant arriver, elle se redressa et s'approcha de lui.

« Continuons à marcher », dit-elle.

Lukács hocha la tête. Il se retourna vers elle à plusieurs reprises tandis qu'ils marchaient côte à côte, mais il ne croisa son regard qu'une seule fois et ne sut pas l'interpréter. La tension était palpable, l'atmosphère électrique. Afin de profiter pleinement de l'instant, il entreprit de graver dans sa mémoire tous les détails qui l'attiraient chez Krisztina : le frottement de sa robe contre sa cuisse, le balancement de ses hanches, la profondeur envoûtante de son décolleté.

« Pour quelqu'un qui voulait parler, je te trouve bien silencieux », fit-elle remarquer.

Lukács se dirigea vers la rambarde qui surplombait le fleuve et se pencha par-dessus. Krisztina s'approcha de lui, tellement près qu'il crut sentir la chaleur qui émanait de son corps.

Pour la première fois, il remarqua son odeur. Ce n'était pas le parfum délicat des jeunes *hosszú életek* qu'il avait croisées la semaine précédente, mais une odeur de terre, un mélange musqué de transpiration et d'intimité qui lui emplit le nez, prit le contrôle de sa gorge et l'enflamma de l'intérieur. Il se sentait à la fois nerveux, heureux et invincible.

« Tu sais exactement ce que tu fais, pas vrai ? demanda-t-il.

— Ah oui ? » répondit-elle en le regardant droit dans les yeux, leurs deux visages presque collés.

Il tendit les bras et l'attira vers lui, puis il écrasa sa bouche contre la sienne. Elle réagit aussitôt, écartant les lèvres et glissant sa langue dans sa bouche. Il ravala un cri de dégoût, avant de profiter pleinement de sa salive, de son goût et de l'excitation qui montait en lui.

D'une main, elle lui caressa l'épaule. Puis elle la déplaça jusqu'à la poitrine de Lukács tandis que le baiser gagnait en intensité et, soudain, avec une force à laquelle il ne s'attendait pas, elle le repoussa brutalement.

Krisztina haletait, le sourire aux lèvres. Ses yeux en voulaient plus, mais elle disait non de la tête.

« C'est tout, Lukács. J'aimerais te donner plus, mais je ne peux pas.

— Pourquoi ? Qu'est-ce qui ne va pas ? »

Il tenta de s'approcher d'elle, mais elle le maintint à distance du bout de l'index.

« Toi, moi, ça, répondit-elle. C'est une mauvaise idée, et tu le sais aussi bien que moi. Márkus a ses défauts, c'est vrai, mais avec lui, au moins, j'ai un avenir. Pas avec toi.

— Pourquoi pas ? » demanda Lukács, le sourcil froncé.

Il se jeta sur elle, mais une fois de plus, elle le repoussa sans effort, en riant.

« Pourquoi pas ? répéta-t-elle. Tu plaisantes, j'espère ! Regarde-toi : tes beaux habits, ta montre en or. Je n'ai jamais vu autant de richesses aussi naïvement étalées. Moi, j'habite dans une maison de deux pièces, avec mes parents et six frères et sœurs. Mon père est marinier, et je suis blanchisseuse. Ce soir, tu rentreras chez toi en calèche. Je sais ce que tu veux de moi, et tu ne l'auras pas. Je suis déjà bien sotte de m'être laissée tenter.

— Mais pourquoi ? » s'exclama-t-il, à présent agacé.

Les yeux de Krisztina se mirent soudain à lancer des éclairs.

« Tu crois que ta bourse peut te payer une nuit avec moi, c'est ça ? hurla-t-elle.

— Elle en a déjà payé deux. »

Elle le gifla.

Il la gifla en retour. Fort.

Krisztina poussa un petit cri, d'indignation plus que de douleur. Elle se toucha la joue. Elle fronça les sourcils et fit un pas en arrière.

« Ne t'approche plus jamais de moi, Lukács », cracha-t-elle, avant de s'éloigner d'un pas décidé.

Lukács avait mal aux doigts après la gifle qu'il lui avait donnée. Il avait du mal à respirer, la faute à l'excitation et à la colère. Il la regarda s'éloigner le long de la berge, jusqu'à ce que la nuit l'ait engloutie.

Le masque de colère de Lukács se transforma peu à peu en sourire.

Le troisième *végzet* se déroulait sans masques. Il symbolisait l'entrée dans l'âge adulte pour les jeunes *hosszú életek*, qui pouvaient enfin interagir librement, sans les restrictions de l'enfance. C'était également la première fois que les participants avaient le droit d'annoncer qui faisait l'objet de leur attirance. L'équilibre de chaque couple potentiel serait ensuite étudié et jugé par le *tanács* lors du dernier *végzet*. Une fois l'aval donné, la cour pourrait commencer.

Même s'il était loin de considérer qu'il s'agissait d'une bénédiction, Lukács savait qu'avoir deux frères était extrêmement rare. Les *hosszú életek* n'avaient pas facilement d'enfants, et ils n'étaient féconds que pendant une courte période de leur vie. Le faible nombre de naissances, conjugué à la longévité extraordinaire des *hosszú életek*, signifiait que toute la communauté avait intérêt à ce que ses jeunes s'unissent avec succès.

Lukács avait d'autres idées en tête.

Sa dernière entrevue avec Krisztina l'avait mis hors de lui. Il pouvait comprendre – à la rigueur – qu'une fille d'ambassadeur le rejette, mais pas une putain de Buda ramassée dans une taverne. Ça, c'était hors de question. Au cours des dernières semaines, il avait senti des changements s'opérer en lui. Malgré ces deux rejets – ou peut-être même grâce à eux, bizarrement –, il se sentait bien pour la première fois de sa vie, et il envisageait enfin un avenir où il pourrait prendre lui-même ses décisions, sans demander l'avis du *tanács*.

Évidemment, il était hors de question qu'il participe au troisième *végzet*. Même si les conséquences de son absence n'allaient pas tarder à se faire sentir, il attendait l'inévitable affrontement avec son père comme un tremplin vers sa nouvelle vie.

Quand Lukács expliqua à son père qu'il voulait retourner visiter la ville, József lui prêta un cheval, lui donna de l'argent et l'accompagna personnellement jusqu'au portail en lui disant à quel point il était ravi de voir autant de changements chez son fils. Lukács se rendit directement à la taverne retrouver Márkus et Krisztina.

L'ambiance à la table ce soir-là l'amusa beaucoup. Il savait que Krisztina ne pouvait pas divulguer ce qui s'était passé entre eux. Elle avait trop à perdre. Lukács passa donc la soirée à rire avec Márkus, ignorant la jeune femme jusqu'à ce qu'elle se lève, bredouille quelques excuses et s'en aille. Jusque tard dans la nuit, Lukács et Márkus continuèrent à boire en se racontant leur vie.

Lukács voulait connaître dans ses moindres détails la vie des pauvres de la capitale. Il avait besoin d'en apprendre le plus possible, le plus vite possible. Il demanda à son nouvel ami en quoi consistait son travail, où il habitait, où il avait l'habitude de manger, comment il avait rencontré Krisztina, quels endroits il avait visités le long du Danube. Tant que les verres étaient pleins, Márkus était ravi de répondre à toutes les questions.

L'après-midi du troisième *végzet*, Lukács était seul dans la calèche. Cette fois, il ne prit même pas la peine d'inventer un subterfuge. Il donna un gros pourboire au chauffeur pour qu'il le conduise directement à l'endroit où Márkus travaillait.

Au chantier maritime Ujvári, au milieu de la puanteur du goudron brûlant et le tonnerre des marteaux, il repéra son ami, qui rabotait la coque d'une goélette fluviale démâtée. Quand la calèche de Lukács s'arrêta et qu'il en descendit, Márkus se redressa et laissa échapper un long sifflement admiratif.

« Eh ben mon cochon, Lukács, tu voyages comme un roi ! Je me doutais que tu étais un homme du monde, mais là, ça m'en bouche un coin ! Qu'est-ce que tu viens faire ici ? demanda-t-il en regardant la calèche s'éloigner.

— Je sais qu'aujourd'hui c'est le jour où tu retrouves Krisztina, mais j'étais dans le coin, dit-il en lui mettant une grande tape dans le dos. Je me suis dit que mon ami travailleur ne serait peut-être pas contre une bière pour étancher sa soif, avant d'aller retrouver sa belle.

— Et tu as eu raison ! s'exclama Márkus en hochant la tête. J'ai vraiment de la veine d'avoir rencontré un chic type comme toi. »

Ils passèrent deux heures à boire des bières dans une brasserie du quartier. Lukács riait de bon cœur aux plaisanteries de son ami, et il était également ravi de voir qu'il parvenait à le faire sourire avec ses anecdotes inventées de toutes pièces.

« Márkus, dit-il. Je voudrais te demander quelque chose.

— Je t'écoute.

— C'est-à-dire que c'est... plutôt délicat.

— Enfin, Lukács, tu sais à qui tu parles, allez, dis-moi tout.

— J'ai décidé de quitter la Hongrie, annonça Lukács, curieusement satisfait de lire la déception dans les yeux du jeune homme. Ça ne va pas plaire à mon père. D'ailleurs, ça ne va plaire à personne. J'ai un plan, mais j'aurais besoin que tu t'occupes de deux ou trois choses quand je serai parti.

— Pas de problème.

— Merci mille fois, Márkus. Tu verras, c'est trois fois rien. D'ailleurs, si tu veux bien venir avec moi, je pourrai te montrer de quoi il s'agit. J'ai réservé une suite à l'hôtel Albrecht.

— Tu parles qu'ils vont me laisser entrer !

— Mais si. Tu seras avec moi. »

L'Albrecht était un hôtel luxueux, à cinq minutes à pied du chantier naval. Un portier leur ouvrit la porte, saluant Lukács au passage tout en examinant Márkus avec dédain. Lukács s'approcha de la réception et attendit que le concierge le remarque.

« Ah, monsieur György. Ravi de vous revoir. Votre chambre est prête.

— Merci. Et je souhaiterais qu'on ne me dérange

pas », déclara Lukács en glissant une pièce dans la main du concierge en récupérant sa clé.

Lukács conduisit Márkus jusqu'au deuxième étage, puis il ouvrit la porte de la suite et entra. Il se dirigea ensuite vers le bar, versa du whisky dans deux verres en cristal et en tendit un à son ami.

Márkus avala le sien d'un trait, puis il s'essuya la bouche du revers de la main.

« J'en reprendrais bien un petit, dit-il.

— Bien sûr.

— Mais regarde-moi cet endroit, Lukács. Lit à baldaquin, napperons en dentelle. »

Il se dirigea vers le lit et passa la main sur les draps.

« Touche-moi ça, comme c'est doux, poursuivit-il. Et qu'est-ce que ça sent bon ! »

Devant tant d'innocence, Lukács ne put s'empêcher d'éclater de rire.

« Et encore, tu n'as pas admiré la vue. »

Márkus vida son deuxième whisky, reposa son verre vide et se dirigea vers la fenêtre. Il observa la rue en contrebas, émerveillé.

« Je pense que je pourrais m'y faire, plaisanta-t-il. Quelle vie !

— Ah oui ? N'en sois pas si sûr, Márkus. Moi, je ne m'y fais pas. Et je refuse de m'y faire. Si tu savais toutes les contraintes que cette vie impose. J'admets que ça a ses avantages. Mais les complications que ça engendre t'empêchent vraiment de profiter. »

Lukács se sentit soudain morose et décida de changer de sujet.

« Où est-ce que tu retrouves Krisztina, ce soir ? demanda-t-il.

— Près de l'église Sainte-Anne, à Batthyány tér.

— Ça m'étonnerait », déclara Lukács en frappant Márkus à la tête avec la bouteille de whisky.

Son visage se figea en un rictus d'excitation. Il était ravi de voir que son arme de fortune n'avait pas explosé à l'impact. Márkus fit un tour sur lui-même, s'accrocha au rideau avant de s'effondrer au sol, inerte.

Lukács remit la bouteille en place dans le bar, puis il entreprit de déshabiller Márkus. Une tâche des plus ingrates. Travailler sur le chantier naval était un métier éprouvant, et alors qu'il ôtait les sous-vêtements de son ami, il ne put s'empêcher de serrer les dents en sentant l'odeur atroce qui émanait de son corps.

Lukács se rendit alors compte qu'il avait oublié de vérifier si Márkus était toujours vivant. Il poussa un juron, puis lui souleva une paupière. Comme cela n'apportait pas de réponse à la question qu'il se posait, il approcha son oreille de la bouche du jeune homme inanimé. Il respirait encore, à la plus grande satisfaction de Lukács. En effet, comme ce dernier ne savait pas quelle force il fallait pour assommer un homme, il avait frappé le plus fort possible. Il voulait seulement étourdir son ami, mais il s'était préparé mentalement au fait que le coup pourrait le tuer. Il examina la tête de Márkus et sentit sous son doigt la bosse qui était apparue. À aucun endroit, le crâne n'était mou, signe que rien n'était cassé.

Une fois Márkus entièrement nu, Lukács récupéra sous le lit les cordes qu'il y avait entreposées. Il ligota les mains et les pieds de son ami, avant de l'attacher aux pieds de l'immense lit. Après quoi il fabriqua un bâillon à l'aide d'un chiffon et d'un morceau de ficelle. Enfin, une fois qu'il eut vérifié que tous les nœuds étaient bien serrés et que son ami n'avait aucune chance de s'échapper, Lukács ôta son gilet et sa chemise et les posa soigneusement sur le lit.

Il s'accroupit, arracha une mèche de cheveux châtains sur la tête de Márkus, puis se dirigea vers l'armoire de toilette et posa la mèche sur le bois poli. Il étudia la couleur, puis se regarda dans le miroir.

Il s'entraînait depuis des semaines. Terminée l'époque où il se contentait de reproduire des silhouettes d'animaux sur le mur du cabanon de son père. Mais József avait raison, cela n'était vraiment pas naturel pour lui. Pourtant, Lukács était fier du chemin parcouru, et des tortures qu'il avait dû endurer pour réussir.

Lukács serra les dents et attrapa l'armoire de toilette à deux mains. Il ferma les yeux, prit trois profondes inspirations, avant de se mettre à pousser.

Aussitôt, des millions d'aiguilles lui perforèrent le crâne de l'intérieur. Il se concentra, se força à ne pas hurler, et poussa de nouveau, plus fort cette fois. Il se heurta deux fois à la limite au-delà de laquelle la douleur était insupportable, avant de parvenir à la franchir au troisième essai.

Lukács haletait. Il ouvrit les yeux et vit que son front dégoulinait de sueur. Son visage n'était plus qu'un mélange de rouge et de blanc. Il attrapa une mèche de cheveux et l'arracha, pour constater à sa plus grande satisfaction que la base avait pris une teinte châtaine, qui correspondait parfaitement à ceux de Márkus, posés sur l'armoire.

Il ferma les yeux et supporta une minute de plus les aiguilles qui semblaient lui perforer le crâne. Puis, assoiffé, il but à même le broc d'eau.

L'opération terminée, il se dirigea vers le corps de Márkus pour un examen minutieux. Il se mit à genoux et observa le visage de son ami sous tous les angles, de si près qu'il pouvait discerner les pores de la peau au niveau du nez, les quelques poils dans les narines, la cire dans les oreilles, les restes de nourriture à la commissure des lèvres. Il souleva la main droite de Márkus pour en sentir la texture, il examina la corne sur les doigts, les ongles cassés, les phalanges éraflées. Il le retourna dans tous les sens à la recherche d'éventuelles cicatrices ou taches de naissance. Puis il regarda les poils qu'il avait sur le torse et sur les parties génitales.

Il s'approcha encore plus pour sentir l'haleine de Márkus, la puanteur qui émanait de ses aisselles. Il descendit jusqu'au pubis, qu'il huma à son tour. Écœuré par l'odeur infecte, il reporta son attention sur les muscles, qu'il tâta minutieusement les uns après les autres, vérifiant la fermeté des biceps, des triceps, des pectoraux.

Enfin satisfait, Lukács acheva de se déshabiller et s'allongea sur le sol à côté de son ami, la tête orientée vers lui de façon à pouvoir l'observer si nécessaire. Il prit une profonde inspiration et ferma les yeux.

Il ne hurlerait pas.

Alors que l'agonie commençait, que le feu le dévorait de l'intérieur, que sa peau s'étirait et que ses muscles se déchiraient, que son dos se cambrait et que ses pieds frappaient le sol, Lukács eut la sensation que ses dents se fissuraient et que ses yeux se liquéfiaient. Ses ongles se plantèrent dans le parquet dans un craquement de phalanges. Son cœur battait de façon si violente qu'il crut un instant qu'il allait exploser.

Quand ce fut fini, il resta allongé, comme paralysé. Il se laissa submerger par les dernières vagues de douleur, se forçant à respirer, à supporter la torture, jusqu'à ce qu'enfin l'agonie cesse graduellement.

Un tourbillon de sensations nouvelles enveloppa son corps transformé. Il percevait le courant d'air dans la pièce qui agitait les poils de son torse. Les sons, même, étaient différents. Il sentait mieux qu'avant l'air s'engouffrer dans ses poumons. Du bout du pouce, il caressa la corne sous les autres doigts.

Enfin, il ouvrit les yeux, se mit à genoux et grimpa péniblement sur le lit. La faim le tenaillait, mais c'était quelque chose qu'il avait prévu : il ouvrit un sac en papier et se jeta sur la charcuterie, le fromage et les gâteaux secs, sans se soucier de la salive qui lui coulait jusqu'au menton. Il sentit son estomac attaquer la nourriture, la transformant en énergie à chaque bouchée.

Quand il eut satisfait son appétit, il s'habilla, se dirigea vers l'armoire de toilette et finit le broc d'eau. Quand enfin il se sentit prêt à observer le résultat, il leva la tête et regarda le miroir.

Le visage qui l'observait était une statue, silencieuse et immobile. Après quelques secondes, le reflet se pencha en avant pour examiner les dents, le nez, les lèvres. Il se passa la main dans les cheveux, puis ouvrit la bouche pour parler.

« Eh ben mon cochon ! » déclara-t-il.

Le reflet tourna plusieurs fois la tête de gauche à droite, se toucha la joue, la mâchoire. Puis le visage s'éclaira d'un étrange sourire.

« Je pense que je pourrais m'y faire, dit-il. Quelle vie ! »

Márkus Thúry sortit tranquillement de la suite.

Il arpenta les rues de Buda jusqu'au coucher du soleil, se mêlant à la foule, bouillonnant d'excitation. Les bruits de la ville lui paraissaient plus forts que d'ordinaire, les couleurs plus vives, la puanteur plus écœurante.

Dans Batthyány tér, il repéra Krisztina. Elle était assise sur un banc, sous une statue en pierre. Elle portait la même robe tachée que d'habitude, avec la taille resserrée et le jupon bouffant. Elle avait la tête levée vers le ciel et semblait perdue dans ses pensées. Márkus Thúry l'observa pendant un long moment avant de s'approcher. Il voulait capturer l'image de Krisztina dans son esprit, immortaliser la scène dans ses moindres détails, afin de pouvoir en profiter plus tard.

Le soleil avait disparu derrière la colline, et le ciel devenait plus sombre. Çà et là, un nuage mauve. Les fenêtres des immeubles alentour s'allumaient les unes après les autres. Les mères appelaient leurs enfants pour le dîner.

Dans la chaleur déclinante, le front de Krisztina luisait d'une fine pellicule de transpiration. Il se demanda combien d'heures elle avait travaillé dans la journée. Ses joues bronzées étaient couvertes de crasse, mais ses mains et ses avant-bras étaient propres et lisses à cause de l'acide oxalique qu'elle utilisait pour laver le linge.

Krisztina le vit au moment où il traversait la place. Elle se leva en hochant la tête. Márkus s'approcha d'elle, le cœur battant. Il allait l'embrasser quand il remarqua qu'elle ne lui souriait pas.

« Tu es en retard, lui dit-elle d'un ton sec. Ça fait presque une heure que je t'attends.

— Il y avait un problème au chantier. Ça a pris plus longtemps que prévu. »

Krisztina se pencha vers lui pour sentir son haleine.

« Tu mens, déclara-t-elle. Tu as bu. Où est-ce que t'as trouvé l'argent ? Je croyais que t'économisais. »

Il voulut protester, mais il se ravisa.

« C'est vrai, je l'admets. Lukács est passé me voir au chantier. Il avait besoin que je lui rende un service, et il m'a invité à la taverne. Il m'a avoué qu'il voulait quitter Budapest définitivement, et qu'on ne le reverrait plus jamais. Je lui ai trouvé une place sur un bateau. Il est parti vers le nord il y a une heure.

— Tant mieux. »

Krisztina commença à s'éloigner, et Márkus pressa le pas pour la rattraper.

« Tant mieux ? demanda-t-il.

— Oui, tant mieux. Tu passes beaucoup trop de temps avec lui. Je n'aime pas ça.

— Je croyais que tu l'aimais bien. »

Elle s'arrêta et se tourna vers lui, les sourcils froncés.

« Qu'est-ce que tu racontes ? Je n'ai jamais dit ça. Toi non plus, d'ailleurs.

— Comment ça ? »

Krisztina posa la main sur la hanche et le dévisagea d'un air mauvais.

« Mais c'est toi qui ne sais plus ce que tu dis ! "Laissons ce *hülye* écervelé dépenser son argent si ça lui chante, Krisztina", dit-elle en singeant sa voix. "Moi, ça ne me dérange pas d'écouter ses anecdotes sans intérêt, si ça peut me permettre de boire à l'œil." Tu te crois tellement malin, Márkus. Je l'avoue, moi aussi, je me suis laissé berner par lui, au début. Mais ce type se sert autant de toi que tu te sers de lui. Le problème, c'est que tu es incapable de le voir. »

Krisztina lui tourna le dos et s'éloigna dans la rue. Une fois de plus, il la rattrapa.

« Et comment il se sert de moi, d'après toi ?

— Je n'ai pas envie de parler de lui. Je suis ravie qu'il soit parti, et c'est tout. Où est-ce qu'on va, d'ailleurs ? Qu'est-ce qu'on fait ? Je ne serais pas contre un verre, mais on n'a pas les moyens.

— Oh que si ! s'exclama-t-il, le sourire aux lèvres. Regarde donc ! »

Il tira de sa poche la bourse de Lukács.

« Où est-ce que tu as trouvé ça ? demanda-t-elle.

— Il me l'a donnée.

— Il te l'a donnée ? répéta-t-elle, incrédule.

— Je te le jure, Kris. Quand il m'a dit au revoir, il m'a regardé dans les yeux, il m'a serré la main et il m'a donné ça. Il m'a dit qu'il était désolé de ne pas pouvoir te dire au revoir en personne. Il te souhaite bonne chance dans la vie, et il espère que cette bourse nous permettra de vivre confortablement.

— Il a dit ça ? Vraiment ?

— Eh oui. Sacré *hülye*, pas vrai ? »

Krisztina l'observa pendant un long moment. Enfin, elle secoua la tête et déclara :

« Márkus, qu'est-ce que je vais bien pouvoir faire de toi ?

— Viens avec moi, répondit-il en souriant. On va faire un tour dans les bois.

— Dans les bois ? À cette heure-ci ? Mais pourquoi diable... »

Il lui posa un index sur les lèvres et fit tinter la bourse dans sa main.

« J'ai quelque chose à te demander, Krisztina. »

Elle se tourna vers lui, les yeux brillants, et essaya

de lire sur son visage. Il vit la poitrine de Krisztina se gonfler d'espoir et d'excitation. Main dans la main, ils gravirent la colline.

La lumière du jour déclinait, allongeant les ombres des arbres. Quelques oiseaux chantaient encore dans les branches. Márkus trouva un endroit confortable sous un chêne. Il prit Krisztina par la main et l'aida à s'asseoir sur un carré de mousse. Entre les branches, on apercevait les eaux sombres du Danube.

« C'est magnifique, ici, commenta-t-il. Tellement calme.

— Je ne te connaissais pas aussi romantique, Márkus. Depuis quand est-ce que tu es sensible à la nature ?

— Embrasse-moi », répondit-il en souriant tendrement.

Krisztina le regarda du coin de l'œil. Puis elle éclata de rire, le poussa pour le faire tomber en arrière et s'assit à califourchon sur lui.

« "Embrasse-moi", qu'il me dit ! s'esclaffa-t-elle, le regard pétillant, en posant les mains sur la poitrine de Márkus. Demandé si gentiment ! »

Elle se pencha et posa ses lèvres contre les siennes. Le cœur battant, il l'embrassa, un baiser passionné et agressif. Elle l'attrapa par les cheveux et plongea sa langue dans sa bouche. Quand elle le sentit devenir dur, elle se frotta plus fort contre lui. La pression était délicieuse, insupportable.

Márkus leva la main, attrapa un sein, et en caressa pour la première fois les contours. Il l'explora du bout des doigts, et quand il sentit le mamelon à travers l'épaisseur de l'étoffe, il entendit Krisztina pousser un petit gémissement de plaisir.

L'odeur de Krisztina – si puissante, si dévorante – l'enivrait. Il passa doucement la main sur la peau chaude et humide, puis il la glissa dans le décolleté. Krisztina l'embrassa plus fougueusement, mais quand il s'aventura plus loin sous la robe, elle se recula.

Elle s'essuya les lèvres du dos de la main en riant.

« Non, non, Márkus ! murmura-t-elle. Ça suffit comme ça ! »

Il fronça les sourcils et la tira vers elle. Ils s'embrassèrent de nouveau, mais quand il voulut de nouveau la toucher, elle se dégagea.

« Qu'est-ce qui ne va pas ? » demanda-t-il, le visage rougi par l'excitation.

Krisztina remit sa robe en place, puis elle se pencha et l'embrassa sur le front.

« Tu as dit qu'on attendrait. Que c'est ce que tu voulais.

— Ah bon ? »

D'un sourire, elle acquiesça.

Il la regarda droit dans les yeux. L'odeur de Krisztina le rendait fou. Cette fille, si intense et si viscérale, le taquinait, l'excitait, l'exaspérait. Il se remémora l'instant où elle l'avait enfourché, les branches qui agitaient leurs feuilles au-dessus de sa tête.

« J'ai menti », grogna-t-il.

Il l'attrapa par les bras, la retourna et grimpa sur elle. Il attrapa le devant de sa robe et la déchira, libérant ses seins lourds et blancs et leur mamelon brun.

Krisztina poussa un hurlement. Il la saisit à la gorge et la plaqua au sol. Elle farfouilla dans la terre de sa main libre, et avant qu'il ait pu réagir, elle le frappa à la tête avec un caillou. Des étincelles jaillirent dans son cerveau, et il faillit lâcher prise. Finalement, il parvint à l'attraper fermement par le poignet, et les doigts de Krisztina laissèrent tomber la pierre.

« Sale petite *kurvá*, cracha-t-il. C'est la dernière fois que tu me provoques. »

Quand ce fut fini, Márkus roula sur le côté, se releva, et remit les boutons de son pantalon.

Krisztina releva les genoux et le regarda. Les larmes avaient creusé des sillons dans la crasse de ses joues. Du sang perlait au coin de sa bouche.

« Qu'est-ce que tu comptes faire ? demanda-t-elle d'une voix tremblante.

— À quel sujet ?

— Est-ce que tu vas me tuer ? »

Surpris, il ricana en secouant la tête.

« Pourquoi est-ce que je ferais une chose pareille ? On savait tous les deux que ce moment allait arriver, Krisztina. Il a eu lieu un peu plus tôt que prévu, c'est tout. Pas de quoi en faire tout un foin. Allez, à demain. »

Sur ce, Márkus se retourna et disparut dans la forêt en sifflotant. Au-dessus, le ciel était à présent tout à fait noir.

Il ne retourna pas directement à l'hôtel. Il avait besoin de marcher. Maintenant qu'il pouvait aller où il voulait et faire ce qu'il voulait sans être reconnu, il comptait en profiter. Ses pas le guidèrent jusqu'à la taverne où il avait rencontré le jeune couple, la première fois. Il commanda une bière, puis une autre, et encore une autre. Il était tellement sous l'emprise de l'adrénaline qu'il ne remarqua les effets de l'alcool que lorsqu'il fut tout à fait ivre. Une pipe d'opium lui sembla alors une bonne idée.

Quelques heures plus tard, il retourna à l'hôtel. Le portier lui lança un regard noir, mais comme c'était la troisième fois de la journée qu'il le voyait, il lui ouvrit la porte sans dire un mot.

Quand il arriva au deuxième étage, il ne remarqua rien d'anormal. Il colla l'oreille contre la porte de la suite. Pas un bruit. Rassuré, il entra.

Par terre, son ami était toujours ligoté aux pieds du lit. Ses yeux à présent ouverts s'élargirent en le voyant approcher. Le jeune homme s'agita pour se libérer en poussant des gémissements étouffés par le bâillon.

Lukács-Márkus ferma la porte, s'approcha de son ami et lui donna un coup de pied dans le ventre.

« Sale ingrat ! aboya-t-il. Ça, c'est pour m'avoir traité de *hülye* ! »

Il se dirigea vers le lit et se déshabilla. Une fois nu, il fit quelques étirements avant de s'allonger à même le sol. Il ferma les yeux, détendit ses mains et ses pieds, et se concentra sur sa respiration.

Soudain, il ouvrit les yeux et se tourna vers son ami, qui l'observait, horrifié.

« Bon sang, Márkus, c'est déjà assez difficile. Pas la peine de me regarder comme ça ! »

Pourtant, curieusement, il découvrit que ce n'était pas difficile du tout. C'était douloureux, certes, mais la transformation en sens inverse demandait beaucoup moins d'efforts. C'était comme si son corps se souvenait précisément de la marche à suivre. Quand il eut retrouvé son apparence normale, il ouvrit les yeux et se tourna vers Márkus. Le pauvre garçon était blanc comme un linge.

« Surprise ! » s'exclama Lukács en riant.

Il se dirigea vers le miroir et s'examina dans la glace avant de se rhabiller. Il ramassa la mèche de cheveux qu'il avait laissée sur l'armoire et la jeta par la fenêtre. Puis il sortit un couteau de sa poche.

Márkus tressaillit quand il s'approcha de lui. Lukács se pencha en silence et coupa la corde. Puis il enleva le bâillon et s'installa tranquillement sur le lit.

« Habille-toi », ordonna-t-il.

Márkus était ligoté depuis plusieurs heures et il avait du mal à se déplacer. Tremblant, titubant, il ramassa ses vêtements, sans jamais quitter Lukács des yeux.

Enfin, il osa parler.

« *Hosszú élet*, murmura-t-il. Tu es un *hosszú élet*.

— Bien observé, Márkus.

— Lukács... je t'en supplie. Ne me tue pas.

— Mais qu'est-ce que vous avez tous, aujourd'hui, à penser que je vais vous tuer ? s'exclama-t-il en levant les yeux au ciel. Je n'ai aucune intention de te tuer, Márkus. Je voudrais juste que tu enfiles tes vêtements. »

Quand Márkus se fut rhabillé, Lukács le raccompagna jusque devant l'hôtel. Là, il tendit la main et, d'une pichenette, enleva un morceau de fougère sur la chemise de son ami. Ce dernier avait l'air tellement terrifié qu'il se contenta de rester debout à attendre qu'on lui dise quoi faire.

« On ne se reverra plus, Márkus. Bonne chance pour tout. Et tâche de ne pas dire du mal des gens, à l'avenir, si tu ne veux pas risquer qu'ils t'entendent. Tiens. »

Il plongea la main dans sa poche et en sortit la bourse. Comme Márkus ne bougeait pas, il lui prit la main et referma ses doigts sur le petit sac en cuir.

« Pour les désagréments de ce soir, ajouta-t-il avec un clin d'œil. Ne dépense pas tout d'un coup. Et ne la perds pas. »

Après quoi, Lukács se retourna et s'éloigna d'un pas serein.

Chapitre 10

Gödöllö, Hongrie

1873

Balázs József était assis dans un fauteuil au milieu du vestibule au sol en marbre de la maison du *tanács*, les yeux rivés sur la pendule accrochée au mur, en face de lui. Ce n'était pas lui qui l'avait construite, mais il nota que l'artisan avait un certain savoir-faire. Il observait le lourd balancier égrener lentement les secondes, en attendant qu'on l'appelle.

Deux membres du *tanács* l'avaient interrompu en plein rendez-vous avec un client, à Pest, puis l'avaient conduit là, sans un mot. Quand il avait fini par comprendre leur destination, József s'était tu. On ne remettait pas en cause les motivations de l'*Örökös Főnök*. Il avait déjà été convoqué par le passé, mais cette fois, il sentait que c'était différent. Il était rongé par l'inquiétude, une inquiétude qui grandissait à chaque mouvement du balancier.

Une porte s'ouvrit au fond du vestibule, et un vieil homme aux cheveux blancs et vêtu d'un costume noir s'avança jusqu'à lui.

« Le *Főnök* va vous recevoir, annonça-t-il.

— Très bien, répondit József en se levant.

— Il est dans la roseraie. Veuillez me suivre, je vous prie. »

József accompagna le vieillard jusqu'à une antichambre aux stucs somptueux, dotée de trois portes. L'une de ces portes donnait sur une cour carrée. Le jardin ressemblait à un cloître, avec sa promenade couverte et ses colonnes en pierre. Au centre trônait une fontaine, à la croisée de quatre chemins de gravier. Des roses rouges et blanches bordaient chaque petit sentier. L'*Örökös Főnök* attendait près de la fontaine, perdu dans la contemplation du bassin. Un domestique en livrée blanche lui tenait un parasol au-dessus de la tête pour le protéger du soleil.

Quand József approcha, le *Főnök* se retourna. La peau de son visage n'était plus qu'un amas de rides, et il était si maigre qu'on pouvait presque voir les os sous la peau. Ses yeux, en revanche, étaient brillants et alertes ; on aurait dit deux disques de jade.

József tomba à genoux, tête baissée.

« Monseigneur, déclara-t-il, j'ai fait au plus vite. »

Le *Főnök* soupira. Sa respiration faisait penser au bruit du vent entre les branches d'un arbre mort.

« Allons, József, debout, debout. Depuis combien de temps nous connaissons-nous ? »

József se releva. Il vit que le *Főnök* l'examinait avec minutie, et son inquiétude laissa place à l'effroi.

« Comment va Jani ? »

Surpris et rassuré par la question, József s'empressa de répondre :

« C'est un garçon têtu. Il s'est épris de la petite Zsinka et il a bien du mal à garder patience.

— Le *tanács* rendra bientôt sa décision. La patience

est une qualité précieuse. Ça ne lui fera pas de mal d'attendre un peu plus longtemps.

— Je suis tout à fait d'accord avec vous, monseigneur. »

Le *Főnök* hocha longuement la tête. Puis il soupira bruyamment de nouveau et se tourna vers le domestique au parasol.

« Laissez-nous, je vous prie. József, prête-moi ton bras et marchons jusqu'au banc. »

Tandis que le jeune domestique se retirait vers la maison, le parasol replié sous le bras, József sentit les doigts du *Főnök* se refermer sur son bras, telles les serres d'un vieil oiseau de proie. Les deux hommes se dirigèrent vers un banc en bois sur la promenade couverte et s'assirent face à la roseraie.

Quand József avait pénétré dans la cour, deux gardes se tenaient devant l'entrée principale. À présent, deux autres sentinelles avaient pris place de part et d'autre de la porte opposée. József se sentait de plus en plus mal à l'aise.

« Mon vieil ami, je préfère te prévenir que ce que je vais t'annoncer est douloureux. Alors je ne vais pas y aller par quatre chemins : ton fils Lukács n'a pas participé aux deux derniers *végzetek.* »

József garda les yeux rivés sur une des colonnes en pierre, incrédule.

« Mais c'est impossible, dit-il enfin.

— Tu penses que je me trompe ?

— Non, bien sûr que non, s'empressa-t-il de répondre, conscient de sa maladresse. Je n'insinuerais jamais une chose pareille, mais... mais je l'ai accompagné en personne au deuxième *végzet*. Je l'ai vu entrer.

— On m'a dit qu'il est ressorti de la cour quelques secondes après que ta calèche a quitté les lieux. Et il ne s'est jamais présenté au troisième *végzet*. »

József sentit sa gorge se serrer et son estomac se nouer. Il posa une main sur son front et constata qu'il tremblait.

« Je... je lui faisais confiance. J'étais fier, tellement fier. Je pensais que malgré ses difficultés, il voulait accomplir son devoir. Il s'est moqué de la confiance qui lui était accordée. Il s'est moqué de moi.

— Je suis navré », dit le *Főnök* en baissant la tête.

József cessa de regarder la colonne pour se tourner vers le vieillard, assis à côté de lui.

« Mais Lukács est toujours mon fils, dit-il d'une voix calme. Qu'est-ce qui va lui arriver ?

— Tu sais bien à quel point il est important de maintenir nos traditions.

— Bien sûr, monseigneur, mais je sais aussi qu'en matière de justice c'est vous qui avez les pleins pouvoirs. »

Le vieil homme hocha la tête et se tourna vers József. Les disques de jade étaient maintenant constellés de petits reflets bleutés.

« C'est exact, József. Et j'y réfléchirais à deux fois avant de bannir un de tes fils, même pour une faute aussi grave que celle-ci. Mais disons qu'il y a... d'autres éléments. »

József ferma les yeux.

« La nuit dernière, à Buda, une jeune femme a été violée. Un joli brin de fille, apparemment. Elle accuse son fiancé, expliqua le *Főnök* en secouant la tête. Dans ce genre de cas, il est rare que la victime rapporte les faits, et encore plus rare que les autorités prennent la plainte au sérieux, mais cette jeune femme est très déterminée.

— Si je puis me permettre... quel est le rapport avec mon fils ? »

József avait l'impression de se tenir en équilibre au bord d'un précipice, et qu'une simple poussée du *Főnök* le ferait tomber dans le vide.

« J'espère qu'il n'y en a pas, répondit le *Főnök*. Le fiancé en question a vite été arrêté et jeté en prison. Mais sa défense est très étrange. Il assure qu'un *hosszú élet* portant le nom de ton fils l'aurait enlevé, puis l'aurait supplanté avant d'aller retrouver la jeune femme. Pour l'instant, c'est tout ce qu'on sait. Nous n'avons pas encore pu nous entretenir avec ce garçon. Mais le Palais nous a demandé d'enquêter, chose qui n'était jusqu'ici jamais arrivée. Quoi qu'il se soit passé, le simple fait que le Palais nous ait demandé de coopérer prouve qu'on ne nous fait plus confiance, dans certains cercles. Le roi sent que le vent est en train de tourner, József, et il veut prendre ses distances. Tu dois impérativement amener ton fils devant le *tanács*, afin de lui laisser une chance de s'expliquer.

— Oui, monseigneur. Et... est-ce que vous savez ce qui va advenir du jeune homme qui a été arrêté ?

— Coupable ou innocent, il sera pendu. Les enjeux sont trop importants pour qu'il en soit autrement. Ce que je te demande est simple, József. Rentre à Gödöllö, et reviens ici avec ton fils. »

Debout à côté de la fenêtre de la salle de musique, Lukács vit son père passer le portail de la propriété. Il regarda József descendre de cheval et tendre les rênes à un domestique.

Si tu savais ce que je m'apprête à te dire, père, peut-être que tu ferais moins le fier, pensa-t-il.

Lukács descendit l'escalier et pénétra dans la bibliothèque de son père. Il était impatient, nerveux. Ce n'était pas de la peur, il avait beaucoup trop confiance en lui pour cela, mais il savait aussi d'expérience que la moindre interaction avec József requérait du courage. Cependant, le fait qu'il se sentait si peu angoissé alors même qu'il était sur le point de déclencher un véritable séisme témoignait des changements qui s'étaient opérés en lui au cours des dernières semaines. Plus que tout, il mourait d'envie de voir l'expression de son père quand celui-ci comprendrait qu'au final, il n'avait pas su imposer sa volonté à son fils. La situation de Lukács était déjà un fait accompli. En refusant de participer au traditionnel *végzet*, il devenait automatiquement un *kirekesztett*. Et József ne pourrait rien y changer. Si József l'avait écouté, s'il avait accepté le dialogue, peut-être que les choses se seraient passées différemment. Au lieu de quoi il avait perdu à la fois son fils et la respectabilité qu'il vénérait plus que sa propre descendance. József n'avait pas écouté ; il n'avait jamais écouté. Mais cette fois, Lukács comptait s'assurer que son père l'écouterait – l'écouterait très attentivement – avant qu'il ne quitte Gödöllö pour toujours.

Le visage crispé en un sourire triomphant, Lukács ne put empêcher son cœur de s'emballer quand la porte de la bibliothèque s'ouvrit à la volée et que son père entra dans la pièce.

József le fixa des yeux. Lukács soutint son regard.

Son père prit une profonde inspiration et sembla sur le point de tousser. Il tremblait et, bizarrement, ses yeux se remplirent de larmes. Puis, sans crier gare, il traversa la pièce d'un pas vif, leva le poing et le frappa à la tête.

Lukács fut si surpris qu'il ne réagit même pas. Le coup l'atteignit à la mâchoire avec une telle force qu'il entendit un craquement. Il tituba et tomba à genoux. Quand il leva la tête, József le frappa de nouveau. Du sang se mit à couler de son nez. Il bafouilla, aveuglé par la douleur. Le poing s'abattit une troisième fois et, quand il s'écroula au sol, József lui donna un violent coup de pied dans le ventre qui lui coupa la respiration.

Des mains puissantes le soulevèrent pour le remettre debout. À travers les larmes qu'il ne pouvait retenir, il vit le visage de son père à quelques centimètres du sien : ses yeux n'étaient plus qu'un tourbillon de couleurs vives. József grogna et le projeta violemment. La tête de Lukács heurta une étagère en bois, et pour la deuxième fois, il s'écroula au sol, sous une pluie de livres. Son père se dirigea vers un bureau Mazarin, ouvrit un tiroir et se mit à fouiller à l'intérieur.

Lukács essaya de se concentrer sur la guérison – réparer les dégâts qu'avait faits son père. Mais il était trop perturbé pour y parvenir.

« Qu'est... -ce que tu fais ? bredouilla-t-il.

— Je sais tout, Lukács. Tout ! »

Tremblant, son père retira entièrement le tiroir de son logement et le posa violemment sur le bureau.

« Le *Főnök* aussi est au courant, poursuivit-il. Tout le monde est au courant, mais on m'a donné l'autorisation de régler le problème moi-même. Tu étais conscient de ce que tu faisais en violant cette fille, Lukács. Tu connaissais les risques. Le *tanács* ne pardonne pas.

— Quoi ? Quel viol ? »

Il se demanda comment les gens avaient pu être au courant si rapidement, et comment ils avaient pu croire une histoire pareille. Surtout son père.

Le pensaient-ils vraiment capable d'une telle monstruosité ?

« Ne me mens pas, Lukács. Et ne rends pas les choses plus compliquées qu'elles ne le sont déjà. »

József finit par trouver ce qu'il cherchait. Il sortit du tiroir un fourreau contenant un poignard. Il dégaina l'arme et l'observa à la lumière. Ses joues étaient baignées de larmes.

« Tu m'as planté un couteau dans le cœur, reprit-il. Un couteau aussi réel que celui-ci. »

Lukács haletait de douleur. Si le *tanács* le reconnaissait coupable, il serait condamné à mort. Et soudain, il comprit que son père n'avait pas l'intention de laisser les choses aller si loin. József ne comptait pas subir l'humiliation de voir son fils sur le banc des accusés.

Lukács toussa, cracha le sang qu'il avait dans la bouche, et s'aida de l'étagère pour se redresser. Il souffrait le martyre.

József traversa la pièce en un éclair, puis il le plaqua contre le mur et pressa la lame contre sa gorge.

Lukács voulut bouger la tête, mais il était coincé. Pourrait-il cicatriser assez vite si son père lui tranchait la gorge ? Peut-être. Mais si son père ne s'arrêtait pas là ? S'il continuait à couper ? Cette idée le fit paniquer, et tandis qu'il se débattait, la lame s'enfonça doucement dans sa peau, traçant une ligne rouge sur son cou.

Il était tellement près du visage de son père qu'il parvenait à discerner les pores de sa peau, à sentir son haleine de tabac et d'huile de menthe, à ressentir l'humidité de ses larmes.

József laissa échapper un gémissement et colla sa joue contre le front de Lukács.

« Je t'aimais, petit imbécile. Je t'ai toujours aimé, toujours. Et tu me fais ça, à moi. À ta famille. À toi-même. À cette pauvre gamine. Pourquoi, Lukács ? Pourquoi ? Je n'ai pas envie de faire ça, vraiment pas, mais je n'ai pas le choix.

— Rien ne t'y oblige. »

József poussa un hurlement. De sa main libre, il frappa violemment la tête de Lukács contre la bibliothèque.

Le crâne de Lukács se brisa et le poignard s'enfonça plus profondément. Lukács sentit le sang chaud et épais se répandre doucement dans sa gorge.

Les yeux de József étaient à présent noirs comme la mort, et de la salive lui coulait sur le menton. Soudain, avec une force inouïe, il lui trancha la gorge. Lukács sentit le sang jaillir de son corps, puis il vit le liquide sombre inonder les avant-bras de son père et éclabousser le parquet de la pièce.

Le visage crispé, son père le tenait fermement.

Lukács essaya de dire quelque chose, de se dégager de l'étreinte de József, de se concentrer sur sa gorge. Mais la douleur était trop intense. Ses jambes se dérobèrent sous lui, et quand il allait s'effondrer pour de bon, son père le plaqua contre la bibliothèque.

Lukács toussa, s'étouffa. Son corps tressaillit.

Les ombres s'étendirent au-dessus de lui. Sa tête était légère, à présent. Ses pensées lui échappaient, disparaissant les unes après les autres dans le néant. Ses poumons se vidèrent, et quand il voulut respirer, il se rendit compte qu'il n'y arrivait plus, que ses lèvres étaient engourdies, que ses bras ne répondaient plus, que tout devenait sombre, que son... que...

Balázs József relâcha son étreinte et laissa le corps de son fils s'effondrer au sol. Il se retourna, tituba jusqu'au bureau Mazarin et planta le poignard dans le bois. Haletant, sanglotant, il poussa un rugissement et retourna d'un coup l'imposant bureau. Documents, bougies et plumes volèrent dans la pièce. József s'effondra au milieu des décombres et se prit la tête à deux mains.

Comment les choses avaient-elles pu en arriver là ? Comment ?

Était-ce sa faute ? Avait-il négligé son fils, d'une manière ou d'une autre ? Il pensa à sa femme décédée et poussa un gémissement. Il avait conscience qu'après sa mort, il s'était mis en retrait et avait manqué à ses devoirs de père. Que penserait-elle de tout cela ? Que dirait-elle ? Son fils était un violeur, et son mari était couvert de son sang.

József leva la tête et se força à regarder le corps de Lukács, la gorge béante, de laquelle du sang s'échappait encore, tout doucement à présent. Une vision horrible. Une vision de cauchemar. Mais c'était pour le mieux, pensa-t-il.

Non.

Si, si. Ça vaut mieux ainsi. C'est mieux pour lui.

Tu ne peux pas faire ça.

C'est mieux pour tout le monde.

Non !

Tremblant, balbutiant, il rampa sur le sol. Il atteignit le corps de son fils et le tourna pour le mettre sur le dos. Lukács avait les yeux clos. Sa poitrine ne bougeait plus.

József posa ses mains sur la gorge ravagée de son fils et il ferma les yeux.

Il se mit à pousser.

Il sentit les aiguilles imaginaires lui perforer le bout des doigts, puis quelque chose qui résistait, comme s'il appuyait ses mains sur un tas de verre brisé. La douleur s'intensifia puis, d'un coup, il franchit le palier. La chaleur se répandit dans ses poignets. La mâchoire serrée, son corps désormais uni à la peau, aux muscles et à la chair de son fils, il sentit son sang jaillir par le bout de ses doigts.

« Reviens, murmura-t-il. Je t'en prie, mon fils. Reviens. »

József se mit à trembler alors que la chaleur quittait son corps. Il avait soif, tellement soif. Il sentait son estomac se serrer, grogner. Il devenait plus faible à chaque seconde.

Sous ses mains, le corps de Lukács tressauta. Ses mains s'agitèrent, ses pieds tressaillirent. Puis il avala une immense bouffée d'air, se redressa, et poussa un hurlement strident.

József dégagea vivement ses mains, faisant voler au passage une pluie de gouttelettes écarlates. La gorge de Lukács était à vif, et deux traces de mains sombres contrastaient avec la peau livide. Néanmoins, la plaie s'était refermée.

« Tu n'aurais pas pu te contenter de me tuer une seule fois ? demanda Lukács à son père d'une voix métallique.

— Va-t'en. »

Les yeux de József lançaient des éclairs.

« Tu m'as dit que tu m'aimais. Est-ce que c'est censé m'apaiser ? Tu me dis que tu m'aimes et ensuite, tu me...

— Va-t'en, va-t'en ! hurla József. On me reprochera ma faiblesse, mais je ne peux pas me résoudre à détruire ma propre chair ! Ils te pourchasseront pour ce que tu as fait, et ils auront raison. Maintenant, pars. Prends ce dont tu as besoin. Je te répudie. Tu n'es plus un *hosszú élet*. Tu as fait ton choix. *Kirekesztett*. »

Il avait presque craché ce dernier mot, comme un juron.

Lukács regarda son père pendant quelques secondes. Puis il se leva et quitta la pièce en titubant, une main posée sur la gorge.

« Balázs Jani attend dehors, monseigneur. »

Le *Főnök* poussa un long soupir. Une semaine s'était écoulée depuis sa première conversation avec József. Quand l'horloger était revenu au siège du *tanács* trois jours plus tard, il était seul et il lui avait expliqué ce qui s'était passé.

Au début, tous les membres du *tanács* s'étaient demandé comment József pouvait être aussi sûr de la culpabilité de son fils, alors que l'enquête en était toujours au même point. Mais d'une certaine façon, c'était une preuve accablante. Le fait qu'il ait laissé le garçon s'échapper aurait des conséquences, et cela faisait de la peine au *Főnök*, beaucoup de peine. Il n'avait jamais été confronté à des événements plus difficiles que ceux des derniers jours, mais la sécurité des *hosszú életek* dépendait de lui. Il ne pouvait pas se permettre de laisser son cœur influencer son jugement.

Assis à la grande table de la salle du *tanács*, le *Főnök* tourna la tête à droite, puis à gauche, afin de croiser les regards des deux anciens assis à côté de lui. Comme lui, tous deux portaient leur perruque de cérémonie. Ce poids sur sa tête ne lui plaisait pas.

« Sommes-nous bien tous d'accord ? » demanda le *Főnök*.

À sa droite, Pakov s'éclaircit la voix et déclara :

« Nous n'avons pas le choix, monseigneur. Naturellement, j'ai de la peine pour ce garçon, mais il ne s'agit pas seulement là d'une question de traditions. Des forces dangereuses se liguent contre nous. L'opinion publique est en train de changer. Nous ne sommes pas seulement là pour punir les crimes d'un de nos fils, mais pour protéger la vie de tous nos enfants.

— L'opinion publique... », marmonna le *Főnök*.

Il tendit les mains devant lui pour observer le réseau de veines, les taches de vieillesse. La situation l'inquiétait au plus haut point. Depuis combien d'années était-il le représentant de ceux de sa race ? Et toute son œuvre serait réduite à néant s'il ne parvenait pas à éviter le naufrage que les actions de Balázs Lukács risquaient de provoquer.

Il prit une longue inspiration et écouta l'air griffer les murs du couloir poussiéreux de sa trachée, pour s'engouffrer dans les catacombes de ses poumons.

Il se tourna vers un des gardes.

« Faites-le entrer ».

Les portes s'ouvrirent et Balázs Jani, l'aîné de Balázs József, pénétra dans la salle. Ses vêtements étaient sombres : costume noir, chemise noire. Il n'était pas encore un adulte, et ses yeux trahissaient ses pensées : des éclairs argentés, des taches vertes. De la peur, peut-être. Teintée de colère. De honte.

Jani s'approcha de la table et inclina la tête.

« Monseigneur, messieurs. »

Le *Főnök* se leva et tendit la main.

Jani fronça les sourcils d'un air interrogateur et observa la main du vieil homme pendant plusieurs secondes. Enfin, il s'avança, se pencha et l'embrassa. Le *Főnök* se rassit.

« Jani, je suis heureux que tu sois venu.

— Vous m'avez convoqué, monseigneur. Que pouvais-je faire d'autre ?

— C'est vrai. C'est vrai.

— J'imagine que vous voulez me parler de mon... que vous voulez me parler du *kirekesztett*, se reprit-il.

— C'est exact, Jani, répondit le *Főnök*.

— Vous avez demandé à mon père d'amener le *kirekesztett* ici pour qu'il soit jugé. Il a échoué dans sa tâche. Luk... le *kirekesztett*... s'est enfui.

— Nous sommes au courant. Ton père nous a raconté ce qui s'est passé.

— Et à présent, c'est mon père qui va être jugé. »

Une larme coula sur sa joue. Il serra les dents pour dissimuler la colère qu'il ressentait.

« Ton père est un homme bon. Ne l'oublie jamais. Il a commis une grave erreur, une erreur difficilement pardonnable. Mais ce n'est pas le plus important, et ce n'est pas pour cela que je t'ai convoqué. »

Jani essuya la larme. Son visage traduisait maintenant le calme et la détermination.

« Quand j'ai parlé à ton père, la première fois, nous n'avions que les premiers éléments de ce qui s'était passé à Buda, poursuivit le *Főnök*. Depuis, nous disposons de plus amples informations. Nous avons interrogé le jeune homme accusé, et les détails qu'il nous a donnés semblent confirmer sa version des faits. La jeune femme a corroboré ses propos. Je suis désolé de t'annoncer cela, Jani, mais l'*ōrdōg* qui a violé Krisztina Dorfmeister est bien ton frère.

— Je sais, déclara Jani en baissant la tête. Comme mon père, je l'ai su tout de suite.

— Et tu sais donc ce qui doit être fait, à présent.

— Son sang doit disparaître. »

Le *Főnök* examina attentivement Jani.

« Et par conséquent, quelqu'un doit s'occuper de cette tâche », dit-il.

Jani fronça les sourcils.

« Mais... vous ne comptez tout de même pas...

— Tu comptes dire au *Főnök* ce qu'il a à faire ? l'interrompit Pakov après avoir frappé du poing sur la table.

— Non, bien sûr que non ! Je ne voulais pas...

— Assez ! s'écria le *Főnök* en levant la main. Je ne permettrai pas que cette affaire tourne à l'altercation. Jani, tu vas écouter et tu vas obéir. Sinon, c'est toute la famille Balázs qui sera punie.

« Les preuves dont nous disposons nous suffisent à rendre un verdict par contumace. Le *kirekesztett* connu jusqu'à présent sous le nom de Balázs Lukács est banni. Son sang doit disparaître. Ton père a échoué dans cette tâche. En tant que son fils aîné, cette responsabilité t'incombe. Tu pourchasseras le *kirekesztett* et tu nous le ramèneras. Fais cela, et l'honneur de ta famille sera restauré. En attendant, Jani, nous n'avons pas le choix. Le jugement de ton *végzet* est suspendu. Tu ne pourras plus courtiser la jeune Zsinka. Tu as interdiction de la voir, de lui parler ou d'entrer en contact avec elle ou sa famille. Ton frère Izsák est trop jeune pour t'aider. Néanmoins, ses futurs droits de *végzet* sont également suspendus jusqu'à ce que tu aies mené à bien ta mission. »

Le *Főnök* se pencha en avant. Le visage de Jani avait viré au blanc, et il regardait les vieux sages les uns après les autres, incrédule.

« Balázs Jani, est-ce que tu comprends pleinement ce que le *Főnök* attend de toi ? »

Jani ferma les yeux quelques instants, puis il les rouvrit. Les reflets verts avaient chassé les stries argentées. Il se redressa.

« Je comprends, monseigneur, déclara-t-il. Et j'obéis. Le *kirekesztett* sera puni, conformément à vos ordres. Ma tâche accomplie, je reviendrai me présenter devant vous, et vous rendrez à ma famille l'honneur que cet *ōrdōg* lui a volé.

— C'est ce que je souhaite au plus profond de moi, Jani. Sache que ce n'est pas la méchanceté ou la vengeance qui guident notre choix, mais le devoir. Messieurs, ajouta-t-il en se tournant vers les deux hommes assis à côté de lui, notre décision est prise. Le *hosszú élet* appelé Balázs Lukács n'existe plus. À compter de ce jour, et jusqu'à ce que justice soit rendue, le *kirekesztett* déshonoré sera désigné sous le nom de Jakab. »

Chapitre 11

Snowdonia, pays de Galles

De nos jours

Après sa rencontre avec Gabriel, Hannah se dépêcha de rentrer à la ferme. Elle envoya sa fille nourrir Moïse, puis elle passa voir Nate et s'empressa de ressortir. De gros nuages couleur ardoise descendaient toujours des montagnes, et l'air avait une odeur électrique.

Hannah déverrouilla le Discovery, puis elle s'installa au volant et referma la portière. Le confort familier et la puissance silencieuse du 4 × 4 la rassurèrent. Jusqu'à ce qu'elle voie le sang.

Le siège passager en était couvert : le cuir gris avait viré au brun, et il restait une grosse tache poisseuse qui n'avait pas encore eu le temps de sécher. Sentant la nausée monter, elle détourna le regard. Nate aurait dû mourir dans cette voiture. Elle ne comprenait pas comment il pouvait être encore en vie. Cela dépassait l'entendement. Tout ce qu'elle pouvait faire était remercier Dieu pour ce miracle.

Hannah se pencha au-dessus du siège passager pour récupérer les jumelles dans le vide-poche de la portière. Puis elle se glissa sur la banquette arrière, s'accouda sur l'appuie-tête et les porta à ses yeux.

L'image trouble du lac apparut. Hannah régla l'objectif et constata qu'il n'y avait plus ni bateau ni pêcheur indésirable. Elle scruta les alentours et finit par repérer la barque retournée sur la plage de galets de la rive opposée. Les rames avaient disparu. Aucun signe de Gabriel. Hannah observa méticuleusement le reste de la vallée, mais elle ne vit personne.

Quand elle entendit le bruit d'un moteur à proximité, elle baissa aussitôt les jumelles. Un vieux Land Rover Defender fit le tour de la ferme, traînant derrière lui une remorque en ferraille. Sebastien. Hannah ouvrit la portière arrière du Discovery et sortit de la voiture.

Le vieil homme se gara et descendit à son tour.

« Il va encore pleuvoir, dit-il, les yeux levés vers les nuages. Au moins, quand il pleut, il ne fait pas trop froid. Comment va notre patient ?

— Exactement comme tu l'avais prévu. Il est raide, il a mal, et il ne peut pas bouger. Mais il est vivant.

— C'est tout ce qui compte. Je vous ai apporté des provisions, de l'essence, et du bois pour le feu.

— Tu es vraiment un ange descendu du ciel, Sebastien. »

Le vieil homme observa Hannah de ses yeux d'émeraude pendant quelques secondes, puis il la gratifia d'un sourire.

« Plutôt un ange de la mort, à vrai dire : j'ai aussi apporté des munitions. »

Hannah l'aida à porter les cartons à l'intérieur : fruits, légumes, lait, pain, gaufres, fromage. Elle aperçut même une immense tablette de chocolat Cadbury. Pour finir, Sebastien lui tendit deux canards fraîchement abattus, qu'elle pendit à un crochet, à l'extérieur.

Dans la cuisine, elle fit chauffer la théière et s'occupa de ranger les provisions pendant que Sebastien faisait connaissance avec Leah. Au début, la petite fille se montra timide, jusqu'à ce que le vieil homme se mette à quatre pattes pour lui apprendre comment demander à Moïse de se rouler par terre.

Sur le canapé, Nate les regardait jouer, les yeux alourdis par la fatigue. Hannah lui tendit une tasse de thé et lui caressa les cheveux pendant qu'il buvait.

« On a rencontré quelqu'un pendant notre promenade », déclara-t-elle.

Quand les deux hommes se tournèrent vivement vers elle, elle leur intima d'un signe de tête de ne pas trop en dire devant Leah.

« Il y a quelques minutes à peine, reprit-elle. Sur le lac. »

Sebastien s'approcha de la fenêtre.

« Il est parti, dit-elle. Il était dans sa barque, avec deux cannes à pêche.

— À quoi ressemblait-il ? demanda le vieil homme.

— Grand, cheveux bruns bouclés. Accent irlandais.

— Gabriel.

— Tu le connais, soupira Hannah, soulagée. Il nous a dit qu'il habitait de l'autre côté de la vallée. Il vient pêcher par ici, et apparemment, il n'est pas très doué.

— Oui, je l'ai croisé à plusieurs reprises. Il vit dans une petite maison, avec quelques chevaux. Un type très sociable, toujours en train de plaisanter. Absolument insupportable.

— Je n'irais pas jusque-là. Mais c'est clair qu'on n'a pas intérêt à le voir traîner dans le coin.

— De quoi avez-vous parlé ?

— De pas grand-chose. Je me suis débrouillée pour

l'expédier assez rapidement. Je lui ai dit qu'il ferait mieux de trouver un autre lac pour pêcher.

— Très bien. Gabriel est inoffensif, mais laisse-lui l'ombre d'une opportunité et il s'empressera de venir mettre son nez partout et de s'occuper de ce qui ne le regarde pas. Bon, maintenant, au travail ! »

Pendant que Leah emmenait le chien dans le salon, ils vérifièrent les pansements de Nate. Les points de suture avaient tenu, et à première vue, il n'y avait aucun signe d'infection. Ils nettoyèrent les blessures à l'alcool et mirent de nouveaux bandages.

Puis ils déchargèrent les bûches et les empilèrent près des cheminées – dans la cuisine, le salon et la chambre. Enfin, ils détachèrent la remorque et la rapprochèrent d'une des dépendances, alors que quelques gouttes de pluie commençaient à tomber. Ils firent rouler un bidon d'essence jusqu'à l'intérieur et s'attelèrent à remplir le réservoir du groupe électrogène.

Quand Hannah vit que Sebastien haletait, elle le força à s'asseoir sur une caisse vide et le réprimanda quand il se mit à protester. Il pleuvait à verse, à présent, et le vent agitait les arbres de la vallée.

« Je t'ai apporté quelque chose », dit Sebastien.

Il plongea la main dans la poche de son manteau et en sortit une broche en or en forme de dragon, aux écailles vernies de rouge.

Hannah en resta bouche bée. Elle prit l'objet et le fit tourner entre ses mains.

« Cette broche appartenait à ma mère, dit-elle. Je pensais qu'elle était perdue.

— Ton père me l'a confiée, il y a longtemps. Il m'a dit qu'il ne voulait plus la voir, mais que si un jour tu avais besoin de mon aide, elle te convaincrait peut-être de me faire confiance. »

Hannah passa son doigt sur les écailles vernies du dragon. Puis elle leva les yeux vers le vieil homme et vit qu'il la regardait.

« Je te fais confiance, Sebastien. Je ne sais pas ce que j'aurais fait sans toi.

— Tu aurais fait face. Tu l'as toujours fait, et tu le feras toujours.

— Mais la vérité, c'est que je n'ai pas l'impression de faire face.

— Je sais. Mais tu as réussi à amener Nate et Leah jusqu'ici. C'est grâce à toi qu'ils sont toujours en vie, tâche de ne pas l'oublier. La situation te paraît peut-être désespérée, Hannah, mais tu t'en sors très bien. Et les choses vont finir par s'arranger. En premier lieu, on va remettre ton mari sur pied. Et ensuite, tu passeras à autre chose.

— J'y ai pensé, justement. Il y a un autre endroit. Il faut que je passe quelques coups de téléphone d'abord, mais c'est un lieu sûr. Vraiment sûr. Une planque que j'ai trouvée il y a des années, et qu'aucun document ne relie à moi. Même mon père ignore tout de son existence. Le problème, c'est qu'elle est loin. Et tant que Nate ne pourra pas voyager, il va falloir se terrer ici.

— Tu vois ? dit Sebastien en souriant. Tu penses déjà à l'après. »

Hannah mit la broche dans sa poche, puis elle passa ses doigts dans ses cheveux, les yeux rivés sur le sol en béton.

« Mon père... commença-t-elle.

— Arrête de te faire du mal, Hannah. C'est inutile. Tu ne sais rien. Je ne sais rien. Peut-être qu'on apprendra un jour la vérité, peut-être que non. Charles s'est préparé il y a des années. Il t'aimait. Enfin, il t'aime.

— Ne parle pas de lui au passé, dit-elle.

— Je suis désolé. Mais il faut que tu acceptes que... »

Hannah se leva et plongea les mains dans les poches de son jean.

« Rentrons ».

Pendant l'après-midi, Hannah apprit à Leah comment préparer le gibier qu'avait apporté Sebastien. Elle plongea les volatiles dans l'eau bouillante avant de les plumer, de leur couper la tête et les pattes et de les vider.

Alors que les nuages viraient au violet et que la lumière du jour disparaissait peu à peu, Hannah prépara le dîner : canard rôti servi avec des pommes dauphine, des haricots verts et de grosses tranches de pain beurré.

Comme Nate ne pouvait pas quitter le canapé, c'est Sebastien qui débarrassa la table de la cuisine et mit le couvert – les fourchettes et les verres étaient tous dépareillés. Puis il fit repartir le feu, alluma deux bougies, ouvrit une bouteille poussiéreuse de cabernet-sauvignon et aida Hannah à remplir quatre assiettes. Pendant que Nate mangeait sur un plateau posé en équilibre sur sa poitrine, Hannah dînait à table avec Leah et Sebastien.

Pendant le repas, Sebastien divertit Leah en lui racontant des légendes locales. Hannah lui en était reconnaissante. Car après une journée passée à s'occuper de son mari, à parler et à jouer avec sa fille, et à élaborer un plan, elle était épuisée. Elle avait passé quelques coups de téléphone pour organiser leur départ vers la planque qu'elle avait mentionnée à Sebastien, et qui se trouvait en France. Elle voulait mettre autant de distance et d'obstacles que possible entre Jakab et sa famille. Pour la énième fois de la journée, Hannah se surprit à penser à son père, à se demander où il se trouvait, s'il était en vie, si elle le reverrait un jour. Ne pas savoir était une torture, mais elle se força à réprimer ces pensées. Elle ne pouvait pas se permettre de se laisser distraire et de perdre de vue sa seule responsabilité : protéger sa fille et son mari.

Après le dîner, Sebastien autorisa Leah à mettre les restes dans un bol pour Moïse. Peu après, Hannah monta avec sa fille à l'étage, où elle lui fit couler un bain et la frotta jusqu'à ce que sa peau brille. Après quoi elle la mit au lit, dans la chambre principale.

« Sebastien est rigolo, hein, maman ?

— Oui, ma chérie. Et il est très gentil.

— La première fois, j'ai cru que c'était le méchant monsieur. »

Hannah lui caressa les cheveux. La peur dans la voix de sa fille l'emplit de chagrin. Elle se sentait responsable du fait que Leah ressente une telle inquiétude chaque fois qu'elle rencontrait un inconnu. Si on mesurait la réussite d'un parent à l'assurance qu'il parvenait à inculquer à ses enfants, elle avait échoué lamentablement. Mais quelle autre solution avait-elle ? Élever Leah dans l'ignorance de la menace qui pesait sur elle ? Lui garantir l'enfance insouciante qu'elle-même aurait tant désirée, au risque que sa fille se retrouve sans défense à la première occasion ? Quelle était la plus grande trahison ?

« Sebastien ne peut pas être le méchant monsieur, Leah. Il a un chien qui s'appelle Moïse.

— Papa a l'air de guérir.

— C'est vrai. Je pense que bientôt, il sera complètement remis.

— Et toi, maman, ça va ? »

La question la prit par surprise et lui fit monter les larmes aux yeux. Elle serra les dents, se força à sourire et serra sa fille dans ses bras. Elle enfouit son visage dans les cheveux de Leah – elle voulait se perdre dans cette odeur de jeunesse et d'innocence, oublier quelques instants les décisions et les responsabilités qui lui incombaient. Au bout de quelques secondes, elle parvint à se reprendre et relâcha son étreinte.

« Ça va aller, maman. »

Elle se sentit soudain honteuse de rester assise là à se faire consoler par sa fille de neuf ans, honteuse de contribuer à l'angoisse de Leah alors même qu'elle cherchait à l'en libérer.

« Ah oui ? Vraiment ? répondit-elle. Eh bien moi, ce que je peux te garantir, petite fripouille, c'est que si tu ne t'endors pas très vite, ça va mal aller pour toi ! Et tu sais quoi ? J'ai entendu Sebastien dire que si tu passes une bonne nuit de sommeil, demain, il t'apprendra plein de nouvelles choses. Allez, fais-moi un baiser et allonge-toi. Je repasserai tout à l'heure voir si tu es endormie. »

En bas, elle vit que Sebastien avait fait la vaisselle et qu'il était retourné s'installer à table, un verre de vin à la main.

Nate leva les yeux vers Hannah.

« Elle est au lit ? demanda-t-il.

— Oui. Elle ne veut pas le reconnaître, mais elle

est morte de trouille. Et je me déteste de lui faire vivre tout ça.

— Ce n'est pas ta faute.

— Ce n'est pas la sienne non plus, répliqua-t-elle en s'asseyant au pied du canapé. Il faut qu'on en finisse une bonne fois pour toutes, Nate.

— Et c'est ce qu'on va faire. »

Il tendit la main et elle la prit. Quand il lui serra les doigts, elle fut soulagée de voir qu'il avait retrouvé des forces.

« Oh, Nate ! s'exclama-t-elle en appuyant son front contre celui de son mari. Je suis désolée, mais je n'y crois pas...

— Écoute, Hann', je trouve que tu en fais déjà beaucoup trop. Je sais que tu te sens impuissante, mais je t'assure que je n'ai jamais rencontré quelqu'un d'aussi fort que toi. Tu m'as sauvé la vie. Tu nous as sauvé la vie. Je suis censé être ton Tarzan, et c'est toi qui m'as plus ou moins porté sur ton épaule pour sortir de la jungle. Si je n'avais pas perdu plusieurs litres de sang, je serais en train de rougir, crois-moi ! »

Et soudain, elle éclata de rire et l'embrassa. Elle se sentait à la fois revigorée par ce qu'il venait de lui dire et par l'amour qu'elle ressentait pour lui. Qu'importe la situation, Nate savait chaque fois trouver les mots pour la rassurer, la remotiver, la remettre sur pied. Elle l'aimait tellement. À cet instant, la capacité extraordinaire de son mari à la comprendre était la bouée de sauvetage qui l'empêchait de se noyer.

Elle se souvint alors qu'ils n'étaient pas tout seuls, et que Sebastien était assis juste à côté, à les regarder. Hannah laissa échapper un petit ricanement gêné, et ce fut finalement elle qui rougit.

« C'est que c'est un beau parleur, ce Nate, dit-elle en s'approchant du vieil homme. Je suis désolée, Sebastien, on se comporte vraiment comme un couple d'adolescents, parfois.

— Eh quoi, vous voulez que je vous sépare ? demanda-t-il en souriant.

— Et si tu me servais plutôt un verre de vin ?

— Avec plaisir. »

Sur la table de la cuisine, le téléphone de Hannah se mit à sonner.

Sebastien parut hésiter. Il tenait la bouteille de vin à la main, tout en regardant le portable dans son étui en cuir noir. Le vieil homme lut ce qu'indiquait l'écran, puis il se tourna vers Hannah.

Quand elle croisa son regard, elle sentit son estomac se serrer. Sebastien avait l'air d'avoir vu un fantôme. Elle prit le téléphone et lut un mot sur l'écran rétroéclairé : *Papa.*

Hannah n'était pas préparée à l'explosion d'émotions qui ébranla son cerveau. Elle se retrouva absolument incapable de réfléchir, et pendant quelques instants, elle en oublia jusqu'au fonctionnement du téléphone. Elle faillit le faire tomber en le manipulant, mais elle finit tout de même par réussir à l'ouvrir.

« Papa ? » demanda-t-elle d'une voix tremblante.

Aucune réponse. Puis :

« Hannah. Dieu merci ! »

La voix de son père.

Elle éclata en sanglots. Les larmes lui baignaient le visage. Elle se laissa tomber sur le sol et se pencha en avant, le portable toujours collé à l'oreille. Le front posé contre les dalles de la cuisine, elle répéta dix fois

« Papa », avant de finir par se calmer et d'entendre ses paroles rassurantes.

« Où es-tu ? demanda-t-elle. Qu'est-ce qui s'est passé ? J'ai cru que tu étais mort.

— Je ne saurais pas par où commencer. Mais je vais bien, Hannah. Je vais bien. C'est tout ce qui compte, pour l'instant. Je suis désolé, mais je n'ai pas pu t'appeler avant. Et je ne peux pas te dire où je suis. Il vaut mieux que tu ne saches pas. Il y a eu... c'était horrible, Hannah. Horrible. »

Il y avait dans la voix de son père une tension qu'elle n'avait jamais entendue auparavant.

« Où est Jakab ? demanda-t-elle.

— Mort. Il est mort. C'est terminé. Enfin. Mais il y a des policiers partout. Ils sont à ma recherche. Mais qu'importe, tu as réussi à fuir, c'est le principal. Est-ce que tu es blessée ?

— Non, ça va. Tout va bien.

— Tu es où, du coup ? Et Nate, il va bien ?

— Où on est ? »

Les doigts de Sebastien se posèrent sur son épaule et se mirent à serrer si fort qu'elle se redressa d'un bond. Elle se tourna vers le vieil homme et vit que ses yeux brillaient comme jamais. Puis elle se tourna vers Nate, qui la regardait lui aussi avec un air horrifié. Et soudain, elle comprit à quel point elle avait été idiote. Entendre la voix de son père l'avait tellement bouleversée qu'elle en avait oublié la prudence la plus élémentaire.

Après toutes ces années, n'avait-elle rien retenu ?

« Hannah ?

— Je suis toujours là, papa. Comment... »

Elle se força à réfléchir.

« Comment s'appelait ton ami à l'université, celui qui était bourré de tics, le passionné de folklore qui était toujours en train de taper dans ses mains et d'énerver tout le monde ?

— Hannah ? Je ne vois pas ce que ça vient faire dans cette...

— Papa, je t'en prie. Réponds à la question.

— Il s'appelait Beckett. Pourquoi ? »

Elle ferma les yeux, soulagée, mais quand elle les rouvrit, elle vit Sebastien secouer la tête et lui faire signe de continuer. Elle savait que c'était une question facile. Que ça ne validait pas grand-chose.

« J'ai rencontré un de tes vieux amis, hier, dit-elle. Il m'a donné quelque chose. Un objet que tu avais acheté pour maman il y a longtemps. Est-ce que tu te souviens de ce que c'est ? »

Silence pendant quelques secondes.

« Hannah, je lui ai offert tellement de choses. Je sais que tu as besoin de savoir que c'est vraiment moi, mais qu'est-ce que tu veux que je te réponde ? Je ne me souviens plus. »

Elle sentit la douleur enserrer sa gorge. L'espoir qu'elle avait éprouvé se transformait en chagrin.

« Il faut que tu te rappelles, papa. Tu as acheté cet objet pendant qu'on était en vacances à Berne. Je t'en prie, papa. Je t'en prie.

— Hannah, ma chérie. Ces dernières vingt-quatre heures ont été particulièrement éprouvantes. Je suis épuisé. Dis-moi où tu es, que je te rejoigne. C'est terminé, Hannah. Tu n'as plus à avoir peur, maintenant. Jakab est mort. »

C'est alors que le chagrin l'envahit tout entière, partant de son cœur pour s'étendre jusqu'au bout de ses doigts, jusqu'à sa tête : la voix à l'autre bout du fil n'était pas celle de ce père qu'elle aimait, mais celle d'un ignoble imposteur qui avait détruit sa famille sur plusieurs générations, qui avait essayé d'assassiner son mari, de le supplanter pour s'insinuer dans sa vie à elle, à la manière d'un cancer invisible contaminant tout ce qu'il touchait.

« Qu'est-ce que vous avez fait à mon père, espèce de pourriture ? »

Silence.

Au téléphone. Dans la pièce.

Sebastien lâcha l'épaule de Hannah ; son visage trahissait la douleur et la peine. Nate se laissa glisser du canapé et se mit à genoux. Il tendit la main vers elle.

Quand la voix se fit de nouveau entendre, ce n'était plus celle de son père.

« Tu sais, ce n'est vraiment pas de chance. Des années que j'attends de te parler, et on part du mauvais pied, grommela Jakab. Mais c'est ma faute. C'était un stratagème abject, et je m'en excuse. Ça doit être l'appréhension qui m'a fait agir ainsi. Le trac, si tu préfères. C'est plus facile de se cacher derrière quelqu'un que de se mettre à nu. Mais sache que je ne suis pas le monstre que tu penses. Je voulais seulement te parler, en essayant d'oublier toutes ces complications, toute cette... histoire. »

Elle se rendit compte qu'elle était toujours à genoux sur le carrelage, et elle se releva d'un bond. Son chagrin laissa place à la haine. Il fallait qu'elle soit debout, qu'elle face front.

« Où est-il ? aboya-t-elle.

— Hannah, je t'en prie, répondit Jakab en riant. Pour qui me prends-tu ? Ton père va bien. Avoue que ce serait quand même une drôle de stratégie de lui faire du mal alors même que je cherche à me racheter auprès de toi.

— Ça ne vous a pas arrêté, par le passé.

— Des légendes, Hannah, soupira-t-il. Des mensonges. Tu n'étais pas là et tu n'en sais rien. Je me suis bien occupé de Charles. Il est assis en face de moi en ce moment même.

— Passez-le-moi, alors.

— Mais bien sûr. »

Après quelques secondes de silence, la voix de son père.

« Hannah ?

— Papa ? »

S'il s'agissait vraiment de son père, il avait l'air brisé.

« Je t'aime, dit-il. D'accord ? Sois forte. Tu sais aussi bien que moi que c'est la fin. Ne me demande rien, ne me dis rien. Tu n'as aucun moyen de savoir qui est au bout du fil. Je serai toujours avec toi. Allez, file, Hannah. »

C'était sa manière de lui dire au revoir. Il savait que c'était la dernière fois qu'il lui parlait, et il voulait rester digne.

Elle se posa la main sur la bouche et appuya sur ses lèvres – un geste qu'elle trouva cliché, inutile.

« Hannah, s'il te plaît, écoute-moi, dit la voix de Jakab. J'étais très sérieux, tout à l'heure. Je ne suis pas le monstre que tu crois. Je ne vais pas faire de mal à ton père. Je te donne ma parole. Cette histoire dure depuis trop longtemps. Je suis fatigué. Et je veux te voir, c'est vrai. Mais je ne veux pas prendre l'apparence de quelqu'un d'autre pour le faire. C'est trop tard pour ça, et en plus, il ne faudrait pas longtemps avant que tu t'aperçoives de la supercherie. Il n'arrivera rien à ton père. Tout ce que je te demande, c'est d'accepter de me rencontrer. Toi et moi, personne d'autre. Où tu voudras. Dans un lieu public, si ça te rassure. C'est toi qui vois. Mais laisse-moi te voir, juste une fois. Pour parler. Pour me laisser une chance de m'expliquer. Il y a eu tellement de mensonges, je ne peux pas t'en vouloir d'être un peu perdue.

— Vous avez attaqué Nate. Où est le mensonge, là-dedans ?

— Il m'a tiré dessus. Qu'est-ce que tu voulais que je fasse ? Rester là sans rien faire, à attendre qu'il m'achève ? Allons, Hannah ! Je ne faisais que me défendre. Je n'avais pas l'intention de le tuer. D'ailleurs, est-ce qu'il va bien ? Est-ce qu'il s'en est tiré ?

— Repassez-moi mon père.

— Est-ce qu'on pourrait discuter ? Se rencontrer ?

— Repassez-moi mon père. Si vous m'accordez cette faveur, on en reparlera. Mais prouvez-moi que je peux vous faire confiance.

— Je n'en demande pas plus. Tiens, je te le passe. »

La voix de Charles, de nouveau.

« Hannah, qu'est-ce que je t'ai dit ? Ne fais pas ça.

— Papa, je sais ce que je fais, dit-elle d'une voix tremblante. Est-ce que tu te souviens du Noël où tu m'as construit une maison de poupée ?

— Je ne l'oublierai jamais.

— Est-ce que tu te souviens de ce qui s'est passé ?

— La peinture n'avait pas eu le temps de sécher, et ça a esquinté ta robe, le tapis, mon pantalon et le vase de ta mère, dans le couloir.

— Est-ce que tu te souviens comme on a ri ? »

Elle l'entendit soupirer. Il avait l'air si loin, déjà. Inatteignable.

Elle se concentra pour rester lucide malgré la tristesse qui l'envahissait.

« Papa, est-ce que tu te souviens de ce que je t'ai dit ?

— Oui.

— Je t'ai dit : tu es le meilleur papa du monde et je t'aime. Merci d'avoir passé autant de temps à fabriquer quelque chose rien que pour moi.

— Je m'en souviens. »

À présent qu'elle avait accepté le fait que c'était la dernière fois qu'ils se parlaient, Hannah voulait partager un dernier souvenir avec lui. C'était le seul cadeau qu'elle pouvait lui faire – un instantané d'un bon moment passé tous les deux.

« Je le pense toujours, dit-elle. Papa, je t'aime tellement.

— Je t'aime aussi, ma chérie. Je suis désolé.

— Ne sois pas désolé. Jamais. Je te l'interdis. Ce que tu as fait, ce que tu fais... Tu nous as sauvé la vie. À tous. Si on est là, aujourd'hui, c'est grâce à toi. Je t'aime. Pour ça et pour tout le reste.

— Il faut se dire au revoir, maintenant, ma chérie.

— Je sais, sanglota-t-elle. Oh, papa !

— Dis-le, Hannah.

— Je t'aime. Au revoir. »

Hannah jeta le téléphone portable par terre et s'effondra dans les bras de Nate.

Chapitre 12

Keszthely, Hongrie

1874

Le soleil virait à l'orange au-dessus des collines derrière Keszthely, quand Jakab quitta sa chambre d'hôtel pour retrouver Erna Novák sur les berges du lac Balaton. Il était neuf heures du soir, c'était l'été, et la journée avait été chaude et humide. À présent qu'elle touchait à sa fin, une brise s'était levée, agitant les vêtements trempés de sueur de Jakab et séchant les gouttes de transpiration qui perlaient sur son front.

Après une marche rapide dans les rues de Keszthely, Jakab atteignit la rive et admira l'impressionnante étendue d'eau. Cette immensité l'émerveillait toujours, même après deux mois. Au sud-est, il distinguait à peine la berge opposée ; au nord-est, le lac s'étirait à l'infini, jusqu'à l'horizon.

Il avait passé la majeure partie de la journée enfermé dans sa chambre d'hôtel, à l'abri de la chaleur, profitant des rares coups de vent qui soulevaient les rideaux. De son balcon, avec le soleil au zénith, il avait pu admirer la teinte turquoise que prenait le lac. À présent que ce même soleil disparaissait derrière l'horizon dans une éruption de rouge, l'eau ressemblait plus à un puits de mercure.

Jakab bouillonnait d'impatience à l'idée de retrouver la jeune femme. Le ciel se marbra des couleurs du crépuscule et le chant des grillons s'intensifia. Il imagina l'odeur de la sève des pins qui poussaient sur les collines, à l'ouest. Ce parfum se mélangeait à l'odeur minérale du lac, aux effluves citronnés de son eau de toilette et à ceux, musqués, de sa transpiration.

Se pouvait-il vraiment que déjà huit semaines se soient écoulées depuis son arrivée à Keszthely ? S'il appréciait tant cet endroit, c'était bien évidemment en grande partie dû à la jeune femme. Mais même sans tenir compte de l'influence de celle-ci, il savait qu'ailleurs, il n'avait jamais ressenti une telle quiétude, un tel sentiment apaisant d'anonymat.

Après son départ de Gödöllö, il avait pris un bateau à vapeur qui descendait le Danube. Il avait traversé la Serbie, la Roumanie, la Bulgarie, avant de comprendre qu'en suivant le fleuve, sa piste serait facile à retrouver. Aussi avait-il fini par abandonner le Danube : il avait mis le cap au nord vers Bucarest, puis il avait traversé les montagnes pour retourner en Hongrie, où il avait découvert la beauté du lac Balaton et d'Erna Novák.

Le soleil avait à présent complètement disparu, la brise s'était faite plus fraîche, et les eaux du lac avaient viré au noir.

« Jakab ? »

Il se retourna, elle était là. Elle lui faisait un tel effet qu'il en eut le souffle coupé. Elle se tenait debout, avec sa grossière robe en toile de lin et ses sandales en cuir, le visage et les bras hâlés, consciente des émotions qu'elle provoquait chez lui, mais malgré tout timide. Le soleil d'été avait peint des reflets dorés sur sa longue chevelure brune, et ses yeux chocolat teintés de vert l'observaient fixement.

Le cœur battant, Jakab l'attira à lui et l'embrassa. Il glissa ses mains dans les siennes.

« Le soleil vient de se coucher, dit-il. Marchons le long de la berge, je voudrais te...

— Jakab, attends. Il faut que je te dise quelque chose.

— On verra plus tard, répondit-il en souriant. La soirée ne fait que commencer, et j'ai une surprise pour toi. »

Il lâcha sa main et la prit par le bras. Sous ses doigts, la peau était chaude et délicieusement moite.

« Allez, viens, c'est par là, poursuivit-il. Je te promets que tu ne seras pas déçue. »

Elle se laissa guider sur les bords du lac pendant quelque temps, puis elle ralentit pour s'arrêter tout à fait. Son visage trahissait l'inquiétude.

« Jakab, non. S'il te plaît. Je crois que c'est important.

— Quoi donc ?

— Des inconnus. Cet après-midi, à la taverne de mon père. Ils posaient des questions sur toi. »

Jakab eut l'impression qu'on venait de lui renverser un seau d'eau froide sur la tête.

« Comment ça, des inconnus ? s'exclama-t-il. Combien étaient-ils ?

— Deux. Un grand et fort. Un peu plus âgé que toi, peut-être. Des cheveux bruns. L'autre devait avoir une cinquantaine d'années. Une grosse cicatrice sur le visage, des yeux méchants. »

Pour ne pas effrayer la jeune femme, il essaya de ne pas laisser transparaître la moindre émotion. Il reprit sa main et se remit à marcher.

« Quel genre de questions ? demanda-t-il.

— Jakab, est-ce que tu es en danger ?

— Non, bien sûr que non. Mais réponds-moi, quel genre de questions posaient-ils ?

— Ils étaient en train de discuter avec mon père quand je suis revenue du *piac*. Ils lui demandaient depuis combien de temps il te connaissait, depuis combien de temps on se fréquentait. Ils voulaient savoir où te trouver.

— Est-ce qu'ils t'ont vue ?

— Je ne crois pas.

— Est-ce qu'ils se sont présentés ?

— Je ne sais pas, je n'étais pas là quand ils sont arrivés. De ce que j'ai entendu, ils prétendaient être de vieux amis à toi. Mais ils m'ont fait une impression bizarre. Surtout le plus vieux. Qui sont ces gens, Jakab ? »

Jakab. Quand il avait entendu le nom de *kirekesztett* que lui avaient donné les membres du *tanács*, il l'avait adopté d'emblée – une décision puérile motivée par son seul orgueil. Il aurait mieux fait de se choisir un nom au hasard. Il savait pertinemment que les *hosszú életek* étaient à ses trousses, et qu'ils voulaient le faire payer pour ce qu'il avait fait à Budapest. Alors, pourquoi leur avait-il facilité la tâche ?

Quand il repensait aux événements qui avaient précipité son départ de Gödöllö, il ne reconnaissait pas la personne qu'il avait été. Il gardait de son passage à Budapest des souvenirs horribles, et il avait honte. Toutes les pressions du monde et tous les déchirements intérieurs ne pouvaient justifier ce qu'il avait fait subir à Krisztina. Lors de son passage à Bucarest, il avait lu dans le journal que Márkus Thúry avait été pendu. Jakab le regrettait, bien sûr, mais pas autant qu'il regrettait la façon dont il avait traité la jeune femme. Il avait supplanté Márkus parce qu'il pensait que cela lui permettrait de la séduire plus rapidement. Mais, encore marqué par son expérience au *végzet*, il avait été incapable de voir que c'était Márkus que Krisztina avait rejeté, pas lui. Sur le moment, ce rejet l'avait rendu fou de colère. Jakab grimaça en repensant aux conséquences de ses actions.

Depuis, il n'avait cessé de fuir. Au départ, c'était parce qu'il éprouvait de la honte, puis, plus tard, parce qu'il n'avait pas le choix. À Belgrade, il avait rencontré un commerçant *hosszú élet* qui lui avait parlé du scandale qui secouait Budapest et lui avait expliqué que les membres du *tanács* étaient à la poursuite d'un *kirekesztett*. Quand le commerçant avait compris à qui il avait affaire, Jakab l'avait tué. Encore une fois, il s'était senti désolé, mais cela n'avait pas duré longtemps, car il avait manqué se faire capturer peu après, et le traumatisme de cette expérience lui avait vite fait oublier tous ses remords.

Il savait depuis des semaines qu'il était resté trop longtemps à Keszthely. Mais qu'y pouvait-il ? Il avait rencontré Erna Novák. Pour la première fois de sa vie, il avait trouvé quelqu'un qu'il aimait et qui l'aimait en retour, et il ne pouvait pas se résoudre à l'abandonner. Même s'il ne la connaissait que depuis deux petits mois, l'idée de vivre sans elle était trop horrible à envisager.

« Jakab ? Je t'en prie, dis-moi. Ce sont des gens de ta race, n'est-ce pas ? »

Il avait pris un immense risque en partageant avec elle le secret de son identité. Au début, cette révélation l'avait terrifiée – pour nombre de Hongrois, les *hosszú életek* appartenaient à la mythologie. Elle lui avait demandé de lui montrer, ce qu'il avait fait. Aussi incroyable que cela puisse paraître, la peur initiale qu'elle éprouvait avait laissé place à l'émerveillement, et elle l'avait accepté tel qu'il était. C'était d'ailleurs une des nombreuses raisons pour lesquelles il ne pouvait se résoudre à l'abandonner.

« Oui, répondit-il. Ce sont sûrement des *hosszú életek*.

— Mais ce ne sont pas des amis à toi.

— Ha ! Ha ! Non, ça m'étonnerait.

— Et pourquoi est-ce qu'ils te cherchent ?

— Erna, ça, je ne peux pas te le dire. Je t'ai déjà confié beaucoup, mais là, il faut que tu me fasses confiance. Est-ce que tu m'aimes ?

— Tu sais bien que oui.

— Alors, crois-moi quand je te dis qu'il vaut mieux que tu ne le saches pas. »

Ils étaient arrivés à un endroit isolé de la berge ; un talus leur cachait la ville. Sur l'herbe, une nappe était étalée. Dessus, un panier en osier recouvert d'un torchon. Dedans, il savait qu'il y avait du pain, du fromage, de la charcuterie, du chocolat. À côté du panier, une bouteille de vin et deux verres.

Erna se tourna vers lui, incrédule.

« C'est toi qui as préparé tout ça ? » demanda-t-elle.

Jakab haussa les épaules. Il avait prévu une soirée romantique, et la nouvelle qu'elle venait de lui annoncer avait tout gâché.

« Oh, Jakab ! Mais qu'est-ce qui va se passer, du coup ? »

Il se força à sourire.

« Eh bien, pour commencer, je vais ouvrir cette bouteille. Tu trinques avec moi ? »

Assis l'un à côté de l'autre sur la nappe, ils mangèrent en sirotant leur vin. L'un contre l'autre, ils observèrent pendant de longues minutes les eaux sombres du lac Balaton en écoutant le chant des grillons.

« Il va falloir que je parte pendant quelque temps, annonça-t-il enfin.

— Je savais que tu allais dire ça. Mais... n'y a-t-il pas d'autre moyen ?

— Pas pour l'instant, non.

— Mais tu es un *hosszú élet*. Tu ne pourrais pas te... te déguiser ? Te transformer ?

— Ce n'est pas aussi simple. Ils finiraient par me reconnaître, tôt ou tard. C'est difficile à expliquer, mais je peux t'assurer qu'ils sauraient, dit-il avant de reposer son verre et de se tourner vers elle. Tu devrais rentrer chez toi. Il faut que j'en sache plus sur ces deux inconnus. Maintenant. Ce soir.

— Promets-moi de faire attention.

— Bien sûr. On se retrouve plus tard ?

— Où ça ?

— Le petit bois derrière la taverne de ton père. Quand tu m'entendras siffler, rejoins-moi. »

Elle l'embrassa.

« Tu viendras, hein ? C'est sûr ? » demanda-t-elle.

Le doute dans la voix d'Erna lui fit mal, et il la prit dans ses bras.

Jakab suivit Erna dans les rues de Keszthely, il traversa la place qui bordait Kossuth Lajos Utca, se frayant un chemin au milieu de la foule sortie profiter de la fraîcheur de la nuit.

La taverne du père d'Erna se trouvait dans une rue commerçante, coincée entre une épicerie et une pharmacie. Alors qu'Erna approchait de l'entrée, Jakab resta en retrait, observant les lieux depuis une ruelle.

Devant la taverne, de nombreux clients accoudés aux tables branlantes buvaient et fumaient. Jakab entendit les rires, le tintement des verres, le murmure des conversations. Il sentit la colère monter en lui en voyant les regards lubriques posés sur Erna, mais il parvint à se contenir et resta immobile. Ce n'était pas le moment de se laisser distraire par ses émotions.

Ils étaient là. Il sentait leur présence.

Était-ce une perception inconnue propre aux *hosszú életek* qui l'avait alerté ? Il n'aurait pas su le dire. Toujours est-il que la sensation était étrange – une espèce de démangeaison derrière les yeux, conjuguée à un besoin irrépressible d'approcher de la taverne. Mal à l'aise, il secoua la tête pour faire disparaître les effets. Il avait conscience que même s'il ne pouvait pas rester éternellement invisible aux yeux de ses compatriotes, ces derniers auraient besoin de le voir de près pour confirmer son identité.

La porte d'entrée de la taverne s'ouvrit, et un homme robuste en sortit. D'où il se trouvait, Jakab ne pouvait discerner que sa silhouette, qui se découpait contre les fenêtres illuminées. L'inconnu glissa un cigare entre ses lèvres et, quand il craqua une allumette, son visage s'éclaira : mâchoire carrée, sourcils broussailleux, cheveux bruns et graisseux, et une vilaine cicatrice qui partait du coin gauche de sa bouche et barrait toute la joue. Jakab ne l'avait jamais vu, mais la sensation qu'il avait éprouvée quelques instants auparavant se réveillait, décuplée. Il avait trouvé un de ses poursuivants. L'homme alluma son cigare et recracha un tourbillon de fumée. Puis il s'adossa au mur de la taverne, les yeux perdus dans la nuit.

Dans la ruelle, Jakab resta tapi dans l'ombre sans bouger ; il sentait en lui le picotement des yeux de l'inconnu.

Il était terrorisé. Les relations entre les *hosszú életek* et la classe dirigeante de Budapest avaient toujours été délicates, et il savait que ses actions de l'année précédente n'avaient fait qu'envenimer les choses. Le *tanács* avait à cœur de couper court aux critiques en prononçant une sanction exemplaire. S'il était arrêté, il serait exécuté.

Jakab vit alors apparaître une deuxième silhouette, qui rejoignit la première. Les deux hommes se mirent à discuter pendant quelques minutes. Jakab s'approcha tout doucement. Soudain, le nouveau venu se raidit et se tourna d'un coup vers l'allée. L'espace d'une seconde, la lumière des fenêtres de la taverne lui éclaira le visage.

Jani.

Jakab crut qu'il allait défaillir. Son cœur battait la chamade, il avait mal au ventre et était pris de vertiges.

Évidemment, se dit-il.

Ils avaient envoyé son frère à ses trousses. Cette découverte le mettait en rage, mais à mieux y réfléchir, c'était d'une logique implacable. Car autant les *hosszú életek* n'auraient aucun mal à le reconnaître s'ils le croisaient, autant il leur était beaucoup plus difficile de retrouver sa trace.

Mais pour un membre de la même famille, un frère, c'était différent. Jani avait le *vérérzet*, ce lien du sang qui lui permettait de savoir d'instinct où se trouvait son frère, de la même manière que le sourcier sait d'instinct où creuser pour trouver de l'eau.

Jakab avait toujours cru que cette espèce de sixième sens lui faisait défaut – un élément de plus qui venait confirmer son infirmité. Mais à présent, il comprenait mieux la sensation qu'il avait éprouvée quelques minutes auparavant, le picotement derrière les yeux, l'irrésistible attraction, même s'il était évident qu'il était beaucoup moins doué que Jani, qui était parvenu à le retrouver malgré les centaines de kilomètres qui les séparaient.

La gorge sèche, il observa son frère retourner dans la taverne aux côtés du balafré. Qu'avait-il fait pour mériter une telle trahison ? Qu'avait-on promis à Jani en échange de sa coopération ?

Jakab avait prévu d'éliminer ses poursuivants dès cette nuit. Mais comment pouvait-il tuer Jani ? Et, plus perturbant encore, comment pouvait-il espérer être libre et vivre en paix avec Erna, s'il ne le faisait pas ? Il n'avait aucun moyen de savoir pendant combien de temps ils le traqueraient. Une année s'était écoulée depuis les événements de Budapest. Seraient-ils encore à ses trousses dans un an ? Dans dix ?

Une fois Jani hors de vue, Jakab sortit de la ruelle et rejoignit le petit bois derrière la taverne. Il était soulagé de voir que le *vérérzet* n'était pas aussi puissant et précis qu'il le craignait.

Erna rejoignit Jakab quelques minutes après qu'il

eut poussé son sifflement. Il la regarda marcher dans les hautes herbes, la peau de ses épaules laiteuse à la lueur de la lune. Il savait que c'était peut-être la dernière fois qu'il la voyait avant longtemps, et cela lui était insupportable. Quand elle le vit, caché à l'orée du bois, elle courut vers lui et se jeta dans ses bras. Alors qu'il la serrait de toutes ses forces, il ne put retenir ses larmes.

Ils restèrent ainsi collés l'un à l'autre pendant de longues minutes, immobiles, à écouter les lamentations des milliers de grillons.

« Je les ai vus, déclara-t-il.

— Ah oui ?

— Tu as bien fait de m'en parler. Tu m'as sûrement sauvé la vie.

— Qu'est-ce que tu comptes faire ?

— Il faut que je parte. Que j'en finisse une bonne fois pour toutes. Sinon, nous n'aurons jamais la paix.

— Est-ce que tu es en danger ? Est-ce que tout va bien se passer ?

— Tout se passera bien si tu me promets que tu m'attendras.

— Mais qu'est-ce que tu vas faire ? Combien de temps seras-tu parti ?

— Je n'en sais rien. Mais ce ne sera pas long, je te le promets. De toute façon, j'aurais bien du mal à rester longtemps loin de toi. »

Il parut hésiter quelques secondes, puis il reprit :

« Je sais que les circonstances ne sont pas idéales, Erna, mais si je t'ai demandé de venir avec moi sur les berges du lac, ce soir, c'était pour te demander en mariage. »

À présent, c'était elle qui avait les larmes aux yeux.

« Je ne sais pas qui sont ces gens à la taverne, je ne sais pas ce qu'ils te veulent, mais tu connais ma réponse, Jakab.

— Tu m'attendras, alors ? »

Elle l'embrassa, et il sentit le désespoir dans son baiser.

« Mais pourquoi, Jakab ? Laisse-moi venir avec toi !

— Non, Erna.

— Pourquoi pas ?

— J'ai des choses à faire, des choses dont je dois te protéger. Il faut que tu restes ici, le temps que j'en finisse. Je reviendrai. Bientôt. Et à ce moment-là, j'irai voir ton père, et nous ferons les choses comme il faut.

— Promets-le-moi. »

Jakab l'embrassa de nouveau, et il sentit les larmes de la jeune femme rouler sur sa joue. La colère montait en lui, une rage aveugle qui lui fit serrer les poings face à l'injustice qui les frappait tous les deux. Les *hosszú életek* l'avaient banni, il était parti sans faire d'histoires, et pourtant, il fallait encore qu'ils viennent le tourmenter. Sur les berges de ce lac, il avait trouvé le bonheur, et voilà qu'on mettait en péril tout ce à quoi il tenait.

Pour commencer, il allait fuir. Il n'était pas prêt pour l'affrontement. Il lui fallait du temps pour élaborer un plan. Mais il retrouverait Erna, et il tuerait tous ceux qui se mettraient en travers de son chemin.

Dans sa poche, il sentit sur sa cuisse le poids de la bague en or qu'il lui avait achetée. Elle semblait se moquer de lui.

Quand il revit Erna Novák, Jakab était assis dans un restaurant, à proximité du château Festetics. C'était le printemps, et il était de retour à Keszthely depuis deux jours. Il avait quitté la ville dans la chaleur étouffante de l'été ; à présent, l'air frais venu des montagnes glissait sur les eaux chaudes du lac Balaton, et une épaisse brume enveloppait toute la région.

Le brouillard communiquait une étrange sérénité à la ville. Les sons étaient étouffés, de sorte que lorsqu'un chien aboyait ou qu'une cloche sonnait, Jakab était incapable de savoir d'où venait le bruit.

Il savait que revenir à Keszthely serait comme revenir à la maison, et la brume avait ce côté accueillant, cet anonymat protecteur qui le prenait dans ses bras et le berçait tendrement.

Et il avait bien besoin de cette quiétude. Il n'aurait pas su dire précisément combien de temps il était parti, mais ce qu'il avait vécu entre son départ de Keszthely et son retour lui paraissait déjà un lointain souvenir. Combien de temps avait-il fui, passant d'une ville à l'autre, pliant bagage au milieu de la nuit, prenant des trains au hasard, traversant fleuves et montagnes, changeant brusquement de direction ?

Quand il avait quitté la région du lac Balaton, il n'avait pas de plan précis. Il s'était dit qu'il devait s'éloigner le plus loin possible de Jani et trouver un endroit où l'attendre. Au début, l'idée de faire du mal à son frère l'avait rendu malade, mais plus il s'était éloigné de Keszthely et d'Erna, moins cette perspective l'avait dérangé.

Malgré tout, les rares fois où il prenait suffisamment d'avance sur son frère et qu'il se retrouvait dans quelque village insipide, il hésitait. Quand l'automne laissa la place à l'hiver et au froid, il comprit enfin que la perspective de tuer deux *hosszú életek*, dont un était capable de retrouver sa trace n'importe où, le tourmentait tellement qu'il s'inventait des excuses pour justifier son inaction. Plutôt que de contre-attaquer, il trouvait d'autres raisons de fuir. Écœuré par ce manque de volonté, il décida de sauter sur la prochaine opportunité qui se présenterait.

À Pozsony, il saisit sa chance. Il atteignit la ville en sachant qu'il avait plusieurs semaines d'avance sur ses poursuivants. Il loua donc une maison immense et extravagante dans le quartier de Rusovce et décida de se faire passer pour un aristocrate excentrique et introverti. Il s'offrit les services d'un avocat, qui lui-même le présenta à un homme douteux mais dévoué nommé Alexej. Jakab le chargea de passer tout son temps dans la maison, pour guetter la venue de Jani et de son acolyte.

En février – à moins que ce ne fût en mars –, ils arrivèrent enfin. Alexej réveilla Jakab au beau milieu de la nuit. Il lui murmura que deux hommes avaient escaladé la grille de la maison.

Le premier intrus se dirigea vers l'entrée principale, pendant que l'autre faisait le tour pour escalader la glycine jusqu'au balcon du premier étage. Tapi dans l'ombre dans la chambre principale, Jakab l'observa enjamber la balustrade et s'approcher discrètement de la porte-fenêtre. Quand l'homme vit qu'elle n'était pas verrouillée, il l'ouvrit. Jakab sortit de l'ombre, appuya le canon d'un revolver sur le front de l'intrus et pressa la détente.

Ce n'est que lorsque l'éclair jaillit au bout de l'arme qu'il reconnut les yeux ébahis de Jani. Aussitôt, la tête de son frère partit en arrière. Le tonnerre du coup de feu résonna dans la maison silencieuse, jusqu'au fin fond de l'âme de Jakab. Il observa le corps sans vie de Jani basculer par-dessus la rambarde et atterrir quelques mètres plus bas, dans un buisson.

Quelques heures plus tard, il se réjouirait de la facilité avec laquelle il l'avait tué. Mais là, alors que l'odeur de la poudre lui envahissait les narines, il resta immobile, fasciné par la façon dont la lune faisait miroiter les petits morceaux du crâne de Jani sur les feuilles du rhododendron.

Les yeux rivés sur le cadavre de son frère, Jakab essaya de se rappeler les bons souvenirs qu'ils avaient partagés. Le chagrin lui paraissait un sentiment approprié. Pourtant, debout sur le balcon, il ne ressentait absolument rien. Aucun remords. Pas même de satisfaction. Une coquille vide, dépourvue d'émotions.

Jakab avait beau savoir qu'il ne pourrait jamais revenir en arrière, il avait conscience que ce qui venait de se passer était un tournant majeur dans sa vie. À présent, les membres du *tanács* allaient tout faire pour le retrouver. Mais après tout, ils ne lui avaient pas vraiment laissé le choix. Jakab avait été ravi de quitter le monde des *hosszú életek* ; c'est eux qui avaient insisté pour le suivre, qui avaient même fait preuve d'une cruauté inouïe, en montant deux frères l'un contre l'autre. Jakab n'avait jamais ressenti d'amour pour Jani, il avait même passé la majeure partie de sa vie à le haïr, mais le nombre de personnes avec qui il avait une histoire commune venait de diminuer, et pour cela, à défaut d'autre chose, il se disait qu'il aurait dû éprouver du chagrin.

Alexej traversa la chambre et rejoignit Jakab sur le balcon.

« L'autre s'est enfui quand il a entendu le coup de feu, annonça-t-il en se penchant par-dessus la balustrade pour voir le corps de Jani. Vous voulez que je vous débarrasse du cadavre ? »

Jakab se tourna vers Alexej et se demanda s'il allait lui mettre une balle dans la tête, à lui aussi. Au lieu de quoi il lui posa la main sur l'épaule et acquiesça. Alexej lui avait été très utile, et il risquait d'avoir un jour ou l'autre de nouveau besoin de ses services. Mieux valait ménager ce genre de connaissances.

Jakab prépara sa valise en quelques minutes, puis il franchit discrètement le mur de la propriété et quitta Pozsony dans la nuit. Cent cinquante kilomètres le séparaient de Keszthely, et il lui fallut deux jours en train et en calèche pour y arriver. Sur place, il réserva une chambre à côté du lac et passa le premier jour à se promener sur les berges en réfléchissant au meilleur moyen d'informer Erna de son retour. Aujourd'hui, elle lui manquait autant qu'au moment où ils s'étaient fait leurs adieux, dans le bois derrière la taverne. Il sentait toujours dans sa poche le poids de la bague, comme un rappel insistant.

Il se rendit compte que, curieusement, il était nerveux à l'idée de revoir Erna. Il n'aurait su expliquer pourquoi. C'était comme si le temps qu'il avait passé loin d'elle et sa confrontation avec Jani avaient été le prix exigé par le destin pour sa rédemption. Jakab avait relevé le défi, et, à présent, les erreurs qu'il avait commises à Buda pouvaient être oubliées. Maintenant que Jani était mort, le *tanács* ne le retrouverait jamais. Évidemment, il ne pourrait pas demeurer éternellement à Keszthely, mais il lui restait de l'argent – bien assez pour s'acheter une maison très loin de là et y fonder une famille avec Erna.

Ce soir-là, il s'allongea sur le tapis de sa chambre

d'hôtel et ressuscita Márkus Thúry avec une agonie désormais familière qui fit trembler tout son corps et faillit lui fendre les dents.

Après quoi il avala quantité de nourriture, de vin, avant de se reposer quelques heures sur son lit. Enfin, à l'aise sous sa nouvelle identité, il sortit de l'hôtel pour se rendre à la taverne du père d'Erna. Il s'installa au bar, mais sa promise n'était pas là. Le père lui servit verre après verre en lui racontant les dernières nouvelles, mais Jakab se retint de poser des questions au sujet de sa fille et rentra se coucher, bredouille.

Le lendemain, assis dans un restaurant qui donnait sur le château, observant d'un air distrait le brouillard qui surplombait la ville, il vit une femme qui marchait dans la rue, et son cœur se mit à battre à toute allure.

Les mains posées sur la nappe blanche, Jakab retint son souffle en la regardant approcher. Les couverts se mirent à trembler.

Erna.

Il n'y avait aucun doute, c'était bien elle.

Elle avait changé. Elle semblait plus âgée, d'une certaine façon. Les hanches plus pleines, les seins plus lourds. Elle paraissait distante, et Jakab s'en voulut de chercher à lire sur les traits de la jeune femme la trace d'un manque, le signe d'un chagrin inconsolable. Quand elle passa devant le restaurant, elle regarda à l'intérieur et leurs regards se croisèrent une fraction de seconde. Erna sourit sans s'arrêter de marcher, une marque de politesse pour un inconnu à peine aperçu. C'est alors que Jakab remarqua qu'elle portait un petit enfant dans ses bras.

Confus, il se tourna vers l'horloge contre le mur, puis vers la théière en argent sur la table devant lui, tâchant de trouver des réponses aux questions qu'il n'arrivait pas à formuler. Une idée effrayante germa dans son cerveau, mais il la rejeta aussi vite qu'elle était apparue. Non, ils avaient fait attention, et de toute façon, l'enfant était trop vieux pour que ce soit plausible.

Quand il vit qu'Erna allait disparaître dans la brume, il se leva brusquement, renversant au passage un vase. Il jura, jeta une poignée de pièces sur la table et se précipita dans la rue.

Elle marchait vers le château, le long d'une avenue bordée d'arbres bourgeonnants. Il courut pour la rattraper en criant son nom et en riant, fou de joie de l'avoir retrouvée.

Erna se retourna et, quand elle le vit approcher, elle hésita et regarda aux alentours, comme si elle espérait voir d'autres passants.

Haletant, Jakab franchit les derniers mètres qui les séparaient.

« Est-ce que je vous connais, monsieur ? » demanda-t-elle.

Dans sa précipitation, il en avait oublié l'évidence : au lieu de son fiancé, Erna avait sous les yeux un Márkus Thúry hâlé et transpirant. Certainement pas une image réjouissante, se dit-il.

« Pardon, Erna, dit-il en souriant. C'est moi.

— Je suis vraiment désolée, je ne vous reconnais pas. Êtes-vous un ami de Hans ?

— Mais non, c'est Jakab, Erna ! Ton Jakab ! Je t'avais promis que je reviendrais. Et me voilà ! »

Les yeux de la jeune femme s'agrandirent, et il fut surpris d'y lire de la peur. Erna commença à faire un pas en arrière, puis elle se ravisa au dernier moment. Visiblement, elle était sous le choc.

« Jakab ? »

Pour toute réponse, il ouvrit les bras.

« Qu'est-ce que tu veux ? » demanda-t-elle.

La question et la façon dont elle le dévisageait le frappèrent comme un coup de poing.

« Qu'est-ce que je veux ? Mais enfin, Erna, je suis rentré. C'est fini. Je me doute que ça doit te faire un choc, mais...

— Un choc ? Mais... Jakab. D'abord, comment est-ce que je peux savoir que c'est toi ? Qui me dit que tu n'es pas un de ces *hosszú életek* qui étaient venus poser des questions à mon père ?

— C'est moi. Ne l'entends-tu pas à ma voix ? Je peux te le prouver si tu veux. Mais pas ici. Et après tout, ça ne sera peut-être pas nécessaire. Tu en connais beaucoup, des hommes qui t'ont amenée sur la berge du lac pour te demander en mariage ? »

Il tendit les mains et quand il la toucha, il la sentit se raidir. Erna le regardait, bouche bée, comme s'il venait de sortir d'un cercueil.

« Qu'est-ce que tu fais ici, Jakab ? »

Il ne parvenait pas à comprendre sa réaction.

« Mais je suis là pour toi, Erna. Pour nous. »

Le petit garçon pointa Jakab du doigt.

« Maman, c'est qui le... »

Erna lui mit un doigt sur la bouche pour le faire taire.

Jakab se tourna vers l'enfant. Comment venait-il de l'appeler ?

« Qui est ce petit ? demanda-t-il.

— Jakab, est-ce que tu sais combien de temps tu es parti ?

— Qui est-ce, Erna ?

— Je pensais que tu étais mort !

— Erna, qui est-ce ? » hurla-t-il.

L'enfant se mit à pleurer. Erna lui plaqua la tête contre sa poitrine pour le calmer.

« C'est mon fils, Jakab. Il s'appelle Carl. Je ne sais pas ce que tu comptes faire ici, et je ne sais pas pourquoi tu as soudainement décidé de revenir. Notre histoire, c'est... Elle appartient au passé.

— Comment peux-tu dire une... »

Elle secoua la tête.

« Je ne sais pas ce qui s'est passé, où tu étais, ce que tu as fait, mais visiblement, tu n'as pas les idées claires. Ça fait des années. Tu ne peux pas revenir comme ça, à l'improviste. C'est cruel. J'ai un mari, maintenant, une famille. »

Il ne comprenait pas les mots qui sortaient de la bouche de sa fiancée. L'horreur l'envahissait doucement. L'enfant avait au moins deux ans. Depuis combien de temps était-il parti de Keszthely ? Un an, au maximum ? Vraiment ? Il essaya de compter les mois, les saisons, puis il se tourna vers elle, interdit. Il n'arrivait pas à savoir à quand remontait son départ.

Jakab sentit quelque chose dans son corps qui menaçait de rompre, et il serra les dents. C'était comme si un rêve s'était brisé, et qu'il essayait de rassembler les morceaux.

Non.

Elle était en état de choc, voilà tout.

Mais elle a un fils.

Il s'imagina Erna au lit avec un autre homme, et il voulut hurler.

« Erna, j'aurais dû réfléchir avant de venir te trouver. Je le sais. C'était maladroit de ma part. Recommençons. Depuis le début. Je...

— Jakab, il faut que j'y aille.

— Comment ? Non, attends. Ne me rejette pas comme ça. Tu m'as promis que tu m'attendrais.

— Je pensais que tu étais mort.

— Tu m'as promis que tu m'attendrais ! » hurla-t-il.

Elle fit un pas en arrière. Il mourait d'envie de la prendre dans ses bras et de l'embrasser. Les poings serrés, il se retint. C'était la discussion la plus cruciale de toute sa vie.

« Je t'en prie, dit-il. Parle-moi. Je... Je suis parti longtemps. Je ne me suis pas rendu compte, je ne comprends pas pourquoi. Erna, je t'aime. Tu le sais. Et chaque jour que j'ai été loin de toi, j'ai porté cet amour dans mon cœur. Je sais que tu m'aimes aussi. Il s'est peut-être passé des choses entre-temps, la vie a suivi son cours, mais...

— Jakab, je suis désolée, mais je n'ai pas le temps. Il faut vraiment que j'y aille. Je dois donner à manger à Carl et préparer le dîner pour mon mari. »

Entendre pour la deuxième fois ce mot, « mari », lui fit l'effet d'un poignard en plein cœur.

« Alors, retrouve-moi plus tard, Erna. Ce soir.

— Je ne peux pas.

— J'insiste...

— Attention à ce que tu dis, Jakab, dit-elle d'un ton sec. Tu as perdu le droit d'insister il y a bien longtemps. »

Il recula, les bras tendus, et sentit les larmes monter. Il leva les yeux vers le ciel, puis il secoua la tête et reporta son attention sur Erna.

« S'il te plaît, implora-t-il. Je ne suis pas venu ici pour te mettre en colère. Je m'y prends n'importe comment. Je le sais. Mais te revoir, ça me rend à moitié fou. Je t'en supplie, Erna, retrouve-moi plus tard. Laisse-moi une chance de tout t'expliquer.

— Jakab, je t'ai déjà dit que c'était impossible. Je ne peux pas sortir de chez moi au beau milieu de la nuit pour aller retrouver quelqu'un. J'ai une famille, des responsabilités, un homme que j'aime.

— C'est moi que tu aimais. »

Elle s'interrompit, et il sentit que ses larmes l'avaient radoucie. Elle ne le regardait plus avec colère, à présent, mais il crut déceler de la pitié dans son regard, et cela lui fit mal.

« Donne-moi quelques jours, dit-elle. Le temps de trouver une excuse. À ce moment-là, on parlera.

— C'est tout ce que je demande.

— Et, Jakab, je te préviens, on ne fera rien d'autre que parler, c'est bien clair ? Je suis mariée. J'ai prononcé un serment, et ni toi ni moi ne pouvons le violer. Notre histoire est terminée, et j'en suis désolée. Je t'ai attendu deux ans. Deux ans, Jakab. Je ne savais pas si tu étais encore en vie, je n'ai jamais reçu la moindre lettre. Est-ce que tu sais à quel point je t'ai pleuré ? Non, tu ne le sauras probablement jamais. Au nord-est, si tu suis la berge sur un kilomètre et demi, tu trouveras un vieux hangar à bateaux avec un embarcadère en bois ; tu ne pourras pas le rater. Je t'y retrouverai dans trois jours. À l'aube.

— Je comprends. »

Un mensonge. Il ne comprenait absolument pas.

Erna s'éloigna, son fils dans les bras. Il la regarda, jusqu'à ce que la brume l'ait avalée.

De retour en ville, il acheta un journal et examina la date : 24 avril 1879.

Il s'assit sur un muret, sous le choc.

Cinq ans.

Il était parti cinq ans.

Jakab lâcha le journal et poussa un long gémissement, la tête dans les mains. Comment avait-il pu ? Comment avait-il pu laisser filer cinq ans sans s'en apercevoir, sans tenir compte des conséquences que cela aurait sur sa vie à Keszthely ? Elle venait de lui dire qu'elle l'avait attendu deux ans. Si elle avait rencontré quelqu'un peu après et qu'elle s'était mariée dans l'année, cela permettait d'expliquer l'âge du petit garçon.

Erna avait un fils. Un mari. Une vie sans lui.

Malgré tout cela, malgré tout ce qu'elle avait dit, il refusait d'accepter qu'il avait laissé passer sa chance. Un amour aussi intense que le leur, cela n'arrivait qu'une fois. Il était prêt à le parier. Il avait tué son propre frère pour pouvoir être avec elle. Quand elle le découvrirait et qu'elle comprendrait ce qu'il était prêt à faire pour elle, elle entendrait raison.

Elle avait été choquée, voilà tout. Il pourrait lui pardonner la violence des mots qu'elle avait employés. C'était lui qui s'y était mal pris. Mais quand elle aurait accepté son retour, elle aurait honte de la manière dont elle l'avait prestement rejeté. Elle regretterait ses mots. Tout finirait par s'arranger.

Comme convenu, Jakab arriva peu avant l'aube. Le brouillard était si épais qu'il aurait été bien incapable de deviner de quel côté le soleil allait se lever. Il s'assit sur une souche à côté d'une épave de barque et attendit, l'estomac noué.

Le hangar à bateaux se dressait dans la brume, coquille de bois vide au toit affaissé. Des deux immenses portes qui en barraient l'entrée, une s'était effondrée dans les herbes hautes. La peinture s'écaillait sur les murs, et le soleil d'innombrables étés avait blanchi les poutres. Le lichen avait envahi chaque centimètre carré, se propageant petit à petit sur les murs comme une maladie incurable. Le côté du hangar qui donnait sur le lac était entièrement ouvert. Quelqu'un avait depuis longtemps enlevé la grande porte coulissante qui permettait de sortir les bateaux. De là partait une rampe de mise à l'eau en béton. À côté, le fameux embarcadère en bois dont elle lui avait parlé.

Erna émergea de la brume, se pressant sur le chemin herbeux qui menait à la route principale. Il sursauta en la voyant et s'apprêta à lui souhaiter la bienvenue, mais elle secoua la tête vigoureusement, les mains tendues.

« Non, Jakab, s'exclama-t-elle. On n'a pas le temps. Il faut que tu partes. Tout de suite. Ils arrivent.

— Qu'est-ce que tu racontes ? demanda-t-il en fronçant les sourcils.

— Je n'ai pas le temps de t'expliquer. Il faut que tu t'en ailles immédiatement. S'il te plaît, Jakab. Je suis tellement désolée, je ne voulais pas que les choses en arrivent là. Les *hosszú életek*, ils savent que tu es là. Ils arrivent. »

Il avait du mal à comprendre ce qu'elle disait.

« C'est une plaisanterie ?

— Une plaisanterie ? Jakab, crois-tu vraiment que je plaisanterais sur un sujet pareil ?

— Tu avais l'air assez pressée de te débarrasser de moi, il y a trois jours, répondit-il en l'examinant minutieusement.

— Mais bon sang, pour qui me prends-tu ? s'écria-t-elle en l'attrapant par la manche de son manteau.

Viens. Ne retourne pas à la route principale. Suis la berge vers Gyenesdiás. Là-bas, tu pourras traverser. Ne reviens pas à Keszthely. Promets-moi, Jakab. Est-ce que tu as de l'argent ? Tiens, je t'ai apporté ça. Ce n'est pas beaucoup, mais ça aidera. »

Erna plongea la main dans son jupon et en tira une poignée de piécettes. Alors qu'elle essayait de les lui donner, il repoussa violemment son bras, piqué au vif. Les pièces tombèrent par terre. Erna poussa un petit cri de surprise et s'agenouilla pour les ramasser.

« Je n'ai que faire de ton aumône de paysanne ! aboya-t-il. Comment savent-ils ? Et toi, comment sais-tu qu'ils sont après moi ?

— Jakab, je t'en supplie, sanglota-t-elle. Fais-moi confiance. Prends cet argent. Je te jure que ce n'est pas une ruse. Après tout ce que nous avons vécu, crois-tu vraiment que je pourrais te trahir ? Est-ce vraiment ce que tu penses de moi ? Tu n'as pas le temps. Ils seront là d'une seconde à l'autre.

— Balázs Lukács ! Balázs Jakab ! »

En entendant son nom, Jakab fit un pas de côté pour s'éloigner d'Erna. La brume était plus épaisse que jamais – un voile mouvant qui les enveloppait, leur dissimulait les alentours d'où provenait la voix. L'humidité s'accrochait au manteau de Jakab et lui léchait le visage.

« Balázs Lukács ! Balázs Jakab ! »

Une voix d'homme, débordant de mépris et bizarrement efféminée. Jakab entendit un hennissement. Il se retourna pour se retrouver face au sentier qui menait du hangar à la route principale.

Une ombre s'anima dans la brume. Elle devint plus précise et Jakab reconnut la silhouette d'un homme à cheval. Le cavalier portait un grand chapeau noir et un pardessus en cuir maculé de boue. Sa monture, un énorme étalon gris aux naseaux palpitants, faisait résonner ses lourds sabots sur les galets.

Le cavalier leva la tête et examina Jakab de ses yeux presque jaunes. Des reflets verts et blancs apparurent au milieu de l'océan doré de son regard. Sa peau avait la pâleur d'une moisissure de bois, et il avait attaché ses cheveux d'albinos en queue de cheval. Quand il esquissa un sourire dénué de toute humanité, son visage se couvrit de rides, telle l'écorce d'un vieil arbre.

Jakab sentit la peur monter en lui, vidant ses poumons, asséchant sa gorge. Ses pieds lui parurent plantés dans le sol. Il savait à qui il avait affaire, même s'il ne l'avait jamais rencontré.

Le *Merénylő* du *Főnök*.

Tous les organes du pouvoir possèdent une créature comme celle-là : une bête sauvage et cruelle qu'on envoie se charger des sales besognes, afin d'asseoir ce pouvoir si précieux. Dans le cas de ce spécimen en particulier, le travail effectué semblait avoir altéré jusqu'à son aspect physique.

« Eh bien, Balázs, commença le *Merénylő* d'une voix chantante, nous voilà enfin au dénouement de votre aventure. Vous nous aurez bien fait voyager. »

Les muscles frémissants, la bouche sèche comme de la sciure, Jakab scruta les alentours. Des broussailles sur sa gauche, le hangar à bateaux et son embarcadère en bois sur sa droite. Encore des broussailles de l'autre côté du bâtiment en ruine, en direction du nord et de Gyenesdiás. Derrière lui, les eaux du lac qui disparaissaient dans le brouillard.

Erna était toujours agenouillée devant lui. Elle leva les yeux vers le cavalier, visiblement terrorisée.

« Lève-toi, lui dit Jakab en lui adressant un signe de la main. Allez, Erna, lève-toi ! Tout de suite ! »

Peut-être sentit-elle l'inquiétude dans sa voix, car elle se redressa sans un mot et s'éloigna à reculons du cavalier.

« Touchant, commenta le *Merénylő* en sortant un mouchoir de sa poche pour s'éponger les lèvres. J'en déduis que celle-ci, vous ne l'avez pas encore violée. »

Les buissons sur sa gauche lui paraissaient la meilleure issue. Les broussailles étaient denses, enchevêtrées, et autant lui pourrait s'y frayer un chemin, autant un cavalier aurait plus de difficultés. Et en vingt mètres, le brouillard l'aurait englouti. Il fallait qu'il trouve un moyen de faire comprendre à Erna ce qu'il comptait faire ; il n'avait certainement pas l'intention de l'abandonner là, avec le tueur attitré du *Főnök*.

Un craquement retentit en provenance du buisson qu'il était justement en train d'observer. Alors que le brouillard se dissipait légèrement, Jakab aperçut un deuxième cavalier qui se dirigeait vers lui.

Le nouveau venu se tourna vers lui en grimaçant. Il avait les dents noires et pourries, et ses yeux étaient ternes. Certainement pas un *hosszú élet*, celui-ci, songea Jakab. Même s'il a l'air tout aussi dangereux.

Le *Merénylő* planta les talons dans le flanc de son cheval, et l'animal fit un pas vers Jakab.

« Vous voulez vous enfuir. Je comprends. J'ai bien senti que vous aviez failli vous lancer, à l'instant, avant que la lâcheté ne vous rattrape. »

Les reflets d'ivoire avaient disparu dans les yeux du tueur, mais il souriait toujours.

« Je ne vais pas vous arrêter, Jakab. Pas tout de suite. La poursuite a été longue. Beaucoup trop longue, et beaucoup trop inintéressante, dans l'ensemble. Alors, qu'est-ce que vous diriez de pimenter un peu les choses, maintenant que nous sommes proches du dénouement ? Vous savez aussi bien que moi comment ça va finir. Je vous traîne jusqu'à Buda, vous vous débattez, vous hurlez, vous essayez de me mordre, et une fois arrivés, nous vous attacherons, avant de vous éviscérer, de vous faire bouillir et de vous couper en petits morceaux à donner à manger aux loups. Alors, qu'est-ce que vous pensez de ce programme ? »

Une nouvelle voix, paniquée, s'éleva alors dans la brume.

« Erna ! Erna ! »

— Hans, non, gémit Erna. Qu'est-ce que tu es venu faire ici ? »

Un jeune homme fit son apparition. Il était plus grand et plus fin que Jakab. Il aurait presque été beau s'il n'avait été si pâle. Il s'arrêta à quelques mètres du *Merénylő*, jeta un regard en direction des deux cavaliers, avant de se tourner vers Erna, puis, enfin, vers Jakab. Il tenait une hache à la main.

« Erna, dit-il, viens là. Viens. »

Jakab posa une main sur l'épaule de la jeune femme.

« Ne bouge pas », lui dit-il.

Hans se tourna vers le *Merénylő*, les yeux lançant des éclairs.

« Qu'est-ce qui se passe, ici ? Vous m'aviez promis que nous ne risquions rien. Vous nous avez dit qu'on pouvait vous faire confiance.

— Ce que j'ai dit, monsieur le bûcheron, c'est que si vous ne vous mettiez pas en travers de mon chemin, vous ne me reverriez jamais, déclara le *Merénylő* sans quitter Jakab des yeux. Et pourtant, voilà que je vous trouve ici, vous et votre femme. En travers de mon chemin. Par ailleurs, je ne crois pas avoir fait quoi que ce soit qui vous mette en danger. Je suis simplement assis, sur mon cheval, à discuter de la pluie et du beau temps avec un violeur doublé d'un meurtrier qui ne sait pas encore qu'il est déjà mort. Pourquoi ne retourneriez-vous pas en ville dépenser quelques-unes des pièces que je vous ai si généreusement données ? »

Le sourire du *Merénylő* s'élargit, mais ses yeux restèrent aussi menaçants. Ils brûlaient comme deux soleils, pénétrant l'âme de Jakab, anticipant ses moindres mouvements.

Jakab avait la sensation d'avoir été roué de coups avec une barre de fer. La gorge nouée, il resserra son étreinte sur l'épaule d'Erna et murmura :

« Tu m'as vendu ? »

Elle secoua la tête et essaya de se dégager.

« Non, Jakab, répondit-elle. Ce n'est pas comme ça que ça s'est passé. Ne l'écoute pas. Il...

— Tu pensais pouvoir m'échanger contre une misérable poignée de pièces ? »

Après la rage initiale, c'était maintenant un chagrin incommensurable qui le dévorait. Comment avait-elle pu faire une chose pareille ? De toutes les personnes qu'il connaissait, être trahi par elle... c'était là une pensée si brutale, si dévastatrice, qu'il ne parvenait à l'intégrer. Il avait cru qu'elle l'aimait, sincèrement, et pourtant, pendant tout ce temps, elle avait été capable d'une trahison aussi abjecte.

Et ensuite ? Qu'est-ce qu'elle avait prévu de faire, une fois qu'il aurait été emmené par le *Merénylő*, pieds et poings liés ? Retourner tranquillement à son crétin de mari ? À son enfant, à son argent misérablement gagné, à sa petite vie minable ?

Sans réfléchir, comme si son corps agissait par instinct, il approcha sa main libre de sa ceinture. Ses doigts parcoururent lentement le cuir, avant de se refermer autour du poignard qu'il avait dissimulé à l'intérieur de son pantalon. En levant l'arme devant le corps d'Erna, il aperçut dans la lame parfaitement lustrée le reflet de ses lèvres ; des lèvres qu'il désirait depuis cinq années ; des lèvres qui avaient ri à ses plaisanteries, qui avaient parlé de projets avec lui, qui avaient jadis caressé sa peau.

Quand Jakab posa la lame contre la gorge d'Erna, celle-ci hurla et se débattit, jusqu'à ce que la pointe lui pique légèrement la peau. Là, elle s'immobilisa.

Hans poussa un cri de terreur. Il leva un pied, puis le reposa.

« Je vous en prie ! Quoi que vous ayez en tête, n'en faites rien ! Je vous en supplie ! »

Jakab jeta un regard sur sa droite vers le seul endroit où il pouvait encore espérer fuir : l'embarcadère en bois. Les planches étaient noires dans l'humidité ambiante. Il fit quelques pas sur le côté, utilisant Erna comme bouclier. Une unique goutte de sang apparut sur la gorge de la jeune fille et se mit à couler lentement.

« Eh bien ! Voilà qui est intéressant, commenta le *Merénylő*. Bizarre, mais intéressant. Je dois admettre que je ne m'y attendais pas. »

L'embarcadère était juste derrière Jakab, à présent. Il recula, en tenant toujours fermement Erna.

À sa gauche, le deuxième cavalier sortit du buisson et dégaina une rapière. Il arrêta son cheval et attendit les instructions du *Merénylő*.

Jakab continua à reculer sur les planches glissantes.

Le *Merénylő* se baissa. Quand il se redressa, il tenait à la main une arbalète, le carreau bien en place devant la lanière tendue.

« Jakab, dit-il, vous pouvez vous arrêter de reculer à présent. Qu'est-ce que vous comptez faire, de toute façon ? Mon associé a faim, et il devient vite pénible quand il a l'estomac vide. Il y a en ville un restaurant qui sert de délicieuses saucisses épicées, et je lui ai promis de l'y emmener dès que nous en aurions fini. D'ailleurs, nous en avons fini, Jakab. Vous n'avez nulle part où aller. »

Le mari d'Erna lâcha sa hache et observa tour à tour chaque acteur de la scène, les yeux suppliants.

Jakab sentit Erna se serrer un peu plus contre lui. Elle se pencha en arrière et déclara d'une voix calme :

« Jakab, écoute-moi. C'est très important. Tu n'as rien compris. Rien du tout. Il y a quelques jours, après notre discussion, je suis rentrée chez moi et j'ai tout raconté à Hans. Je l'avoue. Mais c'est tout ce que j'ai fait. Hans avait déjà entendu parler de toi, comme tu peux l'imaginer. C'est quand même à cause de toi qu'il a eu bien du mal à me convaincre de l'épouser. J'espérais tellement que tu reviendrais que je...

— Je suis revenu, l'interrompit-il.

— Au bout de cinq ans, Jakab. Cinq ans. Peut-être que pour toi ce n'est rien, mais pour moi c'est beaucoup. Je pensais que tu étais mort. Je te le jure. Il y a quelques années, des *hosszú életek* sont revenus pour poser des questions. Je ne leur ai rien dit – d'ailleurs, j'aurais été bien en peine de le faire –, mais ils m'ont expliqué comment prendre contact avec eux si tu revenais.

— Et quand tu m'as vu arriver, tu as sauté sur l'occasion de gagner un peu d'argent facilement.

— Mais non ! Justement ! J'ai expliqué à Hans qu'il fallait que je te voie une dernière fois, que je te parle. Pour te dire au revoir. Au début, il était d'accord. Et ensuite, il a prévenu les *hosszú életek*. Je ne savais pas. Il a pris peur et il les a prévenus. Il avait peur de toi, peur des gens de ta race, peur de me perdre. Jakab, je t'en prie, écoute-moi. Hans est un honnête homme. Un homme merveilleux. Il m'aime, il aime mon fils, et il subvient à nos besoins. Il a agi pour protéger sa famille. Je te dis la vérité, Jakab. Il y a cinq ans, j'étais tellement éprise de toi que j'ai cru en devenir folle. Notre histoire est terminée, mais je t'aime encore. Je t'aimerai toujours. Jamais je ne pourrais te trahir. Et certainement pas pour de l'argent. »

Elle regarda par-dessus son épaule et quand Jakab croisa son regard, il sut aussitôt qu'elle était sincère. Elle disait la vérité. Les choses s'étaient passées exactement comme elle l'avait dit, il en était certain. Quand il comprit qu'elle ne l'avait pas trahi, et qu'elle avait été jusqu'à mettre sa vie en danger pour lui laisser une chance de s'enfuir, il ne sut comment réagir.

Il n'avait aucune chance de la récupérer, jamais. Elle était trop fidèle. Mais même si elle s'était mariée et qu'elle avait fondé une famille, son amour pour lui ne s'était jamais transformé en amertume. Et même là, elle essayait encore de le protéger.

Des larmes de désespoir se mirent à couler sur ses joues quand il comprit qu'il ne pourrait jamais partager la vie d'Erna. Après tout ce qu'il avait fait pour pouvoir revenir, l'injustice de la situation lui était trop insupportable.

« Je suis désolé, dit-il d'une voix sourde. Mais si je ne peux pas t'avoir...

— Combien de temps allons-nous devoir encore attendre, Balázs ? demanda le *Merénylő* en secouant la tête. Nous sommes deux et nous sommes à cheval. Vous êtes à pied. Tranchez-lui la gorge, si ça vous chante. Je m'en fiche. Votre fin sera la même, que vous tuiez la femme de ce pauvre homme ou pas. Est-ce que je vous ai dit que j'avais faim ? Je n'ai rien avalé depuis hier soir. »

Malgré la peine qui lui voilait les yeux, Jakab remarqua le regard indigné du mari d'Erna en entendant les mots du *Merénylő*. Hans se pencha et ramassa sa hache.

Même si Hans était juste à l'extérieur du champ de vision du *Merénylő*, Jakab se doutait que le tueur savait exactement où il se trouvait. Ce que le *Merénylő* n'avait pas anticipé, en revanche, c'est qu'en affichant un tel mépris pour la vie d'Erna il avait provoqué la fureur de son mari. Hans leva sa hache, posa le manche sur son épaule, et fit un pas en direction du cheval du tueur. Puis il reporta son attention sur Jakab.

Jakab lui jeta un regard de dégoût. Comment cet homme, ce simple bûcheron, avait-il pu conquérir le cœur d'Erna ? Il en aurait ri si la situation n'avait été aussi tragique. Il avait sacrifié cinq années de sa vie, il avait tué son frère, et il était retourné à Keszthely pour retrouver Erna et couler avec elle des jours heureux, loin de là. Et pendant ce temps-là, ce pauvre paysan minable avait volé tout ce pour quoi il avait travaillé ;

pis, il l'avait souillée de sa semence et elle avait eu un enfant de lui.

Jakab déplaça ses doigts sur le manche du poignard pour changer de prise. Il s'agissait d'une arme fabriquée en Autriche à partir d'un unique morceau d'acier forgé, et elle était équilibrée de façon à pouvoir être lancée à partir des deux extrémités. Il avait passé tant d'heures à en aiguiser la lame qu'il préférait la lancer par le manche, pour éviter de se couper.

Même si Jakab ne pouvait rien changer au fait qu'Erna était amoureuse de Hans, il était hors de question qu'il laisse ce crétin de paysan prendre sa place auprès d'elle. Il étudia le visage du bûcheron, son long nez, sa mâchoire anguleuse, ses yeux craintifs. Un visage facile à retenir, facile à s'approprier. Si Jakab n'avait pas été capturé par l'homme de main du *Főnök*, il aurait pu arranger les choses. Il observa le bûcheron faire un pas de plus vers le tueur en tenant fermement sa hache.

Le *Merénylő* se retourna sur sa selle.

« Mon garçon, ne pensez même pas à... »

Jakab tira Erna sur sa gauche, dégagea sa main et lança le poignard. Au moment où l'arme quitta ses doigts, il comprit que le tueur n'avait jamais baissé sa garde. Le *Merénylő* se déplaça avant même d'avoir calculé la trajectoire du poignard. Il se pencha vivement en arrière, et la lame passa devant lui en sifflant.

Puis il se redressa et leva son arbalète au moment où Hans se jetait sur les rênes du cheval.

Paralysé, Jakab ne put que regarder, tandis que le *Merénylő* appuyait sur la détente. Il entendit un bruit sec quand la lanière se détendit brusquement, emportant avec elle le carreau. Il sentit l'impact du projectile avant la douleur, et la puissance du coup le fit reculer d'un pas.

Hans hurla. Le *Merénylő* laissa tomber son arbalète par terre et dégaina l'épée à sa ceinture. Le deuxième cavalier poussa un cri et donna un violent coup de talon dans les flancs de sa monture.

Concentre-toi sur la douleur, se dit Jakab. Serre les dents et force la blessure à se refermer. Recolle la chair.

Il espérait que le carreau n'était pas resté coincé dans son corps, car cela rendrait l'opération nettement plus délicate.

Hans poussa un deuxième hurlement en brandissant sa hache, qu'il abattit sur la nuque du *Merénylő*. Le tueur écarquilla les yeux.

Erna laissa échapper un petit cri bizarre.

La douleur n'existe pas, la douleur n'existe pas, se répéta Jakab.

Il se retourna. Le carreau d'arbalète s'était enfoncé dans la tête d'Erna, pénétrant dans le crâne juste au-dessous de son œil droit. Sa pommette avait explosé à l'impact, creusant un trou immonde en plein milieu de son visage. L'œil n'était plus qu'une mare de sang, et le liquide rouge coulait abondamment sur sa joue.

Seule l'extrémité du carreau était encore visible. Erna ouvrit la bouche et un sinistre bruit de claquement s'échappa de ses lèvres. Elle tressaillit, les dents mordant dans le vide, et quand Jakab lâcha son étreinte, elle tomba en avant et sa tête s'écrasa sur les planches humides de l'embarcadère. Quand il vit la pointe du carreau d'arbalète qui dépassait à l'arrière du crâne de la jeune femme, Jakab sentit son cœur se serrer et il poussa alors un hurlement qui résonna en lui, un cri affreux qui ne s'arrêterait jamais.

Hans retira sa hache de la nuque du *Merénylő*, qui bascula sur le côté et s'écroula au sol. Le bûcheron enjamba le corps, leva la hache au-dessus de sa tête, et l'abattit une deuxième fois. Cette fois, la lame traversa la chair tendre du cou et sectionna les vertèbres. Hans lâcha le manche de sa hache, tituba et tomba à genoux. Il leva les deux mains au-dessus de sa tête.

Jakab se força à regarder Erna, à immortaliser dans son esprit le corps meurtri de celle qu'il aimait. Il avait quitté la société des *hosszú életek* de son plein gré, mais ils l'avaient suivi, allant jusqu'à envoyer son propre frère à ses trousses. Après l'avoir forcé à tuer Jani, ils lui avaient envoyé cette vile créature affalée devant lui.

Et maintenant, le *Merénylő* était mort, lui aussi. Non sans avoir eu le temps de mettre un terme à la vie de Jakab. Il ne lui avait certes pas volé son dernier souffle, mais il lui avait pris quelque chose de tout aussi précieux.

C'était fini. Jakab ne savait plus quoi faire.

C'était fini.

Tout.

Jakab expira et écouta le sifflement de sa respiration. Puis il leva les bras et les écarta, doucement. Une terrible sensation de calme l'envahit.

Il avait tout perdu.

Il regarda le deuxième cavalier avec un sourire défait. Puis il se laissa tomber en arrière. Il ressentit un choc glacial quand son corps entra en contact avec l'eau. La surface du lac s'ouvrit pour l'accueillir, l'enveloppant de son manteau gelé tandis qu'il coulait vers le fond, un grondement mortuaire résonnant à ses oreilles.

La brume se referma sur les dernières ondulations du lac.

Chapitre 13

Paris, France

1979

Assise en face de Charles à la petite table du café, Nicole Dubois ajouta un morceau de sucre dans son espresso. Ils étaient installés en terrasse, sous le store beige du café de Flore, à l'angle du boulevard Saint-Germain et de la rue Saint-Benoît.

Il y avait beaucoup de circulation sur le boulevard. Charles observa une Citroën zigzaguer sans freiner pour éviter un groupe de touristes au carrefour. La voiture fit une embardée en crachant un tourbillon de gaz d'échappement noirs, et le conducteur brandit le poing par la fenêtre pour pester.

Nicole leva les yeux vers Charles, le visage sombre.

« Plus tard ce matin-là, dit-elle, Hans Fischer, dévoré par le chagrin, enterre sa femme dans une tombe de fortune sur les berges du lac Balaton.

— La fameuse Erna Novák », précisa Charles.

Avant de quitter l'Angleterre, Nicole lui avait remis une traduction des premiers carnets, ceux écrits de la main de Hans. Il lui avait fallu deux soirs pour les lire, et il se souvenait assez des originaux pour voir que la traduction était fidèle. Contrairement à ce qu'il aurait cru, cette lecture l'avait beaucoup perturbé.

« Voilà, approuva Nicole. Erna, mon arrière-arrière-grand-mère. C'était en 1879. Elle avait vingt-sept ans, et n'était mariée à Hans que depuis trois ans. Elle est morte d'avoir voulu protéger Jakab des gens qui le pourchassaient. Après avoir enterré Erna, Hans rentre à pied à Kestzthely, il prépare un sac avec des affaires, puis il dit adieu à ses parents et part le matin même avec son fils, Carl, mon arrière-grand-père. L'enfant n'a pas encore deux ans. Ils ne reviendront jamais en Hongrie. »

Charles ne savait pas si cette histoire était pure invention ou si elle était le résultat d'un événement réel et terrible que la superstition avait déformé, mais entendre le récit de la bouche de Nicole l'exhumait du passé pour l'ancrer dans le présent. Autant ni Charles ni Nicole n'avaient les moyens de savoir ce qui s'était passé précisément à Keszthely en 1879, autant il était évident qu'il était arrivé quelque chose d'horrible à Erna Novák. Il avait fallu à Charles beaucoup de recherches, mais il avait fini par trouver un document prouvant que Gerold Novák, le père d'Erna, avait signalé la disparition de sa fille aux autorités au printemps 1879. Deux mois plus tard, un fermier découvrit le corps, déterré par hasard par ses cochons. Erna avait reçu un carreau d'arbalète en pleine tête.

Hans Fischer l'avait-il assassinée ? Ou avait-elle été tuée comme cela était décrit dans les carnets ? Peut-être que le traumatisme d'assister au meurtre de sa femme, mêlé à une éducation baignée de superstition, avait poussé Hans à croire que les *hosszú életek* étaient responsables. Mais si tel était bien le cas, rien ne justifiait que ses descendants aient continué à croire cette légende.

Nicole s'interrompit, le temps qu'un serveur apporte café et croissants à deux Parisiennes assises à la table d'à côté. Dès qu'il se fut éloigné, elle reprit :

« Hans et Carl finissent par s'installer à Sopron, une ville à la frontière autrichienne, et ils changent de nom. Désormais, ce ne sont plus les Fischer, mais les Richter.

— Et c'est à cette période que les carnets commencent.

— Oui. Hans rédige le premier. Il écrit à la fois pour faire le deuil de ce qui lui est arrivé, et pour coucher sur le papier tous ses souvenirs d'Erna, afin de les transmettre à son fils quand celui-ci sera plus âgé.

— Par contre, dis-moi si je me trompe, mais Hans n'a jamais eu la moindre preuve des capacités extraordinaires des *hosszú életek*.

— Charles, on est au XIXe siècle, dans un coin reculé de Hongrie. Hans n'a pas besoin de preuve pour croire ce qu'il a entendu au sujet des *életek*. Il vient de voir sa femme assassinée par leur *Merénylő*.

— Je sais, je sais. Je tenais seulement à ce qu'on soit bien clairs. »

Nicole lui jeta un regard de reproche.

« Non, Charles, tu as raison. Il n'a pas de preuve.

— Désolé, s'excusa Charles en levant les mains avant de les reposer sur la table. Donc, ils s'installent à Sopron. Et pendant des années, tout se passe à merveille.

— Carl grandit, il trouve un emploi comme comptable chez la famille Sárközy, un des grands producteurs de vin de la région. Et ça marche bien pour lui, très bien, même, puisqu'en 1906 il épouse Helene, la fille aînée des Sárközy.

— Hans a dû être ravi.

— C'est le moins qu'on puisse dire ! À l'époque, l'ascension sociale était rare. Deux ans plus tard, Helene donne naissance à une fille, Anna Richter. Ma grand-mère. Tout va bien. Hans a maintenant une cinquantaine d'années, et il regarde son fils et sa petite-fille grandir. Il continue de tenir son journal, mais il écrit moins régulièrement. Malgré tout, le souvenir de Jakab et de ce qui est arrivé à Erna ne le quitte jamais. Pendant toute sa vie, il rassemblera des histoires sur les *hosszú életek*, qu'il consignera dans ses carnets. Après des années de recherche, les informations les plus utiles dont je dispose viennent en grande partie des légendes relatées dans le journal de mon arrière-arrière-grand-père.

— C'est vrai que c'était un homme méticuleux.

— En grandissant, Anna, la petite-fille de Hans, ressemble de plus en plus à Erna Novák, comme tu as pu le lire dans la traduction que je t'ai donnée. Dans son journal, Hans fait état de cette ressemblance à plusieurs reprises, et ce de manière tout à fait poignante. En 1926, Anna a dix-huit ans. Elle rencontre Albert Bauer, un jeune chimiste allemand dont elle tombe très vite amoureuse. Mais les choses ne vont pas tarder à mal tourner. »

Après avoir remué le contenu de la théière avec sa petite cuillère, Charles se servit une tasse. Il ajouta un peu de lait, puis reporta son attention sur Nicole. Il remarqua qu'elle avait l'air soucieuse, et cela l'inquiéta. Deux mois s'étaient écoulés depuis qu'elle avait quitté l'Angleterre avec sa mère. Il n'avait pas eu de nouvelles pendant pratiquement trois semaines, mais elle avait fini par lui téléphoner pour lui dire qu'elle était de retour à Paris, et qu'elle était en sécurité. Il avait voulu la rejoindre immédiatement, mais il avait fallu quelque temps pour organiser son départ avec l'administration de l'université.

Il avait toujours du mal à accorder le caractère sérieux et opiniâtre de Nicole et cette histoire fantaisiste à laquelle elle croyait visiblement de toutes ses forces. Charles avait passé des semaines en Angleterre à faire des recherches sur les *hosszú életek*. Beckett lui avait été d'une grande aide en lui prêtant quelques documents et en lui indiquant où se procurer ceux qu'il ne possédait pas, mais au final, Charles n'avait pas trouvé grand-chose, à part quelques rares mentions du terme dans de vieux textes hongrois et beaucoup d'élucubrations médiocres. Autant Beckett ne faisait pas vraiment la distinction, autant Charles abordait chaque source avec un scepticisme professionnel. Et rien de ce qu'il avait lu ne l'incitait à admettre ne serait-ce qu'une miette de l'histoire de Nicole. Il n'y avait tout simplement rien pour étayer le délire dans lequel elle avait sombré.

Pourtant, il l'aimait. Or, il se croyait incapable de s'éprendre d'une folle ou d'une paranoïaque. Bref, il ne savait plus quoi penser.

Nicole avait dû se rendre compte qu'il avait laissé son esprit divaguer, car elle hocha la tête en souriant.

« Tu penses que je suis folle, déclara-t-elle.

— Non, répondit-il en secouant la tête. Et c'est bien là le problème. Je ne sais pas comment expliquer tout ça, et je ne peux pas prendre ce que j'ai lu pour argent comptant. Mais je ne serais pas là si je pensais que tu étais folle. Tu as dit que les choses ont commencé à mal tourner peu après que ta grand-mère a rencontré Albert Bauer. Quel âge aurait eu Jakab à cette époque ? »

Elle haussa les épaules.

« Qui sait ? Quel âge avait-il quand il a rencontré Erna la première fois ? Hans pense que c'était encore un jeune homme, mais il n'y a aucun moyen de le savoir. Erna est morte en 1879. Anna Richter a rencontré Albert en 1926. Quarante-sept ans plus tard.

— Donc si Jakab avait une vingtaine d'années quand il a rencontré ton arrière-arrière-grand-mère, ça veut dire qu'il aurait eu environ soixante-dix ans à l'époque où Anna a commencé à fréquenter Albert.

— Oui, répondit simplement Nicole en tâchant d'interpréter le regard de Charles.

— C'est là que s'achève le journal de Hans. Que s'est-il passé ensuite ?

— Anna a décidé de parler à son grand-père de choses qui la perturbaient depuis un certain temps. Albert Bauer était un universitaire, un homme brillant. Mais six mois après le début de leur relation, Anna a commencé à remarquer quelques petits changements. Albert oubliait des détails, certains moments qu'ils avaient passés ensemble. Il lui posait des questions, lui demandait de lui raconter comment ils s'étaient rencontrés. Anna aussi tenait un journal. On peut y lire qu'Albert s'est mis à lui rendre visite à des moments où il aurait dû être au travail, et qu'ils faisaient l'amour. Des rapports sexuels intenses, violents. Finalement, Anna s'est confiée à son grand-père, qui a tout de suite compris que Jakab les avait retrouvés. La seule chose dont il n'était pas sûr, c'est si la créature avait déjà supplanté entièrement Albert, et si le corps de ce dernier pourrissait quelque part, dans un fossé.

« Il voulait qu'Anna s'enfuie, mais il savait à quel point elle était éprise d'Albert, et il lui a donc promis de découvrir si son fiancé était encore en vie. Ensemble, ils ont élaboré un plan. Quand Anna a reçu la visite de celui qu'ils pensaient être l'imposteur la fois d'après, Hans s'est rendu au laboratoire du jeune chimiste.

« Et ça a marché. Pendant qu'Anna discutait avec le faux Albert dans la maison familiale, Hans s'entretenait avec le vrai à huit kilomètres de là, en centre-ville. »

Charles fronça les sourcils. Pour la première fois, il ne voyait pas d'explication logique.

« Qu'est-ce qu'ils ont fait ? demanda-t-il.

— Ce soir-là, comme son grand-père quarante-huit ans auparavant, Anna a préparé ses affaires, elle a pris avec elle les carnets de son père, et elle a quitté Sopron avec Albert. Difficile de savoir exactement ce qui s'est passé, mais il semblerait qu'Albert aussi ait assisté à quelque chose de suffisamment effrayant pour ne pas chercher à convaincre Anna de rester.

— Est-ce qu'ils ont fini par revenir à Sopron, au bout d'un moment ? »

Nicole secoua la tête.

« Anna en mourait d'envie, dit-elle. Elle avait le mal du pays. Mais, un mois après leur départ, elle a lu dans le journal que son grand-père, sa mère et son père avaient été retrouvés morts. Hans, Carl et Helene. Tous les trois avaient été torturés. »

Charles se sentit soudain mal à l'aise. Il ne savait pas si c'était dû à ce qu'elle venait de lui raconter, ou à l'expression de terreur qu'il lisait dans les yeux de Nicole.

Elle but une gorgée de son espresso en grimaçant, puis elle reprit :

« Jakab les a ligotés dans les fauteuils du salon. Il a dû s'acharner sur eux pendant des heures. On pense qu'il cherchait à savoir où se trouvait Anna. Il était sur le point de supplanter Albert, il pensait en savoir assez sur sa vie et sur ses habitudes quotidiennes pour prendre sa place pour de bon. Il s'est fait doubler au dernier moment.

— Évidemment, ce ne sont que des suppositions, fit remarquer Charles, avant de tressaillir en prenant conscience du manque de tact dont il venait de faire preuve.

— Évidemment, répéta Nicole d'un ton glacial. Mais tu ne peux pas dire que ce soit un raisonnement fantaisiste. La famille ne se connaissait pas d'ennemis. Et pourtant, ils ont été sauvagement torturés. Je t'épargne les détails morbides. En fin de compte, Jakab n'a pas pu découvrir où se cachait Anna, parce que Hans avait insisté pour qu'elle ne leur dise rien. Mais Jakab n'était pas prêt à croire une chose pareille. Il lui avait fallu quarante-huit ans pour retrouver la famille, et là, il avait découvert une jeune fille magnifique qui ressemblait en tous points à Erna, qu'il avait perdue tant d'années auparavant. Et voilà qu'il la perdait, elle aussi. Pour lui, c'était impensable. Et en bon psychopathe qu'il est, il s'est vengé sur ceux qui avaient essayé de protéger Anna.

— Et après ? demanda Charles, haletant.

— La suite, tu la connais. Je te l'ai racontée avant de partir d'Angleterre. Anna et Albert se sont installés en Allemagne, où ils se sont mariés. Anna a donné naissance à ma mère peu de temps après. Puis il y a eu la Seconde Guerre mondiale. Albert a été mobilisé et il s'est fait abattre par un tireur d'élite à Stalingrad. Après la guerre, Anna a fui l'Allemagne avec ma mère pour s'installer en France. »

Charles hocha la tête. Il se souvenait de la suite de l'histoire, et il essayait mentalement de calculer l'âge qu'aurait eu Jakab lorsqu'il avait rattrapé Éric Dubois.

« Je suis née en 52. Soixante-treize ans après la mort d'Erna Novák. Et je me souviens parfaitement de ce qui est arrivé à mon père, Éric, dit Nicole en frissonnant. Allez viens, Charles. Partons d'ici. »

Il se leva et laissa une poignée de pièces sur le guéridon. Tandis qu'ils quittaient le café de Flore, il se surprit à observer les serveurs, à vérifier qu'aucun d'eux ne s'intéressait à lui.

Ils marchèrent ensuite quelque temps dans les rues bondées de Paris, traversèrent la Seine au pont du Carrousel, puis prirent à gauche pour rejoindre le jardin des Tuileries. Quand ils passèrent devant la statue de Thésée et du Minotaure, Nicole glissa le bras sous celui de Charles. Ce dernier fut si surpris qu'il se tourna vers elle, mais elle n'osa pas croiser son regard.

Au-dessus de leur tête, le ciel était d'un bleu brillant. Le soleil d'automne, déjà bas, caressait les statues, drapant d'ombres la pierre laiteuse. Parisiens et touristes déambulaient dans les jardins. Des hommes d'affaires pressés dépassaient d'un pas vif les bancs où de jeunes mères surveillaient leur poussette. Un groupe d'écoliers bruyant suivaient un trio d'institutrices attentives.

Un clochard poussait un Caddie rempli de vêtements et surmonté d'un drapeau tricolore.

Charles se sentait ridicule, mais il ne pouvait s'empêcher d'examiner les inconnus qu'ils croisaient, étudiant les visages beaucoup trop longtemps pour ne pas se faire remarquer. Certains lui sourirent, la plupart l'ignorèrent ou froncèrent les sourcils.

« Comment fais-tu ? finit-il par lui demander, alors qu'ils dépassaient *La Misère*, la statue de Jean-Baptiste Hugues.

— Comment je fais quoi, Charles ?

— Comment fais-tu pour vivre comme cela ? À toujours scruter les visages dans la foule, pour savoir à qui tu peux faire confiance et de qui il faut se méfier.

— Je n'ai pas vraiment le choix. »

Si, tu as le choix d'arrêter cette folie, voulut-il dire. Le choix d'enfin refuser de croire à ces balivernes, de reprendre le contrôle de ta vie et de laisser superstition et tragédie à leur place, dans le passé. Mais bien sûr, il ne pouvait pas se permettre de lui dire cela. Pas encore. Car entre les convictions de Nicole et le scepticisme de Charles, chaque conversation risquait de déraper.

« C'est vrai, dit-il enfin.

— N'oublie pas que ce n'est pas moi qui suis en danger, dit-elle, mais ceux qui sont proches de moi. Toi, en l'occurrence. »

Il se tourna vers elle, espérant la voir esquisser un sourire, mais il constata qu'elle était sérieuse et distante et il reporta son attention sur ses pieds, déçu.

« Est-ce qu'il y en a eu d'autres, avant moi ? demanda-t-il.

— Je ne suis pas vierge, Charles, si c'est ce que tu veux savoir.

— Non, non, pas du tout. Je me demandais seulement si tu t'étais déjà confiée à d'autres personnes qu'à moi.

— Une fois, oui, répondit-elle en laissant échapper un petit rire nerveux. Et je m'étais promis de ne plus jamais faire cette erreur.

— Ça n'a pas marché ?

— C'est le moins qu'on puisse dire.

— Mais il n'y a pas eu de conséquences. Enfin, je veux dire... ça n'a pas permis à Jakab de te retrouver ?

— Non, je ne crois pas.

— Donc à ta connaissance, la dernière fois qu'il est apparu, c'était quand tu étais petite et que tu habitais à Carcassonne.

— Oui.

— Il y a un peu plus de vingt ans. »

Elle acquiesça.

« Mais qu'est-ce qu'il veut, d'après toi ? demanda Charles.

— Il veut Erna.

— Mais elle est morte.

— Il veut recréer la vie qu'il n'a jamais eue avec elle. Et il est prêt à tuer n'importe qui pour arriver à ses fins. Anna Bauer ressemblait comme deux gouttes d'eau à sa grand-mère. Et ma mère me dit que moi aussi. Jakab savait qu'Anna ne se serait jamais soumise à lui de son plein gré. Il voulait donc tuer son mari, le supplanter et s'immiscer discrètement dans la vie de son fantasme. Des années plus tard, après que sa tentative a échoué, il a essayé de nouveau, cette fois avec ma mère. Là encore, ça n'a pas marché, mais je crois qu'il apprend de ses erreurs, qu'il est de plus en plus doué. »

Elle laissa glisser sa main le long du bras de Charles, et leurs doigts s'entrelacèrent. Charles en aurait soupiré de bonheur si Nicole n'avait pas eu l'air si dévasté.

« Qu'est-ce qu'on va faire ? » demanda-t-elle.

C'était une question rhétorique, mais il décida néanmoins de répondre.

« On va aller dîner, lui dit-il. Et ensuite, on va se prendre une cuite monumentale. »

Nicole éclata de rire, un rire qui pour la première fois de la journée paraissait sincère. Elle serra plus fort la main de Charles.

« Le grand Charles Meredith, déclara-t-elle. Qui ne pense qu'à son estomac.

— Depuis que je suis descendu du ferry, je n'ai mangé qu'une crêpe.

— Dans ce cas, il te faut quelque chose de consistant, dit-elle en le tirant par la main. Allez, viens. Je connais un endroit. »

Ils dînèrent dans une brasserie surpeuplée, dans une petite rue à proximité des Champs-Élysées. Charles commanda une mousse de maquereaux fumés en entrée, suivie d'une tranche de foie de veau poêlée accompagnée de bacon et de rösti. Les plats mirent du temps à arriver, mais tout était excellent. Tandis que Charles rassasiait son appétit, Nicole picorait son filet de cabillaud. Enfin, écœurée, elle lui passa son assiette pour qu'il la finisse.

« Quelque chose te perturbe, dit-il en voyant qu'elle ne cessait d'observer les autres clients.

— Je suis désolée. La journée a été un peu étrange

pour moi. Te retrouver ici, à Paris, après ce qu'on a vécu en Angleterre.

— À t'entendre, on dirait que tu n'as pas particulièrement apprécié ton séjour. »

Elle le gratifia d'un sourire fatigué qui lui donna aussitôt envie de la prendre dans ses bras, de découvrir le meilleur moyen de chasser de sa tête cette superstition ridicule qui lui gâchait la vie.

« Mais si, je suis ravie de te retrouver, dit-elle. Comment pourrais-je me passer de ton merveilleux flegme britannique ?

— Alors qu'est-ce qui ne va pas ?

— Je ne peux pas être responsable de toi. Je ne sais pas pourquoi nous nous sommes retrouvés ensemble. Ça ressemble au destin, et le destin me fait peur. Tu es un homme merveilleux, et tu me plais énormément, mais si tu ne crois pas un mot de cette histoire, non seulement ça signifie que tu ne me respectes pas, mais en plus, ça veut dire que tu ne sauras pas te protéger. Si tu ne fais pas attention et qu'il te repère, il te tuera. C'est aussi simple que ça.

— Nicole, évidemment que je te respecte.

— Mais tu ne crois pas à ces histoires de *hosszú életek*.

— Je suis prêt à croire que quelque chose de vraiment bizarre est arrivé à Erna Novák et à Éric Dubois. Et... »

Il prit une profonde inspiration et tressaillit en entendant le mensonge quitter ses lèvres, mais il savait que c'était le seul moyen de ne pas la perdre.

« Et je suis prêt à garder l'esprit ouvert concernant le reste de ce qui est écrit dans les carnets. »

Nicole cligna des yeux, et il vit qu'elle était sur le point de pleurer.

« C’est vrai ? demanda-t-elle.

— Parole d’honneur. Et je voudrais vraiment lire les autres extraits que tu as traduits.

— Bien sûr.

— Je voudrais également poursuivre mes recherches.

— Tu promets d’être discret ?

— Absolument. Et en contrepartie, si l’un d’entre nous découvre quelque chose qui permettrait d’expliquer ces événements de façon logique, je veux que tu en tiennes compte.

— Charles, crois-moi, rien ne me soulagerait plus que de trouver une explication simple à tout ça, mais je n’y crois pas une seconde.

— Donc, c’est d’accord ?

— Quoi donc ? demanda-t-elle.

— Je garde l’esprit ouvert. Toi aussi. On fait tous les deux nos recherches, en prenant le maximum de précautions. En attendant, vu qu’apparemment, je risque ma vie en continuant à te fréquenter, on assouvit nos désirs n’importe où, n’importe quand. »

Il s’interrompit, horrifié par la phrase qu’il venait de laisser échapper. Il vit Nicole rougir instantanément.

« Est-ce que ton hôtel est loin d’ici ? demanda-t-elle, le sourcil levé.

— Il n’est pas tout près. »

Elle posa sa main sur celle de Charles.

« Dans ce cas, prenons un taxi. »

Après avoir fait l’amour ce soir-là, ils restèrent allongés sur l’immense lit, à écouter le murmure de la vie parisienne par la fenêtre ouverte. La lune se reflétait sur la vitre et allongeait les ombres sur les murs de la chambre.

Ils passèrent la journée du lendemain collés l'un à l'autre, ne quittant l'hôtel qu'en fin d'après-midi pour une rapide promenade le long de la Seine, afin de profiter des derniers rayons du soleil.

Charles passa quatre jours de plus à Paris, puis il rentra en Angleterre. Peu de temps après, il parvint à faire venir Nicole. Cette fois, elle resta chez lui un mois.

Au printemps 1980, alors qu'ils se trouvaient à Paris, il la demanda en mariage. Nicole pleura et refusa, arguant qu'elle ne pouvait pas être responsable de lui, qu'elle l'aimait et que c'était justement pour cela qu'il valait mieux qu'ils ne se voient plus. Charles cacha sa tristesse derrière un masque de colère. Il lui dit que plus de vingt ans s'étaient écoulés depuis qu'il était arrivé quelque chose à Éric Dubois, et que d'ailleurs, on ne savait même pas si ce quelque chose pouvait être imputé à Jakab Balázs. Il ajouta qu'en se mariant avec lui, elle changerait de nom, ce qui la rendrait encore plus difficile à retrouver pour Jakab. Nicole ne voulut rien entendre et Charles retourna en Angleterre, le cœur brisé.

Trois mois plus tard, elle le rejoignit. Au printemps 1981, il la demanda de nouveau en mariage, et cette fois, elle accepta. Mais elle posa des conditions. La cérémonie serait discrète, et les bans ne seraient pas publiés. Charles continuerait de donner des cours à Balliol et à enregistrer ses documentaires radiophoniques, mais il ne chercherait pas à attirer l'attention sur lui, et surtout, il ne parlerait jamais de sa femme, à part à ses amis les plus proches.

Nicole emménagea dans la maison de l'Oxfordshire, amenant avec elle une vitalité et une chaleur que la vieille bâtisse n'avait jamais connues. Elle transforma le petit salon en un studio d'artiste et apprit la peinture en autodidacte. Elle acheta de nouveaux meubles et rénova les anciens. Peu avant Noël 82, elle donna naissance à une fille, qu'ils prénommèrent Hannah. Charles s'empâta petit à petit, comblé tant professionnellement que personnellement. Il vendit un lopin de terre pour une fortune à un promoteur immobilier, et investit l'argent intelligemment. Il apparut clairement après quelques années qu'ils ne pourraient pas avoir d'autres enfants, mais la joie que leur apportait Hannah suffisait largement à les consoler ; la petite était dotée d'une fougue et d'une ténacité héritées de ses parents, que venait modérer une bienveillance qui n'était pourtant propre ni à Charles ni à Nicole.

En 1997, Hannah fêta son quinzième anniversaire, Nicole commémora les trente-neuf ans depuis que sa mère avait mis le feu à la maison familiale où un *hosszú élet* avait élu domicile, et Charles célébra deux publications qu'il allait regretter toute sa vie.

La première était son premier livre, *Héritage des peuples germaniques*. L'ouvrage reçut des critiques favorables de la part de nombreux quotidiens nationaux, et se vendit donc mieux que Charles ne l'aurait espéré. Sa réputation grandissante d'homme de radio ne fut pas pour rien dans le succès du livre.

Quand Nicole ouvrit l'ouvrage, elle fut abasourdie de découvrir en troisième de couverture un cliché en noir et blanc de Charles et elle, posant dans le bureau de son mari. C'était Hannah qui avait pris la photo, un an plus tôt. Dessous, la légende indiquait : *Le professeur Charles Meredith et sa femme, dans leur demeure de l'Oxfordshire*.

Charles ne s'attendait pas à la réaction de Nicole. Il pensait que les années de paranoïa étaient révolues. Il fut si perturbé par la colère de son épouse qu'il attendit quelques jours avant de lui parler de sa deuxième publication, un article dans un trimestriel à petit tirage intitulé *Journal du folklore et de la mythologie européens*.

L'article, qui faisait à peine plus de cinq mille mots, était enfoui vers la fin de la revue. Son titre : Hosszú életek : *vie et mort d'une légende hongroise*.

Charles était crédité en tant qu'auteur.

Chapitre 14

Snowdonia, pays de Galles

De nos jours

La tempête qui menaçait ces trois derniers jours n'avait toujours pas frappé ; pour l'heure, les cieux semblaient avoir négocié une trêve fragile. Les nuages couraient dans le ciel, exhibant leur ventre violet à la vallée en contrebas. Quelques rayons de soleil parvenaient à se faufiler çà et là, teintant d'un vert éblouissant quelques carrés de paysage, puis les nues se refermaient et les couleurs disparaissaient.

Dans la ferme, Hannah alluma des feux dans chaque pièce pour chasser l'humidité avant l'arrivée de la tempête. Pendant que la maison se réchauffait, elle enfila une paire de gants en caoutchouc et récura la salle de bains, jusqu'à ce que chaque centimètre de porcelaine et de métal étincelle. Elle passa la serpillière dans la cuisine, détartra l'évier, frotta la cuisinière et acheva d'empiler auprès de chaque cheminée le bois de chauffage qu'avait apporté Sebastien. Dans une des dépendances, elle récupéra des planches, des clous et un marteau, avec lesquels elle barricada la fenêtre cassée du salon. Elle brûla les vêtements maculés de sang de Nate, lui trouva dans un des placards des habits de rechange, qu'elle lava et fit sécher. Elle fit couler un bain à Leah, lui lava les cheveux, puis elle installa la petite fille dans le salon avec un roman d'Enid Blyton.

Une fois que sa fille fut plongée dans son livre, Hannah compta une nouvelle fois les boîtes de cartouches et vérifia que chacune était pleine. Elle les changea trois fois de place – une fois elle avait peur de ne pas pouvoir les attraper assez vite en cas de besoin, une autre elle trouvait que sa fille risquait de mettre la main dessus trop facilement. Elle chargea et déchargea le fusil, décida de le nettoyer avec l'huile pour armes à feu qu'elle avait trouvée sous l'escalier, puis elle le rechargea une fois l'opération terminée. Pendant tout ce temps, elle essayait de ne pas penser à son père.

Nate observait son manège d'un air indéfinissable. Trois jours s'étaient écoulés depuis leur arrivée à Llyn Gwyr, et Hannah avait toujours du mal à croire que son mari pouvait être encore en vie après avoir perdu autant de sang.

Mais il avait bel et bien survécu. Le canapé de la cuisine installé à côté de la cheminée était devenu son lit d'hôpital, et il demandait de plus en plus régulièrement qu'on lui donne à manger et à boire, et qu'on lui apporte une bouteille vide pour se soulager. Ce matin-là, il avait même insisté pour qu'elle l'aide à se déplacer jusqu'aux toilettes. Elle avait eu peur qu'il ne rouvre ses plaies, mais tout s'était bien passé. En éternel optimiste, il se sentit stimulé par ce petit succès, et quand il caressa les fesses de Hannah à trois reprises en moins d'une heure, elle sut qu'il était en bonne voie.

Deux fois, elle se surprit à se demander ce qui se serait passé et à quoi aurait ressemblé sa vie s'il était mort. Deux fois, les larmes montèrent et ses mains se mirent à trembler. Commencer une nouvelle vie avec Leah, mais sans Nate, lui paraissait tellement inenvisageable. Sans lui, comment pourrait-elle protéger Leah du danger qui la menaçait, de cette tempête bien plus destructrice que celle qui se préparait dans le ciel ?

Elle savait que Jakab les retrouverait, elle le sentait au plus profond d'elle-même. Pourtant, même si elle était persuadée de ne pas pouvoir l'affronter seule, elle savait que ce serait à elle de les protéger tous les trois, puisque Nate ne pouvait pratiquement pas bouger et que son père était probablement mort.

Tout ce que je te demande, c'est d'accepter de me rencontrer. Toi et moi, personne d'autre. Où tu voudras. Dans un lieu public, si ça te rassure.

Le souvenir de la voix de Jakab la révulsa. Elle était bien consciente que chacun de ses mots était un poison. Pourtant, curieusement, même si elle savait que Jakab était un monstre, un esprit brisé consumé par de sombres obsessions, elle s'était presque sentie attirée par cette voix.

Laisse-moi te voir, juste une fois. Pour parler. Pour me laisser une chance de m'expliquer. Il y a eu tellement de mensonges, je ne peux pas t'en vouloir d'être un peu perdue.

Elle était troublée de l'admettre, mais peut-être qu'après toutes ces années une petite part d'elle-même était séduite par l'idée de lâcher prise, de s'en remettre au destin. Elle avait vu les fauves chasser dans la nature, et elle avait toujours trouvé fascinante la façon qu'avaient leurs proies de courir jusqu'à l'épuisement, dépensant leur énergie jusqu'à la dernière goutte pour éviter la capture. Et pourtant, quand le chasseur finissait par rattraper le chassé, la victime semblait chaque fois se détendre, accepter son destin. Ces derniers moments avaient beau être horribles, elle les trouvait aussi profondément intimes. Peut-être que lorsqu'on se rend compte qu'on a perdu et qu'il n'y a plus le moindre espoir, se dit-elle, quelque chose se déclenche dans le cerveau, nous permettant de nous résigner, d'accepter.

Dans la cuisine, Hannah ouvrit les placards pour faire l'inventaire des provisions. C'était encore le matin, mais elle devait penser à préparer le déjeuner pour tout le monde. Quand elle passa devant le canapé, Nate tendit la main et l'attrapa par le poignet.

« Si je te vois compter les cartouches de fusil pour la quatrième fois, Hann', je te promets que ça va mal aller ! Vingt-cinq par boîte. Deux boîtes pleines et une où il en reste six. Ça fait cinquante-six cartouches, plus les deux qu'il y a dans le fusil. Cinquante-huit en tout. Cinquante-huit la dernière fois que tu as vérifié. Cinquante-huit la fois d'avant.

— Je deviens folle, hein ? demanda-t-elle.

— Complètement. Tiens, rapproche donc ce fauteuil et assieds-toi », dit-il.

Elle s'exécuta.

« Donne-moi ton pied. »

Hannah posa son pied sur le bord du canapé. Nate défit les lacets, enleva délicatement la chaussure et retira la chaussette. Puis il se mit à lui masser les orteils.

Elle poussa un petit gémissement et ferma les yeux.

« Tu ne peux pas savoir à quel point ça fait du bien, soupira-t-elle.

— C'est pour ça que tu m'as épousé.

— J'ai d'autres raisons en tête.

— Moi aussi. Mais je doute que ces points de suture me permettent de les exploiter. »

Hannah ouvrit les yeux et quand elle vit le sourire de son mari, elle se sentit envahie par le désir. Ils s'étaient toujours sentis très proches, physiquement parlant ; beaucoup plus proches, soupçonnait-elle, que les couples qui ne vivaient pas dans la crainte constante de la mort. Son désir pour Nate était alimenté par quelque chose de beaucoup plus puissant qu'une simple attirance physique : elle avait une confiance absolue en lui, et ils se comprenaient parfaitement l'un l'autre. Hannah était un pur produit de son éducation. Honnêteté, confiance, sécurité : les piliers de son monde. Les fondations sur lesquelles elle avait bâti sa relation avec Nate. C'était pour cela que l'idée de le perdre lui était aussi insupportable.

« Tu ne m'as toujours pas raconté dans le détail comment les choses s'étaient passées, dit-elle en regardant son visage, satisfaite de constater qu'il avait retrouvé des couleurs.

— Il faut dire que je n'ai pas vraiment eu le temps.

— Quand papa nous as appelés dans son bureau, il nous a annoncé qu'on avait été compromis. Qu'un nouveau qui ne connaissait pas le protocole avait donné des informations par téléphone. C'est tout ce que j'ai entendu avant d'aller chercher Leah.

— Charles m'a dit que cette histoire de fuite s'était produite il y a plusieurs semaines, ce qui voulait dire qu'il y avait de grandes chances pour que Jakab soit déjà là », dit Nate en continuant de masser le pied de Hannah.

Charles employait quatre personnes pour l'aider à entretenir sa propriété aux abords de Chipping Ditton.

Nora Trencher, une femme d'une bonne soixantaine d'années, travaillait à temps partiel comme gouvernante. Bill, le mari de Nora, était souvent là, lui aussi, même s'il était maintenant trop vieux pour travailler ; Leah avait grandi avec ces gens-là, et Charles aimait les savoir près d'elle. Les deux derniers employés étaient frères, deux garçons de la région : Tom et Alex Tavistock.

Les yeux de Nate se posèrent sur le feu dans la cheminée.

« On a essayé de deviner qui ça pouvait être. Qui agissait de façon inhabituelle. Je me suis rendu dans le débarras pour récupérer nos sacs de survie. J'avais déjà ouvert l'armoire à fusils et récupéré le vieux luger que Charles rangeait là. Je l'avais mis dans la poche de mon manteau, il était chargé.

« Nora est entrée dans la pièce et m'a demandé si j'avais besoin d'aide. Quand elle a vu les sacs et l'armoire à fusils, elle... Elle m'a souri, et j'ai su que ce n'était pas elle que j'avais en face de moi. Ces yeux. Je n'avais jamais rien vu de pareil. Jamais. C'était cette bonne vieille Nora, jusqu'au grain de beauté sur sa joue. À part l'expression dans son regard. »

Hannah baissa les yeux.

Nora Trencher. La femme qui avait vécu avec eux pendant six ans, qui était presque une grand-mère pour Leah. Les chances pour qu'elle soit encore en vie étaient quasiment nulles. Bill, son mari, qui avait construit une magnifique maison de poupée pour Leah deux ans auparavant, avait commencé à perdre la vue au cours des six mois précédents. Il était de plus en plus dépendant de sa femme. Hannah se demanda ce que le vieil homme allait devenir – l'image de ce brave

Bill, enfermé tout seul dans sa maison, complètement aveugle, la bouleversa.

« Je pensais m'être préparé à ça, reprit Nate. Mais je ne m'attendais pas à ce que ça me fasse un tel choc. La voir là, debout en face de moi, sachant qui elle était... ça m'a paralysé pendant une seconde. Une seconde de trop. Elle était tellement rapide, Hann'. Je n'ai vu le couteau qu'une fois qu'il était planté dans mon ventre, dit-il en indiquant la blessure située juste sous la poitrine. D'abord là. Puis là. Et tu sais ce qui est le plus horrible ? Quand elle a vu que je n'allais pas crier, elle a reculé pour me regarder, comme si elle essayait de se souvenir de mon visage. Pour plus tard. Je n'arrête pas de dire "elle". Je devrais dire "il", ou "ce monstre". »

Il cessa de lui masser le pied pour se passer la main dans les cheveux. D'un revers de main, il essuya les gouttes de transpiration qui perlaient sur son front.

« J'ai réussi à sortir le luger de ma poche. Et c'est là que je lui ai tiré dessus. En pleine poitrine. Ça aurait dû la tuer. Le coup l'a fait reculer jusqu'à la porte. J'ai fait feu de nouveau, mais je l'ai ratée. Quand j'ai réussi à me traîner jusqu'au couloir, elle avait disparu. »

Hannah le regarda en silence.

Il y a eu tellement de mensonges, je ne peux pas t'en vouloir d'être un peu perdue.

Telle était la réalité de ce qui les attendait. Jakab avait tué Nora Trencher. Hannah ne pouvait pas en être certaine, mais par contre, il était clair qu'il avait aussi essayé d'assassiner son mari.

« Il a dit que tu lui avais tiré dessus en premier, dit-elle.

— Évidemment.

— Qu'il n'avait fait que se défendre. »

Nate poussa un grognement de dégoût.

Hannah quitta son fauteuil pour s'agenouiller à côté du canapé. Elle se pencha pour embrasser son mari et ferma les yeux quand il passa un bras autour de son épaule.

Le front posé contre celui de Nate, elle demanda :

« Est-ce qu'il a dit quelque chose ?

— Non. Pas un mot de toute la scène. Tu sais, je n'arrête pas d'y repenser. Jakab aurait très bien pu me tuer, à cet instant. Il en avait largement le temps. Mais je crois que, lorsqu'il a compris que sa couverture était grillée et que nous étions en train de nous échapper, il a perdu le contrôle et il a paniqué. Je devrais être mort.

— Ne dis pas ça.

— Je ne cherche pas à être morbide. Je crois que j'ai vraiment eu beaucoup de chance.

— C'est moi qui ai de la chance.

— Charles m'a engagé pour que j'assure ta sécurité.

— Mais tu m'as épousée, non ?

— Je ne suis pas sûr que c'est comme ça qu'il voyait les choses !

— Ce n'est pas une situation normale.

— J'ai suivi un entraînement pour faire face aux situations anormales.

— Peut-être, mais celle-ci est plus qu'anormale.

— C'est vrai. »

Nate frotta le dos de Hannah, puis il lui souleva le menton pour la regarder dans les yeux.

« Hannah, il faut que ça s'arrête, maintenant.

— Je sais, murmura-t-elle.

— Jakab est comme un animal blessé, la douleur le rend fou, et il est parti pour tout détruire.

— C'est pire que ça. Les animaux blessés ne

cherchent pas à se venger, eux. Ses motivations sont bien plus sombres.

— Leah n'a pas à subir ça. Il faut que ça finisse avec nous. Quel que soit le prix à payer... Je t'aime. Je vous aime toutes les deux. Tu le sais. Et s'il faut que je donne ma vie pour que ça s'arrête, je n'hésiterai pas. »

Elle hocha la tête, la gorge serrée.

« Je me dis exactement la même chose », déclara-t-elle.

Elle ne voulait pas croiser son regard, pour ne pas lui montrer l'effet que ses mots avaient sur elle. Elle se leva, au bord des larmes.

Dans le salon, Leah poussa un cri.

Hannah se retourna brusquement. Sa première pensée fut pour le fusil. L'étagère du cellier.

Il était chargé.

Et elle avait glissé deux cartouches supplémentaires dans chaque poche de son jean.

Au moment où elle allait se précipiter vers le cellier, Leah poussa un nouveau cri et entra en courant dans la cuisine. Hannah comprit alors qu'il s'agissait de cris de joie.

« Des chevaux, maman ! Des chevaux ! »

Hannah s'agenouilla devant sa fille.

« Calme-toi, Leah ! lui dit-elle. Des chevaux ? Qu'est-ce que tu as vu ?

— Par la fenêtre. Il y en a trois !

— D'accord, fripouille. Attends-moi là une minute. »

Le crépitement du feu dans la cheminée était le seul bruit de la cuisine. Puis un bruit nouveau se fit entendre, de plus en plus distinctement : le claquement des sabots contre le sol. Le flanc d'un énorme hongre à la robe châtaigne passa devant la fenêtre de la cuisine. À califourchon dessus, Gabriel, vêtu d'un jean, d'une paire de bottes et d'un manteau dépenaillé. Il était coiffé d'un vieux stetson en feutre.

« C'est le pêcheur ! » s'écria Leah.

Gabriel arborait un air calme et serein. Il souriait et avait les yeux rieurs, comme s'il venait de se rappeler une histoire drôle. Une magnifique jument marron à la crinière rousse suivait le cheval. Elle était reliée à lui par une longe. La jument, déjà sellée, précédait un petit poulain gris qui tirait sur sa corde.

« Ne bouge pas », souffla Hannah en se tournant vers sa fille.

Elle ouvrit la porte du cellier et prit le fusil sur l'étagère. Il est chargé, pensa-t-elle.

Elle vérifia par la fenêtre que Gabriel ne pouvait pas le voir, puis elle rejoignit Nate et posa l'arme à côté de lui. Elle plongea la main dans sa poche et se rassura en touchant les deux douilles métalliques.

Qu'est-ce que Gabriel faisait là ? Pourquoi était-il venu avec des chevaux ? Le cerveau de Hannah fonctionnait à toute allure, essayant de calculer les risques et de choisir la meilleure stratégie. Elle se tourna vers Nate. Grâce au dossier du canapé, on ne pouvait pas le voir depuis l'extérieur.

« Qu'est-ce que tu en penses ? demanda-t-elle.

— Je croyais que tu l'avais découragé.

— Visiblement, ça n'a pas marché. Je vais aller voir ce qu'il veut. Et ensuite, je vais lui dire de ficher le camp.

— Hann', attends. Ne sois pas trop sèche avec lui. Ça risquerait d'éveiller les soupçons. Ce type m'a l'air du genre insistant.

— Un peu trop, à mon goût.

— Je suis bien d'accord avec toi. Mais tâchons de réfléchir. Est-ce que tu penses que Jakab a pu nous retrouver ? »

Elle ne le pensait pas. S'il savait où ils se trouvaient, il n'aurait certainement pas tenté de lui soutirer des informations par téléphone. Pourtant, la présence de l'Irlandais l'inquiétait.

« Ça ne me plaît pas, dit-elle.

— Moi non plus. Mais nous sommes en guerre. Il faut penser stratégie. Si par un hasard extraordinaire, Jakab arrive jusqu'ici, il risque d'utiliser l'apparence de Gabriel. Peut-être qu'il vaudrait mieux en savoir un peu plus sur ce type. Quelque chose qui pourrait nous être utile, quelque chose dont on pourrait se servir pour valider son identité. »

La façon rationnelle dont Nate évoquait la possibilité que Gabriel se fasse supplanter et les manières de s'en protéger fit frissonner Hannah. Pourtant, il n'avait fait qu'exprimer par des mots l'idée qu'elle avait déjà en tête.

Avaient-ils perdu toute compassion ? Elle ne voulait pas entraîner quelqu'un d'autre dans leur cauchemar ; trop de gens l'avaient déjà payé de leur vie. Mais il ne lui restait plus que Nate et Leah, et elle se sentait prête à troquer la vie de centaines d'inconnus pour les sauver. Si Gabriel voulait se mêler de ce qui ne le regardait pas, tant pis pour lui. Elle avait deux personnes à protéger, et c'était déjà bien assez. Et puis, comme l'avait fait remarquer Nate, mieux valait en savoir un peu plus sur lui.

Elle regarda par la fenêtre et vit l'Irlandais ôter son gant en cuir pour se dégourdir les doigts. Puis il mit pied à terre et se dirigea vers la porte de derrière.

« Leah, souviens-toi de ce qu'on a dit, d'accord ? »

Quand Gabriel aperçut Hannah, son visage s'éclaira d'un large sourire, et elle fut une fois de plus surprise par la blancheur de ses dents.

Le cœur battant, elle se dirigea vers la porte en se remémorant ce qu'avait dit Sebastien au sujet de Gabriel.

Un type très sociable, toujours en train de plaisanter. Absolument insupportable. Laisse-lui l'ombre d'une opportunité et il s'empressera de venir mettre son nez partout et de s'occuper de ce qui ne le regarde pas.

Sur ce dernier point, le vieil homme ne s'était certainement pas trompé. Hannah posa la main sur la poignée de la porte et ouvrit.

« Eh bien ! Quelle joie de vous revoir ! s'exclama Gabriel, les mains posées sur les hanches. La maîtresse de Llyn Gwyr en personne ! Patronne du lac et protectrice des poissons !

— Qu'est-ce que vous faites là, Gabriel ? »

Il expira bruyamment, sans se départir de son sourire. Puis il leva les bras et se mit à tourner sur lui-même en s'exclamant :

« Je vis ! Je respire ! J'exulte ! Avez-vous jamais vu un jour aussi prometteur que celui-ci ?

— La tempête va frapper.

— Oh, non ! Pas aujourd'hui. C'est vrai qu'elle arrive. Et il faut s'y préparer, parce qu'elle va être violente. Mais ce n'est pas pour tout de suite. Aujourd'hui, nous célébrons la vie, le temps qui passe, nous écoutons le chant du cygne de la nature. L'automne, dans toute sa splendeur. Votre fille a dit que vous saviez faire du cheval, non ? demanda-t-il en haussant un sourcil.

— Oui. »

Une fois de plus, Hannah sentit le charme de Gabriel opérer. Plus il parlait, plus elle se sentait à l'aise, et plus elle savait que c'était potentiellement dangereux.

Ne baisse pas ta garde, se dit-elle. Il y a quelque chose de louche, chez ce type. Je ne saurais pas mettre le doigt dessus, mais je le sens.

« Alors, vous venez faire un tour de cheval avec moi ? demanda Gabriel. Je vous aurais bien appelée par votre nom, mais je n'ai pas l'honneur de le connaître.

— Je ne peux pas laisser ma fille seule. »

À ces mots, il se retourna et indiqua les deux montures supplémentaires.

« Trois chevaux, gente dame ! Un pour ce bon à rien de Gabe, un pour la petite madame, et un pour la grande madame ! »

Leah se fraya un chemin entre Hannah et la porte.

« Maman, on peut y aller ? demanda-t-elle. S'il te plaît ? Juste un petit tour ? Ça va être génial ! S'il te plaît, maman !

— Eh bien, on dirait qu'il y en a une qui est partante ! s'esclaffa Gabriel.

— Nous n'avons pas de bombes, dit Hannah.

— J'en ai apporté.

— Et il est bientôt midi. Il faut que je prépare le déjeuner pour Leah. »

Elle voulut se mordre la lèvre, d'avoir aussi facilement laissé échapper le prénom de sa fille.

Les yeux de Gabriel se mirent à briller. Était-ce un regard de triomphe ? D'un geste, il désigna les fontes attachées à sa selle.

« Je me présente devant vous chargé de pain, de viande, de fromage. De soupe chaude et de biscuits au chocolat. La nourriture des dieux, rien de moins ! »

Ses manières étaient si absurdes, si théâtrales, que Hannah avait du mal à se méfier de lui.

Imbécile ! se dit-elle. C'est précisément pour cela que tu dois rester sur tes gardes.

« Allons, venez ! dit-il. Offrez-moi le plaisir de votre compagnie pendant deux heures, et je vous dévoilerai à toutes les deux quelques-uns des secrets que ces vieilles montagnes veulent garder pour elles. Je vous pose la question : est-ce que vous avez mieux à faire aujourd'hui ? »

Ils empruntèrent le sentier qui longeait la rive du lac avant de bifurquer vers le nord et les premiers contreforts de Cadair Idris. Gabriel ouvrait la marche, suivi par Leah sur son poulain gris. Au début, Hannah s'était méfiée du tempérament du jeune cheval, mais jusque-là, il s'était comporté de façon remarquable. Elle restait derrière, sur la jument, et ses yeux passaient sans cesse de Leah à Gabriel, dont elle essayait de deviner les motivations secrètes.

Les nuages continuaient leur course dans le ciel, filtrant les rayons du soleil. Au loin, elle vit un faucon qui planait. L'oiseau suivit leur progression pendant quelque temps, puis il piqua vers le sol.

Malgré l'étrangeté de la situation, Hannah était ravie de refaire du cheval. Elle avait toujours trouvé l'union entre le cavalier et sa monture particulièrement apaisante. Elle se pencha en avant et caressa le flanc de sa jument. L'animal agita ses oreilles et souffla bruyamment par les narines.

Devant, le sentier s'élargit et commença à monter. Les sabots résonnèrent sur la moraine. Plus la pente devenait raide, plus Hannah surveillait attentivement sa fille, mais malgré son jeune âge, le poulain se laissait manier très facilement.

Çà et là, d'énormes rochers couverts de mousse témoignaient de la présence d'un ancien glacier. Gabriel ralentit le pas de sa monture jusqu'à se retrouver à côté de celle de Hannah. Tous deux observèrent quelque temps Leah guider son poulain dans la pente.

Hannah sentit le regard admiratif de Gabriel posé sur elle.

« Alors, cette jument ? demanda-t-il.

— Pour ça, on ne pourra pas vous reprocher de ne pas savoir dresser les chevaux ! Comment s'appelle-t-elle ?

— Landra.

— Et le vôtre ?

— Salomon. Votre fille monte Valantin.

— Ce sont de jolis noms.

— Le vôtre est le seul que je ne connaisse pas encore », dit-il avec un sourire enjôleur.

Elle l'examina pendant plusieurs secondes. Puis, d'instinct, elle prit une décision.

« Hannah, dit-elle. Hannah Wilde. »

Elle l'observa attentivement, mais il ne parut par particulièrement réagir à l'annonce de son nom.

« Hannah Wilde, répéta-t-il, tout sourire. Maîtresse de Llyn Gwyr, joyau caché de Snowdonia. Je suis ravi de faire enfin votre connaissance.

— Vous êtes un homme peu commun, Gabriel.

— Vous voulez sûrement dire “charismatique”, s'esclaffa-t-il.

— Non, j'ai dit “peu commun”.

— C'est ce qui finit par arriver, quand on vit dans ces montagnes avec des chevaux pour seule compagnie.

— C'est une région magnifique.

— Ce n'est pas moi qui vous donnerai tort.

— Et il n'y a pas de madame Gabriel ? »

Une lueur de chagrin traversa son visage, disparaissant aussi vite qu'elle était apparue.

« Pas encore, non, répondit-il. C'est une honte, n'est-ce pas ?

— Effectivement, je suis choquée », plaisanta-t-elle.

Ils n'échangèrent pas le moindre mot pendant plusieurs minutes. Enfin, il déclara :

« Après votre colère de l'autre jour, je ne pensais pas que vous accepteriez de m'accompagner aujourd'hui.

— Je n'étais pas en colère. Je ne m'attendais pas à voir quelqu'un, c'est tout.

— Si, vous étiez un peu en colère.

— Vous n'aviez rien à faire sur ce lac. Nous sommes venues ici pour avoir la paix.

— Ah, eh bien pour ça, vous avez choisi le bon endroit. Est-ce que vous me pardonnez ? Je ne voulais vraiment pas m'imposer.

— Parce que vous trouvez que ce n'est pas s'imposer, de débarquer avec trois chevaux ?

— Peut-être un peu. Je me disais que ça vous ferait plaisir.

— Vous me connaissez si bien, dit-elle sèchement.

— Discuter avec vous, c'est comme jouer au poker avec un requin blanc.

— Charmante comparaison.

— Après, je préfère largement votre sourire à celui d'un requin blanc.

— Vous voyez ? Peu commun. »

Leurs regards se croisèrent.

« Et vous, Hannah Wilde ? Je vois que vous portez une alliance.

— Bien observé.

— Est-ce qu'il s'agit d'un moyen de calmer les ardeurs des Irlandais charismatiques ?

— Je vous rappelle que j'ai dit "peu commun", pas "charismatique" ! Et la réponse est non.

— Vous êtes donc mariée. On fait demi-tour ? demanda-t-il en souriant pour bien montrer qu'il s'agissait d'une plaisanterie. Et où se trouve l'heureux élu ?

— Vous posez beaucoup de questions.

— Je suis un homme peu commun. »

Hannah secoua la tête, exaspérée, et mit un petit coup de talons dans les flancs de sa jument. L'animal réagit aussitôt et, en quelques secondes, Hannah avait rejoint Leah, laissant Gabriel derrière elle.

Peu après midi, ils arrivèrent devant une muraille d'immenses rochers luisants de condensation. Ils mirent pied à terre pour faire passer les chevaux. L'obstacle franchi, ils remontèrent en selle et continuèrent à suivre le sentier qui s'enfonçait toujours plus haut dans la montagne. Ils traversèrent un bois au sol zébré de racines moussues qui cherchaient un point d'ancrage au milieu des cailloux. Des moisissures blanchâtres recouvraient les troncs.

Il faisait nettement plus frais à cette altitude. Alors qu'ils sortaient de la forêt, le vent les mordit avec plus d'intensité. Quand ils franchirent une crête recouverte d'herbes hautes, Hannah eut le souffle coupé. Devant eux s'étendait un immense lac glaciaire. De majestueuses parois rocheuses surplombaient le bassin sur trois côtés. Au milieu, l'eau bleu foncé du lac paraissait vibrer sous l'effet du vent.

« C'est extraordinaire ! s'exclama Hannah. Où sommes-nous ? »

Gabriel sauta de son cheval et l'accompagna jusqu'à la berge.

« Llyn Cau, répondit-il. Magnifique, n'est-ce pas ? La légende raconte qu'il n'a pas de fond.

— N'importe quoi ! s'esclaffa Leah.

— On dit aussi que le dragon Afanc vit tout au fond. Alors, fais attention à ce que tu dis, petite madame !

— Vous venez de dire qu'il n'avait pas de fond », rétorqua Leah avant de mettre pied à terre et d'amener à son tour son poulain vers la berge.

Elle imite les gestes de Gabriel, songea Hannah, soudain mal à l'aise.

Gabriel leva les bras et feignit la résignation.

« Aïe ! Douché par une gamine de douze ans !

— En fait, j'ai neuf ans, corrigea Leah, impassible.

— Merci, petite madame, mais c'est encore pire ! Tiens, laisse Valantin boire un peu. Après, on lui donnera à manger. Il y a du grain dans une des sacoches. Je te montrerai comment faire. En attendant, dit-il en détachant une des fontes de Salomon, c'est l'heure du déjeuner ! Et je sens que si je ne te nourris pas correctement, ta maman va me faire passer un sale quart d'heure. »

Gabriel étendit deux serviettes à côté de la rive de Llyn Cau et lesta chaque coin avec un caillou. Puis il sortit de la sacoche des baguettes, un morceau de jambon enveloppé dans du papier aluminium, du poulet rôti et du cheddar. Il distribua assiettes et gobelets et sortit un couteau. La longue lame avait l'air parfaitement aiguisée.

Gabriel dévissa le bouchon d'une énorme Thermos et demanda :

« Qui veut de la soupe à la tomate ?

— Moi ! Moi ! » s'exclama Leah.

Gabriel servit trois tasses et en tendit une à chacune. Hannah serra les mains autour de la sienne pour se réchauffer les doigts.

« Là-haut, c'est le sommet, indiqua Gabriel en désignant la montagne la plus élevée. Penygadair. On ne va pas y aller aujourd'hui, c'est trop raide. Mais quand il fait un temps dégagé, la vue est extraordinaire.

— Elle est déjà assez extraordinaire ici, commenta Hannah.

— C'est vrai. Mais vous ne pouvez pas savoir à quel point cet endroit est splendide, de nuit, avec la lune et les étoiles qui se reflètent sur le lac.

— Vous êtes déjà venu ici la nuit ? demanda Leah, incrédule.

— Oh oui, très souvent.

— Mais pourquoi ?

— Pour essayer de voir les *Cŵn Annwn*, bien sûr.

— Qu'est-ce que c'est que ce truc-là ?

— Les *Cŵn Annwn* ? Des chiens fantômes qui appartiennent au folklore gallois. D'énormes molosses noirs aux yeux rouges. Des crocs longs comme mon avant-bras, et qui dégoulinent de salive. Ils ne chassent que quelques nuits par an, entre Noël et le jour de l'An, sur les pentes de Cadair Idris. Pile là où on est assis. Et tous ceux qui ont eu le malheur d'entendre leurs hurlements ne sont jamais redescendus de la montagne.

— Alors pourquoi vous voulez les entendre ? demanda Leah.

— Mais pour savoir si la légende est vraie, bien sûr ! »

La petite fille éclata de rire.

Hannah secoua la tête. Elle n'arrivait pas à s'empêcher de sourire, elle aussi.

« Arrêtez, dit-elle. Vous allez lui faire peur.

— Mais non, il ne va pas me faire peur. C'est n'importe quoi ! Les chiens fantômes, ça n'existe pas ! »

Gabriel haussa les épaules et feignit la consternation.

« Encore une fois, je me fais avoir, se lamenta-t-il. Et par une gamine de neuf ans, en plus. »

Après le déjeuner, alors que la température baissait et que le sommet commençait à disparaître dans les nuages, ils remballèrent le pique-nique et replièrent les serviettes. Gabriel sortit un paquet d'orge pilé d'une de ses fontes et montra à Leah comment nourrir les chevaux.

Hannah les regarda faire, notant au passage à quel point sa fille avait l'air heureux et détendu. Cela la rassura. Les jours à venir seraient difficiles pour Leah. Bientôt, ils quitteraient Llyn Gwyr pour un nouvel environnement, et ils devraient repartir de zéro.

Ils se mirent en selle, et Gabriel passa devant pour la descente. Quand ils traversèrent un ravin et passèrent à proximité d'une magnifique cascade, Hannah se rendit compte qu'ils ne prenaient pas le même trajet qu'à l'aller. Ils sortirent du ravin et continuèrent à descendre au milieu de collines herbeuses recouvertes de bruyère. En contrebas, le relief plongeait en une série de paliers. Ils contournèrent un monticule de cailloux par la droite ; derrière, la crête surplombait une falaise abrupte. Quand ils s'approchèrent du bord, Hannah constata qu'il y avait plusieurs centaines de mètres de vide. Gabriel se dirigea vers le précipice, puis tourna pour le suivre en direction du sud.

Quand le cheval de Hannah arriva à son tour tout près de la crête, elle vit une petite maison en pierre nichée dans la vallée, tout en bas. De la fumée s'échappait de la cheminée. Deux voitures étaient garées devant. Une Audi Q7 blanche maculée de boue, et un vieux Land Rover Defender bleu. Le 4 × 4 de Sebastien, se dit-elle.

Elle continua de regarder et vit trois hommes apparaître à côté de la maison. Elle reconnut aussitôt Sebastien, avec sa carrure et ses cheveux blancs coupés court. En revanche, elle ne connaissait pas les deux autres. Un des deux avait l'air robuste. Il portait un blouson rouge, et son visage était couvert d'une épaisse barbe brune. L'autre était plus petit et beaucoup plus âgé. Il était revêtu d'un costume gris. C'est lui qui parlait, et les deux autres semblaient boire ses paroles.

Hannah sentit la crainte l'envahir. Gabriel s'approcha, et elle se tourna vers lui.

« Votre voisin le plus proche », commenta-t-il en observant la petite maison.

Hannah regarda les trois hommes se diriger vers l'Audi.

Gabriel avait-il volontairement pris ce chemin pour qu'elle assiste à cette scène ? Elle jugea aussitôt l'idée absurde et la rejeta.

Mais qui sont ces types ? se demanda-t-elle.

Devant la maison, les deux inconnus serrèrent la main de Sebastien et montèrent à bord de l'Audi. La voiture fit demi-tour dans une gerbe de boue, puis elle s'éloigna à vive allure vers la route principale. Derrière, Sebastien leva le bras pour les saluer.

« Vous le connaissez ? » demanda Gabriel.

Elle secoua la tête.

« Vraiment ? insista-t-il.

— Vraiment.

— Bah, ça vaut peut-être mieux », dit Gabriel.

Quand elle se tourna vers lui, il avait perdu sa bonne humeur habituelle et avait le visage fermé.

L'inquiétude qu'elle ressentait laissa place à l'effroi.

« Pourquoi dites-vous ça ? » demanda-t-elle.

Chapitre 15

Oxford, Angleterre

1997

Charles arpentait le chemin en gravier du jardin botanique de l'université, à la recherche de Beckett.

Ce jardin avait toujours été l'un de ses endroits préférés. Il aimait l'odeur qui s'en dégageait, le spectacle différent qu'il offrait en fonction des saisons, sa tranquillité et son histoire. D'ordinaire, se promener là lui permettait d'oublier ses soucis. Mais pas ce jour-là.

Il se sentait perturbé depuis des semaines. Depuis la publication de son livre, *Héritage des peuples germaniques*, avec la photo de Nicole et lui, il était submergé par une culpabilité incessante.

Le souvenir de Nicole ouvrant le livre pour la première fois lui revenait régulièrement en mémoire : le sourire qui illuminait son visage avait subitement disparu lorsqu'elle avait aperçu son propre portrait qui la dévisageait. Au début, le choc l'avait paralysée. Puis elle avait explosé. Elle avait déchiré le livre en deux avant de jeter les morceaux par terre, puis elle avait bondi sur Charles en hurlant.

Comment avait-il pu se permettre une décision aussi égoïste ? Le pire, c'est qu'il aimait Nicole, plus encore que lorsqu'il l'avait épousée. Mais par cette seule décision irréfléchie, il avait brisé toutes les promesses qu'il lui avait faites, réduit les croyances de sa femme à des enfantillages, à une peur stérile dont il était temps de se débarrasser.

Le cliché semblait vouloir dire : *Maintenant ça suffit, j'ai supporté ta paranoïa pendant dix-huit ans, il est temps de passer à autre chose.*

Il savait pertinemment ce qui avait justifié sa décision : l'orgueil. Dix-huit ans après l'avoir rencontrée, il considérait toujours que Nicole était la femme la plus fascinante et la plus désirable qu'il avait jamais vue. Et après toutes ces années à vivre dans le secret, il avait eu envie de dire à la face du monde que lui, Charles Meredith, avait eu la chance de trouver une femme aussi extraordinaire que Nicole Dubois. Penser que quelque chose d'aussi ridicule que sa propre vanité pourrait être la cause de leur séparation lui faisait honte.

D'un ton froid et distant, Nicole lui avait d'abord dit qu'elle allait préparer ses affaires et le quitter. Puis, après des heures de sanglots des deux côtés, elle lui avait suggéré de fuir ensemble : quitter Oxford, où le nom Meredith était trop connu.

Cependant, après cette longue discussion, ils n'avaient rien fait. Ils s'aimaient trop pour se séparer, et leur vie était trop profondément implantée à Oxford pour qu'ils songent à déménager.

Mais, s'ils étaient encore ensemble, leur relation avait changé. Il s'était à présent installé entre eux une méfiance qui n'existait pas auparavant. Quand ils discutaient, chacun semblait hésiter avant de prendre la parole. Charles regrettait leurs vieilles habitudes, tout en se reprochant leur perte. Depuis la dispute, ils n'avaient plus fait l'amour. La vérité, c'est qu'il se sentait indigne d'elle. Et c'est justement ce qui le perturbait. Cela, et le fait qu'il n'avait toujours pas trouvé le courage de parler à sa femme de l'autre acte de trahison – l'article qu'il avait écrit sur les *hosszú életek*.

Et c'est justement cet article, publié un mois auparavant, qui l'avait mené au jardin botanique, à la recherche de Patrick Beckett et de ses tics.

Charles le trouva assis sur un des bancs qui entouraient la fontaine. Beckett, un chapeau sur la tête, était emmitouflé dans un pardessus en laine. Il observait les nénuphars qui flottaient à la surface de l'eau, tout en battant du bout des doigts un rythme compliqué sur ses genoux. Une mallette était posée à côté de lui.

Beckett leva les yeux en voyant Charles approcher. L'âge n'avait rien changé aux petites manies du vieil universitaire. Il tressaillit gaiement et se leva d'un bond.

« Le voilà ! Le grand professeur Meredith, vainqueur des tout-puissants *hosszú életek* !

— Arrête un peu ton cirque, Patrick », répondit Charles, qui ne se sentait pas d'humeur à supporter les excentricités de Beckett.

Surpris, le spécialiste du folklore hongrois eut un mouvement de recul, puis il posa sa main sur l'épaule de Charles.

« Pourquoi es-tu si morose, mon ami ? Je m'attendais à un air triomphant, une joie débordante, peut-être un soupçon de fausse modestie. Mais certainement pas à ce visage si sombre. Allez, assieds-toi ! Le banc est humide, mais on peut partager la couverture. »

Il indiqua d'un geste un morceau de tissu écossais posé sur les lattes en bois.

Charles s'assit.

« Tu m'as dit que tu voulais parler de quelque chose en particulier ? demanda-t-il.

— Tu vas droit au but, comme toujours. La causette, ce n'est vraiment pas pour toi, ajouta-t-il en tirant de sa poche une flasque en argent. Mais avant, j'insiste pour que nous trinquions ! »

Il dévissa le bouchon et but une gorgée en grimaçant.

« Au succès de tes *Peuples germaniques* ! Et, encore plus formidable : à ta nouvelle carrière de folkloriste ! Ton article a été une révélation pour moi, Charles, dit-il en lui tendant la flasque.

— Tu l'as lu, alors ?

— Dévoré, tu veux dire », répondit Beckett, le regard brillant.

Charles prit la flasque et but au goulot. Le liquide sirupeux alluma un brasier dans sa gorge. Il toussa, et deux grosses larmes roulèrent sur ses joues.

« Bon sang, Patrick, mais qu'est-ce que c'est que ce machin ?

— De la pálinka, répondit-il, rayonnant. Tu n'avais jamais goûté ? C'est un alcool de prune, fabriqué à Szatmár. Ça me paraissait approprié pour l'occasion. »

Charles lui rendit la flasque et s'essuya les lèvres.

« Je croyais que tu n'aimais pas l'eau-de-vie, dit-il.

— Les goûts changent, Charles, dans un sens comme dans l'autre. Moi, je ne savais pas que tu t'intéressais à ce point aux *hosszú életek*.

— C'est vrai, ça doit faire vingt ans que je t'en ai parlé pour la première fois. Il faut croire que tu m'as transmis le virus !

— Extraordinaire. Et te voilà, des années plus tard, une sommité sur la question.

— N'exagérons rien.

— La voilà enfin, la fameuse fausse modestie !

— Non, c'est seulement qu'on ne peut pas dire qu'il s'agisse d'une thèse révolutionnaire.

— Certaines des sources que tu cites... Je ne sais même pas comment tu as pu les découvrir.

— Elles sont toutes référencées, pourtant.

— Peut-être, mais bien souvent, j'ai été incapable de retrouver leur trace.

— Tu es allé vérifier ?

— Mon cher Charles, ne va pas croire que je doute de leur authenticité, tu sais que ce sujet me passionne. C'est juste que j'aime bien lire les textes en langue originale, quand c'est possible.

— Eh bien, je suis flatté de ton intérêt, dit Charles avant de marquer une pause. Et donc, au téléphone, tu me disais...

— Ah oui ! C'est vrai. Je te disais que j'avais quelque chose à te montrer, quelque chose qui devrait titiller ta curiosité. Un objet que j'ai en ma possession depuis des années, et tu mentionnes dans ton article un épisode qui m'y a fait penser. La grande purge des *hosszú életek*, vers la fin du XIXe siècle. Un épisode épouvantable. »

Charles fronça les sourcils. Il n'aimait pas cette manie qu'avait Beckett de parler du folklore comme s'il s'agissait de faits historiques.

« Ce ne sont que des légendes, Patrick. Différentes interprétations individuelles du même postulat de base. Ces références à un massacre apparaissent vers le début du XXe siècle. Et tu sais ce que j'en pense. Comme la société devenait de moins en moins superstitieuse – et que par conséquent on parlait de moins en moins des *életek* –, il fallait trouver un moyen d'entretenir le mythe. Trouver une raison à l'absence des *életek*. Qui sait ? Ce n'est qu'une théorie.

— Et tu n'as trouvé aucune raison à cette purge ?

— Non.

— Intéressant.

— Bon, qu'est-ce que tu voulais me montrer ? »

Beckett tressaillit une fois de plus, puis il se frotta les mains. Il se pencha vers sa mallette, en sortit un tube en carton fermé par deux bouchons en plastique, qu'il enleva. Il en tira un vieux rouleau jauni par les ans.

Charles observa tandis que Beckett déroulait le parchemin. Il s'agissait d'un texte écrit en hongrois, avec une calligraphie superbe. Il repéra plusieurs occurrences du terme *hosszú életek*. En bas du document, trois signatures, au-dessus d'un sceau rouge qui avait viré au brun. La date : le 3 mars 1880.

« Qu'est-ce que c'est ? demanda Charles.

— Tu vois ces signatures ? Celle-ci, c'est celle de l'empereur François-Joseph, qui était au pouvoir à cette époque. La deuxième est celle de Kálmán Tisza, le Premier ministre hongrois de 1875 à 1890. Je n'ai pas pu retrouver à qui appartenait la troisième.

— Que dit le texte ? »

Beckett leva les yeux vers Charles.

« C'est un décret royal, annonça-t-il. Un décret infâme, s'il en est.

— Ah oui ?

— Il autorise l'extermination immédiate des *hosszú életek* de Budapest. Et pas seulement ceux qui étaient proches du pouvoir, mais tous, jusqu'au dernier. *Que leur souillure infâme soit à jamais effacée de notre société.*

— Où est-ce que tu as été dénicher ça ?

— On échange nos sources ?
— Tu l'as authentifié ?
— Oh, oui, Charles. Je te garantis qu'il ne s'agit pas d'un faux. Alors, qu'est-ce que tu en dis ?
— Je ne sais pas. Et toi, qu'est-ce que tu en dis ?
— Je me dis qu'enfouie sous toutes ces légendes, il y a peut-être une part de vérité.
— C'est-à-dire ?
— Imagine qu'il se soit passé quelque chose, à l'époque. Quelque chose qui aurait bouleversé l'ordre établi. Toutes les sources qui existent indiquent qu'il y avait une alliance fragile entre les *hosszú életek* et la noblesse de Budapest. Le moins que l'on puisse dire, c'est qu'ils ne s'entendaient pas à merveille. Peut-être qu'un incident particulier a mis le feu aux poudres et conduit à la promulgation de ce décret.
— Évidemment, ce n'est qu'une hypothèse.
— Évidemment.
— Pourtant, tu as l'air d'y croire.
— Pas toi ? »
Charles se tourna vers son collègue, mal à l'aise. Beckett le regardait fixement, avec une espèce de sourire railleur.
« Et il y a autre chose d'intéressant, poursuivit Beckett. Au cours de tes recherches, est-ce que tu es déjà tombé sur le terme *Eleni* ?
— Je ne crois pas.
— Les Eleni étaient l'organisation chargée d'orchestrer la purge.
— Les Eleni... »
Charles marqua une pause. À présent qu'il y réfléchissait, il se demandait s'il n'avait pas déjà lu le mot dans un des carnets d'Anna Bauer.

« Non, dit-il en secouant la tête. Ça ne me dit rien.

— Ah, dommage. Mais qu'importe. Il en est question dans ce document. Tu vois, au deuxième paragraphe ? Et tu sais ce que je trouve véritablement intéressant ? C'est qu'aujourd'hui il existe toujours un conseil des Eleni à Budapest.

— Et alors ?

— Tu as raison, ce n'est sûrement qu'une coïncidence. Après tout, il y a un club de la Table ronde à Oxford, mais je doute que ses membres soient des chevaliers en armure ! »

Il ponctua sa plaisanterie d'un petit gloussement, puis il roula le document et le rangea dans son tube.

« Comment va Nicole ? demanda-t-il.

— Elle va bien, répondit Charles en souriant.

— Ça fait longtemps que je ne l'ai pas vue. On devrait dîner ensemble, un de ces soirs.

— Tu as raison, je t'appellerai. »

Ils se serrèrent la main, puis Charles s'éloigna. Quand il eut franchi la porte d'enceinte du jardin botanique, il se retourna. Beckett était debout à côté de la fontaine, les yeux rivés sur les nénuphars.

Chapitre 16

Snowdonia, pays de Galles

De nos jours

Quand Hannah, Gabriel et Leah arrivèrent en vue de Llyn Gwyr, le crépuscule était tombé. Maintenant que le jour avait disparu, la température descendait à une vitesse vertigineuse, et des tourbillons de vapeur s'échappaient des naseaux des chevaux. Un vent glacial soufflait en rafales autour d'eux.

Ils s'engagèrent sur l'allée de gravier à l'arrière de la ferme. La bâtisse était à présent plongée dans l'ombre. Une seule fenêtre allumée dans la cuisine semblait vouloir résister à l'arrivée de la nuit.

Hannah arrêta sa jument et mit pied à terre. Elle avait mal aux hanches et étira chaque jambe l'une après l'autre pour détendre ses muscles. Gabriel l'observa.

« Fessier engourdi ? » demanda-t-il.

Elle acquiesça.

« Merci pour aujourd'hui, dit-elle.

— Tout le plaisir était pour moi, déclara-t-il avant de se tourner vers Leah. Et toi, petite madame, tu t'es bien amusée ? »

Tout sourire, la petite fille sauta de son poulain.

« Oh oui ! s'exclama-t-elle en caressant le museau de l'animal. C'était super. Et Valantin est vraiment trop beau !

— Ça, c'est bien vrai !

— Leah, le moment est venu de dire au revoir à Gabriel, dit Hannah. Va à l'intérieur. J'arrive tout de suite. »

Dès que sa fille fut rentrée, Hannah se tourna vers Gabriel et vit qu'il avait les yeux rivés vers la fenêtre de la cuisine.

« Il est dedans ? demanda-t-il.

— Qui ça ?

— Le maître de Llyn Gwyr.

— Pourquoi est-ce que vous n'arrêtez pas de me parler de lui ?

— De la curiosité, rien de plus. Je voudrais voir à quoi ressemble celui qui a la chance d'avoir épousé Hannah Wilde, s'esclaffa-t-il. Histoire de savoir si je lui arrive à la cheville !

— Vous ne lui arrivez pas à la cheville.

— Ah ! Vous êtes bien cruelle, Hannah ! s'exclama-t-il en riant plus fort.

— Et vous, vous êtes un piètre dragueur ! »

Hannah détacha les rênes de Valantin et de Landra, puis attacha les deux chevaux ensemble à l'aide d'une longe qu'elle donna à Gabriel. Enfin, elle lui tendit la main.

« Nous n'allons pas tarder à partir, annonça-t-elle. Je ne pense pas que nous nous reverrons. Je suis ravie d'avoir fait votre connaissance, Gabriel. Vraiment. Et j'espère que vous ne rencontrerez jamais ces chiens fantômes ! »

Gabriel serra la main qu'elle lui tendait.

« Rassurez-vous, les *Cŵn Annwn* ne m'attraperont pas. Mais une chose est sûre, ça fait du bien de parler à un bipède, pour une fois ! Au revoir, Hannah Wilde. »

Il fit claquer sa langue, et les trois chevaux s'éloignèrent doucement.

Elle regarda Gabriel franchir le pont sur la rivière et remonter le chemin jusqu'à la route principale.

Dans la cuisine, elle trouva Nate installé dans un fauteuil à côté de la cheminée, mangeant du corned-beef à même la conserve. Leah était assise à ses pieds et lui racontait sa journée avec excitation.

Nate se tourna vers Hannah au moment où elle verrouillait la porte de la cuisine.

« Alors, comment s'est comporté notre ami ? demanda-t-il.

— Aussi bizarrement que la dernière fois, répondit-elle. Mais le plus étrange, c'est qu'on est passés devant chez Sebastien. Et notre ermite préféré avait de la compagnie.

— Hein ? Qui ça ?

— Deux types que je n'avais jamais vus. Ils sont repartis dans un gros 4 × 4 Audi, ajouta Hannah en fermant le rideau de la fenêtre. Et de ton côté, rien à signaler ?

— Non, rien du tout.

— Ça ne me plaît pas, Nate. Je sens qu'il se passe quelque chose. Et je pense qu'il vaudrait mieux ne pas trop traîner dans les parages.

— Qu'est-ce que t'a raconté Gabriel ?

— Il a posé beaucoup de questions sur toi.

— Ah bon ? Et tu penses que...

— Je n'en sais rien, l'interrompit-elle. Ce que je sais, c'est que j'ai peur. À mon avis, il faut partir d'ici.

— D'accord. Tu ne préférerais pas attendre qu'il fasse jour ?

— Pas vraiment. Je voudrais m'en aller maintenant, mais tu as raison. On n'est pas prêts.

— Écoute, on n'a qu'à sécuriser la maison, et on partira demain, à l'aube.

— Ça me paraît raisonnable. Cette nuit, on dort tous dans la chambre.

— D'accord.

— Maman ? »

Hannah se tourna vers sa fille, qui était soudain devenue toute pâle. Elle s'approcha d'elle et s'accroupit à ses côtés.

« Oh, ma petite fripouille. Viens là ! dit-elle en prenant Leah dans ses bras.

— Ça va aller, hein, maman ? On ne va pas mourir ? »

Nate tendit la main et caressa les cheveux de sa fille.

« Bien sûr que non, dit-il. C'est pour ça que papa et maman sont là. Pour te protéger.

— Mais il t'a attrapé. Le méchant monsieur. Il t'a fait mal.

— Et je suis en train de guérir. Demain, on s'en va. Et attends un peu de voir la maison que maman nous a trouvée. Tu vas l'adorer. On y sera en sécurité, et le méchant monsieur ne nous retrouvera jamais. Je te le promets. »

Hannah prépara du ragoût pour le dîner. Après manger, elle coucha Leah dans la chambre principale. Elle fit le tour du rez-de-chaussée, vérifiant chaque porte, chaque serrure, chaque fenêtre. Elle voulut fermer tous les rideaux, puis décida qu'avec les lumières éteintes, il valait mieux les laisser ouverts, de façon à repérer plus facilement un éventuel intrus.

Les vérifications faites, elle aida Nate à monter à l'étage. Leah était déjà profondément endormie dans le lit à baldaquin.

« Je ne pense pas que je vais réussir à beaucoup dormir, murmura Hannah.

— Tu préfères qu'on se relaie ?

— Je pense que c'est plus sage, oui. Je suis désolée, Nate, mais j'ai un mauvais pressentiment.

— Pas la peine de t'excuser, je fais confiance à ton instinct. Tu veux que je prenne le premier quart ? »

Elle secoua la tête et l'embrassa.

« Je suis trop nerveuse pour m'endormir. Va te coucher. Tu es convalescent, tu as besoin de sommeil.

— Tu me réveilleras ?

— Si je sens que je commence à m'assoupir. »

Elle savait que ça n'arriverait pas. Une longue journée les attendait, et Nate aurait besoin de toutes ses forces.

Quelques minutes plus tard, Nate dormait à poings fermés. Hannah ajouta quelques bûches dans la cheminée. Elle s'approcha de la fenêtre de la chambre et colla son nez à la vitre.

L'obscurité absolue. Derrière un nuage invisible, la lune n'était qu'une tache jaune indistincte. D'où elle se trouvait, Hannah pouvait deviner les contours du lac et le pont en pierre qui enjambait le torrent.

Tout était calme.

Jakab était là, quelque part. Elle ne savait pas où. Aucun moyen de le deviner. Elle se demanda ce qui se passait dans la vallée d'à côté, là où se trouvait la maison de Sebastien. Elle avait eu tellement peur en le voyant discuter avec ces deux inconnus. Le vieil homme lui avait pourtant assuré qu'il vivait seul, retiré du monde.

Et Gabriel, alors ? Pendant leur promenade à cheval, il n'avait pas arrêté de lui poser des questions très indiscrètes. Et de son côté, elle n'avait pratiquement rien appris sur lui.

Peut-être que ça n'avait aucun rapport. Peut-être qu'elle était tellement fatiguée qu'elle commençait à faire des liens qui n'existaient pas. Elle se tourna vers le lit. Nate dormait, et sa poitrine se soulevait régulièrement sous la couverture. À côté de lui, Leah avait posé la tête sur le bras de son père. Hannah les observa pendant de longues secondes. Même si elle se sentait fatiguée, elle n'abandonnerait pas. Elle ne pouvait pas se le permettre.

Qu'importent les risques, bats-toi jusqu'au bout.

Les mots de son père. Penser à lui la bouleversait. Leur dernière conversation avait certainement été la plus difficile de sa vie. Que s'était-il passé après ce coup de téléphone ? Sans doute ne le saurait-elle jamais.

Malgré le fait que toutes les portes étaient verrouillées et que personne ne pourrait entrer dans la chambre sans qu'elle s'en aperçoive, elle se sentait très exposée. L'obscurité à l'extérieur était oppressante. Elle semblait faire pression contre les vitres.

Elle regarda les aiguilles lumineuses de sa montre. Trois heures vingt, déjà. Dans trois heures et demie, le jour se lèverait.

Plus elle restait dans la chambre, plus son malaise grandissait. S'il se passait quelque chose dehors, ou en bas, elle ne le saurait qu'au dernier moment, quand le danger se présenterait à la porte. Quand elle comprit qu'elle ne réussirait jamais à se rassurer, elle se leva.

Le fusil était posé dans le coin opposé de la pièce. Elle le ramassa et, par habitude, le cassa pour vérifier qu'il était bien chargé. Les deux cartouches étaient en place. Elle tâta sa poche revolver ; les munitions supplémentaires étaient là, elles aussi. Elle glissa la Maglite dans la poche avant de son jean. Puis elle se dirigea vers la porte de la chambre et l'ouvrit.

Le couloir était plongé dans le noir complet, une obscurité menaçante d'où pouvait surgir le danger à n'importe quel moment. Elle fut tentée d'utiliser la lampe torche pour chasser les ombres, mais elle ne voulait pas prendre le risque d'être vue depuis l'extérieur.

Hannah s'avança dans la pénombre, les sens en alerte. Malgré les feux qu'elle avait laissés allumés dans les différentes cheminées de la maison, il flottait toujours dans l'air une odeur de renfermé, d'humidité. La maison craquait de partout. Les bourrasques fouettaient les fenêtres.

Elle savait qu'au milieu du couloir il y avait une latte de parquet qui grinçait ; elle l'enjamba soigneusement. En haut des escaliers, elle passa devant la vitrine de la commode. Elle sentit les yeux du faucon empaillé posés sur elle. Même si elle avait conscience qu'il ne s'agissait que de deux billes de verre, elle ne put s'empêcher de frémir. Pourquoi ne s'était-elle pas débarrassée de cette horreur, comme elle l'avait prévu ?

Sur la pointe des pieds, Hannah s'engagea dans l'escalier et s'arrêta à mi-étage. En silence, elle s'assit et posa le fusil sur ses genoux, le canon pointé vers le bas. Elle retira la lampe torche de sa poche et la posa à côté d'elle.

Elle avait les yeux qui la démangeaient à cause du manque de sommeil. La tête lourde. Quatre heures à tenir, se dit-elle. Demain, elle prendrait la voiture et les emmènerait loin d'ici. Elle s'assurerait que personne ne les suivrait. Elle trouverait un hôtel. Paierait en liquide. Et, enfin, elle pourrait dormir.

Hannah se força à garder les yeux ouverts, elle tourna la tête de droite à gauche pour étirer sa nuque, et d'un coup, elle s'assoupit.

Quand elle ouvrit les yeux, elle faillit perdre l'équilibre et chuter dans l'escalier. Le métal du fusil était chaud et humide à l'endroit où elle le tenait. Elle avait les paupières qui collaient. S'était-elle endormie ?

Bon sang, Hannah ! se dit-elle.

Elle regarda sa montre. Cinq heures et quart. Il faisait toujours noir, dehors. À quelle heure avait-elle quitté la chambre ? Trois heures ? Elle avait dû s'endormir assise, la tête appuyée contre la rampe.

Avec un fusil chargé sur les genoux, songea-t-elle. Quelle imbécile !

Elle réprima un bâillement et se força à se concentrer. Est-ce qu'elle avait été réveillée par quelque chose en particulier ? Elle tendit l'oreille. La maison était silencieuse.

Un courant d'air glacé lui caressa le visage. Elle frémit. Il faisait beaucoup plus froid, à présent. Le seul feu qui brûlait encore se trouvait dans la cheminée de la chambre.

Hannah se raidit et serra plus fort le fusil entre ses mains.

Avant de monter à l'étage dans la soirée, elle avait pris soin de vérifier que toutes les portes et toutes les fenêtres étaient bien fermées. Plus tôt dans la journée, elle avait barricadé le carreau cassé dans le salon avec des planches. Bref, le courant d'air glacial qu'elle venait de ressentir était inexplicable.

Elle serra les dents. Sentit qu'elle commençait à trembler.

Pense à Nate. À Leah. Ton mari, ta fille magnifique. Ne t'avise pas de les laisser tomber !

Il y avait quelqu'un d'autre dans la maison. Elle en était tout à fait sûre, à présent. L'intrus avait-il pu profiter de ce qu'elle dormait pour l'enjamber et monter à l'étage ? Impossible à dire.

Quand elle se releva, son genou gauche craqua. Elle tendit la main pour récupérer la Maglite.

Si elle n'est pas là, je hurle. Je ne pourrai pas m'en empêcher.

Ses doigts se refermèrent sur le cylindre métallique. Elle le glissa dans sa poche.

Les yeux rivés sur l'obscurité en bas de l'escalier, Hannah colla le dos au mur et descendit les dernières marches.

Arrivée au rez-de-chaussée, elle s'appuya sur la rampe. Une lueur émanait de la fenêtre de l'entrée et projetait des ombres inquiétantes sur le sol du couloir. La porte de la salle à manger était fermée. L'était-elle déjà quand elle était montée se coucher ? Il lui semblait que oui.

Avançant à tâtons dans le couloir, elle sentit les lattes du plancher fléchir sous son poids. La porte suivante, sur la droite, donnait sur le salon. Elle était ouverte. Après, le couloir faisait un coude sur la gauche et débouchait sur la cuisine.

Ne tourne pas le dos à une porte ouverte, se dit-elle.

Elle s'approcha le plus près possible de l'entrée du salon pour voir s'il y avait quelque chose après le coude : rien d'autre que la gueule béante et obscure de la cuisine. Elle risqua un œil dans le salon, tenant toujours aussi fermement le fusil entre ses mains.

À première vue, la pièce était vide.

Même si quelqu'un pouvait facilement se cacher derrière un des imposants canapés. Dans un angle, une grande bibliothèque formait une masse noire impénétrable. Elle se tourna vers les fenêtres : elle étaient toutes fermées, et les planches qu'elle avait clouées devant le carreau cassé étaient bien en place.

Rassurée, elle laissa échapper un soupir et se tourna vers la cuisine. C'est à cet instant qu'elle vit Sebastien émerger de l'obscurité.

Elle réprima un hurlement et fit quelques pas en arrière, le canon du fusil braqué sur le vieil homme.

« Bon sang ! Recule ! »

Sebastien poussa un sifflement de surprise.

« Hannah ? Dieu merci. Tu es...

— Qu'est-ce que tu fais ici, Sebastien ? Reste là où tu es, et pas de mouvements brusques ! »

Dans le noir, elle voyait ses yeux scintiller.

« Ne parle pas trop fort, murmura-t-il. Il est là.

— Jakab ?

— Va chercher Nate et Leah ! Il faut partir. Tout de suite !

— Qu'est-ce qui s'est passé ?

— Il est venu chez moi, il m'a attaqué. J'ai réussi à m'enfuir. Il est ici, Hannah ! »

Son cœur battait à tout rompre. Elle cala la crosse du fusil dans le creux de son épaule.

« Comment es-tu entré ? demanda-t-elle.

— J'ai la clé. »

Ses poumons étaient en feu, elle n'arrivait pas à respirer. Elle avait du mal à le voir dans l'ombre, du mal à discerner ses traits.

« Où est Moïse ?

— À la maison.

— Tu l'as laissé là-bas ?

— Hannah, il faut qu'on y aille.

— C'est un chien de quelle race ?

— Je vois que tu ne perds pas le nord. Tant mieux. C'est un vizsla. Maintenant, va les réveiller. Il n'y a pas de temps à perdre. »

Elle avait la sensation que sa peau était couverte de tiques qui lui pompaient le sang. Elle ne parvenait pas à contrôler ses tremblements. Que se passerait-il si elle faisait tomber le fusil ? Elle résista au besoin pressant de s'appuyer contre le chambranle de la porte.

Concentre-toi !

« Sebastien, écoute-moi bien, dit-elle d'une voix éraillée. La dernière fois que tu as vu Nate. Avant toute cette histoire. Où c'était ? Et qu'est-ce qu'il a mangé ? »

La silhouette en face d'elle parut hésiter. Et soudain, elle plongea. Vers l'arrière. Vers la cuisine.

Hannah pressa la détente. Le fusil rugit et la crosse lui rentra dans l'épaule. L'éclair au bout du canon illumina le couloir, tandis que le tonnerre de l'explosion lui faisait bourdonner les oreilles.

Elle se jeta vers l'avant. Un courant d'air froid lui balaya le visage au moment où la porte de la cuisine se refermait brusquement.

De petits points lumineux se mirent à danser devant ses yeux. Elle sentit son cœur battre jusque dans ses tempes. Une rage animale avait pris le pas sur la peur. L'opportunité d'en finir, là, maintenant, se présentait enfin. L'épaule en avant, elle se jeta contre la porte. Celle-ci s'entrebâilla de quelques centimètres, pour se refermer presque aussitôt. Quelque chose poussait de l'autre côté.

« On n'est pas obligés d'en arriver là, Hannah. Moi aussi, j'ai envie que toute cette histoire se finisse. »

Cette voix. La voix de Jakab.

Elle entendit des bruits étouffés dans la cuisine. La pression contre la porte avait cessé. À l'intérieur, le craquement d'une table qu'on retournait violemment.

Hannah fit un pas en arrière et mit un coup de pied dans la porte.

« Alors, laissez-moi vous donner un coup de main ! » cria-t-elle en tirant un coup de feu dans le noir.

Cette fois, elle n'avait pas anticipé son geste et elle sentit sa clavicule craquer sous l'effet du recul. La fenêtre de la cuisine explosa.

Un cri. L'avait-elle touché ? Une silhouette fonça vers la porte de derrière et commença à se débattre avec la poignée. Hannah se précipita vers elle.

La forme parvint enfin à ouvrir et s'enfuit dans un bruit de graviers. Hannah dérapa sur les dalles de la cuisine et se cogna la tête contre la porte qui se refermait brutalement. La douleur la transperça. Elle l'ignora, ouvrit la porte et sortit en courant dans la nuit.

Jakab avait atteint le côté de la maison. Hannah le suivit en poussant des hurlements de fureur. Elle passa l'angle de la ferme et le vit courir vers le pont. Une rangée d'arbres sur sa gauche. Le torrent sur sa droite.

Elle s'arrêta. S'appuya sur sa jambe gauche. La position du tireur. Elle leva le fusil. Suivit Jakab du bout du canon.

Idiote, il est déchargé ! songea-t-elle.

Elle poussa un juron et cassa le fusil. Elle entendit les douilles tomber au sol. L'odeur de poudre la prit à la gorge.

Elle fouilla dans sa poche revolver à la recherche des cartouches supplémentaires. Elle en glissa une dans le canon de gauche. Elle tremblait trop. La deuxième lui échappa des mains et tomba par terre.

Tant pis, se dit-elle. Pas de temps à perdre.

Jakab s'enfuyait. Elle referma le fusil et l'épaula. Cette fois, elle anticipa le recul. Jakab n'était plus qu'une ombre dans l'obscurité. Elle ferma l'œil gauche. Visa. Tira.

Le fusil recula. La nuit explosa. Devant, il n'y avait que le noir. Elle entendit le bruit de pas qui s'éloignaient.

Elle baissa le fusil. Elle respirait à toute vitesse et elle était couverte de sueur. Son œil gauche voyait flou. Elle se passa la main sur le front. Du sang. Une longue entaille qui courait jusqu'à l'arête de son nez.

Soudain, à sa gauche, quelque chose se mit à s'agiter dans les sous-bois. Alors qu'elle reculait doucement, un immense cerf jaillit des fourrés.

Il s'arrêta sur le gravier et se mit à gratter le sol de ses sabots. Il tourna la tête vers Hannah et quand il croisa son regard, il se figea. Ses flancs se soulevaient régulièrement, et de la vapeur s'échappait de ses naseaux. Il était énorme, et ses bois ressemblaient aux branches d'un arbre.

Hannah épaula le fusil. Elle savait qu'il était déchargé.

Le cerf continuait à l'observer fixement. Soudain, aussi incroyable que cela puisse paraître, il plia les pattes de devant pour une sorte de révérence. Après quoi il ramena les pattes arrière sous lui et attendit.

Hannah ne comprenait pas ce qui se passait.

Puis, petit à petit, elle se rendit compte que les bruits qu'elle entendait derrière elle et auxquels elle n'avait pas prêté attention étaient les hurlements de sa fille.

Chapitre 17

Oxford, Angleterre

1997

Une fine bruine commençait à tomber quand Charles gara sa voiture à deux rues de la maison de Beckett.

C'était le lendemain de leur entrevue au jardin botanique, et Charles avait passé la nuit précédente à ressasser leur conversation, allongé dans le noir à côté de Nicole, les yeux grands ouverts. Quand il avait compris qu'il ne dormirait pas, il était descendu se réfugier dans son bureau. Il avait fermé les rideaux et avait sorti de leur tiroir fermé à clé les carnets, leur traduction, et toutes les notes qu'il avait prises.

Quand il vit qu'il était fait mention des Eleni à trois reprises, il ne put s'empêcher de pousser un juron. Pourquoi n'avait-il jamais pensé à vérifier ces références ? Et pourquoi avait-il menti à Beckett en disant qu'il n'en avait jamais entendu parler ? Il repensa à ce que son collègue lui avait dit : *les Eleni étaient l'organisation chargée d'orchestrer la purge*.

Lors de ses recherches, Charles avait trouvé plusieurs descriptions de la purge des *hosszú életek*, notamment un passage mémorable de la main de Hans

Fischer. D'après une source, on avait enfermé les jeunes *életek* au moment du *végzet*, avant de mettre le feu au bâtiment. Selon une autre, on les avait entassés au fond de la cale d'un bateau qu'on avait ensuite coulé au beau milieu du Danube. Quant aux plus vieux *életek*, on les avait arrêtés de façon systématique, avant de les pendre, de les décapiter ou de les abattre. Bref, qu'importait la manière, le résultat était le même : un massacre. Charles ferma son cahier de notes, se dirigea vers son bar et se servit un Glenlivet.

Tu commences à douter, pas vrai ? se dit-il. Vingt ans qu'on te sert la même histoire, qu'on te pollue le cerveau, et maintenant, te voilà incapable de faire la différence entre mythe et réalité.

Il retourna à son bureau, le verre à la main. Était-il devenu incapable de réfléchir de façon rationnelle ? Il but une gorgée de whisky et laissa le liquide couler doucement dans sa gorge, puis il repensa à son entrevue avec Beckett. Comment pouvait-il avoir un décret royal en sa possession ? Et pourquoi n'avait-il pas répondu quand Charles lui avait demandé où il l'avait trouvé ? Pendant toute la conversation, Charles avait senti que Beckett le jaugeait, et que celui qu'il considérait comme son ami depuis plus de vingt ans se payait sa tête.

Beckett a-t-il été supplanté ? se demanda-t-il.

Charles toussa et manqua s'étrangler. Il se redressa sur son fauteuil et posa le verre sur le bureau. Quelques gouttes de whisky se répandirent sur ses notes.

« Ressaisis-toi, imbécile ! marmonna-t-il. Cette histoire t'obsède depuis trop longtemps. Elle a eu raison de l'esprit de Nicole, et maintenant, elle est en train de s'attaquer au tien. »

Comment va Nicole ?

— Elle va bien.

— Ça fait longtemps que je ne l'ai pas vue. On devrait trouver une date pour un dîner.

Soudain, le cœur de Charles se mit à battre à toute allure. Maintenant qu'il y repensait, il en était certain : en vingt ans, Beckett n'avait jamais rencontré Nicole, il n'avait même jamais demandé de ses nouvelles. Beckett était un célibataire endurci qui n'hésitait pas à affirmer que les femmes n'étaient qu'une distraction futile. Par ailleurs, à part proposer de partager de temps en temps une assiette de grattons au pub, il n'avait jamais invité personne à dîner.

Charles observa la tranche de son *Héritage des peuples germaniques* sur l'étagère – l'exemplaire que Nicole n'avait pas déchiré en deux. À côté, le *Journal du folklore et de la mythologie européens* dans lequel se trouvait son article, Hosszú életek : *vie et mort d'une légende hongroise*.

Son orgueil démesuré avait-il permis à un monstre de retrouver leur trace ? Est-ce qu'au final tout ce qu'avaient écrit Hans Fischer et Anna Bauer était vrai ? Éric Dubois avait-il vraiment été assassiné par Jakab ? Et Erna Novák par le *Merénylő* du *Főnök* ?

Le cerveau de Charles bouillonnait. Il vida son whisky d'un trait et s'en resservit un autre.

Tout cela s'était passé neuf heures auparavant. À présent, Charles venait de se garer dans une rue résidentielle, à quelques centaines de mètres de l'appartement de Beckett. Il coupa le contact, enleva sa ceinture de sécurité et s'examina dans le rétroviseur. Il avait les yeux injectés de sang, la faute à l'abus de whisky et au manque de sommeil. Il n'était pas rasé, chose qui ne lui était plus arrivée depuis des années.

Un fourre-tout en cuir était posé sur le siège passager. Est-ce vraiment une bonne idée ? se demanda-t-il.

Oui, il n'avait pas le choix. Il fallait qu'il sache. Il le devait à Nicole. Nicole... il lui devait tout, à vrai dire.

Il plongea la main dans le fourre-tout et en tira une boîte en métal qu'il posa sur ses genoux. Il ouvrit les deux fermoirs et souleva le couvercle. À l'intérieur, enroulé dans du tissu, se trouvait le pistolet de son père, un luger 08 récupéré à Berlin sur le cadavre d'un officier de la Wehrmacht à la fin de la guerre. Charles n'avait pas les munitions qui allaient avec. Mais Beckett, ou la créature qui se faisait passer pour lui, n'en saurait rien.

Charles grimaça. Comme c'était facile d'y croire, à présent. Et comme c'était effrayant ! Il glissa le pistolet dans la poche de son pardessus, ouvrit la portière et sortit sous la pluie.

Beckett habitait un appartement dans une grande maison victorienne. Charles remonta la rue, la tête rentrée dans les épaules pour se protéger de la bruine. Il gravit les marches du perron, prit quelques secondes pour recouvrer ses esprits, puis appuya sur la sonnette. Une minute plus tard, il entendit des pas qui descendaient un escalier, et il vit apparaître une silhouette de l'autre côté de la porte vitrée.

La porte s'ouvrit et Beckett passa le nez dehors. Quand il vit Charles, son visage s'éclaira d'un large sourire.

« Charles ! Quelle agréable surprise ! Je pensais justement à toi. Quelle heureuse coïncidence !

— Bonjour, Patrick.

— Eh bien, ne reste pas sur le pas de la porte. Entre donc ! »

Charles passa la porte et enjamba une pile de prospectus laissés par des vendeurs de pizza. Deux vélos rouillés étaient posés contre un vieux radiateur en fonte. Il remarqua également un parapluie noir encore dégoulinant.

Charles suivit Beckett à l'étage et jusque dans son appartement. Une odeur de poussière et de litière pour chat lui agressa les narines. Les murs de l'entrée étaient tous couverts de bibliothèques. Quand la place était venue à manquer, Beckett avait décidé d'empiler les livres à même le sol. Par terre, un tapis rouge élimé cachait comme il pouvait la vieille moquette.

Beckett se dirigea vers le salon, Charles sur ses talons.

Dans un coin, un petit lampadaire baignait la pièce d'une lueur chaude. Beckett s'installa dans un fauteuil et fit signe à Charles de prendre place sur le canapé. Charles s'exécuta et entendit les ressorts gémir sous son poids.

Dans cette pièce aussi, il y avait des livres partout. Au-dessus de la cheminée, une carte d'Oxford du XVIIIe siècle. Sur le linteau, une photographie encadrée de la mère de Beckett. À côté, sur un pupitre en bois, un couteau Gurkha. Un monocycle était posé contre une table basse sur laquelle trônait une télévision en noir et blanc. Sous la petite table, trois massues de jongleur colorées prenaient la poussière.

Beckett poussa un petit cri et se leva d'un bond.

« Excuse-moi, Charles ! Tu me rends visite et je manque à tous mes devoirs ! Tu veux boire quelque chose ? Manger une part de tourte, peut-être ?

— Non merci.

— Eh bien moi, si.

— Je t'en prie.

— Très bien. Dans ce cas, attends-moi, je reviens dans une seconde. »

Beckett se glissa derrière une table surchargée, enjamba une boîte remplie de documents et sortit de la pièce.

Dès qu'il fut seul, Charles glissa la main dans la poche de son pardessus et caressa le métal froid du luger. À présent qu'il se trouvait sur place, l'idée même que Beckett pût être un imposteur lui paraissait ridicule. Il observa un chat se frayer un chemin dans la pièce et sauter sur l'accoudoir du canapé. L'animal le regarda, indifférent, avant de pousser un long bâillement.

Beckett revint, tenant dans une main une pinte de bière et dans l'autre une grosse tourte au porc dont il manquait un morceau. En voyant le chat, il poussa un juron qui fit voler quelques miettes.

« Ramsès, descends de là ! Bon sang, saletés de chats. Je ne les supporte plus. D'ailleurs, je crois que je suis allergique. J'aurais dû prendre des chiens. Avec les chiens, au moins, on sait à quoi s'en tenir.

— Tu as combien de chats ?

— Cinq. Quatre. Non, trois, j'en ai perdu un. Ou deux. La voisine du dessous les hait. Je ne peux pas vraiment le lui reprocher. Si j'avais su que tu venais, j'en aurais profité pour faire un peu de rangement. Enfin, à ta santé, conclut-il en prenant une gorgée de bière.

— Pas de pálinka, aujourd'hui, donc.

— Ha ! Ha ! Bien vu ! C'est vrai qu'on pourrait, pour fêter tes dernières publications. Mais je ne vais pas te mentir, je trouve que c'est du pétrole. »

Charles examina son hôte. Beckett soutint son regard pendant quelques secondes, avant de se tourner vers la cheminée. À son tour, Charles observa la cheminée et le poignard posé sur le linteau. Leurs yeux se croisèrent de nouveau, et Beckett se fendit d'un sourire qui laissa apparaître ses immenses dents.

« Bref ! s'exclama-t-il. Tu es là. J'en suis ravi. C'est toujours agréable de parler avec toi.

— Je voulais poursuivre notre discussion.

— Ah oui ?

— Pour commencer, je voudrais que tu m'en dises plus sur les Eleni.

— Je vois, dit Beckett avant de prendre une grande gorgée de bière, de mordre dans sa part de tourte et de mastiquer pendant de longues secondes. Ces bons vieux Eleni. Enfin, "bons", il faut le dire vite. Le terme le plus adéquat serait plutôt "ces affreux Eleni sanguinaires", pas vrai ? Car en matière de barbarie, ils n'ont pas grand-chose à envier à Hitler.

— Dis-moi ce que tu sais sur eux.

— C'est toi, l'expert, maintenant, Charles.

— Il n'empêche, ça m'intéresse. »

Beckett s'installa plus confortablement dans son fauteuil.

« Un escadron de la mort secret, créé pour éradiquer les *hosszú életek*. Si on en croit les sources, ils ont fait du bon travail, s'esclaffa-t-il. À moins que tu ne saches quelque chose que j'ignore.

— Et ces Eleni existent encore aujourd'hui.

— Bah ! Ce sont certainement des adeptes de la reconstitution historique. Tu sais comment c'est, ces choses-là.

— Je voudrais que tu me montres de nouveau le parchemin.

— Oui, bien sûr, dit Beckett avant de s'interrompre et de se tourner vers Charles. Quel parchemin ?

— Le parchemin, celui que tu m'as montré hier. »

Beckett fronça les sourcils.

« Est-ce que tu cherches à te payer ma tête, Charles ?

— Mais tu sais, le décret royal.

— Charles, je sais que je vieillis et que je ne suis plus aussi vif que dans ma jeunesse, mais je dois t'avouer que je ne vois absolument pas de quoi tu veux parler. J'ai passé la journée chez moi, hier.

— Mais non, on s'est vus au jardin botanique.

— Avec mon rhume des foins ? Même en plein mois de décembre, je ne peux pas y mettre les pieds. Pour moi, les poils de chat, c'est de la gnognotte à côté du pollen. Rien que de penser à cet endroit affreux, j'ai envie d'éternuer. »

Charles sentit sa poitrine se serrer.

« Patrick, quand est-ce que tu as vu Nicole, pour la dernière fois ?

— Qui ça ? demanda le vieux professeur en se grattant la tête. Mais qu'est-ce qui te prend, Charles, tu veux vraiment me faire tourner en bourrique ? »

Charles se leva d'un bond, traversa l'appartement à toute allure et dévala l'escalier pour se retrouver dans la rue.

Nicole était allongée sur le lit, un coussin entre les bras, quand elle entendit la porte de derrière claquer et Charles appeler son nom.

« Je suis là-haut », dit-elle.

Les pas de Charles résonnèrent sur les marches de l'escalier, et quand la porte s'ouvrit, Nicole se retourna pour lui sourire.

Il avait vraiment mauvaise mine. C'était la première fois qu'elle le voyait mal rasé. Et ses yeux avaient quelque chose de différent. Ils paraissaient hantés.

« Salut ! » dit-il.

Il remarqua aussitôt la revue ouverte sur le lit – *Journal du folklore et de la mythologie européens*.

« Je vois que tu l'as lu, ajouta-t-il.

— La curiosité a fini par l'emporter.

— C'est souvent le cas.

— Ça va, Charles ? »

Il ferma la porte et s'approcha du lit.

« Je crois qu'il faut qu'on parle, annonça-t-il.

— Je le crois aussi, répondit-elle en l'invitant à le rejoindre.

— Nicole... »

Il avait prononcé son nom d'une voix cassée. Il s'assit, tête baissée.

« Charles, est-ce que tu pleures ? »

Il s'essuya les yeux et secoua la tête.

« Qu'est-ce qui se passe ? demanda-t-elle. Qu'est-ce qui ne va pas ?

— Nicole... Mon Dieu, Nicole. Qu'ai-je fait pour mériter une femme telle que toi ?

— Tu as eu de la chance, c'est tout, plaisanta-t-elle en l'attrapant pour l'attirer vers elle.

— Si jamais je te perdais...

— Tu n'es vraiment pas passé loin.

— Tu es sûre que tu veux rester ici ? À Oxford ?

— Pas toi ?

— Je t'aime tellement, soupira-t-il.

— Je sais. Tu as parfois une drôle de façon de le montrer, mais je sais que tu m'aimes. Viens là. »

Et pour la première fois depuis des semaines, ils firent l'amour. Après quoi, allongée entre ses bras, Nicole se rappela à quel point cette intimité lui avait manqué. Elle ne l'avait jamais vu pleurer, ne l'avait jamais vu si vulnérable, et cela la tracassait. Elle se demandait ce qui pouvait bien en être la cause.

Charles se retourna et la regarda droit dans les yeux.

« Je ferai tout ce que tu voudras, déclara-t-il.

— J'ai bien de la chance, répondit-elle en lui caressant les cheveux. Le grand professeur Charles Meredith qui se prosterne devant moi, prêt à satisfaire mes moindres désirs.

— Je ne plaisante pas. Tout ce que tu voudras. »

Il se tourna vers la table de nuit, sur laquelle étaient empilés les carnets de Nicole.

« Qu'est-ce que c'est ? » demanda-t-il.

Nicole sourit. Elle parvint à réprimer un mouvement de recul et espéra que son visage ne la trahissait pas.

« Rien, répondit-elle. Juste de vieux livres. »

Il hocha la tête.

Elle se força à respirer de façon régulière et examina le visage de Charles – la forme de sa mâchoire, la peau qui se relâchait légèrement sous son menton, ses sourcils broussailleux, ses cheveux ébouriffés.

Puis, aussi calmement que possible, Nicole se leva. Elle sentit ses yeux posés sur son corps entièrement nu, tandis qu'elle enfilait une robe de chambre. Quand elle se retourna vers lui, il lui souriait – un sourire carnassier.

« Je vais faire du café, annonça-t-elle.

— Je viens avec toi. »

Nicole sortit dans le couloir et essuya deux larmes.

Il ne faut pas qu'il te voie, se dit-elle. Ne laisse rien paraître.

Charles était-il mort ? Était-il déjà trop tard ? Elle descendit l'escalier jusqu'au hall d'entrée, puis elle pénétra dans la cuisine. Là, elle remplit la bouilloire, la brancha, puis se retourna pour constater que l'homme qui ressemblait trait pour trait à son mari mais qui n'était peut-être pas lui l'avait suivie.

Tremblante, elle ouvrit le placard et prit deux tasses. Puis elle récupéra le pot de café dans le réfrigérateur et mit trois cuillerées dans la cafetière. Quand elle voulut remettre le pot en place, ses tremblements la trahirent, et elle le laissa tomber par terre.

La poudre brune se répandit au sol.

« Zut ! » s'exclama-t-elle.

La créature qui n'était peut-être pas son mari secoua la tête.

« Ne t'en fais pas, dit-il. Est-ce qu'il y a une balayette ?

— Je vais m'en occuper ».

Nicole alla chercher la balayette et ramassa le café éparpillé sur le carrelage, la mâchoire serrée. Puis elle vida la pelle dans la poubelle et versa l'eau bouillante dans la cafetière.

« J'ai vu Sarah, ce matin, dit-elle d'un ton neutre.

— Ah oui ? »

Il n'y avait pas de Sarah. Nicole lui tourna le dos pour ravaler un sanglot.

« Elle m'a dit que tu avais accepté de lui redonner des cours de français.

— Ah oui ?

— Apparemment.

— J'avais oublié. Mais c'est très bien. Très bien. »

Nicole étudia la disposition de la cuisine. À côté de la cafetière, la bouilloire. À côté de la bouilloire, le grille-pain. À côté du grille-pain, un bloc en bois contenant six couteaux Sabatier parfaitement aiguisés qu'elle avait achetés à Thiers.

Elle jeta un coup d'œil par-dessus son épaule. Il avait récupéré une photo encadrée sur le rebord de fenêtre, qu'il étudiait intensément. Il s'agissait d'une photo de Hannah, prise alors qu'elle avait treize ans. Elle était assise dans un canoë, avec son gilet de sauvetage, et souriait de toutes ses dents. Ça remontait à leurs vacances en Dordogne, quand ils avaient passé deux semaines à camper près de la rivière, cuisinant sur un réchaud de camping et se racontant des histoires sous les étoiles.

L'homme leva les yeux vers Nicole en souriant. Elle en était sûre, à présent, il s'agissait d'un imposteur. Elle se retourna vers le plan de travail, en priant pour que ses jambes flageolantes ne la trahissent pas. Elle se voyait déjà étalée sur le sol, à la merci du monstre. Elle déglutit et se força à ne pas courir.

À Carcassonne, combien de temps Petre s'était-il fait passer pour son père avant de le tuer pour de bon ? Plusieurs jours ? Plusieurs semaines ? Était-ce la première fois que Jakab lui rendait visite ? La dixième ? S'il n'avait pas commis cette petite erreur, dans la chambre, elle n'aurait jamais rien soupçonné.

Tu as fait l'amour avec lui, songea-t-elle.

C'était les dernières publications de Charles qui lui avaient permis de retrouver leur trace. Le livre, avec la photographie sur la troisième de couverture. L'article dans la revue. Les deux étaient sortis au cours du mois précédent. Combien de temps avait-il fallu à Jakab pour tomber dessus ? Combien de temps pour trouver Charles ? Certainement pas plus de quelques semaines, peut-être même quelques jours. C'était donc sûrement la première fois qu'il lui rendait visite. Et dans ce cas, son mari était probablement encore vivant.

Peut-être.

Potentiellement.

« Le bijoutier a appelé, dit-elle.

— Ah oui ?

— Il a dit que ta montre était prête.

— J'irai la chercher demain matin. »

Nicole l'entendit s'approcher d'elle. Il n'y avait pas de bijoutier. Pas de montre.

Elle se retourna.

Jakab se tenait face à elle, la photo de Hannah dans les mains. Il riait.

Soudain, elle attrapa la cafetière et lui en jeta le contenu au visage. Il poussa un hurlement de douleur et recula de quelques pas en laissant tomber le cadre photo, qui se brisa sur le carrelage de la cuisine.

« Tu te rends compte à quel point ça fait mal ? » rugit-il.

Quand il se redressa, elle vit que la peau de son visage, ébouillantée, avait viré au rouge cramoisi. Du café brûlant lui dégoulinait du menton. Il éclata d'un rire démoniaque.

« En tout cas, on peut dire que ça réveille ! plaisanta-t-il. Après tout, c'est à ça que ça sert, le café, non ? »

Nicole tira un couteau de cuisine du bloc. Le cube en bois rebondit sur le plan de travail avant de tomber par terre. Les lames acérées se répandirent sur le sol.

Elle se jeta sur lui, mais il était rapide – trop rapide –, et il eut le temps de se protéger le visage avec le bras. La lame coupa net le tissu de sa veste, et des gouttes de sang volèrent dans la cuisine.

Nicole plongea pour lui planter le couteau dans le visage, mais il esquiva, et avant qu'elle ait pu se redresser pour l'attaquer de nouveau, elle glissa sur le café bouillant. Elle bascula en arrière, et sa tête heurta le plan de travail.

Étalée sur le carrelage, Nicole sentit le café qui lui brûlait les cuisses. Le coup l'avait étourdie, et elle n'arrivait plus à bouger. Elle baissa les yeux et vit que sa robe de chambre était ouverte, dévoilant sa nudité. Cette prise de conscience la fit suffoquer.

D'un geste brutal, Jakab récupéra un torchon sur le dos d'une chaise et s'essuya le visage. Déjà, les traces rouges s'estompaient. Il jeta ensuite le torchon au sol et examina la coupure sur la manche de sa veste.

« Espèce de salope ! Regarde ce que tu as fait ! Bon sang, Nicole, mais regarde ! Tu sais à quel point elle me plaisait cette veste ? J'ai vu Charles en porter une similaire la semaine dernière, tu ne peux pas savoir le temps qu'il m'a fallu pour trouver la même. »

Nicole repéra sur sa gauche un petit couteau d'office, sur le carrelage. Tout doucement, elle avança les doigts pour s'en saisir.

Jakab faisait les cent pas devant elle, en se tenant la tête à deux mains.

« Calme-toi, Jakab, calme-toi, dit-il. Il n'est pas trop tard, non, il n'est pas trop tard. Rattrape la situation, comme tu le fais toujours. Voilà. Tu sais que tu peux le faire. »

L'index de Nicole atteignit enfin le manche froid

du petit couteau. Soudain, elle sentit son estomac se révulser et elle se demanda si elle n'allait pas vomir.

Jakab ramassa le cadre photo brisé par terre et s'approcha d'elle.

« Qui c'est ? Qui c'est ? »

Les doigts de Nicole se refermèrent doucement autour du manche.

« C'est Erna, ajouta-t-il. Mais comment est-ce possible ? Elle est morte, Nicole. Morte. Et cette photo est en couleurs. »

Il lui jeta la photo au visage, pendant qu'elle tirait le couteau vers elle.

« Mais qu'est-ce que tu crois ? » hurla-t-il en levant son pied pour l'abattre sur la main de Nicole.

Elle entendit les os de son poignet craquer et elle poussa un hurlement de douleur.

Jakab donna un coup de pied dans le couteau pour le mettre hors de portée, puis il fit de même avec les autres.

« Tout ce temps que j'ai passé à te chercher, Nicole. Toutes ces années. Et regarde-toi. Tu es vieille. Vieille et méchante. »

Il marqua une pause, le temps de reprendre sa respiration, puis il demanda :

« Qui c'est, cette fille sur la photo ?

— C'est moi, Jakab.

— Menteuse ! Lève-toi ! »

Elle croisa les jambes.

« Où est Charles ? demanda-t-elle.

— Debout !

— Qu'est-ce que tu lui as fait ?

— Il est mort. Maintenant, réponds à ma question ! »

Le cœur brisé, elle ne put s'empêcher de laisser échapper un gémissement de chagrin.

Jakab l'attrapa par le bras, la força à se lever, puis la plaqua contre le mur de la cuisine.

« Je vais te le demander une dernière fois. Qui est-ce ? Et où est-elle ? »

Les joues dégoulinantes de larmes, Nicole le regarda droit dans les yeux, lui, le monstre qui ressemblait à son mari mais qui ne l'était pas.

Jakab arma son poing et la frappa au visage.

Quand elle se réveilla, elle était ligotée sur une chaise, dans un coin de la cuisine. Elle ne parvenait pas à ouvrir son œil droit. Elle sentait le goût du sang dans sa bouche. Elle leva la tête avec difficulté et étudia les alentours.

Jakab était assis en face d'elle, de l'autre côté de la table. Il avait enlevé sa veste abîmée et portait à présent un pull-over bleu en cachemire appartenant à Charles.

Sur la table, bien alignés en face de Nicole, huit cadres. Il avait dû profiter du fait qu'elle était évanouie pour fouiller la maison. Chacun contenait une photo de Hannah.

Hannah déguisée en ange pour la kermesse de l'école. Hannah en tenue de hockey avec une crosse et une balle. Hannah sur un trampoline. Hannah et Charles à la mer, jouant à s'éclabousser.

« Elle s'appelle Hannah, déclara Jakab. Et c'est ta fille. »

Nicole ne répondit pas. Elle leva la tête vers lui et fixa ses yeux vides.

« Tu sais, je ne voulais pas que les choses en arrivent là, poursuivit-il. J'espérais vraiment que ça marcherait.

Malgré ce que j'ai dit tout à l'heure – que tu étais vieille et méchante –, j'ai beaucoup apprécié ce qu'on a fait tout à l'heure. Comme quoi, ton agressivité a des côtés positifs. »

Elle lui cracha au visage. Un épais postillon sanglant qui atterrit sur sa joue.

« Mais tu es vraiment trop vicieuse, soupira-t-il. Dommage. Bon, où est-ce que je peux la trouver, ta fille ?

— Je vais te tuer, ordure. »

Jakab se passa la main sur le visage pour essuyer le crachat sanguinolent. Puis il se leva, traversa la cuisine et revint avec un torchon qu'il utilisa pour se nettoyer les doigts.

Enfin, il fit le tour de la table et s'assit sur une chaise à côté de Nicole.

« Tu ne vas pas me le dire. Mais je m'en doutais. Tu es têtue, comme les autres. Et laisse-moi te dire que ça ne te va pas du tout, Nicole. »

Il tendit la main vers elle. Elle eut un mouvement de recul, mais elle sentit aussitôt la pièce se mettre à tourner autour d'elle. Jakab se mit à parler, d'une voix douce, comme s'il s'adressait à un oiseau blessé qu'il voulait rassurer.

Peut-être que c'est ce que je suis, songea-t-elle. Un oiseau blessé. Trop gravement blessé pour être sauvé, à présent.

« Maintenant, je vais tout doucement prendre ta tête entre mes mains, dit-il en glissant les doigts dans ses cheveux, derrière ses oreilles. Et tu vas me laisser faire, voilà, comme ça, exactement comme ça. Tu vois, je ne sais pas si tu es au courant, j'imagine que non, mais il s'agit d'un vieux truc de *hosszú élet*. Tu vas voir, c'est assez impressionnant. Je ne sais pas vraiment comment ça fonctionne, je ne sais même pas comment je le fais. Mais ça fonctionne, et c'est tout ce qui compte. »

Elle sentit les paumes de Jakab contre ses tempes. Elles étaient tièdes, presque chaudes. Nicole voulut tourner la tête, mais il força légèrement pour bien la maintenir en place, sans se départir de son sourire. La tiédeur des paumes s'était transformée en chaleur, et elle sentit soudain une douleur aiguë lui traverser la tête.

« Ça ne va pas faire mal longtemps, promit-il. Essaie de te détendre. »

Le cœur de Nicole battait de plus en plus vite dans sa poitrine, de plus en plus fort. Elle ouvrit la bouche, haletante, pendant que le sang bouillonnait dans ses artères. Elle sentit une énorme pression dans sa gorge, dans sa tête. Les parois de son crâne semblaient gonfler, et elle sentit ses oreilles se boucher d'un coup.

Puis, assez soudainement, Nicole sentit quelque chose se briser au niveau de son œil gauche, et elle ne vit plus Jakab qu'à travers un voile écarlate. Elle ouvrit la bouche pour crier.

Jakab hocha la tête.

« C'est le moment le plus fascinant, dit-il. Je me demande où ils vont, après. »

Charles se gara dans la rue devant chez lui, coupa le contact et défit sa ceinture de sécurité. Il se frotta le visage et observa pendant quelques secondes la sueur qui luisait au bout de ses doigts. Une question tournait sans cesse dans sa tête.

Qu'est-ce que tu as fait ?

L'homme à qui il venait de rendre visite était Beckett, cela ne faisait pas l'ombre d'un doute. Et à l'évidence, la créature avec qui il avait discuté dans le jardin botanique était quelqu'un d'autre. Le même visage, la même voix, les mêmes tics. La seule différence, c'est que l'imposteur qui lui avait montré le décret royal avait semblé tirer plaisir de la gêne de Charles. Charles avait lu dans ses yeux qu'il se moquait de lui.

Charles observa sa maison, la maison qu'il avait partagée avec Nicole les douze dernières années. Qu'est-ce qu'ils pouvaient bien faire, à présent ? S'il en croyait l'expérience de ceux qui avaient déjà vécu ce même scénario, il n'existait qu'une solution. Fuir. Immédiatement. Fourrer dans un sac le strict nécessaire et l'irremplaçable – les lettres, les photos. Trouver Nicole. Récupérer Hannah à l'école. Partir.

Qu'est-ce que tu as fait ?

Il savait où se trouvaient les passeports et les documents importants. Il devait avoir mille livres sterling en liquide cachées dans son bureau. Dans un premier temps, cela suffirait largement. Par la suite, il pourrait toujours récupérer plus d'argent.

Une ombre passa derrière le vitrail de la porte d'entrée. D'instinct, Charles se baissa sur le siège passager. Puis il redressa doucement la tête, regarda la porte s'ouvrir et vit son double sortir de la maison.

« Oh mon Dieu, non ! » gémit-il.

La créature portait son pull préféré. Elle ferma la porte derrière elle et remonta le chemin jusqu'à la rue.

Charles roula sur le côté et se réfugia comme il put dans l'espace sous la boîte à gants. Il se rendit compte qu'il tremblait de tous ses membres. Il n'aurait su dire combien de temps il resta dans cette position, mais quand il se redressa, son double avait disparu. Charles sortit de la voiture. Il sentait sa mâchoire bouger toute seule, ses dents s'entrechoquer.

Dès qu'il fut dans l'entrée, il appela sa femme. Toutes les lumières étaient allumées. Il se dirigea jusqu'à la cuisine, remarquant au passage que beaucoup des photos qui étaient accrochées au mur avaient disparu. Des rectangles délavés sur le papier peint trahissaient leur absence.

Il ouvrit la porte de la cuisine et découvrit au sol une mare de ce qui ressemblait à du café. Quelqu'un avait marché dessus, glissé même, s'il en croyait les traces de pas. Dans un coin de la pièce, le bloc de couteaux, vide. Dans un autre, jonchant le sol, les fameux couteaux. Un torchon maculé de sang était roulé en boule sur le plan de travail. Sur la table de la cuisine, il vit une collection de cadres. Et sur une chaise, face à lui, Nicole.

Charles referma la porte derrière lui. Le téléphone était accroché au mur, juste à côté du réfrigérateur. Au-dessus, sur un panneau en liège, se trouvait une liste des numéros importants. C'était Nicole qui avait décidé de la mettre là, vu que Charles ne se souvenait jamais où il rangeait les choses. Charles observa la liste pendant de longues secondes, à la recherche du numéro de l'école de Hannah. Quand il l'eut enfin trouvé, il décrocha le combiné.

Une femme répondit.

Il s'éclaircit la voix et expliqua qu'il était le père de Hannah Meredith, et qu'il devait lui parler de toute urgence. La femme l'écouta patiemment, puis elle le mit en attente pendant que quelqu'un allait chercher sa fille en classe.

Sur sa chaise, sa femme morte l'observait. On aurait

dit qu'à la fin, elle avait pleuré des larmes de sang. Son œil droit était fermé et tuméfié. Des gouttes de sang suintaient sous la paupière. L'œil droit était bien ouvert, lui, et il regardait Charles fixement. Un globe rouge vif. Il détourna le regard. Ce n'était pas comme cela qu'il voulait se souvenir d'elle. La robe de chambre de sa femme était ouverte. Du sang lui avait coulé du nez, dégoulinant sur ses seins et jusque sur son ventre.

Charles ne comprenait pas. Il pensait que Jakab voulait la posséder, pas la tuer.

« Papa ?

— Hannah.

— Qu'est-ce qui se passe ? Tout va bien ?

— Non. Pas vraiment. »

Charles s'interrompit et tourna le dos à sa femme pour essayer de se concentrer.

« Tu vas devoir partir de l'école, Hannah. Tout de suite. Quand j'aurai fini de te parler, je veux que tu raccroches le téléphone et que tu partes immédiatement. C'est bien compris ? »

Une pause à l'autre bout du fil.

« Il est... Il est venu ?

— Oui, Hannah, il est venu.

— Maman est avec toi ?

— Écoute-moi bien. Est-ce que tu sais aller jusqu'à l'église Sainte-Marie ?

— Oui, bien sûr.

— Parfait. Alors, vas-y. Et attends-moi. J'y serai dans moins d'une heure. Est-ce que tu as besoin que je te rapporte quelque chose en particulier ? Quelque chose que tu voudrais récupérer à la maison ?

— Non, papa. Juste toi, et maman. »

Chapitre 18

Budapest, Hongrie

De nos jours

Il ferma les yeux et imagina que le son en contrebas provenait d'une immense machine humaine. Chuchotements, quintes de toux, rires étouffés. Grincements de sièges. Froissements de papier.

Puis, vibrant, l'orchestre. Une seule note de hautbois, d'abord, longue et plaintive. La vibration du crin de cheval sur la corde annonçant l'arrivée des violons. Altos, violoncelles, contrebasses ajoutèrent leur voix les uns après les autres. Le son cuivré des trompettes, des trombones et des cors. Quelque part, une flûte solitaire se lança dans quelque arpège aérien.

Lorant Vince ouvrit les yeux pour admirer la splendeur dorée de l'opéra de Budapest, tandis que l'orchestre s'accordait. Il était assis seul dans la loge royale, sur une chaise à dossier droit en velours brun. Au-dessus de sa tête, l'immense lustre de la salle illuminait au plafond les fresques de Károly Lotz représentant les dieux grecs sur le mont Olympe. Trois étages de loges privatives formaient un fer à cheval autour de la scène. Après le Palais royal, l'opéra était le bâtiment préféré de Lorant, à Budapest.

Alors que l'orchestre continuait à s'accorder, la porte derrière lui s'ouvrit, et Lorant entendit quelqu'un entrer.

« Tu es en retard », murmura-t-il.

La chaise à côté de lui racla sur le sol. Lorant se retourna. Il pensait avoir affaire à Károly Gera, et fut surpris de voir en lieu et place de ce *signeur* qu'il ne portait plus dans son cœur un homme qu'il jugeait beaucoup plus inquiétant.

Benjámin Vass se pencha vers l'orchestre et le public, en contrebas. Il laissa son regard se promener sur les dorures délicates de la salle, avant de se tourner vers Lorant. Vass avait le visage gras et placide, et son regard inexpressif était dissimulé sous deux épaisses paupières tombantes. Son haleine sentait la viande épicée, comme s'il venait de manger une assiette de *gyulai kolbász*.

« Károly s'excuse, *Presidente*. Il m'a demandé de venir à sa place.

— Károly sollicite une audience avec moi pour m'envoyer son second ?

— Son état de santé s'est détérioré. J'agis dans son intérêt. »

La mâchoire de Lorant se crispa. Personne n'agissait dans l'intérêt des trois *ülnökök* du Conseil des Eleni. Aucun *ülnök* n'agissait non plus dans son propre intérêt ; chaque *ülnök* n'agissait que dans l'intérêt du Conseil.

« Je suis navré de l'apprendre », dit-il.

Et ce n'était pas un mensonge. Károly était âgé, presque aussi âgé que Lorant, et la terrible maladie contre laquelle il se battait depuis six mois était en train de gagner la bataille. Et si Lorant ne pleurerait pas la mort de Károly, il regretterait l'homme qu'il avait jadis été. Ce qui inquiétait véritablement Lorant, c'était que la mort de Károly risquait de voir Vass accéder à la fonction de *signeur*. En tant que *Presidente*, il pouvait toujours opposer son veto, mais si les autres *ülnökök* votaient pour Vass, c'est lui qui se retrouverait dans une position délicate.

Mais après tout, est-ce que le pouvoir m'intéresse encore ? se demanda-t-il. Je ne crois pas. Je suis trop vieux, trop fatigué. Et puis, depuis le temps que je suis à la tête du Conseil, qu'est-ce que j'ai fait de si mémorable ?

Néanmoins, il était convaincu qu'avant de jeter l'éponge pour de bon, il devait faire tout son possible pour empêcher Vass de gravir les échelons. Cet homme représentait un danger pour le Conseil : à en changer les objectifs, il risquait de le détruire.

« Károly exige de savoir...

— Il exige ? »

Vass hésita, puis sourit.

« Károly supplie, il implore qu'on lui explique pourquoi vous avez envoyé Dániel Meyer et les autres à Londres sans juger pertinent de l'en informer. »

Lorant regarda Vass et se força à ne pas le quitter des yeux. Meyer était le seul *ülnök* en qui il avait encore confiance. C'est pourquoi c'était lui qu'il avait choisi pour cette mission.

« Tu n'as qu'à dire à Károly que je ne ressens pas le besoin de lui donner des explications.

— Il m'a demandé de vous rappeler que si la majorité des *ülnökök* posait une question, le *Presidente* était dans l'obligation d'y répondre.

— Mais je ne vois pas de majorité des *ülnökök*

devant moi. Je ne vois d'ailleurs aucun *ülnök* tout court. Pas même l'ombre d'un aspirant. »

Si Vass se sentit piqué au vif, il n'en laissa rien paraître.

« Lorant, je tiens à vous rappeler que je remplace Károly, ce qui signifie que j'agis pour le compte du *signeur* et que...

— Tu n'agis pour le compte de personne !

— Et je suis sûr que quand je discuterai avec Földessy, il voudra lui aussi savoir ce qui se passe. Les voilà, vos deux *ülnökök*, Lorant. La voilà, votre majorité.

— Parce que tu parles au nom de Földessy, maintenant, en plus ?

— Non, bien sûr que non. Mais je pense qu'on peut partir du principe qu'il voudra comme moi savoir ce qui se passe. Enfin, comme Károly », se reprit-il en souriant.

Vass avait raison de partir de ce principe. Földessy était devenu de plus en plus impatient ces dernières années. Impatient et intransigeant. Et là encore, c'était précisément la raison pour laquelle Lorant ne s'était confié qu'à Dániel Meyer.

En contrebas, les notes de l'orchestre s'affaiblirent. Le public se tut.

« Alors ? » demanda Vass.

Lorant serra de toutes ses forces les accoudoirs de son siège et se força à parler d'une voix calme.

« Si le *signeur* veut me forcer la main, dit-il, il sait ce qu'il a à faire. Je ne négocie pas avec un messager. »

Vass soutint le regard de Lorant, puis il cligna des yeux à deux reprises.

« Profitez bien de l'opéra, *Presidente*. »

Le taxi de Benjámin Vass traversa la ville, fit le tour du Városiglet pour s'arrêter devant l'entrée des Thermes Széchenyi. Vass régla la course, puis il gravit les marches du bâtiment néobaroque et passa devant les énormes colonnes en pierre. De nuit, les murs illuminés paraissaient d'un jaune encore plus vif que de jour. Dans le vestibule en marbre, Vass présenta sa carte au vigile, puis passa sous le porche qui menait aux trois immenses piscines extérieures.

Illuminés par des lampadaires en fer forgé, deux bassins semi-circulaires encadraient une piscine centrale oblongue. En face, tours colossales, coupoles, balcons et fontaines dominaient l'architecture du bâtiment. Des portes donnaient sur quinze autres piscines intérieures alimentées par deux puits artésiens qui captaient l'eau à même la source située à quelques centaines de mètres de profondeur sous l'établissement.

Un nuage de vapeur flottait au-dessus de l'eau, dissimulant les visages de la centaine de baigneurs. Vass prit quelques secondes pour humer l'odeur minérale, puis il emprunta le chemin pavé jusqu'au bassin semi-circulaire le plus éloigné. Là, il retrouva Károly Gera assis sur les marches de la piscine, occupé à suivre une partie d'échecs entre deux baigneurs – le plateau avait été posé sur un socle en pierre qui s'avançait dans l'eau.

La chair semblait dégouliner du corps de Károly comme la cire d'une bougie fondue. La peau de son visage faisait penser à un morceau de toile de jute souillé qui ne parvenait pas à adoucir les arêtes anguleuses de son crâne chauve. On avait du mal à discerner ses yeux au fond de leur orbite creusée. Sur son torse marqué de taches de vieillesse, chaque côte tirait sur la peau comme les doigts d'une aile de chauve-souris. Il tenait à la main un verre d'alcool où flottait un unique glaçon.

Quand il vit arriver Vass, Károly s'éloigna des joueurs d'échecs pour se diriger vers un coin du bassin inoccupé. Vass s'accroupit au bord de la piscine.

« Tu l'as vu ? » demanda le *signeur*.

Vass acquiesça.

« Eh bien ! Raconte, alors !

— Il a peur, déclara Vass avec un sourire suffisant.

— Ce n'est pas nouveau. Lorant a toujours eu peur. Mais sinon, qu'est-ce qu'il fait ? Pourquoi a-t-il envoyé Meyer à Londres ?

— Il n'a pas voulu me le dire. »

Károly prit un air renfrogné.

« C'est proprement scandaleux, dit-il. Est-ce que tu as parlé à Földessy ?

— Pas encore.

— Je t'ai pourtant donné des instructions précises, il me semble.

— Je voulais d'abord vous montrer ceci, dit Vass en tirant de sa serviette en cuir un étui en plastique contenant un morceau de journal britannique. Regardez cet article ! Il a été publié il y a deux jours. »

Károly prit le document et l'examina. Il resta silencieux pendant une minute, puis il rendit l'étui à Vass.

« Meurtre présumé. Personnes portées disparues. Et alors ? demanda-t-il.

— La personne portée disparue est Anthony Pearson. Ne s'agit-il pas d'une des identités que Lorant a fournies à Charles Meredith après la mort de sa femme ? »

Károly lui arracha l'article des mains.

« *Te jó ég !* s'exclama-t-il, le regard brillant. Balázs Jakab ! Il les a retrouvés ! »

Vass approcha le fauteuil roulant du *signeur* jusqu'au bord du bassin et aida le vieil homme à sortir de l'eau. À la lueur de la lune, le corps de Károly ressemblait à une membrane blanchâtre qui dégageait de la vapeur. Vass l'aida à enfiler un peignoir, puis il l'assit dans le fauteuil.

Une leucémie n'était pas nécessairement synonyme d'arrêt de mort, mais quand elle s'étendait au système nerveux central, comme dans le cas de Károly, il n'y avait plus rien à faire : l'espérance de vie était en moyenne de cent huit jours.

Les doigts du *signeur* s'agitèrent pour attirer l'attention de Vass.

« Il faut qu'on les intercepte, dit-il. Réserve-nous immédiatement des billets d'avion.

— Il faut d'abord qu'on découvre où se trouve Meyer. On n'a pas de contact, là-bas.

— Ne discute pas mes ordres, aboya Károly. N'oublie pas notre accord. »

Aussitôt, Vass cessa de sourire.

« Oui, *signeur*. Dans ce cas, si vous me permettez une question : est-ce qu'on a un contact ?

— On en avait un. Il y a longtemps.

— Qui ?

— Il s'appelle Sebastien Lang.

— Ce nom me dit quelque chose.

— J'espère bien qu'il te dit quelque chose, Benjámin. Lang était mon prédécesseur au poste de *signeur*.

— Et vous savez où il se trouve ?

— J’ai ma petite idée.

— On peut lui faire confiance ? »

— Ne t’inquiète pas pour ça », répondit Károly, un sourire aux lèvres.

Ses dents scintillèrent à la lueur de la lune.

Chapitre 19

Snowdonia, pays de Galles

De nos jours

Hannah entra en trombe par la porte de derrière. Elle traversa la cuisine et se précipita dans le couloir, allumant autant de lumières que possible au passage. Leah hurlait. Nate l'appelait.

À l'étage. Tous les deux.

Au pied des marches, elle agrippa la rampe pour éviter d'être emportée par sa course.

Nate se tenait en haut de l'escalier. D'une main, il serrait un tisonnier ; de l'autre, il tenait fermement Leah.

Quand Leah vit Hannah, ses hurlements se transformèrent en sanglots.

« Maman ! »

Elle essaya de se dégager de l'étreinte de son père, mais Nate ne la lâcha pas. Son regard pour Hannah trahissait la méfiance.

« Le plat que tu as cuisiné quand on était dans les Cairngorms, dit-il. C'était quoi ?

— Poulet au cacao. Infect. »

Il acquiesça, puis posa une deuxième question :

« Ma première voiture ?

— Une Volkswagen Scirocco. Blanche. La portière passager n'était pas étanche. »

Nate lâcha Leah. La petite fille dévala l'escalier pour rejoindre sa mère. Hannah la rattrapa d'un bras ; elle ne voulait pas lâcher le fusil et n'arrêtait pas de se répéter qu'il fallait qu'elle le recharge.

« Tout va bien, ma fripouille. Tout va bien, murmura-t-elle à l'oreille de sa fille.

— Il est venu, pas vrai ? Le méchant monsieur, il est venu ?

— Oui, mais il est parti, maintenant. Maman lui a fait peur. Tu ne risques plus rien. Je suis là. Papa est là.

— Qu'est-ce qui s'est passé ? demanda Nate.

— Il est entré par la porte de derrière. Il s'est fait passer pour Sebastien.

— Ta tête...

— Ce n'est rien. Juste une coupure.

— Sûre ? Ça a l'air sérieux.

— Non, non, ne t'en fais pas. »

Il hocha la tête.

« Tu ne m'as pas réveillé, fit-il remarquer.

— Je sais, je suis complètement idiote. Je n'arrivais pas à dormir, alors je suis descendue, et c'est là que je suis tombée sur lui. C'était imprudent. Il aurait pu nous...

— Mais ça ne s'est pas passé comme ça. On est encore tous là. Si ça se trouve, c'est grâce à toi que... »

Il poussa un juron et posa sa main sur son ventre.

Hannah regarda la chemise de son mari. Une tache sombre se propageait sur le tissu.

« Oh mon Dieu, Nate ! s'exclama-t-elle. Tu saignes !

— J'ai sauté du lit en entendant les coups de feu. J'ai dû arracher les points de suture. »

Du sang commençait à goutter de l'ourlet de sa chemise.

Pour la première fois, Hannah se sentait totalement impuissante.

Jakab était là, quelque part. Et maintenant, ça.

« Qu'est-ce qu'on va faire ? » demanda-t-elle, maudissant le timbre désespéré de sa voix.

Nate grimaça.

« Chaque chose en son temps, comme d'habitude, dit-il. Allez, viens. Aide-moi à descendre. »

Hannah parvint à lui faire descendre l'escalier. Leah ouvrit la porte de la salle à manger et alluma la lumière. Hannah aida son mari à entrer dans la pièce. Elle avait des vertiges. Pas assez de sommeil. Trop d'adrénaline. Trop de peur, de panique.

Deux fauteuils trônaient derrière une table en acajou, de part et d'autre de la fenêtre. Hannah guida Nate jusqu'au plus proche et l'installa dessus comme elle put. Puis elle cassa le fusil, éjecta l'unique douille, et récupéra dans sa poche deux cartouches supplémentaires qu'elle glissa dans chaque chambre. Le fusil prêt à l'emploi, elle referma la porte de la salle à manger et s'accroupit à côté de sa fille. Elle posa une main sur le visage de Leah et se mit à lui caresser la joue.

« Leah, tu te souviens toutes ces fois où on a parlé de ce moment ? Ce moment où il faudrait que tu sois forte ? »

La petite fille acquiesça. Ses pupilles étaient énormes.

« Eh bien, ma chérie, ce moment est arrivé. Tu sais qu'on t'aime, papa et moi. Plus que tout au monde. Ne l'oublie jamais.

— Tu penses que l'un de vous va mourir », gémit Leah.

Hannah sentit une larme rouler sur sa joue.

« Mais non, ma chérie. Personne ne pense ça. Mais s'il existe une toute petite chance pour que ça arrive, il faut s'y préparer, histoire de savoir quoi faire au cas où. Tu es une petite fille très forte, très courageuse, et très intelligente. Il faut que tu continues à toujours réfléchir, toujours remettre en doute, et toujours surveiller attentivement. Fais confiance à ton instinct et réagis rapidement, comme on te l'a appris. Bon, maintenant, est-ce que tu te souviens qu'on t'a montré comment ces trucs-là marchaient ? demanda Hannah en désignant le fusil.

— Oui.

— C'est quoi, ce bouton ?

— La sécurité.

— Comment on l'enlève ?

— En appuyant dessus.

— Très bien.

— Comment je vais faire, pour savoir qui c'est ? demanda Leah.

— Tu te souviens qu'on se valide tout le temps ?

— Oui.

— Eh bien, si tu as un doute, c'est ce qu'il faut faire. Allez, viens là. »

Hannah prit sa fille dans ses bras.

Puis Nate annonça :

« Voiture. »

Hannah s'approcha de la fenêtre. L'aube avait chassé la nuit, repeignant la campagne en gris. Un vieux Defender bleu descendait le chemin vers la ferme à toute vitesse.

Le 4 × 4 franchit le pont et accéléra jusqu'à Llyn Gwyr. Les phares creusaient un faisceau blanc au milieu des ombres. Le véhicule s'arrêta à vingt mètres de la maison. Le moteur continua à tourner quelques secondes, avant de s'arrêter. Les phares s'éteignirent.

Nate tendit le cou.

« Qu'est-ce que tu vois ? demanda-t-il.

— Le Land Rover de Sebastien.

— Et lui, tu le vois ? »

Le pare-brise était teinté. Elle sentait le regard du conducteur posé sur elle.

« Non. Leah, surveille la voiture. Si elle bouge, ou si quelqu'un en sort, tu cries. »

La petite fille serrait tellement fort l'accoudoir du fauteuil qu'elle en avait les phalanges blanches.

« Où tu vas, maman ?

— Chercher les boîtes de cartouches dans la cuisine. Je n'en ai pas pour longtemps. Compte jusqu'à dix, je reviens tout de suite. »

Hannah ouvrit la porte et courut dans le couloir pour se retrouver dans la cuisine. La porte de derrière était ouverte et battait dans le vent. Deux des fenêtres avaient explosé quand elle avait essayé de tirer sur Jakab. Elle aperçut même un plomb fiché dans le bois du chambranle.

Elle ouvrit la porte du cellier, récupéra les deux boîtes de munitions et retourna en courant dans la salle à manger.

« La voiture n'a pas bougé, annonça Leah.

— D'accord, c'est très bien. Maintenant, prends ces boîtes. Ouvre-les. Je veux que tu alignes les cartouches sur la table, pour que je puisse les attraper si besoin, d'accord ? »

Leah acquiesça. Elle posa la première boîte sur une chaise. Puis elle ouvrit la seconde et commença à disposer les munitions l'une à côté de l'autre, douille en métal vers le haut.

Hannah retrouva sa place à côté de la fenêtre. Dehors, la porte du Defender s'ouvrit à la volée. Elle devina des mouvements sur le siège passager. Soudain, Moïse sortit du véhicule. Il baissa la tête et se mit à tourner doucement. Il tourna la tête vers Llyn Gwyr, puis vers le 4 × 4. La truffe au sol, il courut vers la ferme, comme s'il avait flairé une piste.

« C'est son chien, dit Hannah.

— Moïse ? demanda Nate.

— Oui. »

En passant devant la fenêtre, l'animal leva les yeux et croisa le regard de Hannah. Puis il disparut.

« Continue de me parler, Hannah. »

Elle se tourna vers Nate. Sa chemise était couverte de sang, à présent. Elle eut soudain envie de vomir, de crier.

Il faut que tu l'emmènes à l'hôpital ! se dit-elle. Il est trop faible !

« Pour l'instant, il ne se passe rien, répondit-elle. Pas de mouvement. »

Un bruit sourd quelque part dans la maison. Un objet métallique qui était tombé par terre, sûrement. Leah poussa un gémissement craintif et se plaqua la main sur la bouche.

Un glissement dans le couloir. Un coup contre la porte de la salle à manger. Un aboiement étouffé.

Hannah ôta la sécurité du fusil. D'une main, elle écarta légèrement la porte pour laisser entrer Moïse. Puis elle referma derrière lui.

Le chien se mit à lui renifler les pieds, les jambes, l'entrejambe. Il huma sa main, puis se mit à lui lécher les doigts. Après quoi, il fit demi-tour et s'approcha de Leah. Concentré sur sa tâche, il la renifla à son tour, puis lui lécha également la main. Enfin, il se dirigea vers Nate.

Moïse s'arrêta en voyant le sang.

« Tout va bien, mon gars », dit Nate en tendant la main.

Le chien se tourna vers Hannah, puis vers Leah, et se mit à couiner. Visiblement, il hésitait.

« Allez, Moïse, continue », l'encouragea Hannah d'une voix qu'elle espérait enjouée.

Elle sentit son estomac se contracter et reposa sa main libre sur le canon du fusil. La sécurité était toujours enlevée. Elle vérifia que sa fille se trouvait assez loin du fauteuil de Nate.

Le chien fit un pas en avant, baissa la tête et flaira les chaussures de Nate. Il poussa un nouveau couinement. Puis il s'approcha un peu plus, et renifla ses jambes, ses cuisses. Nate agita ses doigts. Le chien les sentit. Et enfin, il les lécha.

Hannah s'adossa contre l'encadrement de la porte et poussa un profond soupir.

Nate regarda l'animal.

« Tu m'as fait une belle frayeur, mon gars, dit-il. Avec tes bêtises, j'ai failli me faire tirer comme un lapin ! »

Moïse se dirigea vers la fenêtre et posa ses pattes avant sur le rebord. Il aboya deux fois.

Sebastien descendit du Land Rover. Il mit les mains en porte-voix et appela Hannah.

Elle ouvrit la fenêtre.

« Sebastien ?

— J'ai entendu des coups de feu. Quelqu'un a été blessé ? »

Hannah regarda Nate et la mare de sang qui se propageait sur sa cuisse.

« Personne n'a été touché, répondit-elle.

— Il est venu ? »

Hannah acquiesça.

« J'arrive.

— Porte de devant », indiqua-t-elle.

Elle s'éloigna de la fenêtre et tendit le fusil à Nate.

« Maman, qu'est-ce que tu fais ? demanda Leah.

— C'est Sebastien, ma chérie. Je vais lui ouvrir.

— Mais si c'est pas lui ? Si c'est le méchant monsieur ?

— Je ne pense pas que ce soit le méchant monsieur, ma chérie. Moïse ne serait jamais monté en voiture avec lui, si ?

— Mais imagine s'il l'a forcé à rentrer dans le 4 × 4 ?

— D'accord, Leah, voilà ce que je te propose. Quand je rentrerai avec Sebastien, je veux que tu te concentres sur Moïse. Si tu vois qu'il agit de manière bizarre, tu fais un signe à papa. Il saura quoi faire. D'accord ?

— Oui. Fais attention, maman. »

Hannah se dirigea vers la porte d'entrée et vit la silhouette déformée de la tête de Sebastien à travers le hublot de verre. Elle hésita, la main posée sur la poignée, puis elle finit par ouvrir.

Sebastien l'observa, son regard d'émeraude impossible à décrypter.

« Le bordeaux préféré de ton père ? demanda-t-il.

— Château-latour. Le nom de ton deuxième chien ?
— Cyrus... Bon, où sont les autres ?
— Suis-moi. »

Hannah le mena jusqu'à la salle à manger. Moïse se redressa aussitôt pour accueillir son maître.

Sebastien gratta la tête de son chien. Il se tourna vers Nate, remarqua la souffrance dans son regard, puis il vit le sang.

« Bon sang ! s'exclama-t-il. Les points ont sauté !

— Je sais, répondit Nate. Ce n'était vraiment pas le moment.

— Que s'est-il passé ? demanda Sebastien à Hannah.

— Je ne sais pas encore. Mais avant toute chose, Sebastien, j'aimerais savoir quel rôle tu joues dans cette histoire.

— Comment ça ? demanda le vieil homme en fronçant les sourcils.

— Hier, on se promenait à cheval et on est passés à côté de chez toi. Sacrée réception ! Rien à voir avec la vie d'ermite que tu me décrivais. Alors, qu'est-ce que tu as à répondre ?

— À cheval ? Qu'est-ce que c'est que ces histoires ?

— Réponds à ma question, Sebastien. Qui étaient ces deux hommes ?

— C'est bien de se méfier, Hannah, mais là, ce n'est pas vraiment le moment. Dis-moi plutôt ce qui s'est passé ici. Que je vous aide. Ton mari est blessé. Il faut qu'on...

— Réponds à ma femme ! » ordonna Nate en braquant le canon du fusil sur Sebastien.

Le vieil homme parut hésiter. Son regard passa de Nate à Hannah, pour se reposer finalement sur Nate.

« Vous faites vraiment la paire, tous les deux ! dit-il

sèchement. Je ne savais pas que vous m'espionniez, mais bon, si vous y tenez... Les deux hommes que vous avez vus sont des Eleni.

— Je croyais que tu avais rompu tes liens avec cette organisation, fit remarquer Hannah.

— C'est le cas.

— Alors quoi ? Ils venaient juste prendre un café ?

— Je les ai contactés. Enfin, juste l'un d'entre eux. En toute discrétion. Je pensais qu'ils pourraient nous aider.

— Juste l'un d'entre eux ?

— C'est ce que j'ai dit.

— Et pourtant, il y en avait deux. C'est ça que tu appelles la discrétion, Sebastien ? Et combien d'autres savent qu'on existe, maintenant, hein ? »

Elle s'interrompit pour lui laisser l'occasion de répondre, mais il resta silencieux.

« Ça ne t'est pas venu à l'idée qu'on aurait peut-être apprécié d'être consultés ? Tu ne t'es pas dit, à un moment, "Tiens, je vais leur demander leur avis", avant d'impliquer, une, deux, trois, ou je ne sais combien de personnes qui maintenant connaissent notre existence ?

— Je voulais seulement vous aider », répondit-il, piteux.

Son ton la surprit, et elle comprit soudain à quel point elle l'avait blessé.

Mais cela ne changeait rien : il n'avait aucun droit d'agir comme il l'avait fait, alors qu'elle avait tout à fait le droit d'être en colère contre lui.

« Où sont-ils, maintenant ? demanda-t-elle.

— En ville. Ils ont réservé une chambre.

— Dis-leur de ne pas s'approcher de nous.

— Est-ce que je peux examiner ton mari, maintenant ? » demanda-t-il, la mâchoire serrée.

C'est alors que le téléphone portable de Hannah se mit à sonner, à l'étage. Elle l'avait laissé sur la coiffeuse.

« Il faut que je réponde, dit-elle. C'est peut-être lui. Ou peut-être papa.

— Maman, n'y va pas ! »

Sebastien se dirigea vers la porte.

« Je m'en charge », déclara-t-il.

Hannah le regarda droit dans les yeux pendant plusieurs secondes. Puis elle fit un pas sur le côté pour le laisser passer. Elle écouta les pas du vieil homme dans l'escalier, puis dans le couloir de l'étage. La porte de la chambre à coucher grinça. Une latte de parquet gémit au-dessus de leur tête.

Hannah s'approcha de la fenêtre pour observer les environs. Les collines, le torrent, la route. Personne. Pas un être humain. Pas un animal. Pas de mouvement. Le Defender de Sebastien était toujours au milieu de l'allée, absolument seul.

À l'étage, le téléphone cessa de sonner. Un bruit sourd. Un autre grincement, suivi par des pas dans l'escalier et dans le couloir. Hannah ouvrit la porte, et Sebastien se glissa dans la pièce. Il lui tendit le portable.

Elle regarda le journal d'appels : numéro privé. Elle s'apprêtait à poser le téléphone sur la table quand il se remit à sonner.

Hannah observa l'objet qui vibrait dans sa main. Elle se demanda s'il y avait une chance pour que ce soit son père, puis elle se dit qu'il était inutile de se torturer. Elle décrocha et approcha le portable de son oreille. Elle entendit des grésillements. Puis enfin, une voix.

« Ça ne marche pas du tout, entre nous, pas vrai ? dit Jakab.

— Si j'avais eu une demi-seconde de plus pour viser, ça aurait beaucoup mieux marché.

— Aïe ! s'exclama-t-il en riant. Allons, ça ne te ressemble pas !

— Vous ne me connaissez pas.

— J'ai l'impression que si.

— Alors vous vous fourrez le doigt dans l'œil.

— Ah ! Hannah ! Ça me fait souffrir d'entendre cette colère dans ta voix. »

Elle recula jusqu'à la fenêtre et regarda à l'extérieur. Essayait-il de détourner son attention ?

« Vous avez essayé de tuer Nate. À quoi vous vous attendiez ?

— On en a déjà parlé, Hannah. C'est ton mari qui m'a tiré dessus. Qu'est-ce que j'étais censé faire ? Me laisser tuer ?

— Précisément, oui.

— Je n'ai aucun intérêt à faire du mal à ta famille.

— Vous avez assassiné ma mère.

— Un malentendu, une fois de plus. Je ne peux pas te reprocher de ne pas avoir les idées claires. On t'a menti pendant tant d'années. À croire que la vérité n'intéresse plus personne, de nos jours.

— Parce que vous vous intéressez à la vérité, peut-être ?

— Je connais ma vérité.

— Qu'est-ce que vous voulez ?

— La seule chose que j'ai toujours voulu, Hannah. Une toute petite chose, tellement inconséquente qu'elle ne te coûterait quasiment rien. Je voudrais te voir. Juste une fois. M'asseoir en face de toi et te regarder pendant que je te parle. Je veux te montrer qui je suis vraiment. Et si après cela, tu n'es toujours pas convaincue et que tu préfères t'en aller à jamais, je ne te retiendrai pas. Je m'engage à respecter tes souhaits.

— C'est tout ?

— C'est tout.

— Qu'est-ce que vous avez fait de mon père ?

— Il est en sécurité.

— Passez-le-moi !

— Pour l'instant, je ne peux pas, Hannah. Mais il est sain et sauf, je te le promets. D'ailleurs, je te jure que tu le reverras très vite.

— Vous mentez.

— Mentir me donne des indigestions. Je préfère dire la vérité. »

Elle tourna le dos à la fenêtre et vit sa fille poser la dernière cartouche au bout d'une longue ligne courbe. Elle lut la peur et la détermination dans ses yeux. Puis elle se tourna vers le fauteuil où était assis Nate et elle croisa son regard. Elle baissa les yeux vers le ventre de son mari et vit la tache de sang qui s'étendait.

« D'accord, j'accepte de vous rencontrer.

— Vraiment ? demanda Jakab après quelques secondes d'hésitation.

— Oui, vraiment. Alors ? Dites-moi où !

— Tu veux que je te dise ça... maintenant ?

— Le moment me paraît tout trouvé.

— Je ne m'y attendais pas. Je...

— Je m'en doute. Mais dépêchez-vous, si vous ne voulez pas que je change d'avis. »

Silence. Puis :

« Je te rappelle. Au revoir, Hannah. Tu as pris la bonne décision. »

Elle raccrocha, ferma les yeux et s'appuya contre la porte.

« C'est un piège, dit Sebastien. Il ne veut pas te voir comme ça. C'est contre sa nature. Il n'a pas l'intention de te rencontrer en tête à tête. Il préfère les masques. Les subterfuges.

— Je n'ai aucune intention de le rencontrer. Je veux seulement le tuer. S'il est distrait, s'il pense à autre chose, ça peut nous donner un avantage.

— De toute façon, c'est notre seule tactique, dit Nate en haussant les épaules.

— Bon, maintenant, il faut trouver un moyen de quitter cette ferme.

— Il faut partir du principe qu'il observe la maison, dit Nate. On a deux voitures. Une seule issue évidente : le pont et le chemin vers la route principale. »

Hannah se tourna vers Sebastien.

« Est-ce qu'il y a d'autres issues ? demanda-t-elle.

— Ce n'est pas ce qui manque, répondit-il en grimaçant. Mais à chaque fois, ce sera en terrain découvert. Le torrent traverse toute la vallée. À l'est, il n'y a aucun moyen de le franchir. À l'ouest, à trois kilomètres, il y a un gué. L'autre option, c'est de passer par-derrière. Faire le grand détour. Mais le terrain est assez accidenté. Je ne pense pas que ce soit une bonne idée.

— On a des 4 × 4.

— Ce n'est pas la question », dit-il en inclinant légèrement la tête en direction de Nate.

Elle savait qu'il avait raison. À présent que les plaies de son mari s'étaient rouvertes, ils ne pouvaient se permettre une longue traversée en pleine montagne. Il fallait pourtant qu'ils partent d'ici. Qu'ils sèment Jakab et qu'ils trouvent un hôpital. Et vite.

« Bon, dans ce cas, on prend la route principale, dit-elle. On part du principe qu'il va nous suivre. Et on essaie de le perdre dans les montagnes. Il faut trouver une espèce de diversion. »

Sebastien hocha la tête. Il avait l'air aussi peu convaincu qu'elle.

« Deux voitures ou une seule ? demanda-t-il.

— Tout le monde dans la même.

— Avec deux voitures, ça nous laisserait plus de choix.

— Hors de question que je ne sois pas avec ma fille et mon mari.

— Dans ce cas, vous prenez une voiture. Et moi je prends l'autre. »

Le téléphone se remit à sonner. Tous se tournèrent vers la table où il était posé. Hannah laissa passer une deuxième sonnerie, puis elle décrocha.

« C'est encore moi, dit Jakab.

— Ça n'a pas traîné.

— Je suis rapide.

— Et donc ?

— Je n'arrête pas de penser à quelque chose. Tu ne me fais pas confiance.

— Vous êtes perspicace.

— Je n'ai que faire des sarcasmes. Mais j'ai réfléchi, et il me paraît évident que je dois faire quelque chose pour gagner ta confiance, avant qu'on se rencontre. Un geste de bonne volonté, en quelque sorte. Sinon, j'ai peur que notre discussion soit stérile. Tout d'abord, une confession : je n'ai pas toujours fait les bons choix. Voilà, c'est dit. J'ai parfois fait de mauvais choix, parfois des choix terribles. Beaucoup d'erreurs, mais toutes appartiennent au passé. Certaines de ces erreurs ont été commises pour de bonnes raisons, d'autres non. Quand on vit très longtemps, on a l'occasion de beaucoup se tromper. Quand nous nous verrons, je ne vais pas me chercher des excuses, mais seulement te raconter mon histoire. Certains passages seront très pénibles. J'ai assez de recul pour m'en rendre compte. Mais après notre discussion, j'espère seulement que tu comprendras une petite partie de ce que j'ai perdu, de ce que j'ai enduré, de ce que j'ai été contraint de sacrifier. »

Il parut hésiter, et elle entendit la respiration de Jakab s'accélérer.

« Regarde par la fenêtre, Hannah, reprit-il. Je te rends ton père. »

Après quelques grésillements, la communication s'interrompit.

« Qu'est-ce qu'il a dit ? » demanda Nate.

Hannah éloigna le téléphone de son oreille et fronça les sourcils.

« Chérie ? »

Hannah s'approcha de la fenêtre. L'aube avait teinté le ciel d'une lueur rosée qui peinait à traverser les nuages gris. Elle vit un pick-up Ford noir traverser le pont en pierre, puis s'arrêter à quelques dizaines de mètres de la ferme. Soudain, la portière côté passager s'ouvrit.

Son père descendit de la voiture.

« Oh mon Dieu ! s'exclama-t-elle.

— Qu'est-ce qui se passe ? » demanda Sebastien en la rejoignant à la fenêtre.

Quand il reconnut son vieil ami, il en eut le souffle coupé.

Nate tendit la main à Hannah. Elle l'aida à se lever.

Charles Meredith ferma la porte du pick-up et leva doucement les bras. Il se tourna vers la ferme. Puis il se dirigea jusque devant le véhicule et s'agenouilla, les mains posées sur la nuque, les doigts entrecroisés.

Hannah observait la scène, incapable de bouger, incapable de réfléchir. Elle n'arrivait pas à y croire.

Il me paraît évident que je dois faire quelque chose pour gagner ta confiance, avant qu'on se rencontre. Un geste de bonne volonté, en quelque sorte.

Pouvait-elle s'autoriser à croire qu'il s'agissait bien de son père, là, juste sous ses yeux, vivant ?

« Ça ne me plaît pas du tout », marmonna Sebastien.

Le père de Hannah avait l'air fatigué, malade, mais il ne semblait pas blessé. Elle aurait voulu pouvoir lui parler, pouvoir le valider. Mais Jakab ne lui avait pas laissé cette possibilité. Il l'avait surprise. Pourquoi ?

Elle ne pouvait pourtant pas se permettre de lui faire confiance, si ?

Quand on vit très longtemps, on a l'occasion de beaucoup se tromper.

« Maman, regarde, Moïse ! »

Je te rends ton père.

« Maman, regarde ! »

Les mots de Leah finirent par atteindre Hannah, qui se tourna vers le chien. Moïse s'était approché de la porte de la salle à manger, et il était maintenant assis juste devant, les oreilles dressées, parfaitement immobile.

Hannah reporta son attention sur la route. Le pick-up était toujours garé à proximité du pont. Son père était toujours agenouillé devant.

Moïse se mit à gémir doucement.

Elle se tourna vers Sebastien.

« Qu'est-ce que ça signifie quand il fait ça ? demanda-t-elle.

— Que les ennuis arrivent », répondit le vieil homme en sortant son couteau de sa poche.

Le chien se leva. Il colla sa truffe contre la porte et se mit à grogner.

Dans la cuisine, un bruit étouffé.

« Maman ?

— Reste derrière papa, ma puce », murmura Hannah.

Elle prit le fusil des mains de Nate et fit un pas vers Moïse. Vers la porte.

Encore un bruit, dans le couloir, cette fois. Des pas ? Puis le grincement d'une porte. Celle du salon, c'était sûr, vu que la porte de la cuisine était toujours ouverte. Quelqu'un était entré par la porte de derrière. Quelqu'un avait traversé le couloir, pour entrer dans le salon.

Le chien se remit à grogner. Sebastien fit claquer sa langue, et l'animal se tut. Si Hannah voulait surprendre l'intrus, il fallait qu'elle agisse vite – qu'elle se rende dans le couloir avant qu'il ait eu le temps de sortir du salon.

Elle tendit la main vers la poignée, toucha le métal de ses mains poisseuses, puis l'attrapa fermement et la tourna en priant qu'elle ne grince pas. Enfin, elle ouvrit la porte, prête à lâcher la poignée pour prendre le fusil à deux mains si elle détectait le moindre mouvement.

Le couloir était vide.

Hannah posa le pied à l'endroit où elle savait que le parquet était solide. Elle braqua le canon du fusil sur la droite et s'engagea dans le couloir. Son visage la démangeait, elle avait les yeux qui piquaient et elle mourait d'envie de se gratter, mais elle savait qu'il fallait qu'elle tienne bon et qu'elle garde la crosse calée contre son épaule. Soudain, Gabriel sortit du salon.

Il se tourna vers elle et leva les sourcils quand il vit le double canon braqué sur sa tête.

« Je sens que je dérange ! » plaisanta-t-il.

Mais son sourire n'atteignit jamais ses yeux bleus, qui dévisageaient Hannah avec un détachement effrayant.

« Silence ! » s'exclama-t-elle.

Elle recula en gardant toujours le fusil pointé sur lui. Quand elle estima qu'elle était assez éloignée, elle lui désigna la porte de la salle à manger du bout du canon.

« Par ici ! ordonna-t-elle. Maintenant !

— Ce n'est vraiment pas la peine de me menacer avec ce machin, Hannah, dit Gabriel. Mais je perds mon temps, je sens que vous n'êtes pas disposée à m'écouter.

— Entrez. »

Les bras levés, il s'exécuta.

Hannah suivit, le bout du fusil à quelques centimètres de la nuque de Gabriel.

« Asseyez-vous dans le fauteuil le plus éloigné de la fenêtre. J'imagine que je n'ai pas besoin de vous dire que si vous ne vous tenez pas tranquille, vous vous prendrez une décharge de chevrotine dans la tête. »

Alors que Gabriel faisait le tour de la table, Moïse recula jusqu'à se retrouver aux pieds de Sebastien, babines retroussées et muscles tendus.

Gabriel s'assit dans le fauteuil que lui avait indiqué Hannah. Il embrassa la pièce du regard. Enfin, il reporta son attention sur Hannah.

« Sacré comité d'accueil », commenta-t-il.

Elle vérifia l'allée de gravier en direction du pont. Son père était toujours agenouillé devant le pick-up. Il portait un manteau d'hiver en laine et un pantalon léger. Il faisait froid, dehors. Humide.

« Eh bien ! Petite madame, dit Gabriel. C'est drôlement joli ce que tu as fait avec ces cartouches. »

Puis, se tournant vers Hannah :

« Et tout à fait indiqué pour une enfant de neuf ans.

— Ne lui adressez pas la parole.

— Vous, à côté de la fenêtre, poursuivit Gabriel. Vous devez être Nate. Je voulais vous rencontrer, vous serrer la main et vous dire que vous avez de la chance. Votre femme est un être extraordinaire.

— Nous nous sommes déjà rencontrés, répondit Nate, le regard dur.

— Ça m'étonnerait. Pas comme ça, en tout cas. Un homme de votre stature, je crois que je m'en souviendrais. Mais je vois que votre chance a tourné, si j'en juge par tout ce sang. Je ne suis pas un spécialiste, mais j'ai quand même l'impression qu'il va vous falloir un peu plus qu'un pansement. Quant à vous, poursuivit-il en se tournant vers Sebastien, vous êtes Sebastien, c'est bien ça ? Le vieil ermite. Enfin, ça, c'est ce que vous prétendez. Parce que vous fourrez toujours votre nez partout, pas vrai ? Un vrai lutin maléfique et obstiné. Maintenant que je me suis occupé des présentations, est-ce que quelqu'un daignerait me dire ce qui se passe ?

— Que fait mon père, là-bas ? demanda Hannah. C'est quoi, votre projet ?

— Je ne vois pas de quoi vous voulez parler, répondit Gabriel sans la quitter des yeux.

— Qu'est-ce que vous faites ici ? Vous avez un plan, c'est ça ?

— Non, je n'ai pas de plan.

— Menteur. Pourquoi est-ce que vous êtes entré dans la maison ?

— J'ai entendu des coups de feu. Je suis venu. Les fenêtres de derrière étaient cassées. »

Elle secoua la tête. Elle n'allait pas le tuer là, pas devant Leah, pas sans lui avoir auparavant arraché la vérité.

Hannah regarda par la fenêtre l'endroit où se trouvait toujours son père. Elle luttait contre une tornade d'émotions : amour, haine, peur, indécision. Quelque chose n'allait pas. Tellement de choses n'allaient pas. Elle songea que pour faire face à cette situation, il lui faudrait prendre des risques. Quitte à tout perdre. Même si elle tenait en joue Gabriel – ou Jakab, si c'était de lui qu'il s'agissait –, elle se sentait en danger. C'était un piège. C'est pour cela qu'il avait l'air aussi à l'aise, assis en face d'elle. Elle avait le piège sous les yeux, et elle ne savait pas encore comment il fonctionnait. Mais après tout, qu'est-ce qui l'empêchait de sortir et de lui mettre une balle dans la nuque ?

Une confession, se dit-elle. C'est ça qui t'en empêche. Car dans tous les cas, s'il ne te regarde pas dans les yeux pour admettre la vérité, tant que tu ne seras pas certaine à cent pour cent qu'il ne s'agit pas d'un innocent, tu ne pourras jamais appuyer sur la détente. Et ça, il le sait, il l'a deviné.

Elle avait besoin de son père. S'il l'aidait à reconstituer le fil des événements, peut-être pourrait-elle enfin comprendre ce qui se passait et mettre un terme à toute cette histoire.

Le fusil toujours braqué sur Gabriel, elle se déplaça jusqu'à Nate.

« Je vais sortir, annonça-t-elle.

— Comment ?

— Je vais aller chercher mon père.

— Impossible, Hann'.

— Si. Je n'ai pas le choix. C'est lui la clé.

— Je suis d'accord avec toi, mais je t'interdis de sortir. C'est trop risqué.

— Ça ne m'inquiète pas.

— Je sais, dit-il d'une voix douce. Ce n'est pas ce que je voulais dire. Ton rôle est ici. Dans cette pièce. Toute cette situation tourne autour de toi. Depuis toujours. Et ta place est ici, au cœur de tout ça. Pour Leah, pour nous. C'est moi qui vais aller chercher Charles.

— Toi ? Mais Nate, tu es blessé. Tu arrives à peine à marcher.

— Reste ici, Hannah. Il faut que ce soit moi. »

Quand elle croisa son regard, elle comprit qu'il ne changerait pas d'avis.

Elle se mit à trembler. Elle aurait voulu être malade, n'importe quoi pour qu'il reste auprès d'elle. Au lieu de quoi elle l'embrassa. Puis elle se dirigea vers Gabriel.

« Leah, ferme les yeux », ordonna-t-elle.

Puis elle frappa l'Irlandais à la tête avec la crosse du fusil. Le coup le fit tomber de son fauteuil. Il s'écroula contre le mur, puis il glissa jusqu'au sol, les yeux révulsés. Hannah se tourna vers son mari.

« Ne prends pas de risques, dit-elle. Promets-le-moi, Nate. J'ai un mauvais pressentiment. Et vas-y en voiture. Je sais que c'est juste à côté, mais tu n'es pas en état de marcher. »

Il acquiesça, puis ouvrit la porte de la salle à manger et se glissa dans le couloir. Une minute plus tard, elle entendit le moteur du Discovery démarrer. Peu après, la voiture passa devant la ferme et se dirigea vers le pont.

Dans le ciel, le rose derrière les nuages avait viré au rouge. Un vol d'oies sauvages traversa le paysage en cacardant. Dans l'allée, son père attendait, à genoux, les mains derrière la tête.

Le Discovery fit voler des pierres et de la boue sur le chemin. Hannah pensa aux blessures de Nate qui devaient saigner comme jamais.

Comment as-tu pu le laisser y aller ? Il faut que tu l'emmènes à l'hôpital, qu'il reçoive des soins.

Dès qu'il serait de retour, c'est ce qu'elle ferait. Dès que c'en serait fini.

Elle sentit Sebastien s'approcher de la fenêtre. S'approcher d'elle. Elle se tourna vers lui, vers ses cheveux blancs, ses yeux d'émeraude, et sa barbe de trois jours.

Nate arrêta le Discovery à trois mètres de l'endroit où se trouvait le père de Hannah. Il ouvrit la portière. Tout doucement, il sortit du véhicule. Même de là où elle se trouvait, elle voyait bien les efforts qu'il devait déployer pour ne pas s'effondrer. Il avait laissé tourner le moteur. Elle voyait le pot d'échappement qui vibrait, la fumée bleutée de l'essence qui tourbillonnait dans l'air.

Nate se trouvait maintenant de l'autre côté du Discovery. Le père de Hannah se leva. Elle vit Nate lui dire quelque chose. Son père répondit. Nate s'avança vers lui, et c'est alors que son père sortit un pistolet de sa poche et lui tira dessus.

L'arme – le vieux luger allemand qu'affectionnait particulièrement Charles – tressauta, et deux cercles foncés apparurent sur le dos de la chemise de Nate. Deux détonations, qui résonnèrent dans toute la vallée. Nate tituba, puis tomba en arrière.

Hannah se frotta les yeux pour essayer de comprendre ce à quoi elle venait d'assister. L'air semblait bourdonner, crier. Dans un coin de la pièce, elle vit Gabriel se mettre à bouger, et elle se demanda s'il ne valait pas mieux qu'elle l'abatte tout de suite, avant que les choses ne se compliquent encore un peu plus.

Elle regarda de nouveau par la fenêtre. Son père – pas son père, définitivement pas son père – avait la tête tournée vers la ferme. Il avait baissé son pistolet. Il tenait un téléphone portable à l'oreille.

L'air semblait toujours hurler et bourdonner. Elle se rendit compte que les hurlements venaient de Leah. Sebastien avait attrapé la petite fille et la maintenait fermement dans ses bras. Quant au bourdonnement, c'était la sonnerie de son téléphone. Hannah décrocha.

« Avant de t'énerver, je te rappelle que c'est lui qui m'a tiré dessus en premier, dit Jakab. Avec ce même pistolet, d'ailleurs. Tout ce que je t'ai dit tout à l'heure, je le pensais, Hannah. Mais je ne pouvais pas le laisser s'en tirer impunément. »

Hannah lâcha le téléphone, vaguement consciente du cri qui émanait de sa gorge. Elle tourna sur elle-même pendant plusieurs secondes. Son cerveau ne fonctionnait plus. Sans comprendre comment, elle se retrouva dans le couloir, en train de déverrouiller la porte d'entrée. L'instant d'après, elle courait vers son mari, vers la créature qui portait le visage de son père.

À l'instant où il vit qu'elle était armée, Jakab recula

en hâte jusqu'au pick-up. Hannah s'arrêta, leva le fusil et fit feu. Une réaction instinctive. Inutile. Elle était beaucoup trop loin. Elle reprit sa course.

Jakab ouvrit la portière de sa voiture et sauta derrière le volant. Hannah courait toujours. Elle y était presque. Le véhicule tressaillit quand le moteur démarra, puis partit en arrière, ses roues mordant le gravier. Il traversa le pont en marche arrière. Hannah épaula de nouveau le fusil et tira. Cette fois, un morceau du pare-brise explosa. Penché sur ses roues, le pick-up tourna sur lui-même, puis accéléra en direction de la route principale.

Hannah entendit un grondement de tonnerre derrière elle.

Non. Ce n'était pas le tonnerre. Des sabots, qui martelaient le sol. De plus en plus fort.

Dans un éclair, Gabriel passa à toute allure à côté d'elle, ramassé sur sa monture. Le cheval franchit le pont en faisant voler des pierres au passage. Il galopait derrière le pick-up de Jakab, de plus en plus vite.

En quelques secondes, véhicule, cheval et cavalier avaient disparu derrière la crête.

Le silence retomba sur la vallée.

Hannah lâcha le fusil. Elle marcha vers son mari. S'agenouilla à côté de lui.

Nate avait les yeux ouverts. Elle lui prit la main.

La première balle avait traversé le sternum. La deuxième s'était enfoncée sur la droite de son torse. Par les trous, elle pouvait voir les éclats d'os et la chair déchirée. Une mare de sang se répandait à toute vitesse sous son corps.

« Oh, Nate, mon amour, mon chéri. Qu'est-ce qu'il a fait ? Ce n'est pas possible ! Ce n'est pas possible ! »

Nate serra sa main. Il ouvrit la bouche pour parler, mais aucun son n'en sortit.

Derrière elle, elle entendit des bruits de pas, des gens qui s'approchaient, mais elle s'en fichait. Cela n'avait plus aucune importance, à présent.

Elle regarda Nate dans les yeux et lui dit qu'elle l'aimait, tout en lui serrant la main et en lui caressant les cheveux. Une minute plus tard, il était mort. Tout était fini.

Chapitre 20

Sopron, Hongrie

1927

Assis sur les marches de la colonne de la Trinité, sur la place principale de Sopron, Jakab observait les habitants de la ville qui vaquaient à leurs occupations matinales, bien couverts avec leurs gants, leurs bonnets et leurs pardessus. De fins tourbillons de buée s'échappaient de leurs lèvres. La nuit précédente avait été claire, et les étoiles avaient englouti le peu de chaleur qui restait dans les rues. À présent, le ciel était d'un bleu pâle, presque verni.

Jakab ouvrit le sac en papier sur ses genoux et arracha un gros morceau de strudel qu'il fourra dans sa bouche. Le gâteau était délicieusement tiède et les saveurs explosèrent sur sa langue : pomme sucrée, cannelle, muscade, clou de girofle. Quelques jours plus tôt, il avait découvert une pâtisserie autrichienne qui faisait les meilleurs strudels qu'il avait jamais mangés. Ce matin, il en avait acheté trois, et pas seulement parce qu'ils étaient sublimement bons, mais surtout parce que son corps aurait besoin de beaucoup d'énergie aujourd'hui.

Jakab referma le sac, épousseta les miettes sur ses vêtements et plongea la main dans son manteau pour en retirer sa montre. Il ouvrit le fermoir en or pour regarder l'heure : huit heures moins le quart. Si la chance était avec lui, il devrait voir Albert Bauer traverser la place dans les cinq minutes. Il avait eu le temps de constater que le chimiste était d'une ponctualité exemplaire.

Par habitude, Jakab retourna la montre dans sa main et, du pouce, il caressa l'inscription sur la plaque arrière.

Balázs Lukács
Végzet 1873

Cinquante-quatre ans après que son père la lui avait donnée, dans la calèche devant le palais de Buda, la montre battait toujours inlassablement les pulsations de sa vie. Combien de fois avait-il passé son doigt sur ces dix-sept lettres ? Même aujourd'hui, presque un demi-siècle plus tard, les mots gravés dans le métal faisaient ressurgir en lui des émotions qu'il préférait ne pas affronter. Il se rappelait la lame de son père contre sa gorge, la ligne brûlante qu'il avait creusée dans sa peau. Le sang.

Jakab referma la montre et la glissa dans sa poche.

Il leva la tête pour examiner les visages frigorifiés des passants qui traversaient la place, à la recherche de sa cible. Soudain, son cœur s'emballa en voyant arriver Albert : il venait de la tour de la Lanterne et se dirigeait droit vers lui. Jakab se leva et secoua ses jambes engourdies par le contact avec la pierre glaciale.

Albert était vêtu d'un épais manteau en laine qui lui donnait une allure bizarre, mais il ne portait pas de couvre-chef. Son crâne était tout en angles. Avec son nez en forme de bec, il faisait penser à un faucon.

Jakab avait passé les mois précédents à étudier chaque détail de son apparence. Il connaissait par cœur la moindre fossette, la moindre ride, le contour de ses oreilles saillantes, la forme de ses lèvres. Comme à son habitude, Albert avait plaqué ses cheveux sur le côté avec de la laque. Les cheveux de Jakab avaient exactement la même couleur.

Il attendit que le chimiste l'ait dépassé, puis il lui emboîta le pas. Il comptait filer Albert jusqu'à son lieu de travail, afin de vérifier qu'il suivait bien sa routine quotidienne.

Est-ce que ça te plaît, l'air frais, Albert ? pensa Jakab. Est-ce que tu penses à ta jeune promise ? Je me demande si elle t'a dit qu'elle était déjà fiancée. Je me demande si elle a partagé ce secret avec toi. Mais ne t'en fais pas ; grâce à moi, tu l'apprendras bien assez tôt.

Devant lui, Albert tourna dans Kolostor utca. Jakab le suivit jusqu'à ce qu'Albert gravisse les marches d'un grand édifice couleur crème, qui faisait office à la fois de pharmacie et de laboratoire.

Satisfait, Jakab fit demi-tour et retourna jusqu'à la rue où il avait garé sa voiture, une Mercedes-Benz 630K marron. Ce n'était certainement pas le plus discret des véhicules, mais quand il était tombé dessus dans une exposition à Munich, il avait été séduit par la puissance de ses lignes et l'éclat de ses chromes. Les six cylindres permettaient au bolide d'atteindre pratiquement les cent cinquante kilomètres à l'heure – non que cela fût nécessaire pour se promener dans les rues de Sopron.

Jakab démarra et emprunta vers le sud-est la route qui menait à la maison où la petite-fille d'Erna Novák vivait avec ses parents, Carl et Helene Richter, et son grand-père, Hans.

Les décennies qui s'étaient écoulées depuis la mort d'Erna n'avaient été qu'un tourbillon d'amertume, de chagrin et de colère. Jakab haïssait le monde et ses injustices. Ce furent pour lui les années sombres, les années perdues. Il avait passé tout ce temps à subir sa vie plutôt qu'à en être acteur.

Le peu de souvenirs qu'il avait de cette période le dégoûtait. Il avait essayé tous les vices et s'était complu dans la décadence. Quand enfin il avait sorti la tête de l'eau, les idées claires, cinquante ans s'étaient écoulés. Il se demandait encore comment il avait pu laisser se volatiliser une si longue période de sa vie. Et pourtant, il en était sorti, plus fort et plus décidé que jamais. Il avait atteint une parfaite maîtrise de ses pouvoirs, et les perspectives que cela lui ouvrait l'enchantaient.

Hans avait fait preuve d'intelligence en changeant son nom de famille de Fischer à Richter. Mais le bûcheron avait fait l'erreur d'omettre de remplacer les prénoms, de sorte qu'il avait fallu à Jakab moins d'un an pour le retrouver. Et ce qu'il avait alors découvert l'avait époustouflé.

Anna Richter.

Elle était un peu plus jeune que sa grand-mère à l'époque où Jakab l'avait rencontrée pour la première fois, près du lac Balaton. Plus jeune, plus fraîche, mais d'une certaine façon plus sage, aussi. Ses yeux avaient la même couleur chocolat, avec des éclats verts, et elle avait la même chevelure brune que son aïeule. Jakab avait craint que la descendance d'Erna ne soit corrompue, diluée par la semence de Hans. Mais ces craintes disparurent l'après-midi même où il vit Anna pour la première fois. Loin de souiller l'héritage d'Erna, l'influence du bûcheron avait permis d'engendrer une créature encore plus magnifique que la jeune femme dont Jakab s'était épris à Keszthely. Il tomba aussitôt amoureux.

Avec Anna, on lui donnait une deuxième chance de connaître le bonheur, et il ne comptait pas la laisser échapper.

Arrivé à un kilomètre de la résidence des Richter, Jakab quitta la route gelée et gara la Mercedes dans un bosquet. Il frémit en entendant les branches griffer la carrosserie.

Il coupa le contact, s'installa confortablement sur son siège et se concentra sur le visage d'Albert Bauer. Puis il serra les poings et la douleur familière l'envahit, tandis que son apparence physique se transformait. L'opération terminée, il ouvrit le sac en papier et avala en quelques secondes les strudels restants, sans prendre le temps de mâcher. Enfin, il ramassa un petit miroir de poche sur le siège passager et observa le résultat. Mâchoire carrée, lèvres fines, oreilles légèrement décollées.

Quelque chose n'allait pas avec le nez. Il ferma les yeux, poussa. Vérifia dans le miroir. Mieux. Non, parfait.

Satisfait, Jakab sortit de la voiture et se dirigea vers sa destination en prenant bien soin de ne pas salir son pantalon.

La demeure des Richter était une immense bâtisse de style classique, avec des pilastres qui couraient le long de la façade et quatre colonnes qui encadraient un porche central. Les murs étaient jaune citron. Imitant la démarche pataude et les tics d'Albert Bauer, Jakab gravit les quelques marches et sonna. Il s'attendait à ce qu'une domestique lui réponde, si bien que, lorsque la porte s'ouvrit et laissa apparaître Anna, la surprise lui fit faire un pas en arrière et il s'en fallut de peu qu'il ne chute.

Elle leva un sourcil en le voyant.

« Albert ? Quelle surprise ! Je croyais que tu étais au laboratoire, aujourd'hui ? »

Le cœur battant, il observa le visage de la jeune femme et pensa à tous les aspects qui lui rappelaient celui d'Erna. Et tous les aspects par lesquels il était différent.

« Albert ?

— Je... Oui. J'y suis passé. Mais je me suis dit que j'avais envie de te voir. C'est bête, mais tu me manques.

— Mais... Tu ne vas pas t'attirer des ennuis ?

— Non, ne t'inquiète pas. J'ai beaucoup travaillé ces derniers temps. J'ai bien mérité un peu de relâchement.

— Eh bien, entre, alors, dit Anna en ouvrant grand la porte. Tu dois être gelé. Il ne fait pas beaucoup plus chaud dedans, mais au moins, la cheminée du salon est allumée. Est-ce que tu veux un café ?

— Tes parents sont là ?

— Mon père travaille dans son atelier. Mais ça ne le dérangera pas de te trouver ici.

— Et Hans ?

— Il est allé en ville.

— Très bien. »

Jakab entra dans la maison, et Anna referma la porte derrière lui. Il la suivit jusqu'au salon.

Ce n'était pas la première fois qu'il prenait le risque de venir chez elle.

Les trois premières visites avaient été rapides. Il avait attendu à l'extérieur de la maison qu'Albert Bauer s'en aille, puis il avait sonné à la porte, prétextant avoir oublié quelque chose. Il avait alors fait semblant de chercher, volant au passage quelques bribes de conversation avec Anna. La quatrième fois, il était arrivé en milieu de journée, au moment où il savait qu'Albert se trouvait au laboratoire. Elle était seule chez elle, et une heure plus tard, il s'était retrouvé avec elle dans le lit. Depuis, il avait répété l'expérience à plusieurs reprises. Même s'il ne se sentait pas encore prêt à supplanter totalement Albert, il n'arrivait pas à passer plus de quelques heures loin d'elle. Il prenait des risques énormes, et il le savait.

Pendant qu'Anna s'asseyait sur l'accoudoir d'un des deux canapés situés à côté de la cheminée, Jakab s'installa dans un fauteuil et posa les mains sur les genoux. Il la dévora des yeux. Elle portait un gilet d'homme sur une robe grise presque transparente. Elle avait aux pieds une paire de grossières bottines délacées. La peau de ses mollets était blanche et lisse. Il essaya de ne pas l'examiner avec trop d'insistance.

Une fois de plus, Anna lui sourit.

« Un café, donc ? demanda-t-elle.

— Oui, s'il te plaît. »

Dès qu'elle fut partie, Jakab embrassa la pièce du regard. Sur le sol en parquet, un tapis aux motifs géométriques. Çà et là, de petits guéridons servaient de piédestaux au buste d'un philosophe qu'il ne reconnut pas, à un vase en verre contenant des plumes d'autruche, à une carapace de tortue servant de boîte à cigares, à un gramophone Victrola et à une pile de soixante-dix-huit tours. Au-dessus de la cheminée était accroché un immense miroir doré. Dans un angle, un paravent chinois orné de dragons. Le bureau du père d'Erna se trouvait dans l'angle opposé de la pièce.

Jakab se leva et se dirigea vers une des fenêtres. Dehors, le givre enveloppait les feuilles des rhododendrons, qui attendaient toujours le soleil.

Il s'approcha du bureau. Un carnet en cuir était posé dessus, à côté d'un stylo à plume Waterman. Sur l'unique étagère du meuble, une rangée de vieux carnets. Certains avaient une année notée sur la tranche, mais la plupart n'indiquaient rien. Jakab ouvrit le volume qu'il avait sous les yeux et tomba sur un ex-libris. Entouré de vignes entremêlées, de loups et de cerfs, un message écrit à la main indiquait :

Journal de Hans Fischer
1923-

Jakab feuilleta rapidement le carnet. Chaque page était recouverte d'une écriture soignée à l'encre bleue. Il reconnut les noms de Carl, Helene, Anna et Albert, et il commençait à lire un passage au hasard quand il entendit un bruit derrière lui, dans le couloir. Quelque chose de furtif. Vite, il reposa le carnet et se dirigea vers la porte. Dans le couloir, il vit Anna, debout à côté d'une petite table en noyer. Dans la main gauche, elle tenait le microphone d'un téléphone ; de la droite, le haut-parleur.

« ... Non, je te le jure », murmura-t-elle.

Quand elle vit Jakab à la porte, elle sourit, reposa le combiné sur son socle, et s'avança vers lui.

« Un café, dit-elle d'un ton enjoué en lui tapotant la poitrine avec l'index. Tout de suite.

— Un problème ? demanda-t-il en désignant le téléphone.

— Non, non. »

Elle passa devant lui et s'éloigna vers la cuisine. Jakab retourna dans le salon et s'approcha du miroir.

Le visage d'Albert Bauer apparut.

Ç'avait été une erreur de venir ici. Il avait été idiot, complètement idiot, de lui rendre de nouveau visite. Surtout si tôt. Elle n'aurait aucun mal à découvrir la supercherie, d'autant plus si elle parlait ce soir avec le véritable Albert des événements de la journée. Aveuglé par l'intimité qu'ils avaient partagée, il en avait oublié la prudence la plus élémentaire.

Jakab prit une profonde inspiration. Il aurait aimé avoir plus de temps pour étudier le chimiste, plus de temps pour se renseigner sur lui, sur son travail, sur la chronologie de sa relation avec Anna. Mais c'était trop tard, à présent. Si Anna se méfiait, ce n'était pas trop grave ; il savait qu'il pourrait la rassurer, la convaincre. Du moment que le corps du véritable Albert était en train de pourrir sous six pieds de terre gelée.

Tu ne peux pas te permettre de tout gâcher, songea-t-il.

Il était déterminé. Il l'aimait. Il l'avait aimée toute sa vie.

Jakab savait que s'il quittait la maison sans même dire au revoir, Anna trouverait cela pour le moins bizarre, mais convaincu que c'était là la seule solution, il traversa le couloir sur la pointe des pieds, se glissa discrètement par la porte d'entrée et courut jusqu'à sa voiture.

À Sopron, il déjeuna à l'hôtel Pannonia, avant de se retirer dans sa suite au deuxième étage, où il passa le reste de l'après-midi à penser à Albert Bauer. Il avait déjà glané de nombreuses informations sur le jeune chimiste : orphelin, il était entretenu par un oncle aisé qui habitait à Vienne. Deux ans auparavant, il avait quitté Leipzig, où il avait fait ses études, pour venir s'installer à Sopron. C'était un philatéliste averti qui n'aimait pas le jazz et qui avait du mal avec les rapports humains. Quand il était nerveux, il bégayait, son accent allemand ressortait, et il était sujet au psoriasis.

Jakab avait bien conscience qu'il n'aurait jamais les capacités de poursuivre la carrière de chimiste d'Albert, mais il savait aussi qu'un héritage viennois tombant à point nommé résoudrait très facilement ce problème. La seule chose qui l'inquiétait, c'est qu'il ne savait pas grand-chose de la relation entre Albert et Anna. Mais ce matin-là, il avait découvert les carnets de Hans, et il était certain d'y trouver les réponses aux nombreuses questions qu'il se posait.

Devant le miroir de sa chambre d'hôtel, Jakab examina le reflet d'Albert Bauer.

« D'abord, je vais te rendre une petite visite, mon brave. Après, nous allons mettre en scène un cambriolage, dit-il avant de secouer la tête. Après tout, Sopron est une ville dangereuse, n'est-ce pas ? »

À la nuit tombée, Jakab gara sa voiture dans la petite rue où habitait Albert. Avec le froid ambiant, les habitants de Sopron s'étaient presque tous terrés chez eux. Les étoiles scintillaient dans le ciel sans nuages, et la lune ne formait qu'un étroit croissant. Au premier étage, les fenêtres de l'appartement du chimiste étaient plongées dans le noir.

Bizarre qu'Albert soit sorti un mercredi soir, songea Jakab. D'ordinaire, il dînait dans le bistrot d'en face avant de rentrer chez lui, où il travaillait encore quelques heures avant d'aller se coucher.

Jakab sortit sa montre de sa poche. Neuf heures. Ses pieds étaient déjà engourdis. Quitte à attendre, autant le faire au chaud, dans l'appartement, se dit-il en sortant de sa voiture.

Il traversa la rue et sortit de sa poche un jeu de clés. Il ouvrit la porte de l'immeuble. Le hall d'entrée était plongé dans l'obscurité. Jakab gravit l'escalier jusqu'au premier étage, puis il s'arrêta devant la porte de l'appartement d'Albert et écouta.

Rien.

À l'aide de sa clé, il déverrouilla la porte et l'ouvrit. Une fois de plus, il attendit dans le noir, immobile, l'oreille tendue. À part quelques rires étouffés en provenance de la rue, le silence régnait dans l'appartement éteint. Jakab remit les clés dans sa poche, sortit un poignard et entra.

Il ferma doucement la porte derrière lui et passa la main sur le mur à la recherche de l'interrupteur principal. Quand l'ampoule au plafond s'alluma, il fit un tour sur lui-même, mais personne ne cria, personne ne se jeta sur lui. Il vit le bureau d'Albert. Le canapé et le fauteuil à côté de la cheminée. La bibliothèque.

Le secrétaire, d'ordinaire couvert de documents scientifiques, de notes et d'instruments de mesure, était vide. Sur les étagères de la bibliothèque, il n'y avait plus le moindre livre. Au-dessus de la cheminée, à la place de la vilaine aquarelle, ne restait plus qu'un clou en cuivre.

Une scène lui revint en mémoire : Anna, debout dans le couloir, avec le téléphone dans les mains.

... *Non, je te le jure...*

Elle lui avait souri. Et l'espace d'un instant, quand elle avait reposé le combiné sur son socle, il avait vu une expression furtive passer sur son visage.

Jakab entra dans la chambre et alluma la lumière. Les portes des deux placards étaient ouvertes. Les tiroirs vides bâillaient. Il n'y avait plus de draps sur le lit, et le poste de radio d'Albert avait disparu.

Jakab poussa un hurlement et arracha deux tiroirs de leur logement. Il les jeta à travers la pièce, et ils se fracassèrent au sol dans un craquement. Il donna un coup de pied dans une des portes de placard, la faisant sortir de ses gonds.

« Non ! Non ! Non ! » rugit-il.

Jakab sortit en trombe de l'appartement, descendit les marches de l'escalier quatre à quatre pour se retrouver dans la rue. Il lui fallut plusieurs essais pour démarrer la voiture, en partie à cause du froid, mais surtout parce qu'il avait les mains tremblantes et la vision obscurcie par les larmes.

Il songea au fait que, lorsque Anna l'avait trahi, quelques heures plus tôt, elle l'avait fait avec grâce. Elle était parfaite. Elle était pour lui.

Au volant de sa Mercedes, Jakab attendit d'être sorti de la ville et de ses rues étroites pour faire parler la puissance du moteur.

Serait-elle encore chez elle ? Il y avait peu de chances, mais il devait bien commencer ses recherches quelque part. Le reste de la famille serait-il là ? Il était tellement obsédé par la peur de la perdre qu'il faillit rater le chemin forestier qui menait à la demeure des Richter, et quand il braqua les roues de sa voiture, il faillit heurter un véhicule qui venait en sens inverse, tous feux éteints.

Il faut que tu te calmes, se dit-il. Réfléchis. Tu n'as pas droit à l'erreur.

Arrivé à quelques centaines de mètres de la propriété, il quitta le chemin. Les roues de la Mercedes creusèrent deux sillons parallèles dans la boue avant de s'immobiliser. Jakab coupa le moteur.

Il leva les yeux et vit qu'il y avait de la lumière à l'intérieur de la maison. Jakab fouilla dans une boîte en cuir sur le siège passager et en retira un revolver Gasser. Il sortit de la voiture, essuya d'un revers de main les larmes qui coulaient sur ses joues et se mit à courir. Il gravit à toute allure les marches du perron, puis appuya sur la sonnette. Il l'entendit retentir dans toute la maison.

Ses poumons étaient en feu, il avait la tête qui tournait.

Non, se dit-il. Tu fais n'importe quoi.

Il n'avait pas les idées claires. Il n'avait pas de plan, rien. Abattu, il sentit ses jambes se dérober et il dut s'appuyer contre la balustrade en pierre pour ne pas tomber. Il se concentra sur sa respiration.

Était-il arrivé trop tard ? L'avait-il perdue ? Hans avait fait preuve de négligence en ne changeant que leur nom de famille. Albert ne commettrait pas la même erreur, il en était sûr.

Il entendit le bruit du verrou et leva la tête. La porte s'ouvrit, révélant le visage d'un vieil ennemi.

« Albert ? demanda Hans. Tu as oublié quelque chose ? Qu'est-ce qui se passe ? »

Jakab se leva, grimaçant.

« Mais vous n'êtes pas... »

Jakab attrapa le bras du vieil homme et le propulsa hors de la maison. Hans trébucha dans l'escalier, et Jakab lui mit au passage un coup de crosse à l'arrière du crâne. Le bûcheron s'effondra sur les pavés. Il poussa un gémissement et roula sur le côté. Jakab se jeta sur lui et lui abattit une fois de plus la crosse de son revolver sur la tête. Quelques instants plus tard, il entendit quelque chose bouger dans l'entrée.

Helene Richter se tenait debout, enveloppée dans un châle, tenant fermement un marteau à la main.

Les yeux toujours embués de larmes, Jakab se tourna vers elle.

« Il nous a attaqués », dit-il d'une voix implorante.

Il avait relancé le feu dans la cheminée et commençait enfin à se réchauffer. Le reflet des flammes dansait sur chacune des trois grandes fenêtres qui donnaient sur la nuit.

Jakab fit quelques pas dans la pièce, le temps de reprendre son souffle. Il laissa ses doigts courir sur les plumes d'autruche, la boîte à cigares en carapace de tortue, les épais rideaux.

Le bureau de Hans était exactement là où il l'avait laissé, le matin même. Le stylo à plume était toujours posé dessus, mais le carnet en cuir du vieil homme avait disparu. L'étagère qui avait contenu les autres volumes de l'histoire familiale des Richter était vide, elle aussi.

Prenant tout son temps, Jakab se dirigea vers les fenêtres et ferma les rideaux. Puis il retourna au centre de la pièce et s'assit dans un fauteuil. Il ferma les yeux et respira calmement pour chasser de son esprit la colère, l'inquiétude et la douleur.

Il ouvrit les yeux.

À sa gauche, Helene Richter était assise sur le canapé, les mains ligotées derrière le dos et les chevilles entravées. Son chemisier en soie était déchiré. Elle avait les yeux rivés sur le sol, l'air incrédule. Son mari, Carl, était assis à côté d'elle. Il portait une chemise et un pantalon noir. Contrairement à sa femme, Carl scrutait la pièce, en prenant toutefois soin de ne pas croiser le regard de Jakab.

Seul Hans, attaché sur une chaise en face de son fils et de sa belle-fille, osait le regarder dans les yeux. Le vieil homme avait un morceau de chair qui se décollait au-dessus de l'oreille. Sa chemise et sa veste étaient maculées de sang.

« Quoi que vous ayez l'intention de faire de moi, dit-il à Jakab, je vous demande de ne pas oublier une chose. Carl est le fils d'Erna. Son sang, Jakab. Pensez-y. Il fait autant partie d'elle qu'Anna. »

Jakab resta silencieux quelques secondes. Enfin, il répondit :

« Vous me demandez de me souvenir. Mais je me souviens de tout, monsieur le bûcheron. Je me souviens de comment vous m'avez volé ma femme. »

Hans ne le quittait pas des yeux. Il secoua la tête.

« Erna n'a jamais été votre femme », déclara-t-il.

La vérité froide de ces mots transperça Jakab. Jamais il n'avait eu aussi mal depuis la mort d'Erna, quarante-huit ans auparavant. En une fraction de seconde, il se retrouva transporté sur la rive du lac Balaton, la nuit où elle l'avait rejoint pour lui dire que des inconnus se trouvaient dans la taverne de son père et qu'ils étaient à sa recherche. Il se souvenait comment sa joie de la voir avait laissé place à la peur en apprenant que les *hosszú életek* l'avaient retrouvé. Il se souvenait de la sensation des larmes d'Erna contre sa joue quand il l'avait embrassée et lui avait promis qu'il reviendrait. Il se souvenait de la façon dont elle l'avait regardé cinq ans plus tard, quand elle avait essayé de lui donner de l'argent pour qu'il parte, il se souvenait du bruit des pièces tombant sur le sol. Il pouvait voir le *Merénylő*, avec sa peau grêlée et son regard venimeux, se redresser sur sa selle et appuyer sur la détente de son arbalète. Il se souvenait d'avoir cru qu'il était touché, il se souvenait de la douleur, horrible et insupportable, qui s'était ensuivie : le claquement sordide émanant des lèvres d'Erna, ses dents qui mordaient dans le vide, son corps glissant vers l'avant, l'éclat de la pointe du carreau émergeant de son crâne. En moins de temps qu'il n'en fallait à une flèche de bois et de métal pour franchir quelques mètres, il avait tout perdu. Tout.

Quand Jakab releva la tête, il pleurait. Sa poitrine se soulevait à toute vitesse, et il n'arrivait plus à contrôler sa respiration. Il coinça ses mains entre ses genoux et laissa son corps se balancer d'avant en arrière, tandis que les larmes inondaient son visage.

Doucement, il reprit ses esprits.

Il s'essuya le nez, le visage. Quand il se tourna vers le vieil homme, il vit que lui aussi pleurait.

« Où est Anna ? demanda-t-il.

— Jakab, je l'aimais autant que vous.

— Où Albert l'a-t-il emmenée ?

— Si j'avais su de quoi étaient capables ces

hommes, si j'avais su comment les choses se passeraient, je ne les aurais jamais prévenus. J'avais peur, Jakab, peur de vous, peur de perdre ma femme.

— Il faut que je la retrouve.

— Mais vous ne la retrouverez pas, je suis désolé. Elle a sa propre vie. Et elle a le droit de la passer avec qui elle veut. Vous ne pouvez pas lui ôter ce droit. Laissez-la partir, Jakab. »

Jakab sortit le poignard de sa poche. Il le fit tourner entre ses doigts, passa son pouce contre la lame jusqu'à ce qu'un mince filet écarlate apparaisse. Sur le canapé, Helene Richter poussa un gémissement.

« Je ne veux pas faire couler le sang, déclara Jakab.

— Alors, ne le faites pas.

— Mais il faut que je la retrouve. Allez. Que l'un d'entre vous me dise où elle est.

— Mais Jakab, vous ne comprenez pas ? Nous ne savons pas où elle est partie. Nous les avons aidés à fuir, c'est vrai. Mais nous ne savons rien de plus. Nous avons fait nos adieux, ils ne reviendront jamais. »

Jakab se leva et fit quelques pas dans la pièce en examinant la façon dont les flammes se reflétaient sur la lame de son poignard.

« Bien sûr que si, vous savez. Il y en a bien un qui est au courant. Forcément.

— Je vous en prie, Jakab. Ne faites pas ça. »

Il se dirigea vers Helene et posa sa main sur son visage. Elle essaya de se débattre, mais elle était limitée dans ses mouvements, et Jakab lui souleva le menton. Elle refusait toujours de croiser son regard. Doucement, il demanda :

« Où puis-je la trouver ? »

Helene sanglota.

Derrière, Hans prit la parole.

« Jakab, vous savez que c'est mal, ce que vous faites. Vous le savez. Pensez à Erna. Pensez à ce qu'elle aurait voulu.

— Qu'est-ce que vous savez de ce qu'aurait voulu Erna ?

— Jakab, j'étais son mari.

— Et la prochaine fois que vous essayez de me le rappeler, je coupe les lèvres de votre belle-fille, c'est clair ? »

Il s'approcha de Carl et le força à lever la tête avec la pointe de son poignard.

« Regardez-moi, Carl. Regardez-moi. Là, ce n'était pas si difficile. Vous voyez bien que je n'ai rien d'un monstre. Je n'ai pas l'intention de faire du mal à votre fille. Et je n'ai l'intention de faire de mal à aucun d'entre vous. Mais il faut que vous me disiez où Anna est partie. Je sais qu'au fond, vous comprenez. Je l'aime, Carl. Je dois la retrouver. »

Le pauvre homme était blanc comme un linge.

« Nous ne savons pas où ils sont partis, bredouilla-t-il. Pourquoi voulez-vous qu'ils nous l'aient dit ? Eux-mêmes ne savent pas où ils vont.

— Vous êtes le père, vous devez savoir.

— Je vous jure que...

— Vous êtes le père, vous devez savoir », hurla-t-il.

Jakab retira le poignard du menton de Carl et s'éloigna de lui. Il se mit à faire les cent pas dans la pièce, et les images se bousculaient dans sa tête. Anna. Erna. Anna. Ces images devinrent soudain plus sombres, elles paraissaient le moquer.

Il imagina Anna et Albert conduisant dans la nuit, le chimiste allemand au volant, la main d'Anna posée sur sa cuisse. Il les imagina s'arrêter pour la nuit dans un hôtel, terrifiés par ce à quoi ils venaient d'échapper, mais aussi revigorés, électrisés. Et cette énergie se transformait en passion, les rapprochait, leur donnait le courage de croire qu'il pouvait réussir.

Jakab avait l'impression qu'une tumeur avait explosé dans sa tête.

Il se dirigea vers l'arrière du canapé, prit Helene par les cheveux et aboya :

« Je vous préviens, Hans, c'est votre dernière chance. Si vous ne me dites pas tout de suite où ils sont partis, je vais la rendre si vilaine que vous n'oserez plus jamais la regarder. »

Sur sa chaise, Hans baissa la tête et se mit à prier.

À côté d'Helene, Carl l'imita.

Jakab resta immobile, une main posée sur le front d'Helene, l'autre tenant fermement le poignard.

« ... Pardonnez-nous nos offenses, comme nous pardonnons à ceux qui nous ont offensés... »

Jakab enfonça son couteau dans la chair.

Helene Richter ouvrit la bouche et se mit à tressaillir.

« ... Délivrez-nous du mal... »

Grimaçant, déterminé à couvrir leurs mots, à leur montrer la futilité de leur prière, Jakab se mit à taillader le visage d'Helene.

Plus tard, beaucoup plus tard, après que les cris eurent cessé, que la vie eut quitté le corps des Richter et que le seul son audible dans la pièce était le plic-ploc du sang gouttant sur le tapis, Jakab reconnut que le vieil homme avait dit la vérité. Il ne savait rien ; personne ne savait.

Cette prise de conscience arrivait trop tard, bien sûr. Mais de toute façon, cela n'avait que peu d'importance. Car après le premier coup de couteau, la fureur de Jakab était telle que rien n'aurait pu l'arrêter.

Chapitre 21

Périgord, France

De nos jours

Les jours passèrent, sans que Hannah ait conscience du temps – pour elle, ces jours auraient tout aussi bien pu être des heures ou des semaines. Elle s'enferma dans la douleur, laissant l'aiguillon du chagrin s'enfoncer toujours plus profondément, laissant le poison se répandre dans ses veines et anéantir tous ses espoirs, tous ses souvenirs, tout.

Sebastien creusa une tombe sur la berge du lac, travaillant aussi vite que possible dans l'air frais de l'automne. Le sol caillouteux était gelé, et il ne pouvait pas creuser très profond. Trempé par la bruine qui tombait sans discontinuer, il relevait régulièrement la tête pour examiner les collines, comme s'il sentait le regard de l'assassin posé sur lui.

Une fois son ouvrage terminé, le vieil homme installa le corps de Nate dans le trou, aussi délicatement que possible. Plus tôt, Hannah avait lavé le sang sur le visage et les mains de son mari. Elle ne voulait pas que Leah ait comme dernière image de son père un corps portant les stigmates de la violence.

Les lèvres serrées comme si elle tentait de se

concentrer sur l'horreur qu'elle avait sous les yeux, la petite fille glissa une lettre dans la poche de chemise de Nate. Hannah n'eut pas le courage de réfléchir aux questions que sa fille soulevait dans ce mot visiblement griffonné à la hâte.

Sebastien lut quelques extraits du Livre de la prière commune, tandis que Hannah agrippait la main de Leah.

« Nous n'avons rien apporté dans le monde, et il est évident que nous n'en pouvons rien emporter. Le Seigneur a donné, et le Seigneur a repris, loué soit le nom du Seigneur. »

Nate n'avait peut-être rien apporté dans le monde, mais en partant, il avait emporté tous les espoirs de bonheur de Hannah. Celle-ci poussa un cri quand Sebastien jeta la première pelletée et que la terre glissa sur le visage du mort. Elle tomba à genoux et sentit la boue froide traverser son jean. Elle se serait jetée sur Nate pour l'embrasser, si Sebastien n'avait pas lâché sa pelle pour l'en empêcher, attrapant Leah au passage.

Hannah hurla de nouveau, un cri guttural et déchirant, quand Sebastien la poussa sans ménagement pour récupérer sa pelle et se remettre à l'ouvrage. Elle ne pouvait qu'observer, haletante et incrédule, la terre recouvrir peu à peu le torse et les jambes de Nate.

La main droite disparut en premier, cette main qui l'avait tenue lorsqu'elle avait donné naissance à Leah. D'un sanglot, elle dit adieu à ces doigts qui lui avaient caressé le visage, lui avaient massé les pieds. Puis ce fut au tour de la main gauche d'être avalée par le sol. Hannah regarda la trace blanche sur l'annulaire de son mari, tout en serrant dans sa main l'alliance qu'elle avait récupérée et accrochée à une chaîne autour de son cou.

Il fallut trois pelletées supplémentaires pour lui recouvrir le visage. Les lèvres qui l'avaient embrassée – avaient ri avec elle, avaient prononcé des vœux de mariage – s'abandonnèrent à la boue, aux vers et aux pierres. Les oreilles qui avaient entendu ses déclarations d'amour et les yeux qui avaient regardé leur fille grandir succombèrent à leur tour à l'appel de la terre. La dernière vision qu'elle eut de son mari fut une mèche de cheveux.

Alors que Sebastien plantait une simple croix en bois dans le sol, Hannah sentit sa vue se brouiller et elle s'écroula au sol, épuisée, vidée, perdue.

Elle ne garda presque aucun souvenir de leur départ de Llyn Gwyr. Sebastien la porta jusqu'à la voiture tandis que, tremblante, elle lui expliquait d'une voix sourde où se trouvaient les passeports et l'argent. Alors qu'ils franchissaient le pont en pierre, elle se sentit submergée par le chagrin. Elle ouvrit la portière du Land Rover et tenta de se jeter à l'extérieur, mais la ceinture de sécurité l'en empêcha.

C'est à ce moment-là qu'il décida de lui administrer un calmant puissant récupéré dans sa trousse de secours militaire. L'effet fut instantané : le médicament débarrassa Hannah de son chagrin, la laissant éveillée, mais absente. Était-ce vraiment le corps de son père, qu'elle vit assis au pied de la vieille pancarte en bois indiquant Llyn Gwyr, ses mains gelées tenant dans la main un exemplaire de son dernier ouvrage ? Ou s'agissait-il d'une hallucination provoquée par le sédatif de Sebastien ?

Elle se souvenait d'une maison, quelque part en Snowdonia, de visages d'hommes qu'elle ne connaissait pas et dont les traits se mélangeaient dans sa tête. Un avion au fuselage plus fin et plus court que tous les appareils à bord desquels elle avait voyagé jusqu'à présent. Un autre trajet en voiture. De nuit, cette fois. Des conversations murmurées, les sanglots silencieux de sa fille, la culpabilité de se sentir anesthésiée, impuissante, et trop égoïste pour tenter de se défaire de la douce étreinte du calmant.

Quelqu'un ouvrit la portière de la voiture et la porta le long d'une allée de gravier. La température était plus douce, ici. Un autre pays, une autre vie. Une clé tournant dans une serrure. Des bruits de pas. Une odeur de gingembre, de cannelle et de clou de girofle. Un escalier menant à une chambre plongée dans le noir. Des draps amidonnés, des fenêtres aux volets clos. Le silence. Le sommeil.

Elle se réveilla dans la nuit, les paupières collantes et la bouche sèche. Elle descendit une volée de marches jusqu'à une cuisine aux murs blancs équipée de meubles en bois brut. Sebastien lisait un journal à la lueur d'une lampe de bureau, assis dans un fauteuil devant un poêle à bois éteint. Hannah fouilla les placards jusqu'à trouver ce qu'elle cherchait – une bouteille d'eau-de-vie et un verre. Elle se servit, but l'alcool d'un trait, puis se resservit. Sebastien posa son journal, croisa les bras et ouvrit la bouche pour parler. Elle se tourna vers lui et secoua la tête, avant de boire son verre et de repartir se coucher avec la bouteille. Quand elle se réveilla la fois d'après, de la lumière filtrait par les volets fermés, et elle vit un plateau posé à côté de son lit : une assiette avec des œufs sur le plat et du pain grillé. Tout avait l'air froid. Elle but plusieurs gorgées d'eau-de-vie à même la bouteille et sombra de nouveau dans l'inconscience.

Quand elle rouvrit les yeux, il faisait de nouveau nuit. Elle avait mal au ventre, et sa tête lui semblait sur le point d'exploser. Elle se leva, mais avant même d'avoir pu atteindre la porte de la chambre, elle déversa sur le plancher un flot de bile acide.

Elle descendit l'escalier en titubant et trouva la cuisine vide. Il flottait dans l'air une odeur de poulet rôti. De la vaisselle séchait sur l'égouttoir. Quelqu'un – Leah, sûrement – avait laissé des dessins sur la table. Un homme allongé. Des fleurs sur la poitrine. Une femme et une petite fille se tenant la main. Un soleil. Un oiseau. Une montagne.

La porte-fenêtre était ouverte. Sebastien entra dans la pièce au moment où Hannah se mettait en quête d'une autre bouteille. Il n'y avait plus d'eau-de-vie, et quand elle trouva enfin du vin et un tire-bouchon, ses mains tremblaient tellement qu'elle ripa et s'entailla le pouce. Elle lâcha le tire-bouchon et se mit à pleurer.

Sans un mot, Sebastien la prit par la main et l'accompagna jusqu'à l'évier. Là, il lui passa le pouce sous l'eau froide, puis l'enroula dans un torchon propre. Enfin, il aida Hannah à s'asseoir dans un fauteuil. Il fit chauffer de l'eau et lui prépara une tasse de thé. Alors qu'elle buvait la première gorgée, Sebastien déclara :

« Elle a besoin de toi.

— Je ne peux pas.

— Il n'y a personne d'autre.

— Je sais.

— C'est une enfant extraordinaire, Hannah. Mais elle ne peut pas surmonter tout ça sans toi. Elle a besoin de ta force.

— Et moi, de quoi j'ai besoin ? »

Elle grimaça, gênée par la brutalité de ses mots. Elle leva la tête et fut choquée par la fatigue qu'elle lut sur le visage de Sebastien. Il était pâle, avec de gros cernes sous ses yeux rougis.

« Tu as perdu un mari, répondit-il. Elle a perdu son père. Est-ce que tu tiens vraiment à ce qu'elle perde sa mère ?

— Il n'y a plus aucun espoir.

— En disant ça, c'est lui qui gagne.

— Mais il a déjà gagné. Regarde-nous. Regarde ce qui reste.

— Tu as toujours ta fille.

— Pour combien de temps ? »

Sebastien poussa un juron et se dirigea vers le plan de travail de la cuisine. Il sortit une bouteille d'un demi-litre de gin d'un placard qu'elle n'avait pas ouvert, ramassa un verre sur l'égouttoir, le remplit jusqu'à ras bord et lui tendit violemment. Du liquide se répandit sur les genoux de Hannah.

« Alors, vas-y, si c'est ça que tu veux ! s'exclama-t-il. Fous-toi en l'air ! Ce n'est pas ce que j'attendais de toi, mais tant pis. Les gens finissent toujours par nous décevoir. Moi qui pensais que...

— Il est mort, Sebastien. Mort ! », hurla-t-elle en lui donnant un coup de poing dans la main.

Le verre tomba par terre et se brisa.

« Je sais, dit-il. C'est horrible, et ni toi ni moi ne pouvons rien y changer. Mais ta fille a besoin de toi, alors ressaisis-toi, bon sang ! Qu'est-ce que tu as ressenti quand ta mère est morte ? De quoi est-ce que tu avais besoin ? Est-ce que Charles t'a abandonnée pour une bouteille de gnôle ? Merde ! »

Hannah se boucha les oreilles. Les larmes lui inondaient le visage.

« Arrête, s'il te plaît, arrête, murmura-t-elle. Je suis désolée, Sebastien, je suis désolée, mais je t'en supplie... arrête. »

Elle se mit à se balancer d'avant en arrière sur son siège de manière autistique. Elle frissonnait.

« Qu'est-ce que je vais faire ? » demanda-t-elle.

Sebastien tourna les talons et sortit de la cuisine. Quand il revint, il tenait une couverture à la main, qu'il enroula autour des épaules de Hannah.

« Tu vas survivre, voilà ce que tu vas faire, dit-il. Enterre ton chagrin, pour le moment. Transforme-le en colère. Tu n'as pas le choix.

— Quand tu m'as donné un calmant, à la ferme... J'ai cru voir... Est-ce que c'était mon père ? »

Sebastien baissa la tête.

« J'espérais que tu ne t'en souviendrais pas.

— Et moi, j'espérais avoir rêvé. Je l'ai perdu, lui aussi, et je n'ai même plus la force de le pleurer. Je n'ai plus la place. Je suis vidée.

— Je sais.

— Jakab l'a installé là pour me narguer. Pour me punir. Il lui a fourré ce foutu bouquin entre les mains. Est-ce que tu penses qu'il a souffert ? demanda-t-elle avant de secouer la tête, consciente qu'elle ne voulait pas entendre la réponse. Ce monstre a tué mon grand-père, ma mère. Et maintenant, il m'a pris mon père et mon mari.

— Je te l'ai déjà dit, Hannah, cette créature est maléfique. Il faut que ça s'arrête. Et je vais faire tout ce qui est en mon pouvoir pour m'en assurer.

— On arrive au dénouement, tu ne crois pas ?

— C'est l'impression que j'ai, oui.

— Dans le pire des cas, si je ne m'en sors pas vivante, est-ce que tu pourras t'assurer qu'on s'occupe bien de Leah ?

— Tu sais bien que ce n'est même pas la peine de me le demander.

— Peut-être, mais j'ai besoin de l'entendre. J'ai le sentiment que la fin est proche. Si j'ai l'occasion de le tuer, et si je dois sacrifier ma vie pour le faire, je n'hésiterai pas si je sais que ma fille s'en sortira. Je suis désolée. Je n'ai personne d'autre à qui demander. »

Sebastien s'accroupit devant elle et prit ses mains dans les siennes.

« Dans le pire des cas, Hannah, je m'assurerai que Leah ne manque de rien. Et je ne serai pas le seul. Tu ne la condamnerais pas à une vie de solitude dans les montagnes. Elle sera en sécurité. Elle sera aimée.

— Merci, Sebastien. Merci pour tout. »

Elle marqua une pause, puis :

« On ne l'a même pas enterré. Est-ce qu'il se trouve toujours sous cette foutue pancarte ?

— Non, j'ai des gens là-bas qui s'en occupent.

— Tes anciens contacts.

— Oui, des gens en qui j'ai confiance.

— Je les ai vus ?

— Rapidement. »

Elle hocha la tête. Soudain, elle se rappela quelque chose.

« Gabriel ! s'exclama-t-elle.

— Quoi, Gabriel ?

— Je ne sais pas. Tu n'as pas trouvé ça bizarre, qu'il parte à cheval comme ça ?

— Je te rappelle que tu as menacé de le tuer et que tu l'as assommé.

— Une erreur de plus de ma part. J'en ai fait tellement.

— Ce n'est pas ce que je voulais dire.

— N'empêche que je ne comprends pas. S'il essayait vraiment de s'échapper, pourquoi n'a-t-il pas pris un autre chemin ?

— Un autre chemin que celui qui le faisait passer juste devant toi et ton fusil ?

— Ça donnait plutôt l'impression qu'il poursuivait Jakab, en fait. Pas qu'il essayait de s'enfuir.

— Quel imbécile je fais ! marmonna Sebastien. Je n'y avais même pas pensé. Mais maintenant que tu le dis, ça me paraît évident.

— J'ai toujours eu l'impression que Gabriel se moquait de moi. Qu'il savait quelque chose. Sur le moment, je me suis dit que c'était de la paranoïa. J'aurais dû faire confiance à mon instinct. Je me demande où il est, maintenant.

— Ici. »

Gabriel entra dans la cuisine et referma la porte-fenêtre derrière lui. Il s'arrêta à l'autre bout de la pièce et guetta leur réaction de son regard bleu cobalt. Dans la main droite, il tenait un sac de couchage qu'il laissa tomber sur le carrelage de la cuisine. Il n'était pas rasé et avait le visage grave. Plus une once d'humour dans ses yeux.

Hannah fut surprise de ne pas réagir. Peut-être était-ce l'effet du sédatif de Sebastien, ou celui de l'alcool, ou les deux, mais elle se sentait clouée à son fauteuil. Du regard, elle embrassa la pièce à la recherche d'une arme. Elle n'en vit aucune. Sur le plan de travail, il n'y avait qu'une bouilloire, une cafetière et la vaisselle sur l'égouttoir. Il y avait un panier en osier à côté du poêle pour entreposer du bois, mais il était vide.

Hannah leva les yeux vers Gabriel.

« Qu'est-ce que vous voulez ? demanda-t-elle.

— Je veux vous aider.

— Pourquoi ?

— Parce qu'une tragédie s'est abattue sur vous. Parce que j'ai appris à apprécier la femme que j'ai rencontrée dans les montagnes. Parce que c'est mon devoir. Et parce que personne d'autre ne peut le faire. »

Consciente que Sebastien avait glissé la main dans sa poche et qu'elle devait retenir l'attention de Gabriel, Hannah demanda :

« Comment nous avez-vous retrouvés ?

— Ça n'a pas été très difficile.

— Qui êtes-vous ? »

Gabriel s'avança. Hannah se leva. Sebastien l'imita.

« J'imagine que c'est un poignard que vous avez dans la poche, dit l'Irlandais. Je vous en prie, vieil homme, ne tentez rien. Je suis très fatigué, et je ne suis pas là pour vous faire du mal.

— Qui êtes-vous ? » répéta Hannah.

Gabriel l'examina longuement. Enfin, il déclara :

« Je suis un *hosszú élet*. »

Ces mots eurent sur Hannah l'effet d'un coup de poing. Pendant quelques secondes, elle fut incapable de respirer. Enfin, elle parvint à demander :

« Qu'est-ce qui est arrivé à Gabriel ? Qu'est-ce que vous lui avez fait ? »

L'homme qu'elle avait face à elle fronça les sourcils, puis son visage se radoucit.

« Hannah, je suis Gabriel, dit-il. C'est moi. Je

comprends qu'avec ce que vous avez vécu, vous pensiez que nous sommes tous des monstres comme Jakab, qui utilisons les gens avant de nous en débarrasser comme de vieilles chaussettes, mais je vous assure qu'il n'en est rien. Je pense que même Sebastien ne me contredirait pas, ajouta-t-il en se tournant vers le vieil homme.

— Ne me dites pas ce que je pense, aboya Sebastien. Vous ne savez pas qui je suis, et si vous êtes vraiment un *hosszú élet*...

— Vous vous appelez Sebastien Lang, l'interrompit Gabriel d'une voix calme. Vous êtes né et vous avez grandi à Vienne, et vous avez étudié la médecine à l'université Semmelweis de Budapest. Quand vous étiez encore étudiant, vous avez rencontré une jeune *hosszú élet*, Éva Maria-Magdalena Szöllösi. Éva vous a pris pour un des nôtres. Elle n'avait pas oublié la purge des Eleni, et elle savait qu'elle devait garder secrète sa véritable nature. Quand elle a fini par se rendre compte qu'elle s'était trompée sur votre compte, vous étiez tous les deux tombés amoureux. Elle vous a avoué la vérité, et puis elle s'est enfuie. »

Sebastien tituba jusqu'au fauteuil, où il s'écroula. Il leva ses mains tremblantes vers son visage et se cacha les yeux.

« Éva vous a supplié de l'oublier, mais vous aviez le cœur brisé, vous étiez dévasté. Vous avez commencé à vous intéresser aux *hosszú életek*. Tout ce que vous pouviez lire, tout ce que vous pouviez entendre. Et c'est ainsi que vous avez fini par tomber sur les Eleni. L'organisation responsable du massacre des *hosszú életek* était désormais chargée de retrouver les derniers survivants. Pas pour les tuer, cette fois, mais pour les exploiter. Mais ça, vous vous en fichiez. Vous vouliez seulement retrouver Éva.

— Non, je ne m'en fichais pas, dit Sebastien d'une voix rauque.

— Vous avez gravi les échelons pour finir par devenir *signeur* : la main droite du *Presidente*. C'est vous qui étiez chargé de retrouver les *hosszú életek*, et ce par tous les moyens possibles. Lors d'une de vos tentatives, une jeune *hosszú élet* a été tuée. Elle devait participer à son premier *végzet* l'année suivante. Elle aurait pu rencontrer quelqu'un dont elle serait tombée amoureuse. Elle aurait pu avoir des enfants. Elle aurait pu repousser l'inévitable pendant une ou plusieurs générations. Alors, dites-moi, Sebastien Lang. Dites-moi encore une fois que je ne sais pas qui vous êtes.

— Cette jeune femme n'était pas censée mourir, murmura-t-il, les yeux baignés de larmes. Ça n'aurait jamais dû arriver. Depuis le début, c'était voué au désastre.

— Un désastre pour nous, surtout.

— Parce que vous croyez que je n'en ai pas conscience ? Pourquoi est-ce que vous croyez que j'ai quitté mes fonctions ?

— Je ne suis pas ici pour répondre à cette question, rétorqua Gabriel. Je suis ici pour aider Hannah. »

Hannah posa une main sur l'épaule de Sebastien. Elle n'aimait pas du tout cette animosité qui se développait entre les deux hommes. Elle se tourna vers Gabriel et lui demanda :

« Comment se fait-il que vous en sachiez autant sur Sebastien ?

— Quand votre famille – votre société, plutôt – a été anéantie par un génocide que l'histoire a décidé de retenir sous le joli nom de “purge”, vous avez tendance à ne pas quitter des yeux ceux qui vous veulent du mal.

— Je ne vous voulais pas de mal, dit Sebastien. Bon sang, je l’aimais, cette fille. Je voulais seulement la retrouver.

— Nous ne connaissons pas l’identité de tous les membres du Conseil des Eleni, poursuivit Gabriel sans tenir compte de la remarque de Sebastien. Mais nous ne perdons jamais de vue ceux que nous connaissons. Quand il s’est installé en Snowdonia, j’ai accepté de le surveiller. Je me suis installé dans la vallée d’à côté.

— C’était il y a combien de temps ? demanda Hannah.

— Huit ans, à peu près.

— Huit ans ? Tout seul, dans un endroit pareil, à surveiller les allées et venues d’un seul homme ? Ça doit paraître long.

— Bah, pas tant que ça, répondit Gabriel en haussant les épaules. Et puis, c’était important. »

Hannah se souvint alors de leur promenade à cheval, et de l’expression de profonde solitude qu’elle avait lue sur le visage de Gabriel.

« Et comment suis-je censée savoir que vous dites la vérité ? demanda-t-elle. Qu’est-ce qui me dit que vous n’êtes pas Jakab ?

— Est-ce qu’on peut s’asseoir à cette table ?

— Pourquoi ?

— Si vous m’accordez deux minutes, je vais vous le prouver. »

Le regard de Hannah passa de Gabriel à Sebastien, avant de se poser de nouveau sur Gabriel.

« Donnez-moi une bonne raison de vous faire confiance ?

— Je n'en ai pas. Mais qu'est-ce que vous avez à perdre ? »

Hannah continua de l'observer pendant quelques secondes, puis elle tira une chaise en bois et s'installa à table. Gabriel prit place en face d'elle.

« Il y a quelque chose que vous ne savez peut-être pas sur Balázs Jakab, dit-il. Un défaut de naissance. Très rare.

— Ses yeux, répondit-elle. Il n'arrive pas à contrôler leur couleur.

— Précisément. Je vois que vous êtes renseignée. Mais le *lélekfeltárás* – le nom que nous donnons à ce phénomène – est plus qu'un changement de couleur, plus qu'un simple déguisement. C'est notre signe de reconnaissance. Notre forme d'expression la plus intime, d'une certaine manière. Bien sûr, il existe différents niveaux. Un *lélekfeltárás* complet ne peut exister qu'entre deux amants. Ou deux amants potentiels.

— Montrez-moi. »

Il haussa un sourcil.

« Ce n'est pas le moment de me faire du gringue, dit-elle sèchement. Montrez-moi. »

Gabriel attrapa les mains de Hannah. Elle frémit, puis se força à se détendre. Elle voulait savoir. Il fallait qu'elle sache.

Il avait les mains douces, et le bout de ses doigts paraissait dégager de la chaleur.

« Regardez-moi, dit-il. Ne réfléchissez pas, restez détendue. Contentez-vous de regarder mes yeux. »

Hannah fixa les pupilles cerclées de bleu de Gabriel. Tout ce qu'elle savait sur le *lélekfeltárás*, elle l'avait découvert dans différents passages des carnets de Hans Fischer. Alors qu'elle se concentrait, elle remarqua que le ton cobalt dans les yeux de Gabriel n'était que la teinte dominante de bleu parmi trois : en effet, les bords de l'iris étaient plus foncés, avec des reflets outremer et bleu marine.

Ses yeux semblèrent soudain s'animer, et elle vit apparaître de petits points dorés autour de la pupille, qui devinrent de plus en plus brillants, jusqu'à se détacher pour traverser l'iris à la manière de petites lanternes volantes. Son cœur s'accéléra, et elle ressentit des picotements sous la peau. Un autre cercle doré apparut et explosa dans les yeux de Gabriel. La teinte cobalt devint de plus en plus sombre, virant au violet.

Les mains de Hannah se resserrèrent sur celles de Gabriel. Elle ressentait les picotements jusque sous la peau de son crâne, à présent. Elle avait les joues en feu, et sa respiration était saccadée. Elle avait l'impression que chaque partie de son corps était devenue plus sensible : elle sentait la caresse de la brise nocturne sur ses lèvres, le frottement de ses vêtements contre sa poitrine, le bois froid de la chaise contre ses jambes.

Les points dorés continuaient à apparaître de façon régulière et à se diriger vers la périphérie de l'œil, et le bord de l'iris était passé du bleu marine à l'indigo. Autour de Hannah, la cuisine avait cessé d'exister. Elle ne voyait plus que la lumière, l'obscurité, les couleurs et les points dorés. Elle n'entendait plus que le battement de son cœur contre ses tempes.

Et soudain, comme si les couleurs tourbillonnantes cherchaient à l'aspirer, elle se sentit tirée, traînée presque, jusque dans le noir des pupilles. Le bleu n'existait plus, à présent ; ne restait qu'un vide terrifiant qui la happait, l'appelait, la suppliait.

Hannah frémit, se tortilla sur sa chaise, et sentit ses doigts s'agiter dans les mains de Gabriel. Sa gorge se serra, elle voulut crier, détourner le regard. En vain.

L'expérience lui parut durer des heures – en réalité, il n'y en eut que pour quelques secondes –, et soudain, Gabriel relâcha son étreinte et se leva.

Dès que le lien fut rompu, Hannah s'affaissa sur sa chaise. Haletante, elle posa les mains sur son visage et constata que ses joues étaient trempées par les larmes.

« Mon Dieu, souffla-t-elle. J'ai cru que... »

Gabriel l'observait, debout à l'autre bout de la cuisine. Visiblement, lui aussi était bouleversé.

« Ça va ? demanda-t-il.

— J'ai cru me perdre.

— Je suis désolé. C'est la première fois que je fais ça. J'avais oublié que vous... que vous n'étiez pas...

— *Hosszú élet.* »

Il continua de l'observer pendant quelques secondes, le regard vide.

Hannah essuya les gouttes de transpiration qui perlaient sur son front, puis elle se leva. Elle fut prise d'un vertige et dut se retenir à la table pour ne pas tomber. Enfin, elle se tourna vers Sebastien.

« Ce n'est pas lui, déclara-t-elle. Ce n'est pas Jakab. »

Après un dernier regard pour Gabriel, elle se précipita dans le couloir et gravit les marches jusqu'au premier étage. Une fenêtre était ouverte. La sensation de l'air frais contre ses joues brûlantes lui fit du bien. Alors que le picotement s'estompait et que la peur disparaissait, elle sentit une chaleur monter en elle, comme si quelqu'un lui avait ouvert le crâne pour y verser un sirop tiède.

La chambre de Leah était minuscule, et l'unique petit lit faisait la longueur du mur. Les volets de la fenêtre étaient fermés. La petite fille dormait à poings fermés, emmitouflée dans sa couverture.

Sur une table de nuit, les carnets étaient empilés. La ficelle qui les maintenait en place se trouvait par terre, signe que Leah avait donc fini par les lire. Peut-être que ça valait mieux ainsi, se dit-elle.

Hannah entra dans la pièce, s'allongea sur le lit et prit sa fille dans ses bras.

« J'ai cru que tu allais mourir, murmura Leah dans l'obscurité. Je n'arrêtais pas de venir te voir, mais tu ne voulais jamais te lever.

— Je suis là, maintenant. Et je ne vais pas mourir. Je suis là et tu n'as rien à craindre. »

L'enfant se retourna.

« Je t'ai préparé des œufs, mais tu ne les as pas mangés, dit-elle. Je ne savais pas quoi faire d'autre. »

Hannah la serra plus fort et colla son nez dans les cheveux de sa fille. La chaleur qu'elle avait ressentie à l'intérieur irradiait toujours. Mais là, pour la première fois depuis la mort de Nate, elle se sentait enfin calme.

Pendant trois jours et trois nuits, elle s'était repassé en boucle le moment où son père s'était levé et avait abattu son mari. La scène se répétait chaque fois qu'elle fermait les yeux. Pendant trois jours et trois nuits, elle s'était demandé ce qu'elle aurait pu faire pour arrêter Jakab, comment elle aurait pu l'empêcher de tuer Nate.

Mais à présent qu'elle se trouvait allongée au côté de sa fille, cette scène avait momentanément cessé de la tourmenter. Les questions qu'elle se posait disparaissaient peu à peu. Elle huma l'odeur des cheveux de Leah, sentit la chaleur qui émanait de son propre corps, et elle s'installa confortablement pour dormir.

Jakab allait venir. Elle en était consciente. Restait maintenant à savoir combien de personnes mourraient quand il arriverait, et si elle réussirait à faire en sorte qu'il fasse partie des victimes.

Chapitre 22

Snowdonia, pays de Galles

De nos jours

Dániel Meyer regarda Nikola Pálinkás, son second, jeter la dernière pelletée sur la tombe et tasser la terre. Pálinkás avait presque quarante ans, il mesurait un mètre quatre-vingt-quinze et était doté d'un torse d'haltérophile. À part deux triangles de peau sous les yeux, que cachait pour l'heure une paire de lunettes aviateur à monture dorée, tout son corps semblait recouvert de poils bruns hirsutes. Chaque fois que Dániel regardait la barbe de son homme de main, cela lui rappelait la fourrure d'un sanglier.

Il faisait tellement froid.

Les premiers flocons de neige commençaient à tomber du ciel couleur de marbre, et les températures étaient largement négatives. Mais c'était surtout le vent et l'humidité qui s'attaquaient aux membres de Dániel jusqu'à lui faire mal aux os. Sous ses pieds, le sol était dur comme la pierre.

Malgré les conditions climatiques, le front de Pálinkás était couvert de transpiration. Dániel lui tapa sur l'épaule. Puis il mit les mains en coupe et souffla dessus pour les réchauffer. Enfin, il se retourna.

Derrière eux, au pied de la montagne, se dressait la ferme de Llyn Gwyr – monolithe triste et silencieux. Dániel ne savait pas si c'était dû aux fenêtres brisées de la bâtisse, mais depuis leur arrivée, il se sentait observé. Une sensation des plus désagréables.

Ils avaient découvert le professeur Charles Meredith quelques instants après avoir emprunté le chemin qui menait à la ferme. Son corps, gelé et livide, était adossé à la pancarte, exactement à l'endroit que leur avait indiqué Sebastien.

Mettre le cadavre dans le coffre de leur 4 × 4 de location n'avait pas été sans mal ; le faire entrer dans la maison s'était révélé encore plus difficile. Dans la cuisine de Llyn Gwyr, ils avaient dû installer le corps sur une chaise devant la cheminée et attendre deux heures qu'il dégèle suffisamment pour pouvoir l'allonger à plat et extraire le livre de ses mains.

La poitrine du professeur présentait de nombreuses marques de brûlure, et on lui avait coupé deux doigts. Mais autant ces blessures avaient dû être particulièrement douloureuses, autant ce n'était pas elles qui lui avaient coûté la vie. D'ailleurs, Dániel s'était révélé incapable de déterminer les causes de sa mort.

Ils avaient décidé de l'enterrer à côté de Nathaniel Wilde, le mari de la femme que leur avait amenée Sebastien. Hannah Wilde. Pauvre femme, se retrouver au milieu d'une histoire aussi sinistre.

« Je retourne à l'intérieur », annonça Dániel.

Il se mit à marcher vers la ferme, scrutant les fenêtres. Quel gâchis, pensa-t-il. Et quel endroit lugubre.

Dans la cuisine, il observa de nouveau les carreaux cassés, les éclats de verre sur le dallage. Puis il traversa le couloir et entra dans la salle à manger, où il vit la ligne de cartouches de fusil posée sur la table.

C'est là que devait se jouer l'affrontement final, songea-t-il. Et pourtant, ils ont réussi à s'échapper. Même s'ils l'ont payé au prix fort.

Dániel frissonna – il faisait froid dans ce mausolée exposé aux courants d'air. Il entendit des pas dans le couloir. Pálinkás entra dans la pièce et désigna les fenêtres.

« Un hélicoptère approche », annonça-t-il.

Dániel s'approcha de la vitre. Il entendait déjà le bruit du moteur.

« Est-ce que tu as terminé ? demanda-t-il.

— Oui. Ce n'est pas du très beau travail, mais ça devrait suffire pour que les charognards le laissent tranquille.

— Très bien. On aura fait ce qu'on a pu.

— Est-ce que vous l'avez déjà rencontré ? demanda Pálinkás.

— Une fois. Il y a très longtemps. Juste après la mort de sa femme. Il était fou de chagrin et se retrouvait du jour au lendemain responsable de la survie d'une gamine de quinze ans qui ne savait pas si elle devait l'aimer ou le détester pour ce qui s'était passé. Je pensais qu'ils n'avaient aucune chance. C'est un miracle qu'il soit resté en vie aussi longtemps. »

L'hélicoptère, un Bell 206 Jet Ranger noir et gris, apparut au-dessus des arbres et décrivit un arc de cercle devant la ferme, dans un vrombissement assourdissant. Dans l'ambiance funèbre de la vallée, le grondement du moteur et le bruit régulier des pales avaient quelque chose d'obscène. Llyn Gwyr était un cimetière, à présent, et ses morts avaient besoin de silence.

L'engin fit le tour de la maison, puis il se mit à descendre dans un tourbillon de flocons de neige. Quelques secondes après l'atterrissage, les portes s'ouvrirent, et trois hommes habillés de vêtements de montagne dernier cri descendirent. Dániel en reconnut un. Il se raidit.

Benjámin Vass, le second du *signeur*, avec son visage gras et placide, se pencha vers l'hélicoptère et en sortit un fauteuil roulant. Ses deux acolytes l'aidèrent à faire descendre un quatrième homme et à l'installer dessus. Cette fois, Dániel ne put retenir un soupir.

Károly Gera.

Le *signeur* des Eleni avait l'air aussi en forme que le cadavre qu'ils venaient d'enterrer. L'épaisseur de son manteau avait bien du mal à dissimuler son corps frêle. Ses yeux, en revanche, brillaient d'une intensité fanatique.

Pálinkás s'approcha de Dániel.

« Ça ne me plaît pas, commenta-t-il.

— À moi non plus.

— Est-ce que vous voulez que j'appelle Lorant ?

— Pas la peine, il est à Budapest. Il ne peut rien faire depuis là-bas. »

Pálinkás hocha la tête. Tous deux regardèrent les quatre hommes approcher de la ferme.

Benjámin Vass poussa le fauteuil roulant du *signeur* jusque dans la salle à manger et l'installa devant la cheminée. Quand il se tourna vers Dániel, son visage luisait de transpiration et il arborait un sourire méprisant. Il tapa deux fois dans ses mains et se mit à les frotter l'une contre l'autre.

« C'est joli, ici, commenta-t-il. Un peu reculé, certes. Un peu rustique. Mais je pense que je pourrais m'y plaire. Peut-être. Qu'est-ce que tu en penses, Dániel ?

— Qu'est-ce que je pense de quoi ?

— De cette ferme, bien sûr ! Laisse-moi deviner. Maison de vacances ? Placement immobilier ? Havre de paix pour se ressourcer ? J'imagine que c'est pour ça que tu es ici.

— Tu sais très bien pourquoi je suis ici. »

Vass s'approcha du buffet et prit une figurine en porcelaine qu'il se mit à examiner.

« Ah, mais oui ! Suis-je bête ! Il y a eu du grabuge, ici ! Deux tombes fraîches à côté du lac. Finalement, cet endroit n'est peut-être pas si agréable que ça ! Bah, je n'ai pas l'intention de m'y éterniser. D'ailleurs, je compte repartir dès que tu m'auras dit où je peux trouver Hannah Wilde et ce vieux débris de Sebastien.

— Fais attention à ce que tu dis, Benjámin, et n'oublie pas à qui tu t'adresses. Des gens sont morts ici, alors un peu de respect.

— De respect ? Oh ! Dániel ! Ça me fait tellement mal, ce que tu me dis ! Tous les matins, au réveil, je me demande comment je vais faire pour gagner le respect de mon *acadeim*, gagner la confiance du fidèle et irréprochable Dániel Meyer. Et une fois de plus, je te déçois... »

Károly agrippa les accoudoirs de son fauteuil roulant de ses doigts de rapace.

« Ça suffit, tous les deux ! s'exclama-t-il d'une voix rauque. Assez ! »

Ces quelques mots suffirent à l'épuiser, et il se laissa retomber dans son fauteuil.

« Dániel, reprit-il d'une voix qui n'était presque qu'un murmure. Viens ici. Assieds-toi et écoute-moi.

Nous savons ce qui s'est passé. Dans les grandes lignes, du moins. Et nous avons besoin de savoir où ils sont partis.

— *Signeur*, avec tout le respect que je vous dois, je ne peux pas vous le dire.

— Cette femme et sa fille sont en danger.

— Je sais, dit Dániel en jetant un coup d'œil en direction de Vass, qui regardait par la fenêtre. Et j'essaie de m'assurer qu'elles ne le soient pas encore plus à cause de nous.

— Tes raisons sont louables, Dániel, mais tu ne prends pas la bonne décision. Nous avons les moyens de les protéger.

— Sebastien s'en occupe déjà. »

Vass tourna le dos à la fenêtre.

« Je sais que le mari de cette femme repose dans une de ces tombes. J'imagine que son père repose dans l'autre. Ça tombe comme à Stalingrad, pas vrai ? Si c'est comme ça que Sebastien les protège, je dois avouer que je n'aimerais pas être à leur place.

— Benjámin, silence ! aboya le *signeur*. Dániel, tu n'es pas idiot. J'admets que c'est aussi pour nous l'occasion de tourner cette situation à notre avantage. Mais essaie de voir le côté positif des choses : en faisant cela, on sauve la vie d'une mère et de sa fille. Je sais que je ne parle que pour un seul *ülnök*. Si tu y tiens, je peux appeler Földessy tout de suite pour te donner un vote majoritaire. Mais je crois que le moment est mal choisi pour s'encombrer de considérations politiques. Le choix est simple : de quel côté es-tu ? »

Le *signeur* observa le visage de Dániel et parut déçu. Il poussa un soupir et adressa un signe de tête à son second.

Vass s'approcha de Dániel par-derrière. Celui-ci sentit l'odeur de viande épicée de son haleine avant même de le voir.

« Je te préviens, Dániel, dit Vass. Il est souvent douloureux de se retrouver du mauvais côté. Maintenant, si tu tiens à savoir à quel point ça peut être douloureux, je serais ravi de te faire une démonstration. »

Chapitre 23

Périgord, France

De nos jours

Hannah était occupée à préparer le petit déjeuner quand elle découvrit le mot.

Elle s'était réveillée dans la chambre de sa fille, lorsque les premiers rayons du soleil s'étaient glissés entre les fentes des volets. Leah dormait toujours, d'un sommeil paisible, et Hannah avait dû faire preuve de beaucoup de volonté pour se lever et descendre l'escalier jusqu'à la cuisine.

Pendant trop longtemps, elle avait laissé le chagrin la consumer, et elle avait complètement abandonné sa fille. C'était impardonnable, et la culpabilité qu'elle ressentait s'insinuait dans ses veines comme un poison. Même si elle comptait enfouir au plus profond d'elle-même la peine qu'elle éprouvait d'avoir perdu Nate, elle ne se pardonnerait jamais pour ces trois jours où elle avait laissé Leah livrée à elle-même.

Il fait de nous des monstres, se dit-elle.

Non.

C'est trop facile, Hannah. Si tu as failli, ça n'a rien à voir avec Jakab. C'est simplement toi qui as été trop faible.

Elle avait conscience que la mort de Nate avait détruit quelque chose en elle. Cette vie-là était terminée, depuis longtemps déjà, lui semblait-il, mais maintenant qu'elle était enfin sortie de sa paralysie pour embrasser cette toute nouvelle existence, elle savait que seule une chose comptait. La nuit précédente, elle avait fait promettre à Sebastien de trouver à Leah une famille aimante, au cas où elle ne survivrait pas à l'affrontement final avec Jakab. Elle le lui avait demandé parce qu'elle sentait que le dénouement était proche, et parce qu'elle comptait le tuer, quel que soit le prix à payer.

Elle n'avait pas peur de mourir. Peut-être était-ce d'ailleurs là son seul avantage face au monstre qui les pourchassait : elle n'accordait plus la moindre valeur à sa propre vie.

Sur le plan de travail de la cuisine, elle trouva deux baguettes de la veille qui semblaient encore suffisamment moelleuses. Elle repéra dans le réfrigérateur du fromage, un sac en papier contenant des saucisses, un jambon, six œufs, des pommes, un pot de confiture de prunes, du jus d'orange et du lait. Elle ouvrit plusieurs placards avant de trouver des sachets de thé et du café. C'est en passant près de la fenêtre qu'elle tomba sur le mot, posé en évidence entre un pot de basilic et un pot d'estragon. L'écriture était soignée.

Hannah, je suis à la rivière. Mes amis arrivent. Gabriel.

Elle retourna le morceau de papier entre ses mains. L'expérience qu'ils avaient partagée la veille l'avait d'abord émerveillée, pourtant cet émerveillement avait vite laissé place à la peur. Mais après tout, ce n'était pas surprenant : malgré son envie de faire confiance à Gabriel, il n'en était pas moins un *hosszú élet*, et était donc d'une manière ou d'une autre lié au cauchemar qui l'avait hantée durant pratiquement toute sa vie. Mais bizarrement, l'expérience semblait l'avoir ébranlé, lui aussi. Elle ne savait pas pourquoi, mais la tristesse qu'elle avait remarquée dans ses yeux lors de la promenade à cheval avait refait surface, et elle avait de nouveau lu dans son regard une solitude douloureuse.

Mes amis arrivent.

Quand elle entendit les lattes du plancher craquer dans la chambre de Leah, puis le bruit des marches résonner dans la maison, Hannah remplit un grand verre de jus de fruit, mit de l'eau à chauffer et commença à mettre la table.

Leah entra dans la cuisine en traînant les pieds et tira une chaise. Elle avait le visage encore bouffi par le sommeil. Elle bâilla et se tourna vers sa mère.

« Tu as faim, fripouille ? » demanda Hannah d'un ton qu'elle espérait jovial.

Leah cligna des yeux et acquiesça.

« Très bien, alors à table ! »

Après qu'elles eurent pris leur petit déjeuner – du pain, du fromage et du jambon, accompagnés de grands verres de jus d'orange –, Hannah fit la vaisselle, habilla sa fille et sortit avec elle. Elle voulait voir si la maison avait beaucoup changé depuis la dernière fois qu'elle y avait séjourné, et surtout, elle voulait vérifier qu'elle était toujours aussi isolée et sécurisée.

« Est-ce que ça va être notre nouvelle maison ? demanda Leah.

— Oui, ma chérie. Elle te plaît ?

— Est-ce qu'elle a un nom ?
— Le Moulin Bellerose.
— C'est français ?
— Tout à fait.
— Mais tu parles français, maman ? »

Hannah sourit et passa un bras autour des épaules de sa fille.

« Oui, ma puce. Et bientôt, toi aussi tu parleras français. »

Elle était propriétaire du Moulin Bellerose depuis presque neuf ans. À part Nate, personne ne savait que cet endroit lui appartenait. Après la mort de sa mère, son père avait liquidé tous ses investissements. Il avait utilisé les fonds pour acquérir dans des endroits isolés plusieurs propriétés peu coûteuses – ses « planques », comme il les appelait – à utiliser comme refuges temporaires au cas où Jakab retrouverait leur trace. À la naissance de Leah, Charles avait pris encore plus à cœur leur sécurité, et il avait donné une somme d'argent considérable à Hannah.

« Achète-toi une maison, lui avait-il dit. Loin d'ici. Un endroit où vous pourrez tous vous cacher, si le pire arrive. Ne me dis pas où, je ne veux pas le savoir. Ça limitera les chances que je te trahisse. »

Hannah avait découvert cette ferme lors de vacances en famille en France, quand Leah avait six mois. Elle n'avait eu besoin que de la moitié de la somme que lui avait donnée son père, et pour cause : le toit de la ferme s'était écroulé, il n'y avait ni chauffage, ni eau, ni électricité, et un arbre avait poussé dans une des chambres.

L'été d'après, Nate avait passé deux semaines à scier du bois et à fabriquer des poutres pour consolider le toit, puis il avait remis en place toutes les tuiles qui avaient survécu et avait remplacé les autres. L'année d'après, il avait branché une arrivée d'eau et installé une chaudière à mazout. À eux deux, ils avaient transformé le Moulin Bellerose en une retraite particulièrement bien cachée. Mais, plus que tout, ils en avaient fait la maison de leurs rêves.

Devant la ferme s'étendaient deux champs de blé séparés par un chemin carrossable bordé d'arbres qui menait à la route principale. La propriété était encerclée par une forêt de chênes, de châtaigniers et de noyers. Il leur arrivait souvent d'y croiser un chevreuil, un écureuil, ou quelque citron de Provence. La journée, ils écoutaient le chant des grives et des chardonnerets ; le soir, le hululement des chouettes et la mélodie des rossignols.

La cuisine était exposée plein sud et donnait sur un petit verger rempli de pruniers. Quand ils avaient acheté la maison, tout était envahi par les ronces, mais depuis quelques années, les arbres donnaient de nouveau beaucoup de fruits. Derrière le verger, un sentier traversait les bois pour rejoindre la rive de la Vézère, un affluent de la Dordogne. La ferme et ses dépendances étaient nichées au creux d'un des méandres. Au début du siècle précédent, un canal étroit avait été creusé pour amener l'eau de la rivière jusqu'à un moulin à eau qui était toujours là, et qui leur appartenait, lui aussi.

Comme la ferme, le moulin était en ruine à leur arrivée, et toute une colonie de pipistrelles y avait élu domicile. Nate avait réparé le toit et toutes les fenêtres, sauf une, afin de ne pas perturber les chauves-souris. Il voulait également transformer le moulin pour qu'il leur fournisse de l'électricité. Les plans qu'il avait dessinés se trouvaient toujours dans le tiroir de son bureau, dans un coin du salon.

Le Moulin Bellerose était un endroit magnifique, la toile de fond de mille souvenirs précieux, et alors que Hannah se promenait à l'extérieur avec Leah, humant l'odeur parfumée des prunes bien mûres tombées au sol, la chaleur de ces souvenirs – à présent si fragiles, si distants – raviva la douleur de sa perte.

Elle ramassa une prune et la tendit à Leah.

« Tiens, ma chérie, goûte donc. Ce sont les dernières de la saison, il faut en profiter. »

La petite fille mordit dans le fruit et esquissa un sourire.

« C'est sucré, commenta-t-elle.

— Un été, papa en a mangé tellement qu'il a eu mal au ventre pendant deux jours. »

Le visage de Leah se crispa en entendant parler de son père.

« Où on va ? » demanda-t-elle.

Hannah vit que sa fille avait les yeux brillants. Elle savait que Leah ne voulait pas qu'on la voie pleurer, et elle la prit donc par la main et désigna le sentier.

« Ce chemin va jusqu'à la rivière. Tu veux qu'on aille y jeter un coup d'œil ? »

Leah fit oui de la tête et prit une autre bouchée de prune.

Elles suivirent le sentier à travers bois, faisant craquer les feuilles mortes sous leurs pieds. Le soleil matinal était bas dans le ciel pâle et clair. Sur leur gauche, dans l'ombre, Hannah aperçut deux corbeaux qui paraissaient se repaître de quelque charogne rougeâtre.

Un des oiseaux se retourna et poussa un croassement à leur passage.

À la lisière de la forêt, le chemin débouchait sur la rive nord de la Vézère. À cet endroit, la rivière aux eaux couleur olive était large et calme. Une nuée de moucherons tournait au-dessus de la surface constellée de feuilles, offrant un festin aux oiseaux qui descendaient régulièrement comme des flèches.

En amont, la rivière formait presque immédiatement un coude. En aval, elle coulait de façon rectiligne sur une centaine de mètres avant de disparaître derrière un virage. La rive opposée était pentue et recouverte d'arbres.

Gabriel se tenait au bord de l'eau, les mains dans les poches de sa veste. Il se retourna en les entendant approcher. Hannah trouva qu'il avait l'air plus vieux, ce matin. Plus mélancolique, peut-être.

« Je regrette de ne pas avoir apporté ma canne à pêche, déclara-t-il.

— Il y en a une à la maison. Nate venait tout le temps ici, et il revenait avec le dîner du soir : brochets, truites, perches... »

Gabriel hocha la tête, puis il remarqua que Leah était là, et aussitôt, son visage s'éclaira.

« Petite madame ! s'exclama-t-il. Je suis sûr que je peux deviner ce que tu viens de manger.

— Des prunes.

— Mais comment tu veux que je devine si tu me donnes la réponse tout de suite, hein ? demanda-t-il en se frappant la tête. Qu'est-ce que c'est que ce jeu ?

— Un jeu où je gagne, répondit Leah en souriant timidement.

— Ha ! Ha ! Pas faux ! Alors, petite madame, elle te plaît, cette rivière ? Tu vois ce tronc, de l'autre côté, à moitié immergé ? Eh bien il n'y a pas une minute, j'y ai vu un martin-pêcheur. Si tu regardes sans bouger, il va peut-être revenir. Un oiseau magnifique, le martin-pêcheur. C'est très rare, d'en voir un. »

Le regard de Leah oscilla entre Gabriel et l'endroit qu'il désignait, comme si elle cherchait à savoir s'il se moquait d'elle. Finalement, elle dut décider qu'il était sérieux, car elle s'accroupit à côté de la rive et se mit à regarder attentivement le tronc d'arbre.

Hannah s'approcha de Gabriel.

« Vous m'avez laissé un mot pour me dire que vos amis arrivaient.

— Oui, ils veulent vous rencontrer.

— Pourquoi ?

— Plusieurs raisons. Notamment parce que vous avez souffert à cause d'un des nôtres.

— Je suis sûre que c'est pour me réconforter et non pour essayer de retrouver Jakab qu'ils viennent, railla-t-elle.

— Nous sommes des gens charitables, Hannah, vraiment. J'espérais que vous le comprendriez.

— Parce que vous le croiriez, à ma place ? »

Il baissa la tête.

« J'imagine que non », concéda-t-il.

S'il avait essayé de la contredire, elle savait qu'elle se serait mise en colère. Mais comme il n'avait pas particulièrement réagi, elle se sentait déstabilisée et légèrement coupable.

« C'est vrai, nous avons nos raisons de vouloir trouver Jakab, poursuivit-il, mais ça ne nous empêche pas de compatir. Ce qui vous est arrivé est horrible, et ça nous fait beaucoup de peine.

— Et quelles sont ces fameuses raisons, Gabriel ?

— Vous l'apprendrez bien assez vite, répondit-il. De la bouche de quelqu'un qui explique les choses beaucoup mieux que moi. »

Gabriel leva la tête et regarda en amont le coude que formait la rivière.

« Pouvez-vous me dire qui va vous retrouver ici, précisément ? » demanda Hannah.

Pour toute réponse, il se contenta d'un sourire distrait.

« Je n'aime pas les surprises, Gabriel », murmura-t-elle.

Hannah n'eut pas à attendre longtemps. Elle entendit le bruit étouffé d'un moteur hors-bord et bientôt, elle vit apparaître la proue d'un petit bateau en bois, qui lui rappela les courbes lisses des gondoles vénitiennes. L'embarcation se dirigea vers eux, le vernis brun brillant au soleil.

Hannah compta quatre personnes à bord. À l'avant, un homme immense à la peau presque blanche et aux cheveux châtains coiffés en queue de cheval. Des lunettes de soleil cachaient ses yeux, et il portait un gilet sans manches par-dessus un pull à col roulé couleur crème. Sa bouche formait une ligne droite ; Hannah sentit derrière les verres fumés son regard qui l'observait.

Deux autres hommes étaient assis à l'arrière. Eux aussi semblaient l'observer d'un regard impassible. L'un avait la main posée sur la barre tandis que l'autre avait les doigts croisés. Tous les trois avaient l'air solennel, concentré, aux aguets. Mais c'est surtout la grande silhouette vêtue d'un costume ivoire au milieu de l'embarcation qui retint l'attention de Hannah.

Un majestueux capuchon en soie qui ondulait sous l'effet de la brise lui couvrait la tête et maintenait son visage dans l'ombre. Hannah sentit son cœur accélérer, et elle se demanda pourquoi elle avait aussi hâte de voir à qui elle avait affaire. Elle serra les poings et sentit ses ongles se planter dans ses paumes. Les muscles de ses jambes se mirent à tressaillir.

Les mains croisées sous sa cape, l'inconnu ne faisait pas le moindre mouvement. Hannah sentit une main se glisser dans la sienne ; elle baissa la tête et vit Leah.

Alors que le barreur patibulaire dirigeait le bateau vers la rive et éteignait le moteur, l'homme situé à la proue lança une corde à Gabriel. Ce dernier l'attrapa et se mit à tirer le bateau. Quand la coque heurta doucement la berge, il noua la corde autour d'un arbre.

« Bienvenue », dit-il.

La silhouette au milieu du bateau leva les mains et ôta son capuchon. Hannah en eut le souffle coupé. Assise devant elle se trouvait la femme la plus belle qu'elle avait jamais vue. Elle était fine, ses cheveux blonds lui tombaient aux épaules et son visage paraissait ciselé dans la pierre. Sa peau était aussi pâle et lisse qu'un pétale de magnolia. Il était impossible de déterminer son âge. De ses yeux de prédateur couleur lavande, elle examina Hannah avec une telle intensité que celle-ci recula d'un pas. Un pouvoir effrayant émanait de cette femme. Hannah sentit la main de Leah serrer plus fermement la sienne.

« Bonjour, Hannah Wilde », déclara l'inconnue.

Quand ses lèvres esquissèrent un sourire, la froideur que dégageait cette femme se transforma aussitôt en une expression d'empathie si pure et si sincère que Hannah sentit sa gorge se contracter. Ne sachant que dire ni que faire, elle la salua d'un signe de tête et serra Leah contre elle.

Assistée par l'homme à la queue-de-cheval, la nouvelle venue mit pied à terre. Elle se dirigea d'abord vers Gabriel. Après l'avoir embrassé sur les deux joues, elle le prit dans ses bras.

« Comment vas-tu ? demanda-t-elle.

— Mieux, maintenant que tu es là.

— Je vois que tu n'as pas perdu ton accent.

— C'est toi qui m'as envoyé en Irlande.

— Mais ce n'est pas une critique, j'aime beaucoup l'accent irlandais.

— Tant mieux, parce que je crois que je n'arriverai jamais à m'en débarrasser. »

Elle sourit et se tourna vers son homme de main.

« Tu peux nous laisser, maintenant, Illes. Merci de m'avoir amenée jusqu'ici.

— Je préférerais rester à vos côtés, déclara l'intéressé en fronçant les sourcils.

— Tu vois bien que je suis entre de bonnes mains.

— Mais, *Főnök*...

— Illes, tu veux me contredire ?

— Non, bien sûr que non, répondit-il, vaincu.

— Oh, Illes ! Je ne voulais pas te froisser, dit-elle d'une voix douce. Allons, tu sais où je suis, et tu sais que je suis en sécurité. Je te préviendrai dès que je serai prête à repartir. »

Illes jeta à Hannah un regard méfiant, avant d'acquiescer d'une voix sourde. Puis il retourna à bord du bateau, tandis que Gabriel dénouait la corde. L'embarcation fit demi-tour et repartit par où elle était venue.

La *Főnök* prit Hannah par le bras, et les deux femmes prirent le sentier qui menait à la maison.

« Gabriel m'a raconté ce qui s'est passé ; je tenais à vous dire à quel point je suis désolée. Aucune femme de votre âge ne devrait avoir à endurer la perte de son mari. Et personne ne devrait avoir à faire un tel deuil par la faute de quelqu'un d'autre. »

Hannah sentit qu'elle était sur le point de fondre en larmes. Consciente que Leah se trouvait à côté d'elle et qu'elle avait fait vœu de toujours paraître forte devant elle, elle orienta la conversation vers un autre sujet.

« Alors, vous êtes donc l'*Örökös Főnök* ?

— Un titre très pompeux et très ancien, répondit la femme en souriant.

— Je croyais que seul un homme pouvait prétendre à cette position.

— Parfois, je regrette que ce ne soit pas le cas.

— Vous ne vouliez pas être *Főnök* ?

— Je ne voulais surtout pas être la dernière » répliqua l'intéressée, tandis qu'elles quittaient le bois et entraient dans le verger.

Alors qu'elles approchaient d'un banc aux lattes brunies et tordues par le soleil, la femme ralentit pour observer la maison. Pour la première fois depuis son arrivée, elle semblait hésitante.

« Est-ce qu'il est dedans ? demanda-t-elle en se tournant vers Gabriel.

— Non, il est parti faire des courses. Il sera bientôt de retour. »

Elle parut réfléchir quelques instants, puis elle déclara :

« Tu sais, Gabriel, je crois que Hannah et moi avons beaucoup de choses à nous dire. Peut-être que tu pourrais nous apporter du thé ? »

Hannah se surprit à sourire en voyant la façon qu'avait cette femme de donner des ordres à Gabriel. Quand elle croisa le regard de l'Irlandais, celui-ci haussa les épaules et lui sourit en retour. Hannah se tourna alors vers la *Főnök*, juste à temps pour apercevoir une lueur d'inquiétude traverser son visage.

« Et peut-être que tu pourrais te faire aider par cette jeune demoiselle, ajouta la femme.

— Oui, maman, répondit Gabriel en s'inclinant, avant de se tourner vers Leah. Allez, viens, petite madame, je vais te montrer comment les Irlandais font le thé. »

Hannah les regarda s'éloigner, puis elle demanda à la *Főnök* :

« Gabriel est votre fils ?

— Ce garçon est beaucoup de choses, répondit-elle. Il est parfois agaçant, parfois pénible, mais oui, c'est mon fils et j'en suis fière. Allez, asseyons-nous. »

Hannah s'installa sur le banc à côté d'elle. Ensemble, elles écoutèrent le cri rieur du pivert, dans la forêt. Elles restèrent silencieuses pendant quelque temps, mais ce silence n'avait rien de gênant. Enfin, Hannah se lança :

« Vous avez précisé quelque chose, tout à l'heure, quand vous m'avez annoncé que vous étiez la *Főnök*.

— Le fait que j'étais la dernière ?

— Oui. Qu'est-ce que vous vouliez dire par là ? »

Quelques fines rides apparurent au coin de l'œil de la nouvelle venue.

« Il est difficile de servir de guide à un peuple qui a perdu le contrôle de son avenir, dit-elle. Mais je n'ai pas le choix. Et quand je regarde autour de moi et que je vois cette dignité dont font preuve ceux de notre dernière génération, que je vois leur élégance, leur grâce, ça me remplit de fierté tout en me brisant le cœur. Notre peuple est en voie d'extinction, vous savez.

— En voie d'extinction ? Mais comment est-ce possible ?

— Que savez-vous de notre histoire ?

— Plus que vous ne le soupçonnez, je pense, mais beaucoup moins que ce que je voudrais.

— J'imagine que vous avez donc entendu parler de... de la purge des *hosszú életek.* »

Prononcer le mot « purge » semblait lui donner la nausée.

« Un peu, oui », répondit Hannah.

Le regard couleur lavande de la *Főnök* se perdit au loin, et elle se mit à parler. Au XIXe siècle, même si on commençait à trouver des *hosszú életek* dans le monde entier, la majorité de la population se trouvait toujours en Hongrie – à Budapest, principalement. Pendant des siècles, ils avaient réussi à garder l'anonymat, mais avec la systématisation des recensements et des actes de naissance et de décès, il leur était devenu de plus en plus difficile de garder leur secret. La noblesse avait toujours été au courant de leur existence et avait même établi des relations commerciales avec certaines familles de *hosszú életek* au fil du temps.

Peut-être que c'était inévitable, mais certains membres de la noblesse de Budapest se mirent à envier la longévité des *hosszú életek* et leur capacité à se transformer. Pour les paysans et les gens du peuple, les *hosszú életek* appartenaient surtout au folklore et à la légende, mais les nobles devinrent jaloux, leur jalousie se transforma en méfiance, et les contes folkloriques qu'on racontait au coin du feu se teintèrent d'une touche sinistre.

« Bref, expliqua la *Főnök*, c'était une montagne de poudre qui ne demandait qu'à exploser. C'est à cette époque que Balázs Jakab participa à son premier *végzet* au palais de Buda, et qu'il fut rejeté de façon fort cruelle par ses pairs. »

Hannah se raidit.

« Jakab ? Il a quelque chose à voir avec la purge ?

— Jakab fut l'étincelle, Hannah. Le *végzet* s'est très mal passé pour lui. Il a quitté le palais à grands pas et s'est retrouvé en compagnie de jeunes vauriens, sur la rive du Danube : un jeune homme nommé Márkus Thúry, et une jeune femme nommée Krisztina. Jakab s'est rendu avec eux dans une taverne, et tous trois ont développé une espèce d'amitié. Ce qui s'est passé après reste flou, mais il semblerait que Jakab se soit épris de la jeune femme. Peut-être qu'elle l'a éconduit. Nous ne le saurons sûrement jamais. Ce que nous savons, en revanche, c'est qu'il a enlevé le jeune homme, qu'il l'a supplanté, puis qu'il a emmené Krisztina dans les collines et qu'il l'a violée. La vérité a fini par éclater, mais pas avant que Thúry ne se soit retrouvé pendu pour le crime.

« Et donc, cette histoire est l'étincelle qui a mis le feu aux poudres. Face aux pressions grandissantes, le Palais a fini par signer notre arrêt de mort. L'été suivant, le Conseil des Eleni nouvellement formé a mis à exécution sa stratégie parfaitement préparée, et a massacré tout notre *tanács* d'un coup. Ça s'est passé le même soir que le premier *végzet*. Cette année-là, le *végzet* ne se déroulait pas au palais. François-Joseph s'y était personnellement opposé. Par contre, il avait autorisé qu'il se tienne dans une vieille bâtisse en bois située à trois kilomètres en aval du fleuve. Les Eleni ont enfermé nos enfants à l'intérieur et mis le feu au bâtiment.

— Mon Dieu !

— Dans les autres villes, les *végzetek* ont été attaqués et détruits de manière similaire. Ils ne nous ont pas tous trouvés. Beaucoup ont réussi à s'échapper. Mais le mal était fait. Trop d'entre nous avaient péri.

— Je ne comprends pas. S'il y a eu des survivants, pourquoi...

— Hannah, peut-être que c'est là quelque chose que vous ignorez à notre sujet, mais nous n'avons pas facilement d'enfants. Beaucoup d'études ont été menées pour en connaître la raison, mais à ce jour, personne n'a encore trouvé la réponse. Nous avons peu d'enfants, et nous ne sommes fertiles que pendant une période très brève de notre vie. Il y a quelques centaines d'années, un *végzet* se tenait chaque année dans toutes les grandes villes se trouvant à plus de deux jours de trajet de Budapest : Debrecen, Vienne, Bucarest, Lviv. Et au nord, aussi : Moscou, Minsk, Varsovie, Berlin. L'année qui a suivi la purge, aucun *végzet* ne s'est tenu en Europe de l'Est, et par extension, dans le monde. Deux ans plus tard, dans le secret le plus total, nous sommes parvenus à organiser une unique cérémonie. En tout, vingt jeunes ont participé, dont plusieurs frères et sœurs, ce qui limitait encore plus les possibilités. Pour tout vous dire, je ne me souviens même pas de la dernière fois qu'un *végzet* s'est tenu. »

La *Főnök* posa les mains sur les genoux.

« C'est très douloureux de mettre au monde un enfant, de le regarder grandir, tout en sachant pertinemment qu'il n'aura jamais l'occasion d'avoir lui aussi des enfants.

— Gabriel... Vous voulez dire qu'il n'y a personne ?

— Il n'y a plus de *hosszú életek* de son âge. Plus aucun. »

Hannah était sous le choc. Elle n'avait jamais eu aussi mal que lorsqu'elle avait perdu Nate, mais l'idée de ne l'avoir jamais rencontré, de n'avoir jamais rencontré personne de toute sa vie... c'était trop affreux, absolument inimaginable. Elle se souvint soudain de l'expression dans les yeux de Gabriel lorsqu'il avait raconté l'implication des Eleni dans la mort d'une jeune *hosszú élet*.

« Mais il doit bien exister des alternatives, non ? demanda Hannah. Pourquoi devrait-il se restreindre à une *hosszú élet* ?

— Pouvez-vous imaginer la souffrance de voir quelqu'un que vous aimez vieillir et mourir en ce qui vous paraît durer à peine quelques années ? Est-ce que vous souhaiteriez ce genre d'expérience à quelqu'un ?

— Non, bien sûr que non. Mais nous ne sommes pas en train de chercher une partenaire à Gabriel, n'est-ce pas ? C'est de la survie de votre peuple qu'il est question. S'il a des enfants...

— C'est impossible.

— Mais... »

Les yeux de la *Főnök* s'assombrirent.

« Parce que vous pensez que si c'était si simple, nous ne l'aurions pas fait ? demanda-t-elle sèchement. Croyez-vous vraiment que je resterais là à regarder ma race disparaître, s'il existait une chance que ce que vous suggérez fonctionne ? L'expérience a déjà été tentée par le passé, et les résultats étaient... Disons simplement que ce n'était pas beau à voir. La seule consolation, c'est que ces enfants n'ont pas vécu longtemps. »

Elle soupira et tendit les mains vers Hannah.

« Je suis désolée, reprit-elle. C'est une calamité, et vous avez eu raison de me poser la question. Mais le fait est que notre sang ne peut se mélanger.

— Vous n'avez pas à vous excuser. C'est tragique. Vraiment. Je ne savais pas, pour Gabriel. C'est dur de se dire qu'il ne pourra jamais partager le *lélekfeltárás* avec quelqu'un qui pourra le lui rendre.

— Il vous en a parlé ?

— Il m'a montré.

— Il vous a montré ? »

L'inquiétude traversa brièvement le visage de la *Főnök*, avant de laisser place à la résignation.

« Il n'aurait jamais dû faire ça, dit-elle. C'était une erreur.

— Peut-être. Mais c'est moi qui lui ai demandé, expliqua Hannah avant de laisser échapper un petit rire nerveux. De toute façon, à l'intérieur de cette maison, il n'y a que des gens brisés. »

La *Főnök* se leva.

« En parlant de Gabriel, j'attends toujours ce fameux thé, dit-elle. Bon, allons retrouver les autres. Ça fait longtemps que je n'ai pas eu l'occasion de profiter de la compagnie d'un enfant. »

Quand Sebastien revint, Gabriel, Hannah, Leah et la *Főnök* étaient assis à la table de la cuisine, autour d'un thé. La porte d'entrée claqua, puis un bruit de griffes sur le parquet annonça l'arrivée de Moïse.

Les oreilles dressées, le chien s'arrêta dans l'encadrement de la porte, le regard rivé sur la *Főnök*. Il poussa un aboiement.

Derrière lui, le vieil homme apparut, un sac de courses dans chaque main.

« Laisse-moi passer, Moïse. Ce satané cabot est complètement perturbé, depuis l'arrivée de Gabriel. J'ai trouvé une armurerie. J'ai rempli tous les formulaires, mais il va falloir du temps avant que... »

Il se tourna vers la table de la cuisine et cessa de parler quand il remarqua la femme assise à gauche de Hannah.

Sebastien posa ses sacs sur le plan de travail et laissa retomber ses bras. Il fit un pas vers elle, haletant.

« Éva ? »

Le visage de la *Főnök* était un tourbillon d'émotions contradictoires.

« Bonjour, Sebastien », répondit-elle.

Le vieil homme hocha la tête, le regard perdu. Quand ses yeux se posèrent de nouveau sur la femme, sa mâchoire et ses mains se mirent à trembler. Il regarda ses doigts, comme s'il était surpris qu'ils le trahissent ainsi. Enfin, brusquement, il se cacha le visage.

« Sebastien, je...

— Non !

— Ne t'inquiète pas. Tu...

— Ne me regarde pas ! »

Il était trop âgé pour courir. Peut-être que s'il avait été plus jeune, plus agile, il aurait essayé. Il laissa échapper un gémissement horrible. Voyant la porte-fenêtre ouverte, il sortit d'un pas vif, le visage toujours dissimulé derrière ses mains. Il tituba entre les pruniers du verger en se tirant les cheveux.

La *Főnök* se leva, le visage marqué par le chagrin. Hannah remarqua qu'elle avait rougi.

« Laissez-moi faire », dit-elle.

Hannah se tourna vers le verger. Elle vit la *Főnök* rattraper Sebastien, le prendre par le bras et marcher avec lui jusqu'au banc.

Pouvez-vous imaginer la souffrance de voir quelqu'un que vous aimez vieillir et mourir en ce qui vous paraît durer à peine quelques années ? Est-ce que vous souhaiteriez ce genre d'expérience à quelqu'un ?

La détresse apparue sur le visage d'Éva quand elle était partie retrouver Sebastien avait permis à Hannah de comprendre la terrible vérité derrière ces deux interrogations. Puis elle se demanda ce qu'avait ressenti Sebastien quand il avait revu la femme qu'il avait aimée, cinquante ou soixante ans plus tôt, et qu'il avait constaté qu'elle avait toujours l'air aussi jeune. Car à l'évidence, la beauté d'Éva n'avait pas été flétrie par le temps. Alors que les quatre-vingts ans que Sebastien avait passés sur cette Terre étaient gravés entre chaque ride, derrière chaque tache de vieillesse, sous chaque phalange gonflée. Il avait perdu des cheveux, sa peau était plus lâche. Ses muscles s'étaient rétractés, ses articulations s'étaient raidies. Par contre, ses yeux – qui avaient tant d'années auparavant poussé Éva à croire qu'il était lui aussi *hosszú élet* – ressemblaient toujours à deux émeraudes scintillantes. Tout le reste avait changé, avait vieilli. Pour Hannah, Sebastien était un beau vieillard, entêté et courageux, à la fois froid et charitable. Mais malgré cela, il aurait été hypocrite de nier que le temps ne lui avait pas fait de cadeaux.

Et autant Hannah se demandait ce que Sebastien voyait en regardant Éva, autant elle se demandait ce qu'Éva ressentait en regardant le jeune homme dont elle avait été amoureuse et qui ressemblait maintenant à un vieillard fragile.

Dehors, le couple s'était assis sur le banc. Sebastien se tenait penché en avant, les yeux rivés sur le sol. Éva lui parlait doucement. Quand elle posa sa main sur celle de Sebastien, il tressaillit, mais accepta sa caresse.

« Votre mère m'a expliqué beaucoup de choses, dit Hannah en se tournant vers Gabriel. Ça ne rend pas la mort de Nate plus facile à accepter, mais ça m'a permis de comprendre qu'il n'y a pas que Leah et moi qui sommes affectées.

— Elle vous a tout dit ?

— Elle m'a confié que vous étiez certainement l'un des derniers *hosszú életek*.

— Quel honneur, hein ? »

Imitant le geste de la *Főnök*, Hannah tendit le bras par-dessus la table et posa sa main sur celle de Gabriel.

« Ça va ? » demanda-t-elle.

Gabriel regarda la main de Hannah, puis il retira la sienne et répondit :

« Ça va. »

Sur le sol de la cuisine, Moïse dressa les oreilles. Quelques instants plus tard, Gabriel s'approcha de la fenêtre.

« Qu'est-ce que c'est ? demanda Hannah.

— Des voitures, je pense, répondit-il. Elles approchent de la maison. »

Chapitre 24

Périgord, France

De nos jours

Dès qu'elle entendit les mots de Gabriel, Hannah se leva d'un bond. Elle ressentit une sensation de picotement sur toute sa peau, jusque sur le crâne, comme si une armée de scarabées lui marchait dessus. Elle comprit que le moment était enfin arrivé : l'affrontement final avec Jakab. L'avenir de sa fille se déciderait aujourd'hui, et il dépendrait entièrement d'elle. Le poids de cette responsabilité la vida instantanément, et elle dut se retenir à la table pour ne pas s'écrouler au sol, submergée par les émotions.

« Qu'est-ce qui ne va pas ? » demanda Gabriel.

Elle secoua la tête. Pas le temps de lui expliquer. Pas le temps de faire preuve de faiblesse.

Ils se trouvaient du mauvais côté de la maison. La porte-fenêtre de la cuisine donnait sur le verger et le sentier qui menait à la rivière. De là, ils ne pouvaient pas voir les véhicules qui venaient par la route.

Mais c'est impossible que Jakab nous ait déjà retrouvés, songea-t-elle. J'ai été tellement prudente. Personne ne sait que cet endroit existe. À part Nate et moi. Et nous n'en avons jamais parlé à personne.

Mais ce n'est pas tout à fait vrai, Hannah. Qui sait ce qui s'est passé pendant les trois jours où tu es restée complètement léthargique ? Tu as laissé Sebastien s'occuper de tout. Tous les chèques que tu aurais faits, toutes les précautions que tu aurais prises, confiés à un vieil homme que tu connais à peine. S'il a commis des erreurs, Jakab n'aura eu aucun mal à retrouver ta trace.

S'agrippant à la table, Hannah cligna des yeux pour chasser le brouillard qui les obscurcissait et se força à réfléchir de façon rationnelle. Elle n'avait pas beaucoup de temps, et elle devait prendre une décision majeure : pour protéger Leah, valait-il mieux qu'elle la cache ou qu'elle la garde près d'elle ? Comment se serait-elle sentie, au même âge, si elle avait appris que le danger arrivait et qu'elle devait l'affronter seule ? Hannah avait conscience que la réponse à cette question ne devait pas influencer sa décision. Mais cela faisait moins d'une semaine que sa fille avait vu son père se faire tuer par un monstre qui se faisait passer pour son grand-père.

« Leah, reste avec moi, d'accord ? » dit-elle.

Hannah traversa le couloir et se glissa dans la salle à manger.

Deux Audi Q7 blanches descendaient le chemin carrossable entre les champs de blé, faisant voler un nuage de poussière. Une troisième Audi était garée à l'endroit où le chemin rejoignait la route. Déjà, des hommes en descendaient. Aucun ne portait d'uniforme, mais ils paraissaient aussi organisés qu'une unité militaire, et ils ne perdirent pas de temps pour barrer l'accès principal de la ferme.

Quand elle entendit la respiration saccadée de Leah, Hannah se tourna vers elle. Une larme tremblait sur le cil droit de la petite fille, tandis qu'elle regardait les véhicules approcher.

« Il arrive, pas vrai ? Celui qui a tué papa. »

Hannah ouvrit la bouche, mais elle ne trouva pas de réponse. Que pouvait-elle lui dire ?

Leah se tourna vers elle, et quand elle sourit, la larme quitta le cil pour rouler sur sa joue.

« Ça va aller, maman. Je suis prête, et je ne te laisserai pas tomber. »

Hannah sentit sa gorge se serrer. Elle prit Leah dans ses bras et enfouit son visage dans les cheveux de sa fille. Une odeur de vanille et de pomme verte, d'innocence et de vitalité, de confiance, d'amour et d'espoir. La mâchoire serrée, elle s'entendit parler d'une voix que la rage rendait féroce.

« On va le battre, Leah. Je te le promets. Aujourd'hui, c'est le dernier jour où tu auras à entendre le nom de Jakab. Je te jure que je vais en finir avec lui. Pour toi. Pour papa. Ça va aller. Je te le promets, Leah, ça va aller. »

Quand elle remarqua qu'elle tenait sa fille beaucoup trop fort, elle l'embrassa sur la tête et relâcha son étreinte.

Leah avait les lèvres pincées, le visage rouge. Elle leva la tête et essuya la larme qui avait coulé sur sa joue.

« J'ai un peu peur, mais pas vraiment, dit-elle. Je pense que le méchant monsieur devrait surtout avoir peur de toi. »

La remarque fit rire Hannah. La pression qui se relâchait un tout petit peu décuplait ses forces.

« Prends ma main, dit-elle. Fais ce que je te dis, et souviens-toi de ce que je t'ai appris. Notre nouvelle vie commence aujourd'hui. »

Sa gorge était sèche, et elle avait toujours l'impression qu'une armée d'insectes lui marchait dessus. Mais elle sentait une flamme en elle – une flamme alimentée par la rage de voir sa fille en proie à des émotions qui n'étaient pas de son âge, une flamme alimentée par sa détermination à détruire le fléau qui s'était abattu sur sa famille. Trop de personnes étaient mortes. Trop d'êtres chers.

Hannah entendit la porte de la cuisine claquer derrière elle. Elle fit volte-face. Quand Sebastien apparut aux côtés d'Éva dans l'encadrement de la porte, elle poussa un soupir de soulagement. Aucun intrus n'était encore entré dans la maison. Les yeux du vieil homme étaient cerclés de rouge, mais alertes. Il rejoignit Hannah à la fenêtre et prit un air renfrogné en voyant arriver les 4 × 4 Audi.

Hannah se tourna vers la *Főnök*.

« Est-ce qu'il s'agit de *hosszú életek* ? Vos gardes du corps, peut-être ?

— Non, répondit Éva. Ils sont trop nombreux. Et trop vulgaires. »

La voiture de tête s'engagea dans l'allée qui passait devant la maison. Sans ralentir, elle tourna sur le petit chemin qui menait vers le verger, à l'arrière. Le deuxième véhicule freina, faisant voler un nuage de gravier et de poussière. Il s'arrêta en dérapant à quelques mètres de la fenêtre de la salle à manger. Le moteur se coupa.

Un silence pesant s'ensuivit. Le soleil se reflétait sur le pare-brise de l'Audi, transformant le verre en miroir et dissimulant les occupants aux regards.

« Ce ne sont pas des *életek*, dit Sebastien, mais des Eleni. »

Hannah leva les yeux vers l'ancien *signeur* et lui lança un regard de défi.

« Tu as amené des Eleni ici ? »

Le vieil homme serra les dents. Quand il se tourna vers elle, ses yeux brillaient de ressentiment.

« Je ne les ai pas amenés, Hannah, je...

— Alors, dis-moi comment ils s'y sont pris pour nous retrouver.

— Il fallait bien que je parle à quelqu'un ! Comment voulais-tu que je vous fasse quitter le pays, à toi et à Leah ? Tu crois vraiment que j'aurais pu vous faire prendre l'avion et vous amener jusqu'ici incognito, sans l'aide des Eleni ? Je ne pouvais même pas te parler, Hannah, tu étais coincée dans ta bulle. »

Elle grimaça, et sa colère disparut aussi subitement qu'elle était apparue. Pendant quelques secondes, elle continua de le regarder, puis elle finit par baisser les yeux, rouge de honte. Il avait fait tout ce qu'il avait pu pour les protéger. Et malgré cela, elle trouvait quand même le moyen de lui en vouloir.

« Je suis désolée, Sebastien. Tu as raison. »

Il ignora ses excuses et se tourna vers la fenêtre, au moment où la portière passager de l'Audi s'ouvrait.

L'homme qui en descendit était presque aussi âgé que Sebastien. Ses cheveux gris gominés étaient plaqués sur un côté, et il arborait une moustache finement taillée. Quand il se déplaça, ce fut avec l'attention exagérée de quelqu'un qui a des problèmes d'arthrose, et quand il se tourna vers la maison, Hannah crut lire une trace d'appréhension dans son regard.

« Oh bon Dieu ! marmonna Sebastien avec un air de dégoût.

— Qu'est-ce qui se passe ?

— Ce vieux croulant s'appelle Dániel Meyer. Dániel est *acadeim*. Un des *ülnökök*.

— Il est dans le camp des gentils ?

— C'est un gentil, oui. Maintenant, je ne sais pas si on peut lui faire confiance ou pas. »

Pourtant, tu lui as fait confiance, Sebastien, se dit-elle. Et maintenant, il est là.

Et toi, Hannah, tu n'arrêtes pas de lui faire des reproches. Alors que rien n'est sa faute.

Dániel Meyer rajusta le col de sa chemise, puis il se dirigea vers la porte d'entrée et frappa.

Hannah se tourna vers Éva.

« Cet homme qui vous a accompagnée jusqu'ici, Illes. Est-ce que vous pouvez le joindre ?

— Je lui ai envoyé un message.

— Combien de temps avant qu'il arrive ?

— Je ne sais pas. »

Sebastien claqua des doigts pour attirer leur attention, puis il désigna la porte.

« Retournez dans la cuisine, ordonna-t-il. Laissez-moi m'occuper de ça. Je connais Dániel. Je vais voir ce qu'il veut. »

Puis, se tournant vers Éva et Gabriel :

« Quant à vous, il ne vous connaît pas, et il ne se doute pas une seule seconde que vous puissiez être *hosszú életek*. Tâchons de faire en sorte qu'il ne l'apprenne pas. »

Hannah examina les yeux de Sebastien, en quête d'un soupçon de trahison. Ne remarquant rien d'anormal, elle tendit la main à Leah.

« Sebastien a raison. Il connaît ces gens. On fait comme il a dit. »

De retour dans la cuisine, Hannah vit quatre hommes

debout dans le verger. L'un d'eux tenait en laisse deux vizslas adultes. Il avait l'air impassible.

Elle entendit la clé tourner dans la serrure de l'entrée.

« Je suis désolé, Sebastien, dit une voix fatiguée. Je n'avais pas le choix. »

Des bruits de pas retentirent dans le couloir, puis Dániel Meyer apparut dans l'encadrement de la porte de la cuisine. Quand Hannah croisa son regard, elle crut le reconnaître. Faisait-il partie de ces visages qu'elle avait croisés lors de son voyage hallucinatoire entre Llyn Gwyr et le Moulin Bellerose ?

Meyer se dirigea vers elle et lui prit les deux mains.

« Hannah, je m'appelle Dániel, déclara-t-il. Vous ne vous souvenez peut-être pas de moi. Et pour tout vous dire, je ne pensais pas vous revoir un jour, mais maintenant que vous êtes là, en face de moi, je tiens à vous présenter mes plus sincères condoléances. La mort de votre mari est une tragédie qui nous a tous beaucoup affectés. Celle de votre père aussi. Mais je ne vous ferai pas l'affront de prétendre savoir ce que vous ressentez. Je suis simplement soulagé de voir que Sebastien a réussi à vous aider, et heureux que notre organisation ait pu contribuer en partie à vous faire arriver à bon port. »

Il y avait dans sa voix quelque chose de sincère et de compatissant qui fit aussitôt retomber la colère que Hannah ressentait de voir un inconnu s'immiscer dans sa vie. Malgré tout, elle ne le quitta pas des yeux quand il lui lâcha les mains.

« Que faites-vous ici, Dániel ? »

Meyer ouvrit la bouche pour répondre, mais avant qu'il ait pu dire quoi que ce fût, Moïse se mit à aboyer. Le chien trotta jusqu'à la fenêtre puis se mit à tourner comme un lion en cage. Gabriel hocha la tête.

« Qu'est-ce qui lui arrive ? » demanda-t-il.

Hannah n'eut pas besoin d'attendre longtemps pour avoir la réponse. Le bruit qu'elle parvenait à peine à entendre était caractéristique. Très vite, il se fit plus précis, plus violent, confirmant ses suspicions : il s'agissait d'un hélicoptère à l'approche.

Bon Dieu, se dit-elle, il a l'air d'arriver vite !

Dans le verger, les feuilles mortes se mirent à tourbillonner. Puis le sifflement des pales et le grondement assourdissant du moteur firent trembler les fenêtres. Hannah regarda l'hélicoptère descendre et se poser dans une clairière derrière le verger. Il était noir avec une bande jaune et faisait penser à un énorme frelon énervé. Derrière les vitres courbées, Hannah vit de nombreux visages. Elle se tourna vers Meyer.

« Des hommes de votre organisation ? » demanda-t-elle.

L'*acadeim* acquiesça.

« La discrétion, vous ne connaissez pas ?

— J'ai bien peur que notre *signeur* ignore le sens de ce mot. »

Sebastien frappa la fenêtre de son poing, puis il se retourna, rouge de colère.

« Tu as amené le *signeur* ici, Dániel ? Mais qu'est-ce qui t'est passé par la tête ?

— Je t'ai dit tout à l'heure que je n'avais pas eu le choix. »

Puis, Meyer se tourna vers Hannah et se mit à manipuler machinalement son alliance.

« Sebastien m'a dit où vous partiez, déclara-t-il. Et les Eleni étaient au courant de ce qui s'était passé au pays de Galles. Je ne sais pas comment, mais ils étaient au courant. Ils sont prêts à tout pour trouver les derniers *hosszú életek*, à présent. Ils ont conscience qu'ils n'ont plus beaucoup de temps, et que Jakab représente leur meilleure chance. Bref, vous êtes leur seule piste, et ils sont plus déterminés que jamais. Je ne vous souhaite aucun mal, Hannah. Je ne souhaite de mal à personne. Alors, je vous en prie, coopérez. Ça vaudra mieux pour tout le monde. Et je vous promets que bientôt, tout sera terminé.

— Tu m'as trahi, murmura Sebastien en faisant un pas vers l'*acadeim*.

— Je sais que pour toi, on a toujours le choix, dit Meyer. Tu m'as confié un secret, et, quand la pression a été trop forte, j'ai cédé. Donc oui, j'imagine que d'une certaine manière, je t'ai trahi. »

Dehors, les portes de l'hélicoptère s'ouvrirent. L'homme assis à côté du pilote en sortit. La chair de son visage paraissait flasque, et son regard dissimulé derrière deux lourdes paupières lui donnait une impression de paresse et de lassitude. Il portait un pantalon en toile à la fois trop court et trop serré. Il sortit un fauteuil roulant de l'hélicoptère et le déplia.

« Sebastien, je ne sais pas depuis combien d'années j'ai l'honneur de pouvoir te compter parmi mes amis, déclara Meyer. Tu sais que je ferais à peu près tout pour toi. Mais quand tu m'as fait promettre de garder ce secret, tu ne m'as pas dit que je risquais ma vie. Je suis vraiment désolé si tu me considères comme un Judas, mais je n'ai jamais accepté de tels enjeux. Regarde-moi, je suis un vieil homme à présent. J'ai une femme, des petits-enfants. Je n'aurais jamais accepté de mettre ma vie en péril.

— Ta vie en péril ? railla Sebastien. Tu as toujours été un mou, Dániel, mais là, je dois dire que tu te surpasses. Károly n'est pas un tendre, je te l'accorde, mais quoi qu'il ait fait pour t'effrayer de la sorte, tu sais aussi bien que moi que c'est du pipeau. Depuis quand le Conseil est-il si divisé que ses membres se menacent les uns les autres ?

— Depuis que tu es parti, répondit Meyer. Je doute que tu sois capable de reconnaître l'organisation telle qu'elle est aujourd'hui.

— Même si tu dis vrai, Károly n'est pas en position de te menacer de mort.

— Károly non, concéda Meyer avant de désigner d'un mouvement du menton l'homme qui venait de sortir de l'hélicoptère. Mais lui, oui. »

Sebastien se tourna vers la fenêtre. Il poussa un juron quand il reconnut l'inconnu au pantalon en toile que l'*academ* avait montré.

« Qui est-ce ? demanda Hannah, les sourcils froncés.

— Benjámin Vass, répondit Sebastien. Le second du *signeur*. »

Pour la première fois, elle sentit de l'inquiétude dans la voix du vieil homme. Cela lui fit froid dans le dos.

La portière arrière de l'hélicoptère s'ouvrit, et un deuxième homme en sortit. Vass lui donna un ordre. L'inconnu se pencha alors dans l'habitacle, attrapa un troisième homme et l'installa dans le fauteuil roulant.

Hannah examina le vieillard dans le fauteuil. La peau de son visage semblait aussi sèche qu'une feuille morte, et ses yeux mornes enfoncés dans leur orbite sans fond paraissaient observer les alentours. Il devait peser à peine quarante kilos.

« Celui qui se trouve dans le fauteuil roulant s'appelle Károly Gera, annonça Sebastien. C'est le *signeur*. »

Gabriel, qui n'avait pas prononcé un mot depuis un moment, s'approcha de la fenêtre.

« C'est celui dont vous m'avez parlé hier ?

— Oui. C'est lui qui a tué la jeune *hosszú élet*. Si ça peut vous consoler, sachez qu'il est atteint d'une maladie incurable. Et au vu de son état, je dirais qu'il n'en a plus pour longtemps. »

Vass se baissa et dit quelque chose à l'oreille du vieillard. Puis il se dirigea vers la maison.

Hannah le regarda approcher. Une fois de plus, tout son environnement se retrouvait chamboulé, et même si elle avait plus que jamais envie d'en finir, la confiance qu'elle ressentait plus tôt s'effritait. Vass était un inconnu, une menace qu'elle n'avait pas encore évaluée.

Si tu ne t'étais pas laissée aller après la mort de Nate, se dit-elle, si tu n'avais pas abandonné Leah de façon aussi égoïste, tu aurais pu l'amener ici sans que personne apprenne l'existence de cette ferme. Et ils ne t'auraient jamais retrouvée.

« Il vaut mieux que je vous laisse, je crois, dit Meyer. Sebastien...

— Sors. Je n'ai plus rien à te dire. »

Tête baissée, Dániel Meyer bredouilla des excuses, avant de disparaître dans le couloir.

Quelques instants plus tard, Vass se présenta devant la porte-fenêtre. Il posa la main sur la poignée. Constatant que la serrure n'était pas verrouillée, il ouvrit la porte et entra dans la cuisine. Derrière lui, un de ses lieutenants franchit la petite marche avec le fauteuil roulant de Károly et le rejoignit.

En silence, Vass embrassa la pièce du regard. Une fine pellicule de transpiration lui recouvrait le front.

Enfin, il ouvrit les bras et son visage s'éclaira d'un large sourire.

« On m'a dit que vous organisiez une petite fête. Je pensais arriver en premier, mais visiblement, je suis en retard. Bah, qu'importe ! En plus, je n'ai même pas de cadeau. Qu'est-ce que je peux être tête en l'air ! Bon, laquelle d'entre vous est Hannah ?

— Personne ne t'a invité à cette petite fête, Benjámin », marmonna Sebastien.

Vass se retourna et observa l'ancien *signeur* sous ses épaisses paupières.

« Ah, Sebastien ! s'exclama-t-il. Toujours aussi ronchon, visiblement ! Si tu ne me vois pas comme un invité, considère-moi comme un service d'ordre gratuit. Car j'ai des raisons de croire que ton ami Jakab Balázs est en route. Et même si je ne doute pas une seconde du soin que tu as su prendre de Hannah et de sa fille, il me paraît raisonnable de prendre cette précaution supplémentaire. »

Hannah sentit son estomac se serrer en entendant le nom de son vieil ennemi.

« Qu'est-ce qui vous fait croire qu'il va venir ici ? demanda-t-elle.

— J'imagine que vous êtes Hannah. Parfait. Permettez-moi de vous présenter notre cher *signeur*, Károly Gera.

— Répondez à ma question. »

Vass grimaça.

« Eh bien, si je pense que votre ami Jakab est en chemin, Hannah, c'est tout simplement parce que je l'ai invité. »

Les scarabées reprirent leur marche sur sa peau.

« Vous avez fait quoi ? hurla-t-elle.

— Ce qui s'est passé à Llyn Gwyr est horrible. Atroce. J'ai vu le résultat – la tombe de votre mari à côté du lac, sans même une pierre tombale pour honorer sa mémoire. Nous avons enterré votre père à côté. Très triste. Mais vous savez quoi ? demanda-t-il en se penchant vers elle. Tout le temps que je me trouvais là-bas, j'avais l'impression bizarre d'être observé. Un sixième sens, peut-être. Bref, je serais prêt à parier que Jakab est redescendu de la montagne à l'instant où nous sommes partis. Et c'est pour cela que je lui ai laissé une invitation à cette petite pendaison de crémaillère, avec toutes les instructions nécessaires pour ne pas se perdre en chemin. Voilà comment nous avons là une magnifique opportunité de nous entraider, Hannah. Je veux Jakab Balázs, et j'imagine que de votre côté, vous aimeriez qu'il arrête de massacrer tous les membres de votre famille les uns après les autres. Nous avons un intérêt commun, alors pourquoi ne pas nous associer ?

— Parce que vous pensez vraiment qu'il va venir ici et se laisser capturer sans rien dire ?

— Je sais que je suis en mesure de m'occuper de Jakab, faites-moi confiance.

— Et donc, vous nous utilisez comme appât. »

Vass parut réfléchir quelques instants, puis son sourire s'élargit et il dit :

« Voilà ! C'est exactement ça ! Mais ne vous sentez pas vexée. Vous êtes un appât unique, seul capable d'attirer le poisson le plus méfiant. Nous sommes à la poursuite d'un véritable Moby Dick, et en tant que capitaine Achab, je me tiens à votre disposition.

— Je vous rappelle qu'Achab meurt à la fin, rétorqua-t-elle, outrée par son ton moqueur.

— Alors je vous en prie, Hannah. Aidez-moi à trouver un meilleur dénouement à l'histoire, dit-il avant de se diriger vers la porte-fenêtre. Et maintenant, je crois que le moment est venu de faire entrer les chiens. »

Vass tapa à plusieurs reprises sur le carreau et fit signe à l'inconnu qui tenait les deux vizslas de venir. Puis, il sortit un téléphone portable de sa poche. Il composa un numéro et approcha le combiné de son oreille, tandis que son regard vide observait les uns après les autres tous ceux qui se trouvaient dans la pièce.

« Que tout le monde se mette à couvert, ordonna-t-il. Loin de la maison. Je ne veux plus voir la moindre voiture dans l'allée. Et dégagez-moi l'hélico. Vous avez une minute pour que cet endroit ressemble à une morgue. »

Il raccrocha et se tourna vers Hannah.

« Une "morgue", répéta-t-il, songeur. Peut-être pas la comparaison la plus heureuse, après tout ce qui s'est passé. »

Puis, s'intéressant soudain à Éva et à Gabriel :

« Maintenant que j'ai eu le plaisir de faire la connaissance de Hannah Wilde et que j'ai retrouvé l'irascible Sebastien, je meurs d'envie de savoir qui vous êtes, messieurs dames.

— Ce sont seulement des amis à elle, Benjámin, dit Sebastien. Ils n'ont rien à voir avec cette histoire.

— Des amis. Je vois. Il n'empêche, je suis curieux.

— Le diable emporte ta curiosité.

— Eh bien ! Comme tu es protecteur ! Pourtant, je n'ai fait que leur demander leur nom. Sont-ils si fragiles qu'ils ont besoin d'un vieil homme pour les protéger ? Ou ont-ils simplement perdu leur langue ? »

Soudain, le *signeur* se redressa dans son fauteuil roulant et aboya d'une voix métallique :

« Benjámin, ça suffit ! Nous sommes ici pour accomplir une mission. C'est tout. Pas la peine de rajouter des noms à la liste des gens qui ne peuvent pas te supporter. »

Vass se retourna brièvement vers le *signeur*, puis il reporta son attention sur Hannah. La colère du *signeur* paraissait l'amuser.

« Il a raison, vous savez, soupira-t-il. Malgré tous mes efforts, il arrive que je... que je sois désagréable avec les gens. Ce n'est pas volontaire. Mais que voulez-vous, personne n'est parfait. »

Derrière Vass, l'inconnu aux deux vizslas apparut devant la porte-fenêtre, l'extrémité de chaque chaîne enroulée autour de ses poings. L'un des chiens était particulièrement robuste, et son corps portait les stigmates de nombreux combats. L'autre était plus jeune. Il avait les yeux clairs et son poil était encore soyeux. À la seconde où il vit les deux *hosszú életek*, il tomba en arrêt. Quand son compagnon les repéra à son tour, il se raidit également, et les deux chiens restèrent absolument immobiles.

Hannah sentit sa gorge se serrer. Elle se rappela que Sebastien avait dit à Gabriel et à Éva de ne pas révéler leur identité. Vass était-il capable de comprendre ? Elle mourait d'envie de voir sa réaction, mais refusa de céder à la tentation.

Le plus imposant des deux vizslas fit un pas dans la pièce. Lèvres retroussées, oreilles rabattues, il se mit à grogner – un grondement sourd et menaçant. Soudain, l'autre se lança vers Éva en montrant les crocs. Le bond de l'animal faillit déséquilibrer le maître, qui poussa un juron et tira un coup sec sur la chaîne.

Hannah se risqua à regarder Vass. Il avait observé la réaction des deux chiens, et à présent, il examinait minutieusement Éva et Gabriel. Ses paupières lourdes s'étaient soulevées un peu plus, et il se passait la langue sur les lèvres.

Il a compris, se dit-elle.

Vass sourit.

« Tiens, tiens, tiens... dit-il. J'aurais vraiment dû mettre un smoking, aujourd'hui. Ce n'est pas tous les jours qu'on côtoie des personnages aussi illustres. »

Il plongea la main dans la poche et en tira un revolver. Un objet immonde et froid. Il passa devant les deux vizslas qui grognaient toujours et s'approcha des *hosszú életek* pour mieux les examiner.

« Exactement comme nous, dit-il. Exactement. Je vous en prie, asseyez-vous. D'ailleurs, asseyez-vous tous ! »

Hannah serra la main de Leah et se dirigea vers la table. Elle s'assit à côté de sa fille. Gabriel et Éva s'installèrent sur les deux chaises qui restaient.

D'énormes gouttes de sueur perlaient à présent au front de Vass. Il se tourna vers le *signeur*.

« Ça fait combien de temps que je vous promets de vous livrer un *hosszú élet* ? Et voilà que j'en trouve deux. »

Le vieil homme se pencha en avant, le regard brillant.

« Tu en es sûr ? » demanda-t-il.

À la plus grande surprise de Hannah, Éva se leva. Ses yeux couleur lavande étaient maintenant rouge sang. Quand elle parla, ce fut d'une voix pleine d'autorité qui témoignait de son assurance.

« Je m'appelle Éva Maria-Magdalena Szöllösi. J'ai

l'honneur d'être l'*Örökös Főnök* des *hosszú életek*. Il y a de grandes chances que je sois aussi la dernière à ce poste. Vous êtes Eleni, et par conséquent responsables du massacre de nos enfants et du génocide contre ceux de notre race. »

Vass soutint le regard d'Éva. Il secoua la tête.

« Oh, mais je ne suis responsable d'aucun massacre, Éva, dit-il. La purge dont vous parlez remonte à presque cent ans avant ma naissance. Mais moi aussi, je suis ravi de faire votre connaissance. »

Puis, à l'attention du *signeur* :

« Voilà qui change tout. Nous n'avons même plus besoin d'attendre Jakab.

— Alors, dépêche-toi, cracha le vieillard. Et disparaissons d'ici avant qu'il n'arrive. »

Vass se tourna vers Gabriel, qui s'était levé et se tenait à côté de sa mère.

« J'imagine que vous voulez vous présenter à votre tour. »

Gabriel répondit d'une voix calme et menaçante.

« Je m'appelle Gabriel Mounir Szöllösi, et je voudrais vous mettre en garde, Benjámin. Vous pensez être préparé à ce qui arrive. Vous ne l'êtes pas. Vous pensez comprendre la nature de votre adversaire. Vous ne la comprenez pas. Vous pensez gagner aujourd'hui parce que vous avez plus d'hommes, plus d'armes. Vous allez perdre. Je peux vous promettre une chose : votre survie dépendra de la façon dont vous vous comporterez aujourd'hui. »

Vass leva les yeux au ciel. Il désigna Hannah et Gabriel au lieutenant Eleni qui avait poussé le fauteuil roulant du *signeur* jusqu'à la cuisine.

« Ligotez ces deux-là à leur chaise, ordonna-t-il.

Ensuite, emmenez la femme et la petite à l'étage, et ligotez-les également. Chacune dans une chambre. »

Hannah observa le revolver que Vass faisait tourner machinalement entre ses doigts. Comment avait-elle pu se retrouver dans une telle situation ? Le monstre qui avait tué sa mère, son père et son mari, allait arriver d'un moment à l'autre. Et avant de pouvoir se concentrer sur ce danger qui la guettait, voilà qu'elle devait affronter une nouvelle menace.

Ne pense qu'à Leah. Vass est fou, incontrôlable, et armé. Ne le contrarie surtout pas. Ne choisis pas l'affrontement, du moins pas encore. Tu n'auras peut-être qu'une seule opportunité à saisir, alors sois patiente. Laisse Leah partir. Lâche sa main et laisse-la quitter cette pièce.

Quand Hannah voulut lâcher la main de sa fille, celle-ci se mit à serrer de toutes ses forces et à hurler – un cri déchirant qui lui fit aussitôt monter les larmes aux yeux. Impassible, elle desserra les doigts de Leah.

« Va avec le monsieur, Leah. Je te promets que tout va bien se passer.

— Maman, non !

— Écoute-moi, ma chérie. Tu te souviens de tout ce que je t'ai appris ? Alors, réfléchis bien à ce que je t'ai dit. Sois attentive, d'accord ? Et courageuse. Fais confiance à ton instinct, et tout se passera bien, tu verras. Maintenant, file. »

Leah se leva. Hannah ne l'avait jamais vue aussi effrayée. L'associé de Vass s'approcha de Gabriel avec une corde et le ligota à sa chaise.

Quand il se dirigea vers Hannah, Sebastien hurla :

« Benjámin, ce sont des méthodes barbares ! Károly, vous voyez bien qu'il n'est pas nécessaire de...

— Sebastien, je t'en prie », l'interrompit Hannah.

Elle ne voulait pas qu'il risque sa vie pour elle, et elle ne pouvait supporter l'idée de le perdre, lui aussi.

« Ne rends pas les choses plus difficiles, poursuivit-elle. Ne joue pas les héros. »

Sur ce, elle se rassit et laissa l'inconnu la ligoter. La corde mordit dans la chair de ses poignets, mais elle refusa que Leah la voie souffrir et elle ne réagit pas.

Satisfait de son ouvrage, l'homme quitta ensuite la pièce avec Leah et Éva.

Vass applaudit.

« Très bien ! s'exclama-t-il. Parfait ! Enfin, on avance ! J'espère que cela n'entache pas notre belle amitié.

— Qu'est-ce que vous voulez ? demanda Gabriel d'une voix sourde.

— Allons, Gabriel ! À quoi bon feindre l'ignorance dans un moment pareil ? Ah, vous les *hosszú életek*, vous me faites vraiment penser aux enfants qui ont les meilleurs jouets à Noël et qui refusent de partager. Après, je comprends pourquoi vous vous méfiez de nous. Les méthodes de mes prédécesseurs étaient pour le moins brutales, même s'ils agissaient sur ordre de la Couronne. Mais ils étaient jaloux, c'est tout. Ils vous enviaient cette aptitude à vivre si longtemps et se méfiaient de votre capacité à vous dissimuler parmi eux. Et pour ne rien arranger, vous ne vouliez pas partager.

— Mais partager quoi ?

— Le secret, bien sûr !

— Quel secret ?

— Si je ne fais pas plus attention, je sens que je vais encore me faire rappeler à l'ordre. Je fais allusion à ce que vous n'avez jamais voulu divulguer, avant même la naissance des Eleni : le secret de votre longévité. »

Gabriel ouvrit la bouche pour répondre, mais Vass leva son revolver et l'agita de droite à gauche.

« Oui, je sais ce que vous allez me répondre, dit-il. J'ai déjà entendu cet argument mille fois. Si tout le monde vivait aussi longtemps que vous, la population augmenterait à toute vitesse et ce serait alors une crise sans précédent. Notre société imploserait. Ce serait le chaos, l'anarchie. Je l'admets, il y a sûrement une part de vérité là-dedans. Mais heureusement, je n'ai nullement l'intention de partager votre secret avec qui que ce soit. Je veux juste que vous le partagiez avec moi. »

Il s'interrompit et parut se souvenir de quelque chose. Il jeta un regard au vieil homme sur son fauteuil roulant.

« Pardonnez-moi, *signeur*. Qu'il le partage avec moi et avec vous, bien sûr. »

Hannah entendit un bruit sourd dans la chambre, juste au-dessus de sa tête. L'homme de main de Vass allait-il d'abord ligoter Éva ou Leah ? Sûrement Éva. Ce qui signifiait que Leah se retrouverait dans une autre pièce.

Vass sortit de sa poche une petite boîte garnie de velours et la posa sur le plan de travail de la cuisine. Il posa son revolver à côté, se tourna vers Sebastien, puis remit l'arme dans la poche de son pantalon de toile.

« N'y pense même pas », dit-il.

Puis il fit un signe au lieutenant Eleni qui tenait toujours les deux vizslas en laisse. L'homme de main dégaina un pistolet et observa Sebastien d'un œil impassible.

Satisfait, Vass retourna à sa boîte. Il souleva le couvercle et en sortit une seringue en verre et en acier.

« Gabriel, dit-il, je voudrais que vous me considériez comme le maître qui aura su vous convaincre de prêter vos jouets. »

Vass plongea vers Gabriel. Il l'attrapa par le bras et lui planta l'aiguille dans le biceps. Les lèvres retroussées, le regard brillant, il remplit la seringue de sang avant de l'arracher. Gabriel poussa un grognement furieux.

Vass l'ignora et observa la seringue à la lueur du soleil. Le liquide foncé projeta des rubis rosés sur le mur. Vass s'essuya le front, puis se tourna vers le *signeur*.

« Relevez votre manche ! ordonna-t-il.

— Je n'ai pas l'intention de jouer les cobayes, prévint Károly. Essaie d'abord sur la femme.

— Comme vous voudrez », répondit Vass en se tournant vers Hannah.

Gabriel tira sur ses liens.

« Vous êtes complètement taré ! hurla-t-il.

— S'il vous plaît, ne m'interrompez pas ! rétorqua Vass.

— Mais vous êtes fou de penser que c'est aussi simple que ça ! Comment voulez-vous que... »

Exaspéré, Vass tira le revolver de sa poche, le pointa vers le pied droit de Gabriel et appuya sur la détente. Le tonnerre du coup de feu retentit dans toute la maison. Gabriel se raidit, la mâchoire serrée. Hannah entendit ses dents grincer alors qu'il cherchait à contrôler la douleur. Les artères du cou de l'Irlandais ressemblaient à des cordes rouge vif.

« Laissez-le tranquille ! » hurla-t-elle.

Calmement, Vass visa le pied gauche de Gabriel et fit

feu de nouveau. La chaussure explosa dans un nuage de sang et de cuir. Cette fois, Gabriel laissa échapper un cri de douleur. Hannah entendit un deuxième hurlement, à l'étage.

Oh, ma pauvre petite Leah ! se dit-elle. Elle ne sait pas ce qui se passe. Deux coups de feu ; elle va imaginer le pire. Une balle pour moi, une pour Gabriel.

« Je sais que ça ne va pas vous tuer, dit Vass. Mais je sais que ça fait mal. Je vous ai demandé de ne pas m'interrompre. Alors, ne recommencez pas. »

Hannah entendit un deuxième bruit sourd à l'étage. Elle leva les yeux vers le plafond et essaya d'imaginer ce qui avait pu produire un tel son. Elle remarqua qu'elle tremblait, et qu'elle n'arrivait pas à s'arrêter.

Dans le fauteuil roulant, Károly fronça les sourcils.

« Ça ne me plaît pas, Benjámin.

— Alors, partez », murmura Vass en reposant la seringue sur le plan de travail.

Il leva à son tour les yeux au plafond.

Près de la porte du couloir, un des deux chiens se mit à tourner sur lui-même en couinant.

Dans l'angle, le réfrigérateur ronronnait. Hannah pouvait entendre le fréon couler dans les tuyaux. La chaise de Gabriel grinçait sous son poids.

Un craquement à l'étage. Hannah devina qu'il provenait d'une latte de parquet située à quelques mètres de l'escalier. Vass se retourna. Hannah ferma la bouche et se força à ne pas bouger. Soudain, quelque chose de lourd se mit à dévaler les marches dans un bruit assourdissant de verre cassé. Elle entendit de nouveau les hurlements de Leah, mais le fracas ne s'arrêta qu'après quelques secondes, par un bruit sourd en provenance du couloir.

À présent, les deux vizslas tournaient sur eux-mêmes en gémissant.

« Ce serait peut-être une bonne idée d'aller jeter un coup d'œil », fit remarquer Sebastien.

Vass dévisagea l'ancien *signeur*, puis il lui fit signe d'approcher de la porte.

Sebastien croisa le regard de Hannah. Elle sentit qu'il voulait lui dire quelque chose d'important. Tous ses sens lui criaient qu'ouvrir la porte était une mauvaise idée, que cela permettrait au mal absolu d'entrer dans la pièce. Sebastien traversa la cuisine, posa la main sur la poignée et entrouvrit la porte.

Il passa la tête à l'extérieur, puis il se tourna vers Vass, blanc comme un linge, et secoua la tête.

« Tu te croyais malin, pas vrai ? dit-il. Tu pensais inviter Jakab, utiliser Hannah comme appât, et puis l'attendre tranquillement ? Ton arrogance est vraiment époustouflante, Benjámin. Reste à savoir combien de vies supplémentaires elle va coûter. Car tu n'as pas invité Jakab, tu ne lui as pas tendu un piège, non. Tu l'as amené ici avec toi ! »

Sebastien ouvrit en grand la porte du couloir. L'homme que Vass avait envoyé pour ligoter Leah et Éva était allongé au sol, les jambes repliées sur les premières marches de l'escalier. Son visage était tourné vers la cuisine. Ses deux yeux saignaient, et du sang coulait de son crâne, à l'endroit où il s'était fracassé contre le sol.

Hannah sentit un éclair de douleur lui transpercer le cerveau, d'une oreille à l'autre.

Il est là, se dit-elle.

Jakab est là.

Et pendant qu'elle était attachée à la chaise de la cuisine, Leah était seule dans une des chambres de l'étage.

« Ayez un peu de compassion ! gémit-elle, les larmes aux yeux. Je vous en prie, Benjámin, ne le laissez pas prendre ma fille. Je ne veux pas qu'elle croie que je l'ai abandonnée. Pas encore. S'il vous plaît, pas encore. »

Vass se dirigea vers le couloir pour inspecter le cadavre étendu au sol. Puis il se retourna et croisa le regard de Hannah. Il grimaça.

« Jakab ! cria-t-il. Jakab, écoutez-moi ! Apparemment, vous êtes bien arrivé. Tant mieux. Vous m'en voyez ravi ! Sachez que j'ai beaucoup d'affection pour ceux qui, comme moi, apprécient les entrées théâtrales. J'ai ici ce que vous voulez. Ce que je vous ai promis. Elle ne va pas se laisser faire, c'est sûr, mais ça rajoute du piquant, pas vrai ? En tout cas, vous avez bon goût. Vous savez quoi, Jakab ? demanda-t-il avant de regarder Gabriel, puis la seringue posée sur le plan de travail. Je ne vais même pas vous demander quoi que ce soit en échange. Je vais la libérer, la faire sortir, et vous n'aurez plus qu'à la prendre pour en faire ce que vous voudrez. »

Il s'interrompit pour laisser à Jakab l'opportunité de répondre.

Autour d'eux, la maison paraissait attendre.

Un des vizslas se baissa pour renifler le parquet, puis il releva la tête. L'autre se retourna, la truffe en l'air.

À côté de Hannah, Gabriel murmura entre ses dents serrées :

« Regardez ! »

Elle se tourna vers lui et fut choquée de voir à quel point il était pâle. Elle se rappela le moment où elle avait allumé le plafonnier du Discovery et qu'elle s'était rendu compte pour la première fois de la quantité de sang qu'avait perdue Nate. Ce souvenir la lacéra de l'intérieur. Du menton, Gabriel désigna la porte-fenêtre, et Hannah s'arracha à l'image de son mari pour suivre le regard de l'Irlandais.

Dans le verger, Illes marchait en direction de la maison, ses longs cheveux châtains détachés flottant derrière lui. Ses yeux avaient viré au noir. Son visage était un véritable masque de mort, pâle et dénué de toute émotion. Il tenait dans chaque main un pistolet en acier. À côté de lui, le deuxième garde du corps de la *Főnök*. Lui aussi tenait un pistolet, et lui aussi avait les yeux noirs comme du charbon.

« Sebastien, reculez ! » siffla Gabriel.

Illes était déjà au milieu du verger. Il apparaissait et disparaissait entre les pruniers. En entendant les mots de Gabriel, Sebastien se retourna et vit le garde du corps. Il se jeta contre le mur au moment où Illes levait son pistolet et tirait quatre coups rapides. Le carreau de la porte-fenêtre explosa, et des morceaux de verre se répandirent dans toute la cuisine. Deux balles se logèrent dans le placard à côté de la tête de Vass. Des éclats de bois s'envolèrent. Une autre balle ricocha contre la porte du four. La quatrième se ficha dans une étagère recouverte d'ustensiles de cuisine.

Vass s'allongea par terre. Il se retourna pour essayer de repérer son agresseur. Quand il vit les deux *hosszú életek* avancer droit sur lui, il hurla :

« Les chiens ! »

Aussitôt, son lieutenant libéra les deux vizslas. Les molosses traversèrent la cuisine à toute allure et sautèrent par le carreau cassé.

Illes apparut sur le côté du verger. Il leva son autre pistolet et tira cinq coups de feu supplémentaires. Poêles et casseroles tombèrent au sol dans un vacarme assourdissant. Vass se plaqua un peu plus contre le sol.

Le chien le plus jeune atteignit Illes en premier. Les crocs sortis, il lui bondit au visage. L'homme de main de la *Főnök* fracassa le crâne de l'animal d'un coup de crosse. Le chien retomba dans l'herbe et se mit à convulser. Le deuxième vizsla changea de direction au dernier moment, sauta par-dessus la barrière du verger et disparut dans les arbres.

« Benjámin ! s'écria le *signeur*, les yeux hagards, ramassé sur son fauteuil roulant, au beau milieu de la cuisine. Éloigne-moi de cette fenêtre ! »

Vass ignora l'ordre de son supérieur et se mit à ramper. Les éclats de verre sur le sol lui entaillaient les mains, et il saignait abondamment. D'un geste, il retourna la lourde table en chêne à côté de Hannah et se glissa derrière. Puis il passa son revolver par-dessus et tira à trois reprises vers le jardin.

Elle sentit ses oreilles bourdonner et tira de toutes ses forces pour desserrer ses liens.

Tu n'as plus le temps ! Il faut que tu trouves un moyen de te libérer ! Allez, Hannah !

Agis !

« Abattez-les ! hurla Vass.

— Benjámin, beugla le *signeur*. Benjámin, je t'ordonne de m'éloigner de là ! »

Agenouillé à l'autre bout de la pièce, le lieutenant de Vass finit par retrouver son courage. Il se leva et tira une volée de coups de feu. Une balle atteignit le compagnon d'Illes en plein cœur ; l'homme tomba en arrière dans une gerbe rouge. Une autre traversa le bras droit d'Illes, arrachant un morceau de chair. La violence de l'impact le fit tourner sur lui-même, mais il retrouva vite son équilibre et reprit sa marche en avant. Illes leva le pistolet dans sa main gauche et tira à son tour.

Placards, assiettes et carrelage volèrent en éclats, remplissant l'air d'une poussière étouffante. Une balle traversa la gorge du lieutenant Eleni. Deux autres lui lacérèrent le torse et le firent chanceler. Il tressaillit et s'écroula sur le sol dans une mare de sang. Pendant plusieurs secondes, ses jambes agitées de spasmes étalèrent le liquide rouge sur le sol.

Dans le jardin, Illes laissa tomber dans l'herbe le chargeur vide de son pistolet. Il voulut tendre la main vers sa poche intérieure, mais son bras blessé l'en empêcha. Aussitôt, il ferma les yeux, et les muscles de son visage se raidirent.

Vass passa la tête au-dessus de la table retournée. Il vit Illes immobile au milieu du verger, et son regard s'alluma aussitôt d'une lueur diabolique. Il brandit son revolver à deux mains et prit le temps de viser. Le canon tressauta, et le bruit du coup de feu déchira la cuisine. Illes fit un pas en arrière. Une tache sombre apparut au milieu de son pull à col roulé, juste sous le sternum. Il considéra sa blessure et écarquilla les yeux, comme s'il était surpris. Puis il posa un genou au sol et lâcha son pistolet.

Hannah croisa le regard de Sebastien. Le vieil homme était adossé au mur, à l'abri derrière le poêle.

« Sebastien, dit-elle. Je n'arrive pas à me libérer. S'il te plaît, va chercher Leah, ne laisse pas Jakab l'emmener. Je t'en supplie, ne le laisse pas me la prendre ! »

Elle laissa échapper un sanglot et s'en voulut aussitôt, mais elle était complètement perdue. Combien de temps s'était écoulé ? Depuis combien de temps Jakab arpentait-il l'étage ?

« Personne ne quitte cette pièce », aboya Vass.

Il ouvrit son revolver pour vérifier le nombre de balles dans le barillet, puis il secoua la tête, visiblement déçu.

« De mieux en mieux », soupira-t-il.

De l'autre côté de la cuisine, Sebastien fit un signe de tête à Hannah, et elle se sentit envahie par la compassion qui émanait de son regard. Le vieil homme quitta son abri derrière le poêle et traversa la cuisine en courant. Puis il sortit son couteau de chasse de sa poche et disparut dans l'escalier. Hannah ne put s'empêcher de frémir : c'était une arme vraiment ridicule pour affronter un monstre comme Jakab.

À quatre pattes, Vass se dirigea vers l'endroit où son lieutenant était tombé. Il récupéra le pistolet du mort et l'essuya. Puis, il se dirigea vers la table retournée.

Dehors, Illes avait toujours un genou au sol. Il ouvrit les yeux et ramassa son arme dans l'herbe. Malgré son bras blessé, il parvint à sortir de la poche de sa veste un autre chargeur. Enfin, il se releva.

Vass n'était pas encore arrivé à la table. Il s'arrêta sous le plan de travail sur lequel se trouvait la seringue. Le réservoir en verre était toujours intact. Il tendit la main et l'attrapa. Le liquide projeta des reflets rubis sur son visage.

Vass grimaça, puis il défit le bouton de manchette de sa chemise. Il releva sa manche, révélant un avant-bras charnu.

« Benjámin, qu'est-ce que tu fais ? demanda le *signeur* d'une voix grinçante.

Vass trouva une veine bleue au creux de son bras.

« Je sais, je sais, dit-il. Vous êtes mourant, et je vous avais promis de trouver un remède. Je n'aime pas rompre une promesse, mais là, je n'ai pas vraiment le choix. »

Il appuya sur le piston de la seringue. Le sang de Gabriel jaillit par l'aiguille et se répandit dans son bras. Grimaçant, il retira la seringue d'un coup sec et la jeta à travers la pièce.

Le *signeur* s'agita sur son fauteuil roulant. Il essayait de parler, mais n'y arrivait plus.

Hannah entendit une latte de plancher grincer au-dessus de sa tête. Elle regarda Vass regagner son abri derrière la table retournée. Il tenait son pistolet contre sa poitrine. Quand il se tourna vers elle, elle vit que ses pupilles s'étaient dilatées.

« Bon Dieu que c'est bon ! » s'exclama-t-il.

Il ouvrit grand la bouche comme s'il n'arrivait pas à respirer, puis son bras se raidit, et il laissa tomber le pistolet.

Dans le jardin, Illes mit le chargeur en place d'une main experte. Il fit un pas vers la maison. Puis un autre, tout en levant son arme.

« Benjámin ! » siffla le *signeur*.

D'un mouvement fluide, Vass ramassa son pistolet, se leva et tira à deux reprises sur le vieillard. La tête du *signeur* éclata comme un fruit trop mûr, et le fauteuil roula en arrière. Sur le mur derrière lui, la tache de sang se mit à couler doucement.

« Ne m'interrompez pas pendant que je réfléchis », aboya Vass.

Il fronça les sourcils, et son regard passa de l'arme

entre ses mains au corps du *signeur*. Puis, quand il vit Gabriel, il braqua le pistolet sur le visage de l'Irlandais.

Hannah ferma les yeux. Elle ne pouvait plus rien pour Gabriel. La corde qui la ligotait était trop serrée. Elle se demanda si elle réussirait à se retenir de crier quand la balle traversant le crâne de Gabriel ferait voler des gouttes de sang jusque sur elle.

Elle ne pouvait rien faire. Et elle ne voulait pas le regarder mourir.

Et donc, se dit-elle, tu vas détourner le regard et l'abandonner, lui aussi.

Cette voix énervante dans sa tête la poussa à rouvrir les yeux.

Les pupilles de Vass vibraient comme si elles étaient mues par de minuscules ressorts.

« Qu'est-ce qui se passe ? demanda-t-il.

— Vous êtes en train de mourir, répondit Gabriel. Vous êtes un taré, vous êtes en train de mourir, et ça va faire très mal. Vous allez ressentir une douleur plus puissante que vous ne l'auriez cru possible. Et quand ce sera fini, vous allez vous réveiller en enfer, et la torture recommencera. »

Vass frissonna. Des tics nerveux agitaient ses joues, à présent.

« Alors, vous venez avec moi ! » s'écria-t-il en appuyant sur la détente.

Gabriel tressauta sur sa chaise, tandis que la détonation résonnait dans toute la pièce. Hannah ouvrit la bouche et poussa un hurlement sans fin.

Chapitre 25

Périgord, France

De nos jours

Ce n'était sa chambre que depuis quelques jours, et elle n'y avait presque pas d'affaires à elle, mais c'était propre, joliment peint, et elle s'y était tout de suite sentie à l'aise.

Son poignet était collé à la tête de lit. Elle essaya de tirer, mais le collier de serrage en plastique lui mordit la peau. Elle eut si mal qu'elle ne put empêcher les larmes de monter. Elle avait bien songé à le mâchouiller jusqu'à ce qu'il cède, mais elle n'arrivait pas à passer ses dents dans la boucle.

Si seulement elle pouvait atteindre quelque chose en métal – un tournevis serait parfait –, alors peut-être qu'elle pourrait tordre le plastique jusqu'à ce qu'il casse. Ça ferait sacrément mal, mais au moins elle serait libre. Au moins elle pourrait descendre dans la cuisine aider maman à combattre le méchant monsieur.

Elle ne voulait pas penser à lui et ne voulait même pas réfléchir au fait que, peut-être, elle allait être obligée de le voir. Mais elle ne voulait pas que maman meure. Et elle ne voulait pas mourir non plus, déjà parce que ça lui faisait peur, mais surtout parce qu'elle ne voulait pas que maman se retrouve toute seule.

Mais elle était coincée. Il n'y avait pas de tournevis en vue. De là où elle se trouvait, elle ne voyait qu'un pyjama, un livre de poche et une poupée Bratz. Ce n'était pas avec ça qu'elle allait réussir à se libérer, sauf s'il y avait dans le livre un chapitre sur les menottes, mais elle savait que ce n'était pas le cas, vu qu'elle l'avait déjà lu et qu'il y était surtout question de chevaux amoureux.

L'homme qui l'avait attachée au lit l'avait fait en silence, sans la regarder. D'abord, il avait ligoté Éva dans une plus grande chambre, juste à côté. Après, il avait pris une seringue et lui avait injecté un produit. Éva avait tout de suite fermé les yeux, et elle s'était endormie. Ensuite, il avait emmené Leah dans sa chambre, et il lui avait lié les poignets avec deux attaches en plastique.

Elle entendit des bruits dans la chambre d'à côté : le grincement de la porte, des voix, une conversation murmurée. Quelques instants plus tard, la porte de sa chambre s'ouvrit et Sebastien apparut. Il était plus pâle que lorsqu'elle l'avait vu la dernière fois, et il tenait à la main un couteau. Quand il la vit, il poussa un soupir de soulagement et s'approcha du lit.

« Est-ce que tu es blessée ? demanda-t-il.

— Non. Où est maman ?

— En bas.

— Est-ce qu'elle...

— Pour l'instant, elle va bien. Mais elle ira encore mieux quand je t'aurai enlevé ces espèces de menottes et que je t'aurai emmenée à l'abri, loin d'ici.

— J'ai essayé de les arracher avec les dents, mais je n'ai pas réussi. »

Sebastien hocha la tête et lui fit signe de parler moins fort. Il glissa la lame de son couteau dans la boucle en plastique et lui libéra les poignets. Leah se redressa sur le lit et massa ses avant-bras engourdis. Elle entendit un bruit en provenance du couloir.

« Allons-y ! » murmura-t-il.

Leah approuva d'un signe de tête et prit la main qu'il lui tendait. Elle se sentait soulagée ; c'était tellement bon de se sentir si proche de quelqu'un. Sebastien s'approcha de la porte de la chambre et l'entrebâilla. Satisfait, il l'ouvrit en grand et sortit dans le couloir. Leah le suivit, mais quand il se dirigea vers l'escalier principal, elle lui tira sur la manche et secoua la tête. Il fronça les sourcils. Elle désigna alors le long couloir qui passait devant sa chambre.

« Balcon, murmura-t-elle. Marches. »

La chambre principale se trouvait au bout du couloir. Dedans, une porte donnait sur le toit d'une petite annexe dont on se servait comme terrasse. Une balustrade en faisait le tour, et une volée de marches en métal permettait de descendre dans le jardin, sur le côté de la maison. C'était la meilleure option. Il n'y avait aucune chance de s'échapper discrètement par l'escalier principal, qui grinçait à chaque pas.

Leah conduisit Sebastien jusqu'à la chambre principale et tira les rideaux. Puis elle ouvrit une des portes de la terrasse et sortit. Le soleil brillait dans le ciel. Elle remplit ses poumons d'air, soulagée d'être à l'extérieur, là où personne ne pouvait l'attaquer par surprise, lui planter un couteau dans le dos, ou l'étrangler par-derrière. Elle pensa à sa mère, au rez-de-chaussée. Elle devait être morte de peur.

« Allons-y ! dit Sebastien.

— Où sont tous les gens qui étaient là tout à l'heure ?

— Ils sont sûrement morts, répondit-il. Il ne faut pas qu'on traîne. »

En entendant ces mots, Leah sentit son cœur s'emballer, et elle serra plus fort la main de Sebastien, tandis qu'ils descendaient les marches en fer.

Dès qu'ils furent en bas, Sebastien s'accroupit à côté d'elle.

« Écoute-moi, Leah, murmura-t-il. Tu vois cette voiture ? »

Il montra du doigt une des grosses Audi blanches garées devant la maison. Elle était stationnée à quelques mètres de la fenêtre de la salle à manger, vide.

Leah acquiesça.

« Bon, à mon signal, on va y aller en courant, et on va sauter à l'intérieur. Tu te mettras sur le siège passager. Tu sais lequel c'est ? »

La question était bizarre, mais elle fit quand même oui de la tête.

« Parfait. Donc, tu t'installes et tu mets ta ceinture. On va rouler à toute vitesse. La voiture va faire beaucoup de bruit, et ça va peut-être attirer l'attention des gens de tout à l'heure.

— Je croyais qu'ils étaient tous morts.

— J'ai dit qu'ils étaient sûrement morts. Et j'ai dit que ça allait peut-être attirer leur attention. Quand tu seras installée, je veux que tu te fasses toute petite sur ton siège, c'est compris ? »

Une fois de plus, Leah se contenta d'acquiescer. Elle se rendit compte qu'elle pleurait.

« Et maman ? demanda-t-elle.

— D'abord, on te cache en lieu sûr. Ensuite, je reviendrai la chercher, d'accord ?

— D'accord.

— Alors, on y va. Maintenant ! »

Leah courut le plus vite possible sur l'allée de gravier. Elle ouvrit la portière de l'Audi et grimpa sur le siège passager. Elle referma la portière derrière elle et parvint à mettre sa ceinture de sécurité. Quand elle se tourna vers le siège conducteur à sa gauche, elle remarqua une grosse tache sombre. C'était encore humide, et elle était à peu près sûre que c'était du sang.

Hannah ne voulait pas regarder, elle ne voulait pas voir le visage abîmé de Gabriel. Elle voulait garder de lui l'image du *hosszú élet* fier qui l'avait emmenée à cheval sur les pentes de Cadair Idris. Mais finalement, elle ne put s'en empêcher, comme si ses yeux exigeaient qu'elle soit témoin de la tragédie permanente que laissait Jakab dans son sillage.

Quand elle finit par se tourner, elle vit que Gabriel la regardait.

« Raté ! s'exclama-t-il. Vous y croyez, vous ? »

Les mains de Vass tressaillirent et lâchèrent le pistolet. Il grimaça, et sa bouche s'ouvrit beaucoup plus que nécessaire, révélant jusqu'aux molaires. Quand la chair de sa joue se fendit brusquement de la commissure des lèvres jusqu'à l'oreille, il poussa un hurlement de douleur. Un torrent de sang lui dégoulina dans le cou. La peau du visage retomba sur le côté, de sorte que Hannah put distinguer la gencive.

« Qu'est-ce qui... », bredouilla-t-il.

Ses mains grattèrent le sol en quête du pistolet. Ses

doigts griffèrent le parquet, laissant de longues traces rouges. Hannah se rendit compte que les petits disques visqueux et noirs qui restaient collés au bois étaient en fait ses ongles.

Quand il leva la tête vers elle, elle vit qu'un de ses yeux bougeait tout seul, comme si quelque chose le poussait par-derrière.

« Ai'ez 'oi », dit-il dans un ignoble gargouillis.

Aidez-moi.

Un liquide jaillit de son oreille et coula sur son épaule.

« Vous voulez que je vous aide ? demanda Gabriel. Alors, libérez-moi et donnez-moi votre pistolet. Si vous voulez que je fasse quelque chose pour vous, c'est le seul moyen.

— Ai'ez 'oiii !

— Détachez-moi tant que vous pouvez encore le faire ! »

Vass tressaillit. Il déchira ses vêtements, laissant apparaître les plis blanchâtres de son ventre. Il se mit à se gratter sauvagement. De gros morceaux de chair visqueuse se détachèrent comme de la cire de bougie et lui restèrent dans les mains. Il hurla de nouveau. Ses dents se déchaussèrent les unes après les autres et tombèrent sur le plancher comme autant de petits dés d'ivoire. Il se planta un doigt dans l'abdomen et tira d'un coup sec. Hannah vit les viscères noirs et brillants apparaître en dessous. Au moment où il s'apprêtait à plonger la main dans le dédale de ses intestins, un coup de feu retentit et le haut du crâne de Vass explosa comme un feu d'artifice.

Leah regarda Sebastien ouvrir la portière et se glisser derrière le volant. Elle se dit qu'elle risquait de vomir si elle le regardait s'asseoir sur le siège imbibé de sang. Quand le tissu produisit un bruit mouillé sous le poids du vieil homme, son estomac se serra, et elle sentit la brûlure acide de la bile remonter dans sa gorge.

Sebastien poussa un juron.

« Qu'est-ce qui s'est passé, ici ?

— Je crois que quelqu'un s'est fait tuer, murmura-t-elle. D'ailleurs, j'en suis presque sûre. »

Sebastien hocha la tête, puis il inséra la clé dans le contact.

« Je crois que tu as raison, dit-il. Eh bien, tant pis pour lui. Accroche-toi bien, ça risque de secouer ! »

Quand Hannah ouvrit les yeux, elle vit Benjámin Vass avachi contre la table retournée. Il lui manquait une partie du crâne. Elle constata que des morceaux sanguinolents avaient atterri sur son tee-shirt et sur son jean.

Tellement de violence. Tellement de morts. Et tout cela en quelques minutes à peine. Pourtant, elle ne se sentait pas traumatisée par ce à quoi elle venait d'assister. La vie – et la mort – de ces gens-là n'avait aucune importance pour elle.

Quand elle entendit le bois se fissurer, elle se retourna sur sa chaise. Gabriel avait les yeux fermés. La mâchoire serrée, le cou tendu, il grognait. Quelque chose craqua en dessous de lui. Des muscles extraordinaires et démesurés étaient apparus sur ses avant-bras. La pression de cette chair tendue contre la corde avait brisé les deux accoudoirs, laissant deux grosses zébrures sur sa peau. Alors qu'elle observait la scène, elle vit les marques disparaître sous ses yeux. Gabriel leva les bras et se débarrassa de la corde qui l'entravait.

« Bon Dieu, qu'est-ce que ça peut brûler, ce truc ! s'exclama-t-il.

— Détachez-moi ! » dit Hannah.

Il acquiesça, puis se baissa pour enlever la corde qui lui ligotait les pieds.

Illes pénétra dans la pièce par la porte-fenêtre brisée. Ses yeux ressemblaient à deux trous noirs. Son pull à col roulé était imbibé de sang. Il fit le tour du fauteuil roulant et enjamba la carcasse molle de Benjámin Vass.

« Où ? demanda-t-il. Où est la *Főnök* ?

— En haut. Ils l'ont emmenée dans une des chambres. »

Illes se dirigea vers le couloir.

« S'il vous plaît, Gabriel, supplia Hannah. Faites vite. »

L'Irlandais acheva de détacher la corde autour de ses chevilles, puis il se leva et poussa un cri de douleur lorsqu'il prit appui sur ses pieds blessés. Il tomba à genoux et s'approcha de Hannah, le visage luisant de transpiration. Il commença à défaire les nœuds en serrant les dents à cause de la douleur.

« Ce salaud m'a tiré dessus deux fois, souffla-t-il. Je ne peux plus marcher. Je suis désolé, Hannah, mais je ne peux pas encore vous être d'une grande utilité. Il faut que vous fassiez vite. Est-ce que vous savez par où est parti Sebastien ? Où il l'a emmenée ? »

Hannah dégagea son bras droit.

« Oui, on s'était mis d'accord sur un lieu de rendez-vous, répondit-elle en s'attaquant au nœud sur son poignet gauche tandis que Gabriel lui désentravait les chevilles.

— Alors, filez ! Vite ! Je vous retrouverai. »

Hannah se leva d'un bond, mais elle n'avait pas anticipé la douleur qu'elle ressentirait lorsque le sang recommencerait à circuler dans ses jambes. Elle perdit l'équilibre et se rattrapa sur le plan de travail. Elle respira profondément, le temps de reprendre des forces, puis elle se lança. Elle parvint jusqu'à la porte, s'appuya sur le chambranle, puis disparut dans le couloir.

Le cadavre était toujours là, au pied de l'escalier. Elle s'apprêtait à l'enjamber quand elle entendit du bruit à l'étage. Le plancher grinça, et Sebastien apparut en haut des marches. Quand il la vit, il s'arrêta, et son visage se transforma en un masque de pure compassion. Il secoua la tête.

Hannah hurla.

Non. Elle ne pouvait pas y croire.

Il se trompait. Il avait mal regardé. Il ne connaissait pas la maison aussi bien qu'elle. Il ne savait pas où se trouvaient toutes les cachettes.

« Leah ! » cria-t-elle.

Il était impossible que Sebastien ait pu vérifier tous les endroits où une petite fille aussi intelligente et débrouillarde que Leah avait pu se cacher. Il ne pouvait pas lui dire que sa fille avait disparu.

Mais tu le sais, songea-t-elle. Tu sais exactement ce qui s'est passé. Tu as toujours su que c'est ce qui arriverait si tu n'étais pas assez forte.

Il l'a trouvée, Hannah.

Jakab l'a trouvée, et il l'a emmenée. Et tu ne peux t'en prendre qu'à toi-même. Si tu ne réagis pas immédiatement, tu ne la reverras jamais.

Elle gravit les marches quatre à quatre, bousculant Sebastien au passage. Elle donna un coup de pied dans la première porte sur sa gauche et vit la *Főnök* allongée sur le lit, Illes penché sur elle. Elle retourna dans le couloir et ouvrit la porte d'à côté. La buanderie. Couvertures, draps, taies d'oreiller. Elle jeta le tout par terre et se mit à fouiller. Personne. Elle ouvrit alors la porte sur sa droite, celle de la chambre de Leah. Elle remarqua tout de suite l'attache en plastique jaune posée sur le lit, coupée net.

Il l'a emmenée. Si tu en doutais, maintenant, tu en es sûre.

De retour dans le couloir, elle se dirigea vers la salle de bains.

Carrelage blanc. Baignoire. Serviettes. W-C. Lavabo.

Aucune cachette. Une dernière pièce à vérifier. La chambre principale. Elle courut. Ouvrit la porte à la volée.

Un lit *king size*. Assez haut pour se cacher dessous. Une vieille armoire dans un angle. Des rideaux descendant jusqu'au sol. Tellement de cachettes. Mais ça n'avait plus d'importance. Parce que la porte du balcon était ouverte, et qu'une brise à l'odeur de lavande, de fin d'automne et de désespoir, s'engouffrait dans la pièce. Maintenant, elle ne pouvait plus nier l'évidence, elle ne pouvait plus espérer. Ne lui restait plus qu'à se rappeler le visage d'une petite fille et la promesse non tenue qu'une mère lui avait faite. Car non, tout ne s'était pas bien passé.

Chapitre 26

Périgord, France

De nos jours

Hannah se mit à tourner sur elle-même, mais elle avait l'impression que c'était la pièce qui tournait autour d'elle. La chambre était une cathédrale de lumière. Nate avait repeint les murs en blanc et installé un Velux. Les rayons du soleil éclairaient donc Hannah à la fois par-dessus et par les fenêtres du balcon.

Pendant quelque temps, elle se perdit entièrement dans la lumière. Si la chaleur du soleil pouvait la faire disparaître, serait-ce l'option qu'elle choisirait ? Si elle pouvait lui ordonner d'incinérer ses souvenirs et sa peine, de réduire en cendres chaque molécule de son corps, chaque fibre abîmée, et de faire s'évaporer ses larmes et sa culpabilité, le ferait-elle ? Ouvrirait-elle les bras pour accueillir les rayons à la fois destructeurs et bienveillants ?

Hannah se sentait tellement bouleversée par la disparition de Leah, par la prise de conscience qu'elle avait fait le mauvais choix en ne gardant pas sa fille auprès d'elle, et par cette lumière brûlante qui s'engouffrait par les fenêtres, qu'elle se demanda un instant si le choc ne l'avait pas tuée.

Mais si Nate l'attendait dans l'au-delà, comment pourrait-elle lui expliquer qu'elle avait abandonné leur fille au monstre auquel ils avaient réussi à échapper pendant si longtemps ? La mort ne pouvait pas être si cruelle pour lui infliger une telle épreuve.

Non, cette lumière était cathartique – c'était une lumière de lucidité. Hannah savait que ses chances de retrouver Leah s'amenuisaient. Mais même si elle était infime, il fallait croire à la chance. C'était tout ce qui lui restait. Et pour l'heure, c'était tout ce dont elle avait besoin.

Hannah cessa de tourner. Elle se força à respirer et regarda autour d'elle. La première chose qu'elle vit, accrochée à l'encadrement de la fenêtre du balcon, fut un petit point rouge. Il lui fallut moins d'un quart de seconde pour savoir de quoi il s'agissait : une des écailles de la broche en forme de dragon que son père avait offerte à sa mère. Cette même broche que Sebastien lui avait donnée à Llyn Gwyr, et qu'elle avait ensuite confiée à Leah. Si elle se retrouvait là, ce n'était pas sans raison. Hannah la récupéra.

Un signe, un espoir. Laissé par Leah à son attention. Elle en était certaine. Par contre, elle ne savait pas ce que cela signifiait. Mais elle la serra dans sa main, et, retrouvant enfin confiance, elle ouvrit les portes du balcon et sortit dans la lumière.

Il lui avait demandé de se faire toute petite, et même si Leah savait que c'était un conseil sensé, elle ne put s'empêcher de se relever juste assez pour voir par-dessus le tableau de bord. Sebastien tourna la clé dans le contact. Le puissant moteur du 4 × 4 blanc poussa un rugissement.

« Circulez, y a rien à voir », murmura le vieil homme.

Sebastien appuya sur l'accélérateur, et le véhicule se mit à reculer en faisant voler des graviers. Puis il tourna le volant jusqu'à ce que le capot de la voiture se retrouve face au chemin qui menait à la route principale. Un nuage de poussière blanche caressa le pare-brise. Il regarda dans le rétroviseur la ferme derrière lui, puis il passa la première.

« Non, pas la route principale ! cria Leah. C'est là qu'ils vont nous attendre ! »

Elle se souvenait des Eleni qu'elle avait vus plus tôt à l'entrée du chemin, et elle était terrifiée à l'idée qu'ils les interceptent.

Sebastien se tourna vers elle et lui adressa un sourire bizarre qui la mit mal à l'aise.

« C'est que tu es une maligne, toi ! s'exclama-t-il. Qu'est-ce que tu proposes, alors ? »

Il fallait qu'elle soit à la hauteur. Elle ne pouvait lui laisser faire tout le travail. S'ils voulaient survivre, ils allaient devoir s'entraider. Et, plus important encore, ils allaient devoir trouver un moyen de secourir maman.

L'image du grand Eleni attachant sa mère à la chaise lui revint alors en mémoire. Elle voulut pleurer, mais consciente que ce n'était pas une option, elle choisit la rage.

« Prends la petite route par la forêt », dit-elle en désignant le chemin sur leur gauche.

Sebastien se passa la langue sur les dents. Puis il hocha la tête. L'Audi se lança, et Leah se retrouva collée à son siège. En quelques secondes, le soleil disparut et ils se retrouvèrent au milieu des arbres. Le 4 × 4 rebondissait sur la piste cahoteuse, et les pneus patinaient parfois dans les flaques de boue. Quand ils heurtèrent un nid-de-poule plus profond que les autres et que Sebastien se cogna au plafond, il poussa un juron que Leah n'aurait jamais imaginé entendre de sa bouche.

« Quand est-ce qu'on va récupérer maman ? demanda-t-elle.

— Bientôt.

— On ne peut pas la laisser là, avec le méchant monsieur.

— Lequel ?

— Tu sais, le méchant monsieur.

— Qu'est-ce que tu veux que je te dise ? Ils avaient tous l'air plutôt méchant. »

Leah fronça les sourcils. Elle se demanda s'il était sérieux ou s'il se moquait d'elle.

« Donc, quand est-ce qu'on y retourne ? insista-t-elle.

— Quand on sera assez loin et que tu seras en sécurité.

— Mais ça veut dire qu'il faudra refaire tout le chemin en sens inverse !

— Et si tu la fermais un peu, pour voir ? »

Leah hocha la tête et essuya les larmes qui coulaient sur ses joues.

Ils roulaient encore plus vite, à présent. Le chemin qui serpentait entre les arbres était juste assez large pour un véhicule. Régulièrement, une branche fouettait le pare-brise, tandis que les roues écrasaient fougères et ronces.

Juste derrière un virage, Leah vit un homme allongé sur le dos au milieu du chemin. Il portait une veste militaire et un pantalon noir avec beaucoup de poches. Il avait les yeux ouverts et le manche d'un couteau dépassait de sa poitrine, comme une bougie sur un gâteau d'anniversaire. Le sang avait traversé sa veste et formait une petite mare sombre autour de lui.

« Il a besoin d'aide, déclara Leah.

— Il est mort.

— Il faut s'arrêter, gémit-elle, une main posée sur le tableau de bord, la tête tournée vers Sebastien.

— On ne peut pas le contourner.

— Mais tu ne vas pas... »

La voiture passa sur le cadavre sans ralentir. Leah coinça son poing dans sa bouche et ferma les yeux. Elle voulut crier.

Tu n'es plus une petite fille, se dit-elle, alors arrête de te comporter comme un enfant. Maman t'a préparée pour ça, elle t'a dit que ce serait horrible et que tu aurais peut-être à faire toi-même des choses horribles. Et elle avait raison. Tu as de la chance que Sebastien soit là pour t'aider, parce que jusqu'ici, on ne peut pas dire que tu aies servi à grand-chose.

Mais le problème, c'est que Sebastien aussi agissait de manière bizarre. Et elle ne pensait pas cela juste parce qu'il ne s'était pas arrêté lorsqu'il avait vu le monsieur allongé sur la route – il était mort, ça se voyait. En plus, ils étaient en train de fuir parce que leur vie était en danger, et dans ces cas-là, on est souvent obligé de faire des choses brutales. Elle songea que le souvenir du corps passant sous la voiture la hanterait toute sa vie, et que tous les soirs avant de s'endormir, elle entendrait le bruit des pneus écrasant la chair morte.

Mais même s'il ne s'était pas arrêté, même s'il avait

roulé sur le cadavre de cet homme, et même si elle savait qu'il avait été obligé de faire ces choses horribles, elle se dit qu'il aurait tout de même pu lui cacher les yeux pour qu'elle n'ait pas à assister à cette scène atroce, ou tout au moins lui dire de regarder ailleurs.

À force de se mordre le poing, elle sentit le goût du sang dans sa bouche. Elle se rendit compte alors qu'elle tremblait. Elle regarda autour d'elle dans l'habitacle : les sièges en cuir, les boutons du tableau de bord, Sebastien.

Il était penché sur le volant, qu'il tournait brutalement, un coup à gauche, un coup à droite. Le coin de sa lèvre était retroussé, et elle ne savait pas s'il s'agissait d'un sourire ou d'une grimace.

Leah tendit la main et se mit à jouer avec les boutons. Elle appuya sur l'allume-cigare, tourna la molette de la climatisation, alluma la radio et monta le son.

Les haut-parleurs de la voiture se mirent à cracher de la techno. Sebastien poussa un juron et lui tapa la main. Puis il éteignit la radio d'un geste rageur.

« Mais qu'est-ce qui t'arrive, bon sang ?

— Il faut qu'on retourne chercher maman.

— Je t'ai déjà dit qu'on le ferait plus tard. Maintenant, laisse-moi me concentrer, s'il te plaît. Écoute, je sais que tu as peur, mais tout va bien se passer. Tu es hors de danger, maintenant. »

Elle le regarda. L'examina, plutôt. Les cheveux blancs sur son crâne bronzé. Les rides sur son visage. Les taches de vieillesse sur ses mains. Elle se rappela qu'il avait un aigle tatoué sur le poignet, mais elle ne se souvenait plus s'il s'agissait du droit ou du gauche. Le droit était vierge. Le gauche était trop loin, et en plus, il était dissimulé par la manche du manteau.

Devant, les arbres se faisaient moins nombreux, et Leah aperçut de l'herbe entre les troncs. Elle savait que quelque part sur la gauche, il y avait la rivière.

« Où est-ce que tu as rencontré mon papa pour la première fois ? demanda-t-elle.

— Quoi ? demanda-t-il, visiblement surpris.

— Je t'ai demandé où tu avais rencontré mon papa pour la première fois.

— Leah, je t'en prie...

— Tu m'as promis que tu me le dirais. Tu m'as promis que tu répondrais à toutes mes questions.

— Et j'y compte bien. Mais là, on n'a pas vraiment le temps, Leah. Il faut qu'on mette le plus de distance possible entre nous et Jakab. »

Elle sentit son estomac se serrer en entendant ce nom quitter les lèvres de Sebastien. Elle laissa échapper un sanglot, puis se ressaisit aussitôt en se forçant à se souvenir des paroles de sa mère.

Écoute-moi, ma chérie. Tu te souviens de tout ce que je t'ai appris ? Alors, réfléchis bien à ce que je t'ai dit. Sois attentive, d'accord ? Et courageuse. Fais confiance à ton instinct, et tout se passera bien, tu verras.

Sebastien aborda un virage serré à toute vitesse, et Leah s'accrocha à son siège jusqu'à ce que le véhicule se soit stabilisé.

Sur le tableau de bord, le bouton de l'allume-cigare émit un petit clic.

Fais confiance à ton instinct.

Leah arracha l'allume-cigare de sa prise. L'extrémité rougeoyait. Elle grimaça, puis l'appuya sur la jambe de Sebastien. Ce dernier poussa un hurlement et commença à se débattre violemment. Leah reçut un coup de poing dans les côtes qui lui coupa la respiration.

La douleur était intenable, mais elle serra les dents et appuya un peu plus la résistance brûlante sur la jambe du vieil homme.

Sebastien hurla encore plus fort et lâcha complètement le volant. Il attrapa le poignet de Leah et le tourna pour lui faire lâcher prise. Elle entendit un craquement, et la douleur remonta dans tout le bras. L'allume-cigare tomba sur le sol de la voiture, devant les pieds de Sebastien.

Leah se força à oublier à quel point elle avait mal au poignet et elle se jeta sur le volant, qu'elle attrapa avec son autre main, pendant que Sebastien essayait d'enlever les morceaux de tissus brûlés qui restaient collés à sa cuisse.

Ils roulaient trop vite. Leah tira le volant vers elle, la voiture vira à droite, et c'est alors qu'elle se rendit compte qu'ils allaient rentrer dans un arbre, et que même si par miracle elle survivait au choc, Jakab allait sûrement la tuer.

Serrant l'écaille rouge de dragon comme un talisman, Hannah traversa le balcon en courant et descendit les marches métalliques quatre à quatre. Elle se retrouva dans l'allée de gravier.

Par où était-il parti ? Comment s'y était-il pris ? Quelques minutes plus tôt, il y avait une Audi blanche garée devant les fenêtres de la salle à manger. Celle à bord de laquelle étaient arrivés Dániel Meyer et son garde du corps. Elle n'était plus là. Mais étaient-ce les Eleni qui l'avaient prise ? Ou bien Jakab ?

Il ne se serait jamais enfui à pied, songea-t-elle. Soit il est venu en voiture, soit il en a volé une. Il sait que sans véhicule il ne pourra jamais disparaître dans la nature avec une petite fille de neuf ans.

Elle se retourna, scruta les champs alentour. Elle examina le chemin qui menait à la route principale, puis celui qui passait par les bois.

Aucun Eleni en vue. Aucune voiture.

À l'endroit où l'Audi Q7 était garée, il y avait une flaque de sang. Hannah se pencha au-dessus.

Ce n'est pas le sang de Leah, se dit-elle. C'est tout ce qui compte. Ce n'est pas celui de Leah. Il ne l'a pas emmenée pour la tuer ici, ça n'aurait pas de sens. Ce qu'il a prévu est bien pire, et c'est pour ça que tu n'as pas de temps à perdre.

Avant de prendre l'avion, Sebastien avait loué une Jeep Cherokee, qui les attendait à l'arrivée. Il l'avait garée dans une des dépendances de l'autre côté de la maison. Hannah enjamba la mare de sang sur le gravier et se mit à courir. Elle se demanda ce qui se passerait si un des Eleni la repérait. Mais curieusement, malgré la fusillade qui avait éclaté dans la maison quelques minutes plus tôt, tout était calme et silencieux autour de la ferme.

La dépendance en question était une bâtisse en brique surmontée d'une simple charpente. Les portes en bois toutes tordues présentaient encore çà et là quelques traces de peinture rouge écaillée. Arrivée devant, Hannah fit tourner le verrou et ouvrit la porte en grand. À l'intérieur, il faisait sombre. Elle sentit une odeur de sciure et d'huile pour moteur. La calandre en fer de la Jeep scintillait dans l'ombre comme la mâchoire d'un requin à l'affût.

Hannah regarda par-dessus son épaule. Elle vérifia les chemins, l'allée. Personne. Aucun Eleni. Ni dans le verger ni dans les bois. Pas d'hélicoptère non plus.

Elle se glissa dans le petit espace entre la Jeep et le mur. Au moment où elle dépassait le rétroviseur extérieur, elle sentit des doigts l'attraper. Elle poussa un cri et se débattit violemment.

Des toiles d'araignée. Ce n'étaient que des toiles d'araignée qui s'étaient prises dans ses cheveux. Elle poussa un juron, arracha les restes de fils devant son visage et reprit sa progression le long du véhicule. Enfin, le cœur battant, elle posa les doigts sur la poignée de la portière.

Faites qu'elle soit ouverte ! pria-t-elle.

Le matin même, elle avait dit à Sebastien que ce serait peut-être une bonne idée de garder la Jeep prête à partir, au cas où. S'en était-il souvenu ? Elle tira sur la poignée.

Quand la portière s'ouvrit dans un grincement métallique, Hannah laissa échapper un soupir de soulagement. Elle grimpa à bord et referma la portière. Le silence. Une odeur de désodorisant pour voiture. Quelque chose tinta contre sa main, quelque chose de froid et de métallique.

La clé.

Elle la fit tourner dans le contact, passa la première et appuya sur l'accélérateur. L'énorme moteur trois litres s'ébroua. La Jeep arracha les portes de ses gonds, collant Hannah à son siège. Une pluie d'éclats de bois s'abattit sur l'allée. Hannah braqua le volant et évita de justesse l'angle de la maison. Quand elle contrebraqua, la voiture fit une violente embardée avant de se stabiliser. Hannah appuya alors sur la pédale de frein et s'arrêta devant la ferme.

Elle regarda à gauche et à droite.

Par où es-tu parti, salopard ? Où est-ce que tu l'as emmenée ?

Il n'avait qu'une seule option logique. Remonter vers le nord, où la route principale croisait l'E70 qui traversait la France d'est en ouest. Là, Jakab aurait l'embarras du choix entre les aéroports. Ou alors, il pouvait rester sur l'autoroute. L'Espagne d'un côté. L'Italie, la Slovénie, la Croatie, la Serbie et la Roumanie de l'autre. L'E70 franchissait même le Danube entre Giurgiu et Ruse.

Hannah savait qu'elle n'avait que quelques minutes pour agir. Une immense vague sombre se dressait derrière elle. Si elle n'allait pas assez vite, si elle hésitait, elle serait submergée, et Leah serait perdue à jamais. D'ailleurs, peut-être était-ce déjà trop tard, peut-être avait-elle déjà échoué. Cette prise de conscience atroce lui fit pousser un cri rageur.

Plus tôt, les hommes de main de Vass s'étaient postés au niveau de la route principale. Plus aucun d'entre eux n'était en vue, mais elle ne voulait pas prendre le moindre risque. Le chemin qui traversait les bois suivait la rivière et passait devant le moulin, avant de rejoindre à son tour la route principale. C'était plus sûr de passer par là. Si elle perdait ne serait-ce qu'une minute à cause des Eleni, cela risquait de donner à Jakab la marge dont il avait besoin.

Elle appuya sur l'accélérateur, agrippa le volant, et la Jeep s'emballa. Quand les roues avant heurtèrent la surface inégale du chemin forestier, la voiture fit un bond et manqua éjecter Hannah de son siège. Pied au plancher, elle poussa le véhicule au maximum. Un nid-de-poule la déséquilibra une deuxième fois. Elle glissa son bras sous la ceinture de sécurité et parvint à s'attacher après de longues secondes.

Bientôt, elle se retrouva au milieu des bois, écrasant sous ses roues fougères et orties. Les pneus crissaient sur les feuilles mortes.

Devant, un virage à droite. Elle ne voulait pas ralentir, elle ne voulait pas hésiter. La robuste Jeep mordit la terre et commença à déraper. Le volant se mit à tourner tout seul. Hannah s'agrippa. Le côté droit de la Jeep heurta un tronc d'arbre, et Hannah se cogna la tête contre la vitre. Par chance, elle ne perdit pas connaissance.

Continue, se dit-elle. Ne t'arrête pas.

Alors que la voiture se stabilisait et réaccélérait après le virage, Hannah aperçut un corbeau au milieu du chemin, perché sur une masse sombre. Elle vit tout de suite qu'il s'agissait d'un cadavre. Avec un couteau planté dans la poitrine. Sa jambe droite formait un angle peu naturel, et il avait la moitié du crâne écrasée.

Le chemin était trop étroit. De part et d'autre, châtaigniers, chênes, hêtres et bouleaux étaient collés les uns aux autres, rendant tout écart impossible. Mais Hannah ne pouvait pas se permettre de s'arrêter pour déplacer le corps. Il fallait qu'elle passe. Devant, le corbeau s'envola. Hannah rétrograda et remit un coup d'accélérateur.

Je suis désolée, pensa-t-elle. Je ne sais pas qui tu es. Je suis désolée.

La Jeep gravit la pente dans un vrombissement de moteur. Hannah se força à garder les yeux ouverts tandis que les roues passaient sur le cadavre. La secousse la fit tressauter sur son siège.

Elle sentit la fumée avant de la voir – une odeur âcre qui la prit à la gorge.

Quand elle passa le virage suivant, elle repéra les fines volutes grises qui s'élevaient dans la lumière mouchetée. Un virage de plus et les fines volutes se transformèrent en une fumée grise qui s'épaississait.

Après un dernier lacet, elle se retrouva face à un nuage noir qui dissimulait tout le chemin. Hannah appuya de toutes ses forces sur la pédale de frein. Derrière le pare-brise, on n'y voyait pas à plus de quelques centimètres. La fumée huileuse, noire comme le goudron, l'entoura. Elle continua à progresser tout doucement, mètre par mètre, pour essayer d'en localiser la source. La puanteur du plastique et du caoutchouc brûlés. Hannah alluma les phares pour se repérer. Et soudain, devant elle, elle aperçut une lueur.

Elle continua à avancer au pas. La fumée envahissait l'habitacle à présent, et Hannah fut prise d'une violente quinte de toux. La lueur qu'elle avait aperçue avait désormais disparu derrière un autre tourbillon noir.

Voilà qu'elle la voyait de nouveau. C'était l'arrière d'une Audi Q7 blanche.

Aussitôt, elle devina qu'il s'agissait de la voiture à bord de laquelle Dániel Meyer était arrivé au Moulin Bellerose, et celle que Jakab avait prise pour emmener Leah. Quand elle se retrouva juste à côté de la carcasse de l'Audi, elle vit que ses mains tremblaient sur le volant comme une mouche prise dans une toile d'araignée, et elle pouvait entendre le sang courir dans ses artères, parce que Jakab était passé par là, et Leah aussi, et qu'il y avait peu de chances de retrouver quelqu'un de vivant sous ce tas de tôles calcinées.

Sans s'en rendre compte, elle avait arrêté la Jeep. Elle coupa le moteur et défit sa ceinture de sécurité. Puis elle ouvrit la portière et descendit. Elle respira une fois, deux fois, sans quitter des yeux l'Audi en flammes. Puis elle détourna le regard et eut peur de vomir. Elle se demanda pourquoi elle se souciait d'une chose aussi triviale.

La fumée noire s'éloignait vers la ferme – ce refuge futile qu'elle avait bâti avec Nate. Hannah vérifia qu'il n'y avait personne sur le chemin, puis elle s'approcha de la voiture accidentée.

Le véhicule avait quitté la route à angle droit, comme si le conducteur avait braqué pour éviter un obstacle. Quelques mètres de plus et l'Audi aurait été hors de la forêt. Au lieu de quoi elle était encastrée dans un chêne. L'impact avait été si violent que le moteur paraissait soudé au tronc. De la fumée s'en échappait, et des flammes léchaient le métal.

Le pare-brise avait disparu. À l'intérieur, le siège conducteur était imbibé de sang. Il y en avait tellement.

Elle se força à approcher un peu plus. Le siège passager était vide. Mais elle y repéra aussi quelques gouttes rouges. Brillantes, fraîches. Ça ne pouvait être que le sang de Leah. Elle eut envie de fermer les yeux et de mourir sur-le-champ.

Elle n'est peut-être pas loin, se dit-elle. Elle a pu ramper dans les buissons. Si ça se trouve, elle est en train de mourir ; elle a voulu trouver un endroit tranquille, loin de l'odeur de pneu brûlé, loin de la violence, loin de la folie. Ou peut-être qu'elle est déjà morte, seule et effrayée, en se demandant où tu étais, pourquoi tu avais brisé ta promesse, et pourquoi tu avais laissé les choses en arriver là.

Hannah se retourna. Elle scruta les arbres alentour. Leah n'était pas là. Il n'y avait personne. Elle regarda de nouveau l'Audi, et c'est là qu'elle vit l'écaille de dragon qui scintillait.

Le petit disque rouge cerclé d'or était enfoncé dans le tableau de bord. Hannah sentit son cœur s'emballer, mais la logique froide reprit vite le dessus et enterra aussitôt l'espoir qui voulait faire surface.

Elle n'avait aucun doute que c'était Leah qui avait laissé l'écaille à cet endroit, mais rien n'indiquait qu'elle l'avait fait après l'accident.

Il faut y croire, se dit-elle.

Une idée si simple. Mais si difficile. Tellement difficile, après tout ce qui s'était passé, après tous les rêves brisés.

Il faut y croire.

Elle chercherait sa fille jusqu'à son dernier souffle. Et elle ne rendrait ce dernier souffle qu'une fois que Jakab Balázs serait anéanti, et qu'il ne resterait de lui qu'une pauvre tache dans l'histoire du monde, une tache que le temps se chargerait d'effacer.

Et si elle découvrait que sa fille était morte et qu'elle parvenait au bout du compte à tuer Jakab, que ferait-elle ensuite ? Que lui resterait-il à vivre si la dernière personne au monde qu'elle aimait n'était plus ?

Tu sais très bien ce que tu feras, songea-t-elle. Tu y penses en ce moment même. Mais ne t'en fais pas, personne ne t'en voudra, personne ne s'en souciera, car tu auras trahi tous ceux qui comptaient vraiment.

Mais quoi qu'il arrive, ne rate pas ton rendez-vous avec Jakab. L'heure des comptes est venue.

Hannah s'éloigna de l'Audi en flammes, de la fumée, de la puanteur, du bruit. Devant, le chemin quittait la forêt. De là où elle se trouvait, elle pouvait même voir l'herbe brunie par le soleil qui ployait sous la brise. Au sud coulaient la rivière et le canal qui alimentait le moulin.

Et là, au loin, entre ombre et lumière, se dressait la vieille bâtisse. Trois étages de bois, de brique et de pierre. Le Moulin Bellerose.

Il se tenait à côté de la berge de la Vézère, derrière un bosquet d'arbres maigrelets. Hannah sentit le regard vide des fenêtres du dernier étage posé sur elle. C'était comme si ces fenêtres lui contaient une histoire de décrépitude et de ruine. De perte inéluctable et d'espoir futile.

Nate avait réparé le toit et toutes les fenêtres, sauf une. Ne restait que cet unique trou noir souillé de guano, par où entrait et sortait la colonie de pipistrelles qui avait élu domicile dans les combles poussiéreux du vieux moulin.

Un bruit résonna dans le bâtiment oublié, rebondissant contre les murs et s'échappant par la fenêtre sans vitre – le hurlement d'une petite fille.

Chapitre 27

Périgord, France

De nos jours

Quand Hannah entendit les cris de Leah, le poids des émotions contradictoires la submergea, et elle sentit son cœur se serrer. Elle était à la fois soulagée de savoir sa fille si proche et terrorisée à l'idée de ne pas être à la hauteur, d'arriver trop tard. L'angoisse qui émanait de ces hurlements alluma en elle une étincelle de rage animale, qui fit trembler tout son corps et grincer ses dents. Elle avait l'impression que ses yeux allaient exploser et que de l'électricité parcourait toute sa peau. Elle regarda ses bras ; elle avait la chair de poule. Ses oreilles bourdonnaient et elle avait dans la bouche le goût du sang. Son nez, lui, était rempli de la puanteur du plastique et du caoutchouc brûlés.

Elle n'avait pas d'arme. Pas même un couteau. Quand elle était partie en courant de la maison, elle n'avait même pas réfléchi au fait qu'elle aurait sûrement besoin de quelque chose, n'importe quoi, pour affronter Jakab.

Hannah se frotta le visage. Ses mains tremblaient. Elle se tourna une fois de plus vers l'Audi en flammes, et observa l'écaille rouge solitaire plantée dans le tableau de bord, songeant à tout ce qu'elle représentait.

Elle devait tuer Jakab Balázs, quitte à en mourir. Et il fallait que ce soit aujourd'hui. Maintenant.

Trouve une arme, se dit-elle. Quelque chose. N'importe quoi. Improvise. Si tu te lances sans réfléchir, c'est Leah qui en paiera le prix. Tu n'as qu'une seule chance. Une dernière opportunité. Pour Leah. Pour Nate. Pour tous les autres.

Elle bondit vers la Jeep et ouvrit la portière passager. Dans la boîte à gants, elle trouva le manuel d'utilisateur de la voiture, la facture de la compagnie de location, une carte du sud de la France et un unique boulon dans un sac plastique. Inutile.

Elle glissa la main dans le vide-poche. Vide. Elle grimpa sur le siège et se pencha par-dessus le levier de vitesse pour fouiller le deuxième vide-poche, côté conducteur. Ses doigts touchèrent du tissu, se refermèrent sur quelque chose. Elle tira et vit qu'il s'agissait du kit de survie de Sebastien, enroulé dans de la toile – celui qu'il avait apporté à Llyn Gwyr. Hannah le posa sur le siège et le déroula. Lingettes antiseptiques, analgésiques, ciseaux, compresses pour brûlure. Dans de petits sachets individuels, elle trouva un scalpel avec des lames de rechange stériles. De petites poches contenaient un tube trachéal, du fil à suturer, une collection de seringues et une lampe stylo.

Elle prit le scalpel et la lampe torche, puis elle enroula la toile et la jeta sur la banquette arrière. Elle glissa ses trouvailles dans sa poche, puis descendit de la Jeep et en ouvrit le coffre. Une bâche pliée, deux couvertures, un jerrycan de cinq litres et deux boîtes en carton. Dans la première, elle trouva du fil de pêche, de la nourriture pour chien et deux Thermos. Dans l'autre, un réchaud à gaz avec ses recharges, une boîte d'allumettes-tempête, un briquet au butane et quelques sachets de nourriture lyophilisée.

Bon sang, Sebastien, tu as vraiment pensé à tout, songea-t-elle.

Hannah attrapa le jerrycan. Au poids, elle sut tout de suite qu'il était plein. Elle glissa le briquet au butane dans la poche de sa chemise. Alors qu'elle allait refermer le coffre, elle ouvrit la boîte d'allumettes et en fourra une poignée dans la poche de son jean.

Maintenant, il faut y aller, se dit-elle.

Hannah fit le tour de la Jeep, le jerrycan à la main. Elle sentait le métal froid du scalpel contre sa cuisse. Elle quitta la forêt et se mit à courir dans les hautes herbes. Elle se demanda quelles horreurs se déroulaient au même moment dans le moulin, et elle se demanda si elle arriverait trop tard.

Derrière une rangée d'arbres, le terrain descendait en pente douce jusqu'à la berge de la Vézère. Les rayons du soleil se reflétaient sur la surface de l'eau aux reflets bleus, verts et bruns.

Le canal formait un sillon étroit qui partait de la rivière et débouchait sur un réservoir alimentant la roue du moulin. La petite écluse était fermée, et on entendait le surplus d'eau descendre un seuil en escalier pour retrouver le cours de la rivière. Hannah trébucha sur un caillou caché dans l'herbe et manqua se tordre une cheville. Le jerrycan rebondit contre sa cuisse, mais elle ne se laissa pas déstabiliser et reprit vite sa course.

Le moulin de trois étages était perché sur une petite digue en pierre qui s'avançait dans la rivière. Le toit pointu s'affaissait par endroits, et de la mousse s'accrochait au mur sur la face exposée au nord. Les fenêtres réfléchissaient le soleil, de sorte que Hannah ne pouvait voir ce qui se passait derrière.

La roue hydraulique était accrochée au mur qui faisait face au cours d'eau. Elle faisait une dizaine de mètres de diamètre, et d'immenses tiges en fer maintenaient les aubes en place. Comme l'écluse était fermée, la roue ne tournait pas. La partie supérieure, brûlée par le soleil, était constellée d'algues sèches. Celle qui se trouvait vers le bas était humide et recouverte de vase verte.

Une plate-forme en bois soutenue par des pilotis qui semblaient jaillir de la digue rocheuse entourait la base de la bâtisse. Le canal d'alimentation se terminait par une petite écluse située juste sous cette plate-forme. Pour ouvrir ou fermer la vanne, une roue en métal activait un mécanisme qui permettait de contrôler le débit.

Au milieu du mur d'à côté se trouvait l'unique porte du moulin – une épaisse planche de chêne posée sur d'énormes gonds métalliques. Elle était ouverte. Depuis que Hannah avait entendu les cris de Leah, elle n'avait vu personne y entrer ou en sortir. Toutes les fenêtres étaient fermées sauf celle du toit qui n'avait pas été réparée, mais elle était beaucoup trop haute pour faire office d'issue de secours. Celui qui s'y serait risqué aurait fini écrasé sur les rochers de la berge.

Les poumons en feu, les muscles douloureux, Hannah s'arrêta sur la structure en bois qui entourait le moulin.

Il est plus fort que toi, pensa-t-elle. Plus rapide. Plus malin. Il faut que tu comptes sur l'effet de surprise. C'est le seul moyen de le déstabiliser. Vu qu'il est avec Leah, il ne pensera pas à toi.

Hannah observa la porte et l'obscurité qui en émanait. Elle sentit son cœur se serrer et se desserrer dans sa poitrine comme un poing. Derrière elle, l'eau descendait sur le seuil en escalier. Elle s'accroupit et dévissa le bouchon du jerrycan.

Elle n'avait toujours pas le moindre plan. Depuis l'acquisition de la propriété avec Nate, le moulin demeurait toujours le seul endroit où elle ne se sentait pas à l'aise. Elle trouvait qu'il se dégageait de cette bâtisse dressée sur son éperon rocheux un sentiment d'abandon. Et à présent, cet abandon avait laissé place à quelque chose de malveillant.

Surprends-le. Donne-toi l'avantage par n'importe quel moyen.

Elle saisit la roue en métal qui contrôlait l'écluse et essaya de la tourner. Rien. Elle tenta de nouveau sa chance, cette fois en mettant tout son poids. Ses phalanges virèrent au blanc sous l'effort.

Enfin, la roue tourna d'un centimètre et se stabilisa. Hannah força de nouveau, sentant la rouille gratter sur les dents du mécanisme cranté. Et soudain, les engrenages cessèrent de résister, et la roue se mit à tourner toute seule entre ses mains.

En dessous, le plateau métallique de l'écluse se leva doucement. Le filet d'eau se transforma rapidement en un véritable torrent bouillonnant.

La roue à aubes grinça. L'espace d'une seconde, elle se dit que la puissance de l'eau allait arracher l'immense essieu fiché dans le mur et que toute la bâtisse allait s'écrouler sur ses bases. Mais non, la roue se mit à tourner. Petit à petit, elle gagna en vitesse, faisant voler des gouttelettes blanches de plus en plus haut, tandis que les aubes s'enfonçaient dans l'eau tumultueuse.

Hannah ramassa le jerrycan. Elle sortit le scalpel de sa poche et examina la lame.

Il va te tuer. Tu sais qu'il va te tuer.

L'immense roue tournait. L'eau bouillonnait dans le petit canal d'alimentation. La plate-forme sur laquelle se tenait Hannah tremblait sous la puissance du flot libéré.

Hannah s'approcha de l'épaisse porte en chêne du moulin, prit une profonde inspiration et entra.

Chapitre 28

Périgord, France

De nos jours

Hannah quitta la douce lumière automnale pour plonger dans l'abysse. La chaleur du soleil avait rendu étouffant l'air à l'intérieur du moulin. Il flottait une odeur de poussière, de bois et de blé desséché. Mais il y avait autre chose, une puanteur âcre. Un animal avait dû se retirer là pour mourir.

Les fenêtres étaient couvertes de crasse et ne laissaient filtrer qu'une vague lueur sépulcrale. Sur sa gauche, Hannah vit l'essieu de la roue à aubes qui jaillissait dans la pièce par un trou dans le mur. Dessus était fixée une énorme roue crantée qui, en tournant, activait un autre engrenage arrimé à un essieu vertical, lequel disparaissait dans un trou au plafond vers la salle de meulage, à l'étage.

Le mécanisme émettait des grincements et des craquements assourdissants, et la vibration soulevait un fin nuage de farine qui emplit bientôt toute la pièce.

Petit à petit, les yeux de Hannah s'adaptèrent à la pénombre. Elle repéra une collection d'outils rouillés dans un coin. Dans un autre, un tas de bois. Sous une fenêtre, l'établi que Nate avait installé pour réparer la charpente du moulin et remplacer les vitrages. Dessus, une tasse bleue, une assiette en porcelaine et quelques chutes de verre.

Leah était assise en tailleur au milieu de la pièce. Elle avait les pupilles tellement dilatées que ses yeux ressemblaient à deux trous noirs. Son visage était couvert de boue et de sang, et elle avait une énorme bosse sur le front. Elle était pâle, et sa joue gauche était coupée.

Mais elle était là. Dans la même pièce qu'elle. Vivante.

En face de Leah, assis en tailleur lui aussi, se trouvait Jakab.

Il se tenait immobile, le dos tourné à Hannah. Il portait un pantalon en velours, de grosses chaussures, et un vieux manteau militaire. Hannah n'était qu'à deux pas de lui, de cette abomination venue de Gödöllö, de ce monstre qui, telle une faux bien aiguisée, avait lacéré sa famille sur plusieurs générations.

Son mari. Sa mère et son père. Le grand-père qu'elle n'avait jamais connu. Erna Novák, pas beaucoup plus qu'un nom dans un vieux carnet, mais une femme qui avait aimé, qui avait pleuré, et qui était morte. Tous ces morts. Et un seul responsable, cette créature qui se tenait devant elle, cette bête obstinée.

Elle observa la nuque de Jakab – la peau bronzée de son cou, ses cheveux bruns – et elle sentit son estomac se serrer et sa bouche se remplir de salive. Se trouver si proche de la source de tellement de peines et de pertes la rendait malade. Des vagues invisibles de folie et de dépravation semblaient émaner de ce monstre, la submergeant au passage.

Leah se tourna vers Hannah. Elle avait les yeux vides, perdus. La bouche ouverte.

Oh, mon Dieu ! pensa-t-elle. Est-il déjà trop tard ? L'a-t-il déjà détruite ?

Ses doigts se resserrèrent autour du scalpel. Face à Jakab, c'était à peine mieux qu'un jouet, mais elle n'avait pas d'autre arme.

« Leah, lève-toi, dit-elle. Éloigne-toi de lui. »

La petite fille resta immobile, comme s'il lui avait jeté un sort qui l'avait paralysée.

« Leah », répéta-t-elle.

Enfin, sa fille cligna des yeux.

« Ne t'en fais pas, maman. Il m'a tout expliqué. »

Jamais Hannah n'avait entendu sa fille parler sur un tel ton auparavant. Un mélange entre émerveillement et horreur, déni et acceptation.

« Ma chérie, s'il te plaît. Je ne sais pas ce qu'il t'a dit, mais tu sais à qui tu as affaire. Tu sais ce qu'il est. C'est un menteur. Allez, maintenant, lève-toi. »

Les traits de Leah se durcirent, comme si elle cherchait à communiquer avec autre chose que des mots.

« On n'a plus besoin d'avoir peur, dit-elle.

— Tu as raison, ma chérie. On n'a pas besoin d'avoir peur. Pas de lui, plus jamais. Allez, ma chérie, je t'en prie. Lève-toi. »

Dans la pièce, les roues du moulin tournaient en grinçant. Il y avait de la poussière en suspension partout. Le plancher vibrait. Leah déplia ses jambes.

Quand elle se redressa, Jakab l'imita. Avec une grâce surnaturelle, il décroisa les jambes et se leva dans un mouvement d'une fluidité exceptionnelle, comme de la vapeur s'échappant du bec d'une théière.

Il se retourna, et Hannah sentit l'air quitter ses poumons comme si elle avait reçu un coup de pied dans le ventre. Ses doigts lâchèrent le jerrycan, qui tomba par terre. Sa gorge se serra, car ce n'était pas Jakab qu'elle avait en face d'elle, mais Nate.

Nate. En chair et en os. Debout devant elle.

Nate. Ressuscité de l'enveloppe sans vie qu'elle avait enterrée à Llyn Gwyr.

La peau autour de ses yeux se plissa quand il sourit, et Hannah crut que son cœur allait exploser sous le poids de tant d'émotions. Ses genoux se mirent à flageoler, mais elle parvint à se ressaisir juste à temps pour ne pas tomber. Elle sentit dans sa main le scalpel trempé de sueur tiède lui glisser lentement des doigts.

Ce n'est pas lui ! se dit-elle. Tu sais bien que ce n'est pas lui !

Le jerrycan s'était renversé. De l'essence s'écoulait par l'ouverture et se répandait sur le sol, imprégnant le plancher.

« Hann' », dit-il.

Et c'était la voix de Nate, indéniablement. Son timbre, son accent. Son entrain, sa force.

Hannah laissa échapper un gémissement pitoyable. Elle voulait tellement que ce soit lui. Elle se força à fermer les yeux. Quand elle les rouvrit, elle vit son visage, son magnifique visage.

« Tu es mort », murmura-t-elle.

Nate soupira. Ses joues se creusèrent et il secoua la tête.

« Oh, Hann' ! Ne dis pas ça. Comment peux-tu dire une chose pareille ? Ne me rejette pas. Ne nous rejette pas.

— Vous l'avez tué.

— Tué ? Mais enfin, il est là, en face de toi. Il est moi. Je suis tout ce qu'il était, et plus encore. Je peux m'occuper de toi, te protéger, t'aimer. Regarde-moi,

Hannah. Regarde cet homme qui se tient devant toi. Combien de temps ai-je cherché ? Combien d'années ai-je sacrifiées pour te retrouver, toi, la seule et unique ? Et tu es là, je suis là, Leah est là. Nous pouvons refaire notre vie ensemble, tous les trois, ressusciter ce que tu croyais perdu pour toujours. Est-ce que tu sais combien de fois j'ai rêvé de cet instant, rêvé de ce que je te dirais, des promesses que je te ferais ?

— Vous les avez tous tués.

— C'était dans une autre vie, Hannah, répondit-il en secouant la tête. Un autre monde. Il y a si longtemps. Mais qu'importe ce qui s'est passé, nous sommes là, aujourd'hui. En cet instant. Un moment crucial. Personne ne peut changer le passé. Mais je suis ton Nate. Le Nate que tu voudras que je sois, le Nate que tu meurs d'envie de retrouver. Je suis là, Hannah. Laisse-moi entrer dans ta vie. C'est tout ce que je te demande. On ne peut pas changer le passé, mais on peut fabriquer notre avenir. Je t'en prie, laisse-moi une chance. »

Derrière lui, Leah recula jusqu'au mur opposé. Ses yeux étaient plus noirs que jamais.

Nate sourit et tendit la main.

« Hannah ? » dit-il.

Leah saisit un manche de pioche en bois dans la collection d'outils entassés dans le coin, et elle frappa son père à la tête. Le bâton heurta le crâne de Nate avec un claquement sec.

Pas Nate.

Jakab.

Hannah secoua la tête pour dissiper sa confusion. La créature qui portait le visage de son mari tomba à genoux et roula sur le côté.

Leah lâcha le manche de pioche, porta la main à sa bouche et se mit à se ronger les ongles.

« Leah, tu as été très courageuse, lui dit Hannah. Très, très courageuse. Et cet affreux cauchemar est bientôt terminé, je te le promets. Mais d'abord, je voudrais que tu sortes du moulin. »

La petite fille leva les yeux vers sa mère.

« Allez, Leah, vas-y. Sors et attends-moi dehors.

— Tu viens avec moi ?

— Non, mais je te rejoindrai. D'abord, il faut que j'en finisse avec ce monstre, et je ne veux pas que tu voies ça. Allez, file. »

Des larmes roulèrent sur les joues de Leah.

« Mais pourquoi on ne part pas maintenant ? Tu es vraiment obligée de lui faire du mal ? Il ressemble tellement à papa.

— Ce n'est pas le moment, ma chérie. »

Leah traversa la pièce en traînant les pieds. Arrivée à la porte, elle se retourna. Hannah lut dans le regard grave de sa fille quelque chose qui ressemblait à de l'acceptation. Enfin, elle disparut, laissant Hannah seule avec Jakab.

Dans la pièce, les roues tournaient toujours. À l'étage, elle entendait le bruit des meules. La poussière tombait continuellement du plafond en tourbillonnant.

Hannah serra le scalpel dans sa main et se pencha au-dessus de Jakab.

C'était le moment d'en finir. Mais une question tournait dans sa tête : si Jakab avait su qu'il mourrait allongé dans la poussière, tué par la femme qui l'avait rejeté, y aurait-il réfléchi à deux fois avant de tuer tous ces gens ?

Alors qu'elle approchait le scalpel de sa gorge, le bras tendu, prête à plonger la lame dans l'artère carotide, il ouvrit les yeux.

Pas les yeux aimants de Nate.

Pas les yeux magiques de Gabriel.

Pas même les yeux d'un démon.

Non, ceux-là étaient banals. Sans éclat. Ternes.

Dedans, elle lut la folie et la peur.

Du sang coulait le long de la joue de Jakab, à l'endroit où le manche de pioche l'avait frappé. Il se força à sourire, mais il était évident qu'il avait mal.

« L'espace d'un instant, dit-il, tu t'es posé la question. »

Elle secoua la tête.

« Si. Ça n'a pas duré plus d'une seconde ou deux, mais tu t'es posé la question.

— Non, jamais.

— Si tu fais ça, Hannah, ça voudra dire que tu ne vaux pas mieux que moi.

— Mais oui, bien sûr.

— Tu es vraiment prête à me voir mourir une deuxième fois ? »

Sans un mot, elle leva le scalpel, visa le cou et se concentra sur le point précis où l'artère palpitait. Elle le regarda dans les yeux une dernière fois. Ce n'était pas le visage de Nate, mais celui d'un tueur qui la poursuivait depuis des dizaines d'années, et dont l'heure avait enfin sonné.

Ce n'était pas le visage de Nate, mais ça y ressemblait beaucoup. Jakab avait raison. Elle ne pouvait pas le voir mourir une deuxième fois.

Elle ferma donc les yeux et abattit le scalpel. Mais à cet instant précis, elle sut qu'elle avait hésité une fraction de seconde de trop, et qu'elle avait raté sa chance. Elle sentit les doigts de Jakab se refermer autour de son poignet avec une telle violence qu'elle dut retenir un cri de douleur. Il se leva d'un bond et la tira vers lui. Quand elle voulut changer le scalpel de main, il lui tordit sauvagement le bras, et elle ne put que regarder tomber la lame de métal au sol.

Jakab haletait, du sang lui coulait sur la joue, et sa bouche était figée en un terrible rictus.

« Mais c'est que tu l'aurais fait, espèce de salope ! cracha-t-il. Tu croyais vraiment que ce serait aussi simple ? Tu croyais que j'allais te laisser me tuer ? Je ne suis même pas ici pour toi, Hannah. Je me fous de toi. C'est Leah qui compte. Et tu me l'as embrouillée. Tu lui as monté la tête contre moi avec tes mensonges, comme Nicole l'avait fait avec toi. Mais cette fois, il n'est pas trop tard. Elle est assez jeune pour changer. Du moment que tu ne fais plus partie du paysage. »

Hannah essaya de lui donner un coup de poing au visage, mais il lui emprisonna le poignet gauche et, quand il lui écarta les bras sans effort, elle dut employer toute sa volonté pour ne pas hurler.

Si tu cries, Leah va venir. Quoi qu'il arrive, quoi qu'il fasse, Leah doit rester dehors.

Elle lui donna un coup de genou dans l'entrejambe. Furieux, il pivota et la projeta à travers la pièce. De peur d'être aspirée par le mécanisme du moulin, Hannah tendit la main et se rattrapa à quelque chose pour se ralentir. Ses doigts s'accrochèrent à la dent d'une immense roue crantée.

En moins d'une seconde, la roue la fit tourner et coinça sa main dans un engrenage. Trois de ses doigts explosèrent dans une gerbe rouge.

Une douleur insoutenable remonta jusqu'à son cerveau.

Ne crie pas.

La chair lacérée de sa main avait abîmé le pignon. L'essieu gronda et se tordit. La roue n'arrivait plus à tourner à présent que des os s'étaient logés entre deux crans.

Ne crie pas.

Sa main ne ressemblait plus à rien. Il manquait des doigts, la chair était complètement arrachée. Dans la pénombre de la pièce, le sang qui avait repeint le mécanisme ressemblait à de l'huile. Hannah essaya de retirer ce qui restait de sa main, mais la douleur la submergea de nouveau. Elle était coincée.

De l'autre côté de la pièce, Jakab sourit.

« Pas de chance », commenta-t-il avant de s'approcher d'elle pour examiner la main écrasée.

Elle avait les oreilles qui bourdonnaient. Ses paupières tremblaient toutes seules.

Alors, c'est là que tu vas mourir, songea-t-elle. Dans ce moulin puant.

Tu as échoué, Hannah. Il gagne, et tu perds. Tu meurs, et il repart avec Leah. À cause de ton échec, il va détruire la vie de ta fille.

Sauf qu'elle n'allait pas laisser les choses se passer comme ça. Elle n'avait pas peur de mourir. Même si c'était dans un moulin puant. Jamais elle ne laisserait Jakab s'emparer de sa fille. Jamais. Elle ne voulait pas avoir à expliquer cet ultime échec à Nate, dans l'au-delà.

« Une chose est sûre, Hannah Wilde, tu ne manques pas de détermination. »

Jakab regarda autour de lui, puis, quand ses yeux se reposèrent sur Hannah, il vit qu'elle tenait dans la main un briquet au butane, et que son pouce était posé sur la molette.

Le jerrycan s'était presque entièrement déversé sur les planches du sol, et l'odeur d'essence piquait les narines. Une étincelle. C'est tout ce dont elle avait besoin.

Quelque chose craqua au niveau de sa main prisonnière, et le pignon arracha un morceau d'os. Une fois de plus, la douleur lui parcourut tout le bras avant d'exploser dans son cerveau.

Aussi vif qu'une bête sauvage, Jakab plongea en avant et lui arracha le briquet. Puis il secoua la tête et le glissa dans la poche de son manteau militaire.

« Tarée, commenta-t-il. Complètement tarée. »

Elle laissa échapper un gémissement. Un gémissement de désespoir à l'idée de ce qui allait arriver une fois qu'elle serait morte.

« Nate, dit-elle d'une voix rauque. Oh Nate ! Je suis désolée. Tellement désolée. J'ai échoué. Leah, je... je n'ai pas réussi à la sauver. Leah. Leah... »

Jakab s'approcha d'elle et la regarda avec des yeux de prédateur.

Pas Jakab. Nate.

Hannah secoua la tête.

Non, pas Nate. Pas Nate.

La créature qui portait le visage de son mari fit un pas de plus vers elle et se mit à lui caresser la joue.

« Chut, dit-il. C'est bientôt fini. Chut. »

Il se pencha vers elle.

Nate – non, pas Nate –, Jakab.

La roue crantée ne parvenait toujours pas à tourner à cause de la main coincée dans le mécanisme.

Le visage d'un monstre se présenta devant le sien. Et maintenant, voilà qu'il l'embrassait, mais quelque part, c'était la bouche de Nate, il n'y avait aucun doute, c'était bien les lèvres de Nate posées sur les siennes, l'embrassant comme il l'avait toujours embrassée, tandis que ses doigts lui caressaient doucement la joue, descendant vers la gorge. À présent, il avait posé la main sur sa poitrine, et il lui serrait les seins, les caressait, et son baiser se fit plus fougueux. Hannah sentit ses genoux flageoler, et puis elle fit ce qu'elle n'aurait jamais pensé faire, ce qu'elle ne se serait jamais crue capable de faire : elle écarta les lèvres. Alors que la langue de Jakab pénétrait sa bouche et qu'elle sentait son corps chaud collé au sien, elle plongea sa main libre dans la poche de son jean.

Jakab interrompit soudain le baiser. Il fit un pas en arrière et baissa les yeux vers la main de Hannah, vers ses doigts qui tenaient une unique allumette – l'extrémité rose se trouvait à un centimètre au-dessus de la roue en métal.

Leurs regards se croisèrent. Il se passa la langue sur les lèvres.

« J'ai gagné », murmura-t-elle.

Jakab se jeta sur elle au moment où elle grattait l'allumette sur le métal.

Un minuscule tourbillon de fumée.

Rien.

Une petite lueur blanche. Une flamme soudaine.

Les doigts de Hannah s'écartèrent et laissèrent tomber l'allumette. Avant même qu'elle ait atteint le sol, l'air s'embrasa. Jakab atterrit sur elle, et la violence du choc acheva d'arracher ce qui restait de sa main des dents de l'engrenage.

Elle le serra dans ses bras alors qu'ils chutaient. L'air brûlant l'empêchait de respirer. Une vague de chaleur la submergea, et elle prit feu. Elle tomba au milieu des flammes, la chaleur se transforma en fournaise, et la douleur était tellement intense qu'elle en oublia sa main ravagée. Elle ouvrit la bouche pour respirer, et du feu pénétra dans ses poumons.

Ça ne va pas durer longtemps, se dit-elle. Tu as gagné.

Tu as gagné.

Jakab se débattit, mais elle tint bon lorsqu'il lui mit un coup de coude dans le visage qui lui écrasa le nez. Ses cheveux grésillèrent. Sa chair craquait et crépitait comme un morceau de lard dans une poêle. Elle ouvrit les yeux et à l'instant où la fournaise allait les engloutir complètement, elle entrevit l'enfer. L'enfer que les flammes autour d'elle rendaient d'autant plus réel.

Mais tu as réussi.

Tu n'as pas sauvé Nate, mais tu as sauvé Leah. Elle va pouvoir vivre. Tu ne seras pas là pour le voir, mais tant pis. Et elle n'aura plus jamais à avoir peur.

Toujours agrippée au monstre *hosszú élet*, Hannah se laissa retomber en arrière, dans le feu, dans la chaleur infernale.

Chapitre 29

Périgord, France

De nos jours

Debout sur la plate-forme en bois, Leah s'accrocha à la balustrade quand l'incendie gagna en intensité à l'intérieur du moulin. Même si elle se tenait à plusieurs mètres de la porte, elle sentit la chaleur l'envelopper.

Des bruits de verre cassé. La fumée, épaisse et noire, s'échappait par les fenêtres brisées. À l'intérieur, elle entendit un cri. Puis seulement le rugissement et le crépitement des flammes.

Sa mère se trouvait au milieu de cette fournaise. Leah avait vu l'expression sur son visage, et elle avait tout de suite compris qu'il allait se passer quelque chose de grave.

Mais pas à ce point-là. Jamais elle n'avait imaginé un tel dénouement.

Des flammes rougeâtres jaillirent par la fenêtre la plus proche. Quelque chose de lourd s'écrasa à l'intérieur de la bâtisse. La roue à aubes trembla sur son axe en gémissant. Sous ses pieds, un craquement sinistre retentit.

Titubant, Leah quitta la plate-forme pour se réfugier sur l'herbe. L'incendie était une bête vivante aux crocs incandescents. Un nouveau craquement, en provenance du moulin, cette fois. L'énorme roue se remit à vibrer, et quelque chose céda. Alors que le courant continuait à faire tourner les aubes, Leah constata, terrifiée, que la roue se penchait de plus en plus sur le côté, menaçant d'entrer en collision avec le mur du moulin. Quand le bois mordit la pierre, les aubes se désintégrèrent. Le cadre en métal poussa un gémissement affreux et, après une rotation, la roue ne fut plus qu'un amas de fer tordu, d'éclats de bois et de poussière. Des morceaux se détachèrent et tombèrent dans l'eau bouillonnante.

Soudain, la porte en bois s'ouvrit à la volée, révélant à l'intérieur un tourbillon de flammes jaunes.

Et là, dans l'encadrement, se tenait une silhouette courbée, toute noire, atroce, humaine sans l'être. Le visage de la créature avait entièrement brûlé, et son crâne dégageait de la fumée. Ses habits étaient en flammes. Telle une marionnette brisée, elle fit trois pas en titubant avant de s'écrouler dans l'herbe.

Leah se précipita. Elle ôta son gilet pour étouffer les flammes. Elle se brûla cent fois les mains pendant l'opération, mais elle parvint à éteindre le feu.

Elle ne savait pas qui était cette forme noirâtre, mais elle avait conscience qu'elle allait mourir. Les doigts carbonisés s'agitèrent quelques instants avant de retomber au sol, inertes.

Gabriel écrasa la pédale de frein de l'Audi, et la voiture s'arrêta derrière la Jeep abandonnée de Sebastien. Les deux portières étaient ouvertes. Personne à l'intérieur. À droite, une deuxième Audi était en flammes.

Pieds nus (les deux balles qu'il avait reçues le

faisaient toujours souffrir le martyre), il sortit de son 4 × 4 blanc et s'avança en boitant jusqu'à l'Audi en feu. Se préparant au pire, il jeta un coup d'œil dans l'habitacle. Personne, même si visiblement, quelqu'un s'était vidé de son sang sur le siège conducteur.

« Regardez ! » s'écria Sebastien en sortant à son tour de la voiture.

Le visage figé en une expression d'horreur, le vieil homme pointait du doigt une colonne de fumée qui s'échappait d'une bâtisse en pierre, sur la berge de la rivière. De petites formes noires s'échappaient de la fenêtre du haut et tournaient autour du bâtiment en flammes.

Devant, dans l'herbe, Leah était agenouillée à côté d'une silhouette noircie.

Au final, elle s'était rendu compte qu'elle ne voulait pas mourir dans le noir, dans la puanteur d'un moulin en feu, avec Jakab (et la charogne qui devait se décomposer dans un coin) pour seule compagnie.

Même si l'incendie lui avait ôté la vue et qu'elle ne reverrait plus jamais le soleil, même si sa peau était calcinée et qu'elle ne ressentirait plus jamais la chaleur de ses rayons, il lui avait paru important de mourir à l'extérieur.

Elle était allongée sur le côté et elle sentait que ses muscles frémissaient, que son cœur avait de plus en plus de mal à battre, et que sa respiration saccadée se faisait plus lente.

« Maman, je t'en supplie, ne me laisse pas toute seule ici. »

Si Hannah avait pu pleurer, elle l'aurait fait. Comme il lui semblait cruel de mourir ainsi. Mais elle savait qu'elle avait pris la bonne décision. Elle savait que, maintenant, Leah était libre. Elle savait qu'elle avait enfin anéanti le fléau qui torturait sa famille depuis des années.

Sebastien s'occuperait de Leah. Ou alors, Gabriel. Peut-être même Éva. C'étaient là des gens qu'elle ne connaissait pas depuis longtemps, mais elle leur faisait confiance.

« Je t'aime, murmura Leah. Je ne veux pas te perdre, toi aussi. »

Hannah ouvrit la bouche, mais elle était incapable de prononcer le moindre son. Comme c'était horrible pour sa fille de la voir ainsi. Si seulement elle pouvait lui dire adieu. Si seulement elle pouvait essayer de la consoler.

Elle se demanda ce que penserait Nate de tout cela, ce qu'il en dirait. Elle se demanda s'il était en train de la regarder, de les regarder, toutes les deux, ensemble, sous le soleil d'automne.

Elle n'avait presque plus mal, à présent. Et la lumière s'allumait de nouveau derrière ses yeux. Sauf que, cette fois, ce n'était pas l'éclat des flammes, mais une lueur cathartique, apaisante. Hannah se sentit soupirer, elle sentit la douleur et la peur disparaître doucement, et elle fit un pas vers cette paix qui lui tendait les bras.

Leah se roula en boule en voyant sa mère pousser son dernier soupir. Elle avait vite compris que cette forme noire était sa mère, car elle avait reconnu ses chaussures – c'était d'ailleurs la seule chose qui restait identifiable.

Elle lui avait dit que tout irait bien. Mais elle avait menti. Ce n'était pas normal de voir sa mère mourir. Surtout quand on avait assisté à la mort de son père quelques jours auparavant.

Leah entendit un cri en provenance de la forêt. Elle leva les yeux et aperçut deux silhouettes qui couraient vers elle. Au début, à travers les larmes, elle ne les reconnut pas. Puis elle finit par voir de qui il s'agissait.

Gabriel la rejoignit en premier. Il baissa la tête et observa le petit tas noir à ses pieds. Quand Leah croisa son magnifique regard couleur cobalt, elle constata qu'il pleurait.

« Est-ce que c'est Hannah ? demanda-t-il. Est-ce que c'est ta mère ? »

Elle fit oui de la tête.

« Oh, Leah ! Oh, ma chérie, je suis tellement désolé ! »

Son visage s'affaissa. Leah s'approcha doucement de lui, et il la prit dans ses bras. Elle enfouit sa tête contre son épaule, sentit son odeur, et elle essaya de se dire que tout allait bien. Même si tout était perdu.

« Jakab ? demanda Gabriel en désignant le moulin en flammes. Il est là-dedans ? »

Leah acquiesça.

« Ta mère est vraiment la femme la plus courageuse que j'ai jamais rencontrée, dit-il. Elle a tenu sa promesse.

— Elle m'a promis que tout irait bien.

— Et elle avait raison. Ça risque de prendre du temps, mais tu verras qu'elle avait raison. »

Soudain, elle entendit un nouveau bruit, un sanglot déchirant, un mélange de colère, d'incrédulité et de chagrin. Quand elle ouvrit les yeux, elle vit Sebastien s'approcher du corps de Hannah. Il tomba à genoux.

Le vieil homme sembla sur le point de toucher la chair calcinée. Mais au dernier moment, il croisa les mains au-dessus de sa tête et se tourna vers Gabriel.

« Faites quelque chose, ordonna-t-il.

— Qu'est-ce que vous voulez que je fasse ? répondit l'Irlandais. Il n'y a rien à faire. Ouvrez les yeux. C'est fini.

— Il y a toujours de la vie en elle.

— Non. Et même si c'était le cas... Mais bon sang, regardez-la, Sebastien ! Regardez-la !

— Mais vous êtes aveugle, ou quoi ? fulmina Sebastien. Combien de temps va-t-il vous falloir pour comprendre ? Elle est des vôtres, Gabriel ! Hannah est *hosszú élet*. J'en suis certain. Elle est des vôtres et elle peut se régénérer ! »

Leah sentit Gabriel se raidir, et soudain, il relâcha son étreinte et elle glissa au sol.

« C'est impossible, dit-il. Impossible. »

Sebastien se releva et se mit à faire les cent pas en se passant les mains dans les cheveux.

« Quel imbécile je fais ! C'était la seule chose sur laquelle Charles et moi n'étions pas d'accord. Je savais que ses intentions étaient nobles, mais je lui ai toujours dit que ce n'était pas une bonne idée.

— Je ne comprends rien à ce que vous racontez ! hurla Gabriel.

— C'est la théorie de Charles, pas la mienne, expliqua le vieil homme. Il a fait des recherches, vérifié les dates, et il s'est rendu compte que la probabilité était grande. Il soupçonnait sa femme, Nicole, d'être *hosszú élet*, et plus Hannah grandissait, plus il est devenu persuadé qu'elle aussi l'était. Mais vous voulez que je vous raconte l'histoire en détail pendant qu'elle meurt à vos pieds ? Ou est-ce que vous comptez la sauver et me laisser finir plus tard ?

— Si ce que vous dites est vrai... balbutia Gabriel en tombant à genoux.

— Mais bon sang, Gabriel ! Dépêchez-vous ! »

L'Irlandais se pencha au-dessus de Hannah et posa son oreille contre ses lèvres craquelées. Puis il tourna la tête et observa son visage calciné. Enfin, il leva les yeux vers Sebastien.

« Vous en êtes absolument certain ? » demanda-t-il.

Pour toute réponse, le vieil homme se contenta de serrer les poings.

Gabriel posa alors une main sur la poitrine de Hannah, au niveau du cœur, et l'autre sur sa tempe. Il ferma les yeux et expira longuement.

Leah observait la scène, le souffle court. Elle s'approcha de Sebastien et lui prit la main.

« Qu'est-ce qu'il fait ? » murmura-t-elle, effrayée à l'idée d'avoir mal compris et de voir la petite lueur d'espoir qui s'était allumée en elle s'éteindre à tout jamais.

Sebastien serra tendrement la main de la petite fille.

« Il reste une chance, une toute petite chance, dit-il. Les *hosszú életek* peuvent se soigner les uns les autres. Mais c'est risqué, c'est très douloureux, et ça ne marche pas toujours. Ta mère est en partie *hosszú élet*, de ça je suis sûr. Mais je ne sais pas si cette partie d'elle est assez puissante. Est-ce que tu crois aux miracles, Leah ? »

Que pouvait-elle répondre à une telle question ?

Agenouillé sur l'herbe, Gabriel laissa échapper un

sifflement, et ses mains se tordirent. Leah regarda l'Irlandais rejeter la tête en arrière en poussant des gémissements de douleur, tandis que sa main paraissait s'enfoncer doucement dans la poitrine de Hannah.

Le corps noirci trembla avant de s'immobiliser. Gabriel prit une profonde inspiration et serra les dents. Son visage perdit sa couleur, et Leah trouva qu'il ressemblait à un fantôme. Une fois de plus, il ouvrit la bouche pour crier, mais cette fois, aucun son n'en sortit. Enfin, il retira ses mains. Leah vit qu'il avait les doigts couverts de sang et qu'il pleurait.

« Ça ne sert à rien, sanglota-t-il. Les dégâts sont trop importants, je ne peux rien faire. Je pourrais plonger entièrement en elle, mais je n'aurais jamais assez de force pour la ramener. Ça me tuerait et elle serait toujours morte. »

Leah lâcha la main de Sebastien.

« Essayez encore ! hurla-t-elle. Maman n'a pas abandonné, elle ! Jamais ! »

Les yeux de Gabriel avaient perdu leurs reflets cobalt et étaient maintenant d'un gris terne.

« Leah, je suis désolé...

— Non ! Non ! Ne dites pas ça. Ne me dites pas que vous êtes désolé. »

Elle sentit une main se poser sur son épaule, et quand elle se retourna pour la repousser, elle vit que c'était une main de femme, fine et douce.

Éva se tenait debout derrière elle, et ses yeux étaient emplis de compassion.

« Il a raison, Leah. Les brûlures de ta maman sont trop graves. »

Puis les yeux de l'*Örökös Főnök* se tournèrent vers Gabriel.

« Tu n'y arriveras jamais seul, dit-elle. Mais avec mon aide, il y a peut-être une chance de la sauver. »

Les yeux de Gabriel se mirent à briller comme jamais en voyant l'expression sur le visage de sa mère. Ils n'avaient pas eu besoin de mots pour se comprendre. Éva s'agenouilla dans l'herbe à côté de son fils. Elle tendit les mains et les posa sur le corps noirci de Hannah. Puis elle se tourna vers Gabriel, et le sourire dont elle le gratifia lui fit monter les larmes aux yeux.

« Laisse-moi faire ça pour toi », dit-elle d'une voix douce.

Tremblant, Gabriel prit une profonde inspiration. Il observa sa mère pendant de longues secondes, puis il posa ses mains sur les siennes.

Sans un mot, les deux *hosszú életek* fermèrent les yeux.

Une colonne de fumée s'élevait toujours du moulin pour disparaître dans le ciel d'automne. Les flammes crépitaient dans la bâtisse. Chassées de chez elles, les chauves-souris tournaient autour de l'édifice, complètement désorientées.

Leah se tourna vers la rivière, vers l'eau bouillonnante du canal d'alimentation qui submergeait les débris de la roue. Elle regarda la berge opposée, les arbres, et le soleil qui jouait à cache-cache entre les branches et les feuilles, projetant des éclats argentés à la surface de l'eau.

Dans l'herbe, Éva s'écroula contre son fils, mais elle ne retira pas ses mains du corps de Hannah. Gabriel grimaça et serra les dents, mais il n'essaya pas de la rattraper. Et au moment où Leah se tourna vers eux, elle vit un petit flocon noir se détacher du corps de sa mère et s'envoler, porté par le vent.

Dessous, une petite tache rose.

De la peau. Intacte. Neuve.

Leah était comme hypnotisée. Elle entendit Sebastien sangloter derrière elle. D'abord, elle se dit qu'il pleurait pour Hannah, parce que ce qui était en train de se passer était un véritable miracle, puis elle comprit que ses larmes étaient pour Éva.

La magnifique *Főnök* vieillissait à vue d'œil. Sa peau se flétrissait. En quelques minutes, elle avait pris trente ans, et son corps continuait de se transformer. Ses joues se creusaient. Ses yeux pâlissaient, perdaient leur couleur.

D'autres flocons noirs s'envolèrent.

Éva soupira à travers ses lèvres craquelées. Et enfin, alors que la chair sous ses doigts se mettait à trembler, les poumons de Hannah se remplirent d'air, et la vieille dame s'écroula dans l'herbe, les yeux clos et la respiration saccadée. Sebastien tomba à genoux à côté d'elle et murmura son nom.

Épilogue

Gabriel était assis à côté d'elle sur le banc, alors que le soleil disparaissait derrière l'horizon. Elle ne pouvait pas voir la lumière dorée envahir le ciel, mais elle sentait la chaleur des rayons sur son visage, et c'était agréable.

Il ne voulait pas la laisser sortir pendant la journée, de peur qu'elle n'abîme sa peau toute neuve. D'ailleurs, il restait pratiquement tout le temps avec elle. Mais ça ne la dérangeait pas. Au contraire, elle lui en était plutôt reconnaissante. Le souvenir des derniers événements était trop atroce pour qu'elle veuille l'affronter seule. Son corps avait peut-être guéri, mais pas son âme. Pas encore, du moins.

« Tu es bien silencieux, dit-elle.

— Je réfléchissais, répondit-il. Je pensais à elle. À eux.

— Comment va-t-elle ?

— Elle n'en a plus pour longtemps, mais elle est heureuse.

— Est-ce qu'elle souffre ?

— Un petit peu, mais ce ne sont que des douleurs

dues à l'âge. Et puis, ce n'est pas aujourd'hui qu'elle va mourir.

— Elle s'est tellement sacrifiée », commenta Hannah.

Elle se força à ne pas pleurer, d'une part parce qu'elle aurait trouvé cela déplacé, et d'autre part parce que le sel des larmes lui aurait piqué la peau.

« Elle est heureuse, Hannah. C'est ça le plus extraordinaire. Ma mère et Sebastien. Je n'arrive pas à y croire. Il lui reste peut-être un mois, un an à vivre. Et lui, quel âge a-t-il ? Quatre-vingts ans ? C'est pareil, il est sur la fin. Et pourtant, j'ai l'impression de voir un couple d'adolescents ! »

La brise se leva et apporta une odeur de fruits d'automne. Hannah sentait qu'il la regardait. Sans réfléchir, elle approcha la main du bandage qui couvrait ses yeux.

« Arrête, lui dit-elle.

— Quoi donc ?

— De me regarder.

— Ça va aller, tu sais. »

Elle prit une profonde inspiration.

« Il me manque tellement, Gabriel. Chaque minute. Chaque seconde. Nate est mort. Je le sais. Et je sais que je ne le reverrai jamais. Pas dans cette vie, en tout cas. Mais je l'aime encore. Je l'aimerai toujours.

— Et c'est tout à fait naturel. »

Elle tendit la main et trouva le bras de Gabriel, puis sa main.

« Tu as été tellement extraordinaire. Tellement patient.

— Il faut dire que ce n'est pas le temps qui me manque », plaisanta-t-il.

Elle pouvait presque entendre son sourire, et soudain, elle éclata de rire.

« Si ce qu'on m'a dit est vrai, je crois que nous avons tous les deux beaucoup de temps devant nous !

— Est-ce que tu te souviens le soir où je t'ai montré le *lélekfeltárás*, dans la cuisine ?

— Oui, bien sûr.

— J'ai vu quelque chose dans tes yeux. Ou du moins, j'ai cru y voir quelque chose. Comme un reflet. Ça a duré un quart de seconde, et puis ça a disparu.

— En tout cas, une chose est sûre, c'est que tu n'es pas près de le revoir, ce reflet. »

Car s'ils avaient réussi à la ramener à la vie, elle ne retrouverait jamais l'usage de ses yeux.

« Il y a d'autres choses que je peux t'enseigner. Que je peux enseigner à Leah. Quand vous serez prêtes.

— Je ne sais pas, Gabriel. Je ne suis pas sûre de ce que je veux.

— Peut-être qu'avec le temps les choses deviendront plus claires. »

Elle savait qu'il avait raison.

« Ce que je ne comprends pas, dit Hannah, c'est que, lorsque j'en ai parlé à ta mère, elle m'a dit que c'était impossible. Quelqu'un comme moi, je veux dire. Elle m'a assuré que ce genre de croisement était absolument inenvisageable.

— C'est ce qu'on pensait. On en était même persuadés. L'expérience a été tentée des centaines de fois, sans succès. Je ne saurais pas l'expliquer. Tu ne devrais pas exister, Hannah, et pourtant, tu es là ! Pour nous, tu es un miracle.

— Je n'ai rien d'un miracle, dit-elle. Mais c'est sûr

que ça doit vous redonner de l'espoir, pas vrai ? En ce qui concerne l'avenir ? »

Gabriel resta silencieux pendant plusieurs secondes, puis d'une voix douce, il déclara :

« Ça, ça dépendra de toi. »

Ne sachant quoi répondre, elle se contenta de serrer la main de Gabriel un peu plus fort.

« Tu ne m'as pas dit ce que t'avait appris Sebastien, dit-il.

— Bah, il m'a dit que mon père avait deviné. Grâce aux carnets. Mais je ne sais pas comment. Tu te souviens quand je t'ai parlé d'Albert et d'Anna ? Mon arrière-grand-père et mon arrière-grand-mère ? Ils habitaient à Sopron, et puis ils se sont enfuis en Allemagne, où Jakab les a retrouvés. Eh bien, pendant un temps, alors qu'il se préparait à assassiner Albert, Jakab l'avait supplanté. Tout comme il a supplanté mon père. Et quand Anna est tombée enceinte, c'est le bébé de Jakab qui grandissait dans son ventre.

— Ce qui signifie que Jakab est ton ancêtre. Ton arrière-grand-père, en fin de compte. Est-ce que tu penses qu'il était au courant ?

— Non. Et je ne crois pas que ça aurait changé quoi que ce soit s'il l'avait su. Il était déjà complètement fou, dit-elle en frissonnant. Mais assez parlé de lui, je ne veux plus jamais entendre son nom. Il est mort. Il ne fait plus partie de notre vie. Où est Leah ? »

Hannah entendit un mouvement dans les arbres.

« Je suis là, maman.

— Tu étais là depuis le début ?

— Presque.

— Viens là, fripouille ! »

L’odeur du caramel et du chocolat, le goût de la peau salée.

« Qu’est-ce que tu fabriquais ?

— Je commençais un journal intime, répondit Leah. Un carnet rien qu’à moi. »

La photocomposition de cet ouvrage
a été réalisée par
GRAPHIC HAINAUT
30, rue Pierre Mathieu
59410 Anzin

Imprimé en France par CPI
en août 2016
N° d'impression : 3018440

POCKET - 12, avenue d'Italie - 75627 Paris Cedex 13

Dépôt légal : septembre 2016
S25061/01